Приемный покой

Федор Углов

Под белой мантией

АСТ
Москва

УДК 821.161.1-3
ББК 84(2Рос=Рус)6-44
   У 25

Фото для обложки предоставлены
ФГУП РАМИ «РИА Новости»

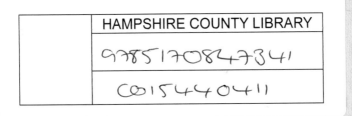
Углов, Ф. Г.

У 25   Под белой мантией/ Ф. Г. Углов — Москва: АСТ,
2014. — 480 с. - (Медицинский бестселлер).

ISBN 978-5-17-084734-1

Книга знаменитого хирурга — это и медицинский детек-
тив, и точное описание жизни и быта людей советской эпохи,
и бесценное свидетельство мужества, самоотверженности и
доброты врача. Федор Григорьевич пишет о своих пациентах
и реальных случаях из практики. В каждой строчке чувству-
ется, как важна для него человеческая жизнь, как упорно,
иногда почти без надежды на успех, бьется он со смертью .

Начав читать эту невероятную книгу, полностью основанную на реальных событиях, оторваться уже невозможно!

УДК 821.161.1-3
ББК 84(2Рос=Рус)6-44

ISBN 978-5-17-084734-1   © ООО «Издательство АСТ», 2014

1 Точки отсчёта

1

Как-то мне позвонили из редакции «Правды»:

— У нас к вам просьба — проконсультировать и, если будет нужно, положить в клинику нашего сотрудника. Вы, наверное, слышали о Сергее Борзенко? Известный журналист, писатель, Герой Советского Союза. Он сейчас находится в правдинской больнице.

— Хорошо, завтра я собираюсь быть в столице и смогу посмотреть его.

...В палате я увидел высокого, крепкого сложения мужчину с добрыми, голубыми глазами. Пожимая мне руку, он улыбнулся. И было в его облике, улыбке что-то такое, что сразу располагало к нему, создавало впечатление, что мы давно знакомы. Однако у меня появилось и чувство тревоги: настораживали напряжённость больного, частые глубокие вздохи. Одышка в покое — признак тяжёлой сердечной и лёгочной недостаточности. Значит, дело зашло далеко.

— Расскажите, что у вас болит и когда вы заболели? — задал я стандартный вопрос, желая выяснить сущность болезни и знать, как сам больной её представляет.

— В моём теперешнем состоянии никого винить нельзя, кроме самого себя. Слишком небрежно относился к своему здоровью, считал, что его ничем не сломить.

— Нет, Сергей Александрович! Болезнь сильнее любого богатыря, если только её недооценить и дать ей развиться. С нею, как со всяким злом, надо бороться, пока она не укоренилась, не перешла в необратимую стадию.

О себе он поведал следующее.

Болен давно. Пожалуй, несколько лет, с временными облегчениями и частыми обострениями. Врачи признавали воспаление лёгких. Лечился в стационаре, но каждый раз, не закончив курса, выписывался, чтобы уехать куда-нибудь на длительный срок. То на Дальний Восток, то на Байконур, то на военные манёвры (интерес к армии не ослабевал ни на минуту). С повышенной температурой ему приходилось ночевать в палатках, под открытым небом. И неизменно — рецидивы воспаления лёгких.

Сомнения не было: картина хронической пневмонии.

Просматриваю снимки, анализы, внимательно выслушиваю пациента и отмечаю, что здесь предугадывается нечто более грозное, понять которое при беглом осмотре трудно. Необходимо тщательное обследование. И главное — надо правильно лечить пневмонию, чтобы после устранения её симптомов лучше могло выявиться основное заболевание.

Сергея Александровича перевезли к нам в Ленинград, в Институт пульмонологии.

В каждодневном общении перед нами открылась незаурядная личность — с цельным, мужественным характером при внешней застенчивости и великой скромности. И в необычайной для себя обстановке Борзенко не мог обходиться без дела (мы постарались создать ему условия для творческой работы), жил заботами и думами о человеке, шаг за шагом вникал в проблемы клиники.

— Кого вы сегодня оперируете? — спрашивал он меня, когда я утром заходил к нему в палату.

— Девочку Люсю, вы вчера с ней беседовали. Предстоит операция с аппаратом искусственного кровообращения.

— Можно посмотреть?

— Пожалуйста, если вам будет не трудно выстоять.

Позднее он долго говорил с матерью девочки и с ней самой.

Потом ещё не однажды — одиннадцать раз — присутствовал на моих операциях. Обстоятельно разговаривал с врачами, сёстрами, с родственниками больных. Всё записывал в блокнот.

Я любил приходить к нему в конце дня, когда в клинике становилось тихо.

Много услышал интересного.

Родился Борзенко в 1909 году в Харькове. Мать — учительница, отец — фельдшер. В пятнадцать лет остался круглым сиротой. Учился в фабзавуче харьковских трамвайных мастерских, работал электриком в депо. Закончил вечернее отделение городского электротехнического института. Рано начал писать стихи, сотрудничал в заводских многотиражках, пока не сделался постоянным корреспондентом областной газеты. Изъездил всю Украину, своими глазами видел свершения первых пятилеток, хорошо знал стахановцев Донбасса, строителей Днепрогэса. В двадцатилетнем возрасте, будучи уже зрелым по мысли, взялся за историко-революционную эпопею «Какой простор!», которую открывал роман «Золотой шлях», но опубликовал его только после победы над фашизмом.

Грянула Великая Отечественная война. Он добровольцем уходит на фронт в составе редакции армейской газеты «Знамя Родины» и, выполняя её задания, часто оказывается на самых ответственных участках боевых действий наших войск. С августа 1944 года — корреспондент «Правды». Вместе с передовыми частями Красной Армии 22 апреля 1945-го вошёл в Берлин.

В сборнике очерков «Герои битвы за Кавказ» есть материал, посвящённый самому Борзенко. Что же главное захотели отметить в нём товарищи? Лучше, чем они, я не скажу, а потому приведу цитату:

«Мужество журналиста на войне многомерно. Прежде всего нужна гражданская смелость, чтобы через газету говорить солдатам правду, какой бы она горькой ни была... Журналисту нужна и воинская отвага, потому что настоящий военный журналист пишет свои репортажи не с чужих слов, а с места событий... Он искал интересных встреч с интересными людьми, а они никогда не отсиживаются в тиши...

В первых же боях он убедился, что на войне надо быть прежде всего солдатом, а потом уже журналистом... И он учился быть солдатом. И стал им».

Сергей Александрович принимал участие в боях с немецкими танками, когда необходимо было развеять миф о непобедимости врага, ходил в рейды по тылам противника, вместе с разведчиками брал «языков», присоединялся к диверсионным отрядам, отправился с легендарным десантом на Малую землю и провёл там свыше полугода. Это он оставил нам такие строки: «Малая земля стала родиной мужества и отваги. Со всех сторон спешили сюда отчаянные души, горевшие неугасимой ненавистью к врагу. Тот, кто попадал на Малую землю, становился героем. Трусы или умирали от разрыва сердца, или сходили с ума. Здесь не было ни одного метра, куда бы не свалилась бомба, не упала бы мина или снаряд. Фашистские самолёты и пушки вдоль и поперёк перепахивали клочок земли, на котором не осталось ничего живого — ни зверей, ни птиц, ни деревьев, ни травы. Никого, кроме советских воинов». Плечом к плечу с ними сражался и Борзенко.

Он был награждён двадцатью боевыми орденами, не считая медалей. Первому среди журналистов и писателей ему присвоили звание Героя Советского Союза. Произошло это в 1943 году, когда освобождали Крым.

Мне довелось познакомиться с текстом наградного листа. Там говорится:

«В ночь на 1 ноября 1943 года писатель армейской газеты «Знамя Родины» майор С. А. Борзенко высадился с десантом 318-й Новороссийской стрелковой дивизии на крымской земле. В силу сложившихся обстоятельств ему пришлось руководить боем. Вместе с офицерами и солдатами С. Борзенко отбивал гранатами танки противника, которым удалось прорваться на 100 метров к командному пункту. Были дни, когда бойцам приходилось отражать контратаки противника по 17—19 раз, и всегда вместе с ними находился писатель С. Борзенко».

Текст скупой, без эмоций, что характерно для официальных документов. Куда больше поводов к раздумьям и восхищению человеческим духом даёт очерк самого Борзенко «Пятьдесят строк», где он вывел себя под именем Ивана Аксенова.

«Армия готовится к прыжку через Керченский пролив, и теперь понаедет уйма корреспондентов из фронтовой газеты, из Москвы. Только кто из них отважится идти с первым броском?» — раздумывал Аксенов незадолго до того момента, как его вызвали к редактору.

— Товарищи, получен приказ, — сказал редактор. — Одна из дивизий нашей армии должна форсировать Керченский пролив, ворваться на берега Крыма, захватить плацдарм. Кто из вас добровольно, — он с нажимом повторил, — добровольно пойдёт в десант?

Вызвался Аксенов. Среди сотрудников как-то само собой загодя решилось: в десант идти ему.

— Десант выходит в море завтра в полночь. Я оставляю, майор, на первой полосе пятьдесят строк и не буду печатать газету, пока не получу эти пятьдесят строк... Понятно? Отправляйтесь в Тамань к полковнику Гладкову. Он назначен командующим десантом, — закончил редактор.

В Тамани Аксенов узнал, что полку, который будет осуществлять прорыв, придаётся батальон морской пехоты. Во всяком наступлении кто-то идёт первым; даже если наступает армия — сто пятьдесят тысяч человек, — кто-то идёт первым. Такая задача стояла перед батальоном моряков. А уже по их расчётам, мотобот с корреспондентом должен был причалить третьим. Однако во время операции два передних мотобота потопили вражеские снаряды, и суденышко с Аксеновым первым подошло к берегу, заносимому ослепительной метелью цветных трассирующих пуль...»

Сергей Александрович рассказывал мне:

— Едва достигли мы середины пролива, как фашисты, понавесив ракет, обрушили на нас шквальный огонь из дальних и ближних орудий. Лишь немногие плавсредства достигли крымского берега — но и здесь нас обстреляли из окопов и оборонительных прибрежных укреплений. Зацепились на каком-то пятачке, огляделись. Оказалось, что среди высадившихся нет никого из командиров подразделений — или погибли, или не смогли пробиться. Из живых я самый старший по званию, и руководство операцией надо брать на себя. Отдаю приказ: «Резать проволоку! Приготовить гранаты!»

А вот — снова факты из очерка.

«На берегу, скользком от крови, корреспондент палил из автомата, бросал гранаты, дело дошло до пистолетной стрельбы, затем, вспомнив, что его задача — написать пятьдесят строк, с нетерпением ожидаемых в редакции, забежал в горящий дом и при свете пылающей крыши на разноцветных листках какой-то немецкой квитанционной книжки, попавшейся под руку, написал заметку «Наши войска ворвались в Крым». Он описал всё, что увидел в бою, назвал фамилии двенадцати матросов, храбро сражавшихся рядом с ним. Заметку завернул в тонкую противоипритную палатку, чтобы бумага не размокла в воде, отдал связному, и тот увёз её на последнем мотоботе, отчалившем на Тамань.

Опубликовав драгоценные сведения, газета «Знамя Родины» точно указала: «В ночь на 1 ноября. Берег Крыма (материал доставлен связным рядовым И. Сидоренко)».

Сведениям этим, как выяснилось позже, действительно не было цены. В штабе, на Большой земле, напряжённо ждали сообщений от десантников, а они всё не поступали. Рации не работали, их разбили, прорваться обратно сквозь сплошной огонь, видимо, никто не мог. О судьбе десанта неоднократно запрашивала Москва.

...Забрезжил рассвет, наступило утро, из тумана выглянуло бескровное солнце, осветило суда, понуро возвращавшиеся на таманский берег. К разбитому пирсу подошёл искромсанный снарядами сторожевой катер. С залитой кровью палубы поспешно снесли раненых, затем окровавленные тела убитых, бережно опустили мёртвого начальника переправочных средств Героя Советского Союза Сипягина. Последним, пошатываясь от горя, на берег сошел мокрый с головы до ног, бесконечно усталый Гладков, в отчаянии схватился за непокрытую голову, с тоской подумал: «Лучше бы меня убили».

— Товарищ полковник, вас просит к себе командующий фронтом...

...Подпрыгивая, «Виллис» мчался вдоль моря, мимо покрытых зелёными сетками тяжёлых батарей. Глядя на пушки и горы стреляных гильз, полковник внутренне содрогался. Если солдаты не зацепились за крымский берег — тысячи снарядов выпущены зря. Если?.. Он не мог ответить: зацепились или не зацепились? Из-за сильного огня катер, на котором он плыл в Крым, вынужден вернуться, вернулся командир полка, вернулись штабы.

Машина подошла к дому. У крыльца толпилась дюжина корреспондентов. Часовой, почтительно козырнув, открыл заскрипевшую дверь, и Гладков очутился в полутёмной комнате, среди военных разных рангов. За столом, заваленным картами и донесениями, в шинели, накинутой внапашку, сидел бритоголовый маршал Советского Союза.

— Вернулся? — укоризненно спросил он, не подавая полковнику руки.

— Так точно, — ответил Гладков.

— Высадились наши войска на крымский берег?

— Не знаю. — Гладков покраснел, готовый провалиться сквозь землю.

— А кто знает? — повысил маршал сорванный на телефонных разговорах голос...

— Видел на том берегу автоматные вспышки, слышал разрывы гранат, — сказал полковник.

— Твои люди высадились, а ты не смог, — сказал маршал и прикрыл выгоревшими ресницами серые, усталые глаза.

Гладков тоже закрыл глаза, и перед его внутренним взором возникло только что пережитое. Бурное, холодное море. Гибель судов, рвущихся не то на своих, не то на чужих минных полях. Плотная завеса заградительного огня, словно дождь, соединившая небо и землю, сквозь которую ничто живое не способно пробиться. Удар снаряда в катер, режущий свист осколков, наповал сразивших Сипягина и офицеров дивизии. Объяснять всё это маршалу не имело смысла. Полководец не понял бы его, как он сам не понял бы младшего по чину офицера, не выполнившего задания...

Вошёл дежурный офицер и отрапортовал:

— На проводе Ставка Верховного главнокомандования. Запрашивают: высадились ли наши войска в Крым?

— ...Москва ждёт, что я скажу?.. У моего дома собрались корреспонденты всех газет. Что я скажу? Что ты побоялся подойти к берегу? Да?

— Не знаю, что им сказать, — тихо проговорил Гладков. — Только я не боялся...

Скрипнула дверь, и в ней, как в раме, возник высокий молодой полковник. В поднятой руке его, словно голубь, готовый вырваться, белела газета.

— Ура, товарищи! Наши на том берегу!

Наступила пауза.

— А ты откуда знаешь, начальник политотдела? — с облегчением и недоверием спросил маршал.

— Как откуда? В газете написано.

— Постой-постой, в какой газете? Что написано?

— В нашей, армейской, «Знамя Родины».

— Ну-ка читай, — попросил маршал, доставая из футляра очки в золотой оправе.

— Заметка называется «Наши войска ворвались в Крым», — громким голосом отчётливо прочёл начальник политотдела.

— Ничего не скажешь, заголовок хорош, — хором подтвердили корреспонденты, под шумок протиснувшиеся в комнату.

— А может, он с этого берега накропал? Знаем этих борзописцев — все могут выдумать, фантазии у каждого хватает на десятерых, — сказал маршал повеселевшим голосом.

— Э, нет! Я знаю Ваню. У нас была беседа перед десантом. Да и под заметкой написано: берег Крыма, — уверенно ответил начальник политотдела.

— Когда они успели?.. Ведь с тем берегом никакой связи... Оттуда ни слова... А тут газета, и с такими подробностями! — завосхищались вдруг офицеры и генералы.

— Товарищ маршал Советского Союза, — сразу оценив изменившуюся обстановку, попросил полковник Гладков — разрешите отправиться на ту сторону пролива и принять командование над высадившимися войсками!

— Да-да, дорогой, езжай. Ни пуха тебе ни пера. — Маршал поднялся, пожал руку полковнику, обнял его и торопливо пошёл в аппаратную.

— ...Ставка? На проводе командующий фронтом... Наши войска ворвались в Крым... Ворвались в Крым, говорю... Да, ворвались и успешно продвигаются вперёд...»

Сергей Александрович вспоминал:

— Окопавшись на захваченном участке в ожидании подкрепления и подвоза боеприпасов, мы готовились к отражению контрнаступления. Оно не заставило себя ждать. Враг хотел во что бы то ни стало сбросить в море и уничтожить десант. Атаки следовали одна за другой. На горстку бойцов обрушились танки, самоходки, самолёты. Бушевал сплошной огонь. Люди гибли у меня на глазах.

Настал такой момент, когда оставшиеся в живых решили пойти в открытую атаку, чтобы с честью умереть в последнем бою, — не было ни патронов, ни возможности обороняться.

Мы поднялись и пошли с песней. И в эту критическую минуту с Тамани раздались залпы дальнобойных орудий.

Противника охватило замешательство, а тут показались и наши подкрепления. Осуществлялся приказ Сталина — бросить все силы на расширение крымского плацдарма. Мы отбивали у фашистов новые и новые позиции.

О десантной операции в Крым, — заключил Сергей Александрович, — писали в общем-то немного, но героизма солдат и офицеров хватило бы на несколько романов...

Он говорил не о себе — о других, а то, что прошёл бесконечно длинные дороги войны, не прячась от опасности, жил с народом на одном дыхании, вроде бы само собой разумелось.

Материалы Борзенко, подчёркивали его товарищи, отличались исключительной правдивостью. Никакая выдумка, никакая фантазия никогда не заменит достоверности факта, живого примера. Он умел видеть то, что могло поразить воображение, чувствовать красоту и величие человеческого духа. Подтверждение этому он находил и на театре военных действий в Корее в 1950—1953 годах, и когда началась отечественная летопись освоения космоса, и в мирных буднях. В поисках именно достоверности факта он не переставал колесить по стране: «Передо мной текли реки людей...»

Разумеется, тут я попытался обобщить всё, что мне удалось узнать о Борзенко — писателе и человеке. Лишь малую долю информации дал он сам. Больше я основывался на собственных впечатлениях, да ещё помогли его сборники повестей и рассказов, предисловие к книге «По дорогам войны», написанное сыном — Алексеем Борзенко, опубликованные свидетельства очевидцев.

2

В Институте пульмонологии Сергею Александровичу с каждым днём становилось лучше. Этому, конечно, способствовали его оптимизм и жизнелюбие. Когда ни спросишь: «Как себя чувствуете?» — он ответит: «Прекрасно! Вы так лечите, что у вас нельзя не поправиться».

И всё-таки нас тревожили большие цифры РОЭ (реакция оседания эритроцитов), что свидетельствовало о торможении защитных процессов в организме. И мы снова подвергали Борзенко обследованию и лечению.

А Сергей Александрович, чувствуя себя бодрее, всё глубже вникал в наши интересы.

— Великолепную клинику построили! Всё продумано. И оборудование у вас, как мне кажется, первоклассное.

— В клинике была острая необходимость.

— Да, я знаю, вы не имели подходящих условий для сложных операций.

— По существу, не было никаких условий, и если мы что-то делали, то только благодаря энтузиазму врачей. Наша больница основана 125 лет назад, когда операции по поводу грыжи и аппендицита считались опасными и сопровождались высокой смертностью. Резекции желудка совсем не производились. А мы стали оперировать на лёгких и сердце. Это всё равно что заводу вместо зажигалок на той же базе пришлось бы выпускать блюминги. Много мы хлопотали, добивались. Спасибо секретарю обкома Ивану Васильевичу Спиридонову.

— Я слышал о Спиридонове, — в раздумье проговорил Сергей Александрович. — Расскажите, пожалуйста, что он за человек, в чём выразилась его помощь?

О Спиридонове все ленинградцы очень хорошо отзывались. Его не просто уважали — его любили.

Мне пришлось пойти к нему в связи со строительством клиники. Позвонил и попросился на приём. Он сказал: «Заходите». И назначил день и час.

Во время нашей беседы внимательно слушал. Перебивал редко, чтобы задать уточняющие вопросы. И почти все мои предложения записывал в тетрадь. Вывод был краток:

— Постараемся удовлетворить ваши просьбы.

Прощаясь, я пригласил его посетить нас. Спиридонов ответил: «Приду обязательно».

С тем мы и расстались.

Через два-три дня мне сообщили: Иван Васильевич приедет посмотреть операцию.

Мы не думали, что визит секретаря обкома повлечёт за собой столь важные последствия. И всё же с некоторым волнением ожидали его. Меня не смущал посторонний: я уже привык оперировать в присутствии студентов, аспирантов, учеников, врачей из других клиник, городов и стран.

Случается, операцию смотрят крупные специалисты. Неизменно сосредоточиваюсь, весь внимание, слежу за каждым своим движением, чтобы не ошибиться, не сделать неверного хода. Я забываю о том, что происходит вокруг меня. Тут помогает чувство высочайшей ответственности перед человеком, который доверил тебе свою жизнь.

Операция проводилась по поводу митрального стеноза. Риск был очевиден. В тот период, когда обезболивание ещё не было безупречным, подобная операция могла кончиться трагически даже на операционном столе.

От молодой женщины, решившейся на крайний для неё шаг, ничего не скрывали. Последние годы болезнь приковала её к постели. Муж, ребёнок совершенно заброшены, и она хотела любой ценой поправиться — не столько ради себя, сколько ради них. «Самый печальный исход, — говорила она, — лучше моего теперешнего положения. Я хоть не буду балластом для близких».

Мы рассказали Спиридонову об этой пациентке довольно подробно, чтобы он видел не просто хирургическое вмешательство, а стратегию, призванную вывести женщину из безнадёжного состояния. Показали рентгеновские снимки и объяснили сущность нашей операции на наглядных таблицах. Мои помощники надели на гостя халат, белые матерчатые сапоги и посадили на скамью амфитеатра.

Больной вскрыли грудную клетку, обнажили сердце, захватили ушко левого предсердия лёгким кривым зажимом и отсекли верхушку настолько, чтобы через это отверстие вошёл палец. С помощью расширителя, введённого через другое специальное отверстие в стенке левого желудочка, разорвали комиссуры (спайки), суживающие клапан, и восстановили надлежащее сообщение между предсердием и желудочком, то есть ликвидировали стеноз, или сращение створок, — последствие ревматического процесса.

На каждое наше прикосновение сердце отвечает дополнительными сокращениями, но если прикосновения мягкие и непродолжительные, а наркоз хороший, то быстро возвращаются и нормальный его ритм, и нормальная работа. При этом обычно большого кровотечения не бывает, но всё же мы допускаем кратковременное выплёскивание крови прямо из сердца, что, естественно, производит впечатление даже на специалиста, а на непосвящённых людей — тем более!

Иван Васильевич наблюдал молча, не отрывая глаз. Когда же операция кончилась, он так же молча направился в мой кабинет. Скоро и я пришёл. Нам подали чай.

— То, что вы делаете, — сказал он, — находится в вопиющем противоречии с имеющимися условиями. Нужно создать коллективу благоприятную обстановку.

Как мне потом стало известно, вернувшись к себе, он сразу связался с Советом Министров РСФСР, и в тот же вечер к нам позвонили из Москвы:

— Просим вас срочно представить свои соображения по строительству новой клиники госпитальной хирургии. Вопрос будет рассматриваться на ближайшем заседании...

Посещение секретаря обкома оставило неизгладимый след в памяти, и не только тем, что он так живо откликнулся на наши нужды. Иван Васильевич был прост, вежлив и тактичен со всеми, вплоть до санитарки. Он по-настоящему ценил труд других, понимал его значение. Сам был доброжелателен, спокоен, пунктуален и настойчив в делах. Добившись в Совете Министров республики разрешения на новую клинику, позднее наведывался на строительную площадку и, если встречались заторы, препятствия, помогал их устранять.

Мне пришлось быть с ним на XXII съезде партии как делегату. И здесь в нём сказывалась государственная мудрость в сочетании с удивительной скромностью и человечностью. На строительство клиники ушло шесть лет. Все эти годы мы продолжали напряжённо работать. Не хватало кадров, аппаратуры, инструментария... Однако, несмотря на трудности, упорно продвигались вперёд.

При слипчивом перикардите предложили свой метод, который был продемонстрирован, в частности, в Индии. Впервые в нашей стране осуществили методику операции при циррозе печени. Освоили целый ряд разделов хирургии сердца и сосудов.

Мне выпала счастливая судьба быть в числе тех, кто не ограничивается лёгкими, проторенными дорогами, а ищет новые пути в борьбе за жизнь и здоровье людей. Это трудный путь борьбы и надежд, путь успехов и поражений, поисков и разочарований. Не всегда мы пользовались помощью и поддержкой тех, кто обязан это делать. Но всегда нам сопутствовали участие и симпатии больных людей — тех, кого мы стремились избавить от страданий. Горе и слёзы больных — вот что заставляло хирургов идти неизведанными дорогами и искать способы лечения многих трудных, неизлечимых заболеваний. Как и каждый человек, врач может сказать, что его рабочий день кончился, что он идёт домой; он может сказать, что вообще эти болезни в настоящее время ещё не лечатся, и спокойно отдыхать в кругу семьи или друзей, забыть о больных, ждущих от него помощи. Однако многие врачи, в особенности хирурги, этого не делают. Зайдите в клинику почти в любой операционный день. Зайдите поздним вечером — у постели больного увидите не только дежурного врача. Здесь найдёте и лечащего врача, и ассистентов хирурга, которые принимали участие в операции, и наркотизатора — он давал наркоз больному, и уж, конечно, встретите вы здесь самого хирурга. Все они у постели тяжелобольного, проверяют его пульс, давление, считают число дыханий, делают анализы состава крови, для чего специально просят лаборантку задержаться после работы. Завтра, как всегда, с утра у них напряжённый день. И за проведённые у постели больного часы и сутки им никто не платит сверхурочные. Да, впрочем, они и не думают об этом. Их интересует судьба человека. Его надо спасти во что бы то ни стало. А завтра другой больной пойдёт на операцию, они и за него будут так же переживать, так же часами находиться у его постели, чтобы не пропустить какое-нибудь осложнение, вовремя его ликвидировать.

Таков труд врача, и таковым он был во все времена. Конечно, не будем говорить о людях, случайно оказавшихся на службе медицины. Они тоже есть. Я говорю об энтузиастах, хирургах-новаторах, врачах-исследователях — подвижниках, посвятивших себя трудному, но благородному делу.

Наша клиника институтская, в ней лечебная практика соединена с научным поиском. У нас стараются свято сохранять традиции отечественной медицины.

К нам идут люди, отягощённые недугом. Они знают, что исцеление может прийти только через операцию. Сознание этого приносит им дополнительное страдание, они обеспокоены ещё угрозой смерти и от самой операции.

Нынче много делается для обезболивания, уменьшения травматизма хирургического вмешательства, и всё-таки исцеление человека хирургом не бывает без болей. Поэтому особенно важно, чтобы хирург был твёрд, но и нежен, решителен, но заботлив, чтобы он был настойчив, но настойчивость его была бы проникнута гуманизмом. Нельзя идти в хирургию врачу, равнодушному к страданию больных, видящему в больных материал для научных исследований или путь к славе. В терапии, неврологии, может быть, это и не так заметно. В хирургии же это просто невозможно.

Если больные хирургу в тягость — операции у него не будут получаться, даже если он одержим в исследовательской работе. Смертность у такого хирурга будет большая. Это хирурги без призвания. Их прельщает слава, ради которой они готовы рисковать жизнью больного, лишь бы набить руку. Они не тяготятся жертвами. Но они и не знают постоянного глубокого удовлетворения от своей работы, которое испытывает врач, любящий больных, как своих близких. Последнему неважно — редкая ли это операция или ординарная, принесёт ли она ему славу или никто на неё не обратит внимания. Ему важно то, что он с помощью этой операции спас конкретного больного, вернув его в семью и рабочий коллектив. В этом и есть смысл и радость нашей профессии.

За долгую практику я видел множество людей, сражённых тем или иным недугом. Но болезни сердца явно стоят особняком, не говоря уже о том, что они держат печальное первенство среди прочих причин смертности.

Мы знаем по опыту, как чутко реагирует сердце на все события жизни, на каждое сказанное слово. Поэтому нет ничего удивительного в том, что «отказы» сердца тяжело отражаются на всём организме, на психике заболевшего. Он остро переживает ограничение, а то и полную потерю активности.

Человек прикован к постели. Сознание ясное, он привык и хочет трудиться, приносить пользу. Но... вынужден лежать. Зачастую сердечные больные не могут даже двигаться. И не день, не неделю, не месяц. Несколько лет. Чем дальше, тем хуже. И если другие боятся хирурга, стараются обойтись без него, то такие больные всегда настаивают на операции. Они знают: другого выхода нет, это их последняя надежда.

Помню нашу первую операцию по поводу митрального стеноза в то время, когда наркоз был ещё несовершенен. Опасаясь осложнений, решили оперировать под местной анестезией. И допустили очень большую ошибку.

Больная — у неё четвертая-пятая стадия сердечной недостаточности — при вскрытии грудной клетки стала задыхаться, состояние сердца резко ухудшилось. Нужно было вспомогательное дыхание, которое возможно при наркозе и невозможно при местной анестезии. Сердце, едва мы к нему прикоснулись, остановилось. Прибегли к массажу и в перерывах делали своё дело.

Закончили операцию, но деятельность сердца восстановить не смогли.

Мы были потрясены происшедшей на наших глазах катастрофой.

Повторилось то, с чем неоднократно сталкиваешься при разработке новых операций. Пока читаешь, экспериментируешь, всё кажется простым и ясным. Когда же перед тобой ослабленный человек, резервы которого истощены до предела, картина во многом меняется.

Роковой исход при применении нового способа всегда ложится тяжким моральным бременем и на самого хирурга, и на весь коллектив. Как бы ни утешало сознание того, что положение больного было безнадёжным, от этого не становится легче. Неудача порой надолго отбивает охоту к дальнейшим поискам — превалирует психологический фактор.

Перед врачами постоянно встают вопросы нравственного характера. Например, показания и противопоказания. Кого класть на операционный стол, чтобы проверить выбранный метод? Надёжнее — более лёгких больных, это ясно. Но если человек чувствует себя сносно, он не согласится на неизведанное испытание, да и лечащий его терапевт будет против, и он по-своему прав. Пойдут на операцию, что называется, безоглядно те, кто иначе не имеет шансов выжить. Но они слишком слабы, и риск для хирурга велик. Получается заколдованный круг: или иди на риск, или брось, отступись от того, чего ещё никто не делал.

А как же с прогрессом медицины? И как быть с несчастными, поставленными судьбой на край могилы?..

Прошли месяцы упорного, напряжённого труда, прежде чем мы отважились на второй подобный шаг.

На этот раз, конечно, отказались от местной анестезии. Тщательно проверили действие внутритрахеального наркоза. Скрупулёзнейшим образом отработали анатомическую часть. Уделили пристальное внимание предоперационной подготовке.

С волнением готовился я ко второй операции.

Легко определил место сужения. Разорвал комиссуру. Палец вошёл в левый желудочек... От повторных попыток ещё больше расширить отверстие мы тогда отказались: длительные внутрисердечные манипуляции могли вызвать остановку сердца.

Теперь, анализируя свои ощущения, понимаю, что это расширение не было оптимальным. Но оно оказалось достаточным, чтобы состояние больной значительно улучшилось. В то же время наше вмешательство было не очень травматичным, и послеоперационный период протекал гладко.

Первый благоприятный исход окрылил. Мы шли теми же путями, что и прочие ищущие хирурги как у нас в стране, так и за границей. Ценный опыт по хирургии митрального стеноза накопили клиники А. Н. Бакулева, П. А. Куприянова, А. А. Вишневского.

Это было начало 50-х годов, когда отечественная хирургия (что нелишне снова напомнить) ещё не располагала хорошим оснащением и наркозной аппаратурой и условия работы были гораздо хуже, чем у наших коллег на Западе, которого почти не коснулись разрушения военных лет. И всё же энтузиазм, неистощимая энергия врачей и сама система советского здравоохранения, доброжелательное отношение со стороны не только центральных, но и местных органов власти стимулировали новаторский поиск — особенно в сердечно-сосудистой хирургии.

За первой успешной операцией последовали другие. Больные, узнав о том, что у нас осуществляются такие операции, стали приезжать в клинику и самостоятельно, и по направлению врачей. Из других городов поступали сотни писем с просьбой о стационировании. Их авторы старались подробно описать свою болезнь, чтобы облегчить постановку диагноза. Прочесть все эти письма одному было уже не под силу. Между тем заведующему кафедрой, профессору «личный» секретарь не положен по штату.

По моему глубокому убеждению, политика экономии лишь тогда приносит полновесные плоды, когда учитывается не только очевидный сиюминутный, но и отдалённый результат. А разве не бывает так, что мы выигрываем в мелочах и проигрываем в главном? Сократили в больницах, по существу, свели на нет институт санитаров. И бывает, что человека чудом возвращают к жизни (врачи вложили в уникальную операцию или в какое-либо реанимационное мероприятие всё своё умение), а он, переведённый потом в общую палату, лишается надлежащего ухода... Избавились от «лишней» единицы в штатном расписании клиники, но тем самым обнаружили... непозволительную расточительность в использовании высокой квалификации специалистов. Вместо того чтобы заниматься наукой, консультировать больных, производить операции, они вынуждены тратить дорогое время на нехитрую техническую работу...

Трудно заподозрить капиталистов в нежелании считать деньги. И совсем не случайно они допускают определённые расходы, чтобы обеспечить рациональное, чёткое разделение труда. Это неизменно окупается конечной пользой.

В 60-х годах я побывал у профессора Де Беки в Хьюстоне, в Бейлор-университете, в хирургическом департаменте. Профессору «приданы» 5 ассистентов и 13 секретарей. Руководит ими так называемый хозяйственный ассистент. И каждый до отказа загружен конкретными неотложными делами. О такой армии помощников пока не стоит и мечтать, но наличие хотя бы одного секретаря при заведующем кафедрой резко повысило бы объём и качество научной продукции и самого учёного, и возглавляемого им коллектива.

У нас переписку с больными и разными учреждениями вела особо выделенная для этого группа врачей. Из письма они должны были уловить суть, затем коротко доложить профессору и правильно ответить адресату.

Ввиду того что сведений, сообщённых в письмах, не хватало, мы просили прислать данные анализов, рентгеновские снимки, медицинское заключение и выписку из истории болезни. Всё это внимательно изучалось, а уж потом высылалось разрешение приехать в клинику. Однако заочно, по бумагам, никогда не удавалось точно определить состояние больного. Как правило, в действительности картина была значительно хуже. Случалось, что люди появлялись без приглашения — обычно с тяжёлой сердечной недостаточностью, которая усиливалась в дороге. Создавалась сложная ситуация: оперировать нельзя, так как требуется двух-трёхмесячное стационарное терапевтическое лечение, и не положить в клинику нельзя — не бросить же в беде.

Вот и думай, как поступить. Госпитализировав неоперабельного больного, ты тем самым надолго блокируешь место, лишаясь возможности кому-то помочь немедленно. Здравый смысл и логика подсказывают: целесообразно отказать. Но как откажешь задыхающемуся человеку, как отправишь его обратно? Ведь он может умереть, не добравшись до дома!..

Так жизнь ставила перед нами, казалось бы, взаимоисключающие задачи.

Мы очень тщательно осматривали и обследовали всех на амбулаторном приёме. Нам помогала администрация института; доброго слова заслуживают сердобольные сотрудники клиники, которые нередко предоставляли кров тяжёлым больным, чтобы те могли отдохнуть, прийти в себя.

При пороке, подлежащем хирургическому исправлению, мы иной раз брали больного и в неоперабельном на тот момент состоянии, надеясь улучшить его предоперационной подготовкой и со временем сделать операцию.

Чтобы была понятней деятельность нашей клиники, расскажу о двух характерных примерах.

3

Большая, дружная семья была у Василия Карповича Соловьёва. Трёх сыновей и трёх дочерей подарила ему жена Федосья Гавриловна. Сыновья молодцы, как на подбор. Дочери скромные, разумные, работящие. В колхозе Соловьёвы были на хорошем счету. Василий Карпович, помимо сельского хозяйства, и по плотницкой и по столярной части мастер. Такими вышли и сыновья. И если сперва, пока дети были маленькие, трудно было отцу с матерью их прокормить, одеть, обуть, то как стали подрастать они, семья зажила исправнее.

К 1941 году братья и сёстры, кроме младшей — Маруси, уже работали. Дом полнился счастьем. Но вот разразилась война, и не было в нашей стране семьи, которая в той или иной мере не пострадала бы от неё. Тяжкое горе принесла она и Соловьёвым. Все три брата с первых дней ушли на фронт, и все трое сложили головы, защищая Родину.

Потеряв сыновей, Василий Карпович не мог находиться в родном доме. После войны оставил он колхоз и пошёл на производство, благо давно его приглашали на фабрику. Жили они с пятнадцатилетней Марусей. Через два года младшая дочь заболела суставным ревматизмом. Мать по совету врачей делала ей солёные ванны, и месяца полтора спустя болезнь вроде бы поутихла.

Соловьёвы уехали в Иркутск. Маруся окончила курсы бухгалтеров, поступила на завод. Вышла замуж, родила сына. Всё было спокойно в течение шести лет. Однако потом стала замечать Маруся, что быстро устаёт и сердце бьётся ненормально. Появился кашель, усиливавшийся при ходьбе. Обратилась в больницу. Там признали порок сердца и одновременно обострение ревматизма. Лечили долго, но облегчения не добились. Выписали. Началось сердцебиение, колющие боли в сердце. За два года Маруся много раз лежала в больнице. Чувствует себя сносно; выйдет домой, на работу — ей опять становится плохо.

В двадцать восемь лет получила инвалидность. Но это было бы ещё полбеды. Мучила одышка. Опухали ноги. Увеличилась печень, скапливалась жидкость в животе. Чуть подвигается, и сейчас же заболит грудь, не продохнуть, тут же — кашель, а за ним — кровь. Весь её дневной путь — от кровати до дивана. И как пройдёт, долго отдышаться не может.

Сколько врачи её ни наблюдали, какие лекарства ни давали, улучшения не наступало. А однажды от какого-то укола сердце так заколотилось, что она надолго потеряла сознание.

Невыносимым было ощущение, что нельзя вдохнуть глубоко. Казалось бы, ничего не пожалела, только бы раз вдохнуть полной грудью.

Проходили дни... Недели... Месяцы... Никакого сдвига.

Послали запрос в Москву. Но в письме указали: недостаточность митрального клапана. А про стеноз не упомянули. И из Москвы пришёл отказ: таких операций не делают. Было это в 1958 году.

Сообщение привело Марусю в отчаяние. Надежда, которая затеплилась в её душе, опять рухнула.

Семья страдала вместе с нею. Спасибо сестра, приехавшая в Иркутск, помогала. Иначе было бы совсем невыносимо.

Но жить так хочется!.. Ведь ей всего двадцать восемь, а сыну восемь. Он нуждается в матери! У неё хороший, заботливый муж. Ни словом не упрекнёт!.. Навещают и сослуживцы.

Как-то прибежала подруга и принесла газету с сообщением об операциях на сердце, производимых в Ленинграде. Маруся с жадностью прочитала статью, разволновалась. Попросила подругу пойти в поликлинику, настоять, чтобы оттуда отправили документы в Ленинград. Однако подруге сказали, что не видят оснований — лечить могут и в Иркутске. Маруся сама пошла в поликлинику. Уговаривала, умоляла, показывала газету... Никто не слушал. Тогда Маруся потребовала выписку из своей истории болезни, снимки. Ей охотно всё это отдали.

Появившаяся надежда удесятерила силы молодой женщины. Решили они с мужем сами адресоваться в Ленинград. Но куда? Точного адреса у них нет. Город-то большой! Обратились в облздравотдел. А там, по-видимому, устыдились. Говорят, давайте мы отошлём.

Ждали с нетерпением много дней. Наконец дождались вызова на обследование.

Приехала к нам Маруся в очень тяжёлом состоянии. Декомпенсация: асцит (водянка живота), резко увеличенная печень, одышка, большие застойные явления, синюшные губы, мерцательная аритмия и тахикардия. Пятая стадия заболевания, когда большинство хирургов отказываются делать операции, и не только потому, что опасно. Вмешательство может уже не принести желаемых результатов. И в сердце и в лёгких развиваются изменения, которые после операции не исчезают. Почти никаких шансов на успех. Надо было искать новые пути спасения человека, оказавшегося в таких обстоятельствах.

Прежде всего необходимо знать картину болезни. А для точного диагноза нужно снова и снова учиться слушать сердце, различать малейшие отклонения от нормы. Опыт убедил нас, что как бы богато мы ни были оснащены всевозможной диагностической аппаратурой, обычное врачебное выслушивание никогда не потеряет своего значения. Поэтому мы старались овладеть этим искусством, чтобы раз от разу безошибочнее разбираться в звуковой сердечной полифонии.

В отношении Маруси выбрали поэтапную тактику: сначала преодолеть декомпенсацию, а затем попробовать лечить хирургически.

Существует закон Стерлинга. Он гласит: сила сокращений мышцы сердца впрямую зависит от степени наполнения его полостей, то есть чем больше крови в него поступает, тем сильнее оно сокращается, чтобы вытолкнуть её. Этот орган обладает огромными резервами — может активизировать работу в семнадцать раз. Но закон Стерлинга говорит и о другом. Сердце сохраняет свою силу до определённого предела, а за ним следует обратное явление: чем больше наполняется оно кровью, тем слабее мышечные сокращения, тем меньше возможностей выбросить поступившую кровь. Графически такая зависимость изображена в виде дуги, до вершины которой действует первая половина закона, после вершины — вторая.

Продумав положение Маруси, мы пришли к заключению, что именно здесь следует искать ключ к решению проблемы. Вершина кривой — начало декомпенсации. Больной противопоказаны любые дополнительные усилия, что только увеличивает сердечную недостаточность. Чтобы улучшить деятельность сердца, надо сократить его физическую нагрузку. При митральном стенозе даже небольшая нагрузка может вывести сердце из стадии компенсации на много месяцев. Иными словами, нужен строгий постельный режим.

Было у нас наблюдение. Из Чкалова приехала женщина с митральным стенозом. Раньше из писем мы знали, что у неё нет декомпенсации, а у себя на приёме обнаружили выраженную сердечную недостаточность. Видимо, так повлияла на неё дорога, волнения и пр. Больную положили в терапевтическую клинику. Через три месяца, убедившись, что состояние её хорошее, что она перенесёт операцию, мы дали указание перевести её к нам. По недосмотру врачей женщине пришлось пройти пятьдесят метров пешком, и этого было довольно для того, чтобы уже на следующий день ей стало хуже. Вновь её поместили в терапевтическую клинику. И лишь после двух с половиной месяцев упорного лечения удалось ликвидировать последствия её короткого пешего маршрута.

Этот и подобные факты убеждали в том, что при митральном стенозе чрезвычайно вредны такие, казалось бы, незначительные напряжения, как вставание с постели или несколько шагов по комнате. Потому-то мы взяли себе за правило для столь тяжёлых больных полностью исключать всякую физическую нагрузку, неукоснительно соблюдать постельный режим на долгий срок. При должной настойчивости реально добиться успеха.

Кроме строгого постельного режима важно создание соответствующей внутренней среды в организме. При длительном нарушении всех обменных процессов происходят глубокие изменения в белковом, солевом, витаминном балансе. И хотя по всем канонам терапии внутривенное вливание жидкости противопоказано, мы, чтобы выровнять обменные процессы, широко применяем переливание крови или белковых препаратов малыми дозами.

Эти мероприятия при одновременном очень осторожном назначении сердечных средств давали весьма обнадёживающие результаты. Целый ряд больных, которые годами не выходили из состояния декомпенсации, постепенно расставались с ним, и их можно было оперировать. Если же пациенту двух-трёх месяцев явно не хватало, мы выписывали его домой с условием продолжать придерживаться строгого постельного режима, пока не исчезнет асцит, сократится печень, уменьшится одышка, пропадет синюшность губ. Тогда и операция возможна.

Вся эта работа была уже у нас отлажена к тому времени, когда в клинику приехала Маруся Соловьёва.

Врачи понимали, что у Маруси дела обстоят скверно, что для подготовки к операции потребуется по крайней мере полгода, а то и год. Нечего было и думать сразу же отправить её обратно для самостоятельного применения рекомендуемой нами методики. Она непременно погибла бы в пути.

Приняли в клинику и стали лечить. Поддавалась лечению Маруся с трудом. Всё же через три месяца она уже была способна перенести дорогу. Вернулась к нам снова, пролежав дома полгода. Правда, путешествие опять ухудшило её здоровье, но не в такой степени, как прежде. Мы вновь уложили Марусю на два с половиной месяца.

Операция выявила редчайший стеноз: отверстие менее 0,5 сантиметра в диаметре вместо 4 сантиметров по норме. Сердце несколько раз было близко к тому, чтобы остановиться. Приходилось делать массаж. Сросшиеся створки клапанов надо разделить, а они пальцем не разрывались. На этот случай подошёл бы комиссуротом — острый нож, который разрезал бы спайки, соединяющие створки и закрывающие отверстия. Но такой нож — целая проблема. Над ней хирурги всех стран бились много лет. Ведь нож должен пройти точно по комиссуре и не подсечь саму створку, иначе она будет болтаться, как тряпка, и не задержит кровь, то есть не выполнит функции клапана. Между тем внутри сердца, когда там «орудует» один палец, так легко ошибиться. Тогда возникает недостаточность клапана — новая болезнь, не менее тяжёлая и трудноизлечимая.

Предлагались разные образцы комиссуротомов, но они не получили признания.

В нашей клинике использовали комиссуротом, помещаемый под ногтем указательного пальца. Укреплялся он на кольце. Чтобы кольцо вместе с ножом ненароком не соскочило и не осталось бы в сердце, оно привязывалось на длинной крепкой нитке. Этим ножом мы надавливали на комиссуру, слегка разрезая её, редко повреждали створку. Естественно, нужна была ювелирная сноровка.

С помощью нашего ножа удалось полностью рассечь комиссуры и открыть отверстие до нормы. Маруся остро реагировала на хирургическое вмешательство. У неё развился послеоперационный психоз на фоне выраженной сердечной недостаточности.

Психоз у подобных больных — нередкое явление. Мозг, так же как и сердце, длительное время испытывает кислородное голодание от ненормального поступления крови. А тут прибавляется операция, и психика не выдерживает.

Две недели Маруся была невменяема, говорила невпопад, её одолевали разнообразные страхи. К тому же нарастала лёгочно-сердечная декомпенсация. Расширив отверстие, мы пустили ток крови в тот отдел сердца, который ряд лет «пустовал» и «бездействовал». В непривычном для него режиме ослабленное сердце не справлялось с нагрузкой. Очередной этап борьбы против недостаточности вёлся в новых условиях исправленного порока.

Постепенно мы одолели декомпенсацию, прошёл и психоз. Но две недели наши утренние конференции открывались сообщением о состоянии Соловьёвой.

Через полтора месяца после операции Маруся покинула клинику... Из дома она писала, что здоровье её с каждым днём улучшается, что она прибавила в весе 15 килограммов к своим прежним 45 (в период болезни ничего не могла есть из-за чувства переполненности желудка).

Из писем мы знали, что Маруся целые дни проводит на воздухе, начала быстро ходить, избавилась от одышки, от мучившей её жажды из-за необходимости все годы почти не потреблять питья. Исчезли отёки, приобрела обычные размеры печень. Наконец Маруся ощутила себя совсем здоровой и пошла работать по своей специальности — бухгалтером. Несколько лет ни разу не была на больничном. Однако, дважды переболев гриппом, вновь почувствовала неладное с сердцем, обратилась к врачам. Те заподозрили рестеноз, возврат прежнего заболевания.

Так Маруся опять попала к нам. Была подвергнута всестороннему исследованию, в том числе и катетеризации. Тонкий катетер, «направленный» в полость сердца, помог измерить давление. Выяснилось, что имеются рецидив старого порока да ещё стеноз другого клапана. После соответствующей подготовки Марусе сделали операцию по исправлению одновременно двух пороков. Она с ней справилась и спустя полтора месяца уехала домой.

Истёк год. Всё было благополучно. И в дальнейшем мы исправно получали письма от Маруси. Правда, по её словам, пошаливали нервы, но это и неудивительно. Столько лет страдать, дважды перенести операцию на сердце!..

Маруся Соловьёва — одна из многих, возрождённых искусством хирургов. Судьба её «товарищей по несчастью» не менее красноречива.

«Ленинградская правда» как-то поместила маленькую заметку: «У Людмилы Иосифовны Соколовой хорошая улыбка, весёлые глаза. Но эта жизнерадостная молодая женщина не может говорить о недавнем без слёз. Не от горя, а от большой радости.

«Я просто воскресла, — говорит она с волнением. — Нет слов, чтобы выразить всю глубину благодарности людям, вернувшим меня к жизни».

Болезнь сердца подкрадывалась к молодой учительнице незаметно. Ещё в институте в Муроме ей стала мешать быстрая утомляемость. Дальше — хуже. Всякое движение вызывало головокружение и боль в груди. Пришлось расстаться со школой. Людмилу лечили, но никакое лекарство не помогало. Она слегла. Появились отёки на руках и ногах, развивалась водянка...

Невыносимо тяжело оказаться полным инвалидом в расцвете лет. Четыре долгих года Людмила была недвижимой. Родные считали её обречённой, написали брату в Ленинград: «Приезжай проститься с сестрой». А брат при встрече с Людмилой сказал: «Не отчаивайся, ещё не все потеряно. Есть у нас в городе клиника, где спасли не одного такого больного, как ты». Возникла цель, родилась надежда.

...Скрупулёзно обследовав пациентку, врачи предложили операцию. Людмила согласилась без колебаний. Впоследствии её вызывали в Ленинград, чтобы проверить, как идёт выздоровление. Остались довольны. Людмила возобновила преподавание в школе.

Я уже упоминал, оглядываясь на годы, когда утверждалась отечественная кардиохирургия, что в нашей стране заболеваниями сердца занимались ряд ведущих клиник и институтов, руководимых крупнейшими специалистами в данной области. Общим девизом было гуманное, бережное отношение к каждому больному, стремление предпринять всё для его спасения, сколько бы труда и времени это ни стоило.

4

Наши достижения при операциях на сердце, не уступавшие таковым у хирургов, работавших в специализированных, хорошо оборудованных институтах, позволяли надеяться, что вновь возведённая клиника станет центром сердечно-сосудистой хирургии в северо-западном регионе СССР. Этого же мнения придерживались местные власти и в Академии медицинских наук. В «Ленинградской правде» была опубликована статья, ратующая за необходимость открыть «свой» кардиологический институт. Первый секретарь Ленинградского обкома партии Иван Васильевич Спиридонов, помогая строительству клиники, тоже советовал более «полновесно» использовать её базу.

Принятая ориентация предопределяла и научные интересы сотрудников. Большинство из них изучали сердечно-сосудистую патологию, готовились к защите докторских и кандидатских диссертаций. Наладились связи с кардиологическими терапевтическими клиниками как Ленинграда, так и других городов. Мы затратили немало энергии, чтобы оборудовать новое здание самой современной аппаратурой.

Когда же наконец клиника была построена и оснащена, её передали в ведение не республиканского, а союзного Министерства здравоохранения. Последовал приказ: организовать при нашей клинике Институт пульмонологии.

Поначалу этот приказ ошеломил. А как же быть с жизненной потребностью — обеспечить высококвалифицированной помощью население весьма обширной территории? Ведь помимо Ленинграда и округи к нам примыкали Новгородская, Псковская, Мурманская, Архангельская области, Карельская АССР. Шутка сказать! Как же оставить их без кардиологического центра?..

В течение долгих лет мы в невероятно трудных условиях разрабатывали важнейшие проблемы врождённых и приобретённых пороков сердца, и в частности хирургии митрального стеноза четвёртой-пятой стадий. Больные в этих стадиях, как видно из приведённых выше примеров, требовали особого подхода, длительной подготовки, очень щадящей хирургической техники и внимательного послеоперационного наблюдения.

Мы прошли путь напряжённых поисков, прежде чем утвердилась наша методика борьбы с сердечной недостаточностью и люди, выведённые из состояния декомпенсации, переносили радикальную операцию с минимальным риском. По нашим данным, процент летальных исходов у подобных больных не превышал аналогичных показателей для больных средней тяжести в других клиниках.

Мы стали производить операции по вшиванию искусственных клапанов и совместно с одним из научно-технических институтов совершенствовали клапаны.

Сформировался сильный коллектив кардиологов, приобретена первоклассная диагностическая аппаратура для распознавания самых сложных пороков — и вдруг: Институт пульмонологии! Значит, предстояло разрушить надёжно отлаженный механизм. Пульмонология в основном наука терапевтическая, а у нас хирургическая клиника. Свыше пятнадцати лет она специализировалась по своему профилю, завоевала признание. Где же логика?..

Мысли эти будоражили, не давали покоя. Было обидно за зря потраченный труд — ведь сколько ждали новую клинику, какие надежды с ней связывали! Я отправился в Москву. Хотел убедить руководителей министерства, чтобы они отказались от намеченной ломки, оставили у нас всё как есть. Много я потратил пыла на доказательства, но мне неизменно возражали: «Институт пульмонологии тоже нужен».

Позиции, занятой министерством, видимо, способствовало то обстоятельство, что наряду с сердечной я занимался и лёгочной хирургией. К тому времени были известны мои монографии «Резекция лёгких» и «Рак лёгкого» — последнюю перевели на ряд иностранных языков, она служила учебным пособием для студентов. Я был удостоен Ленинской премии, мне вручили диплом доктора наук многие зарубежные институты. В министерстве говорили: «Вам одинаково близка и эта область хирургии, так что организовывайте пульмонологический центр в стране».

Делать нечего. Как специалист по лечению лёгких я не мог отрицать важность и этой проблемы: заболевания дыхательных путей — вековой бич всех народов мира. Трудно только было понять, почему понадобилось допустить ставшие теперь непроизводительными расходы и почему решение, идущее вразрез с нашими выношенными планами, было принято так поздно...

Меня назначили директором института на общественных началах, одновременно я оставался заведующим хирургической клиникой. Усилия врачей и всего персонала пришлось резко переориентировать.

Нас ожидала большая организационная, научная и кадровая работа. Требовались лаборатории, без которых институт не выполнил бы свои функции, но которые не предусматривались проектом. Среди них центральное место отводилось лаборатории физиологии дыхания. Времени, сил, волнений стоили розыски изготовителей и поставщиков необходимых приборов и аппаратуры. Расчёты на министерство не оправдывались. Наши заявки не удовлетворялись.

Врач Дёгтева и инженер Каретин, отвечающие за технику, настойчиво рекомендовали мне заключить договор о создании лабораторного комплекса по исследованию лёгких. Нашёлся и «исполнитель» — заведующий экспериментальной лабораторией одного из технических институтов, пообещавший нам нечто необыкновенное. Деловой, энергичный, с лауреатским значком на груди, он вызывал доверие. Мы соблазнились, подписали договор, однако по-прежнему упорно добивались импортного оборудования. Через год выяснилось, что наш исполнитель ничего не сделал, но запросил новые ассигнования. Мы собрали комиссию, убедились в бесперспективности дальнейшего сотрудничества и расторгли договор. Неприятная история. К сожалению, в семье не без урода. Не знаю, за что этот деятель получил регалии — может быть, и заслуженно, но совершенно очевидно, что, столкнувшись с хозяйственным поприщем, он превратился в дельца. И даже если «старался» не ради себя, а на благо своего учреждения, всё равно обман остаётся обманом...

Благодаря тому что мы не прекращали параллельных хлопот в разных инстанциях, драгоценное время упущено не было.

Откликнулось наконец и министерство. В итоге у нас появились превосходные лаборатории и возможность всесторонне обследовать любого сложного лёгочного больного.

5

Лёгочных заболеваний много. Туберкулёз и рак находятся в поле зрения целой сети соответствующих институтов и диспансеров. В ведении Института пульмонологии оказалась группа так называемых неспецифических заболеваний — это хронические пневмонии, бронхит, абсцесс, бронхиальная астма и некоторые другие. До недавнего времени они основательно не изучались, хотя частота их возникновения вызывала тревогу. Хроническая пневмония встречалась чаще других, а у людей в пожилом возрасте составляла половину всех неспецифических лёгочных заболеваний. Картина эта наблюдается сотни лет, но не получила исчерпывающего медицинского описания. В отечественной литературе существовало свыше 40 названий этой болезни, такая же разноголосица мнений по существу её патологии. Пульмонологам трудно было разобраться в терминологии внутри страны, учёные мира тоже по-разному понимали друг друга, а практическому врачу тем более было непонятно, о чём идёт речь, когда одно и то же обозначается совершенно различно.

На Западе термин «хроническая пневмония» применяется редко, его заменяют хроническим бронхитом и эмфизе-

мой, объединяя в общее понятие — хронические обструк-
тивные заболевания лёгких. Подобному принципу абсолют-
но необоснованно следуют и некоторые советские авторы.

Отсутствие единого взгляда на проблему не может не
породить неразберихи в оценке причин возникновения,
патогенеза, диагностики хронической пневмонии, её места
в ряду других неспецифических болезней лёгких.

С первых же дней работы института стало ясно, что пульмонология потребует от нас на 80 процентов знаний терапевтических, чтобы внести свой вклад в эту область медицины,
наметить пути консервативного лечения. И только 20 процентов оставалось на родную и близкую мне хирургию лёгких
в тех случаях, когда терапия не давала результатов.

Мы начали чуть ли не с нулевого цикла. Главные силы
сосредоточили на хронической пневмонии.

Выяснили, что среди населения нашей страны сердечно-
сосудистые заболевания и болезни органов дыхания стоят
почти на одинаковом уровне; по последнему поводу в поликлинику обращается примерно седьмая часть городских
жителей. При этом надо учитывать наклонность к хроническому процессу, в связи с чем нагрузка поликлиник увели-
чивается. Летальность же при таких болезнях в стационаре
по удельному весу сравнима со смертностью при атероскле-
ротическом кардиосклерозе.

Сотрудники института, анализируя статистику в Ленинграде, установили, что частота лёгочных заболеваний за
период с 1958 по 1963 год удвоилась. Аналогичную тенден-
цию подметили и зарубежные учёные.

По данным американских авторов, в США насчитывалось
около 4 миллионов лёгочных хроников, ряды которых постоянно растут. Страховые компании свидетельствуют: эта группа больных занимает второе место по величине суммы выпла-
чиваемых ей пособий. Отмечено: курение усугубляет опасность смерти от бронхогенного рака в 15—20 раз, вероятность
заболеваний хронической пневмонией — примерно в 3 раза.
Число её жертв в зависимости от возраста колеблется от 27
до 53 процентов. А если прибавить сюда значительную часть
больных бронхиальной астмой, в основе которой лежит хроническая пневмония, то процент будет ещё больше.

Прежде чем приступить к лечению и профилактике,
нам нужно было попробовать решить самый трудный

вопрос: что рождает и в чём заключается недуг, поражающий миллионы людей?

Мы тщательно обследовали полторы тысячи больных тяжёлой формой хронической пневмонии, забрав их из терапевтических клиник. Для этого провели свыше 5 тысяч бронхографий (контрастных исследований бронхиального дерева) и не менее 6 тысяч бронхоскопий (визуальных осмотров бронхов). Подвергли контрастным исследованиям и сосуды лёгкого, изучили сотни анатомических и гистологических препаратов, иссечённых на операциях, результаты многочисленных биохимических и других анализов. За короткое время накопили уникальный материал. Пришли к выводу: хроническую пневмонию обусловливает нарушение дренажной и вентильной функций бронхов; изменения в бронхах развиваются сегментарно, в определённой последовательности; отсутствие лечения или неправильная терапия вызывают расширение бронхов, то есть бронхоэктазию; склероз и эмфизема лёгких — не самостоятельные заболевания, а следствие хронической пневмонии. И так далее.

Наши сообщения на заседаниях научных обществ неизменно выслушивали с исключительным интересом и вниманием.

Теперь уже на научной базе в институте разрабатывались оптимальные методики, утверждалась целая система профилактики, своевременного и правильного лечения острой и затянувшейся стадии преимущественно за счёт локального воздействия на патологический процесс.

Прежде всего больные с хронической пневмонией стали обязательно проходить через бронхографию. Это нововведение на первых порах некоторые терапевты восприняли как кощунство. Только постепенно врачи примирились и перестали бояться такой манипуляции. Между тем бронхография позволяет выявить, какие изменения происходят в бронхах, когда затруднено их опорожнение.

Дело в том, что с течением болезни увеличиваются бронхиальные лимфоузлы: с одной стороны — из-за поступающей внешней инфекции, а с другой — из-за бессистемного, бесконтрольного и обильного применения антибиотиков. Задержка в опорожнении бронхов от скопившегося там секрета усиливает воспаление и очаги инфекции, которая становится пусковым механизмом очередных обострений.

Мы выбрали стратегию — введение антибиотиков или антисептиков непосредственно в бронхиальное дерево.

Если изменения в бронхах были значительными, рекомендовали хирургические методы — экономную резекцию сегментов лёгкого.

Известие о возможности хирургического лечения людей, страдающих хронической пневмонией, восприняли с недоверием. Однако на ряде фактов мы убедили скептиков, что стоим на верном пути.

Вот один из первых наших пациентов.

Витя Комаров родился крупным, здоровым мальчиком. У него в срок прорезались зубы, и он начал рано ходить. Когда Вите исполнился год, родители пригласили на день рождения гостей. Среди прочих пришла женщина, больная гриппом, и поцеловала ребёнка. На следующее утро у Вити обнаружился насморк, а ещё через сутки температура подскочила до 39,5. Врач поставил диагноз — тяжёлая правосторонняя пневмония.

Постепенно опасность миновала, но кашель и небольшая (37°) температура держались долго. Мальчик испытывал слабость, часто ложился на пол, хотя раньше был очень подвижным.

Родители усиленно кормили сына, поили рыбьим жиром и под конец успокоились, полагая, что со временем все пройдёт.

Через год он опять простудился. Вывели гулять в тёплую погоду, а тут хлынул дождь. Витя промок, и картина повторилась — насморк, затем жар, правосторонняя пневмония.

Снова банки, компрессы, антибиотики. На этот раз острые явления прошли быстро, но мучили субфебрильная температура, кашель и слабость.

После этого обострения родители уже заволновались не на шутку. Летом увезли сына в деревню, где он пил парное молоко, ел свежие яйца и все дни проводил на воздухе. Заметно окреп, поздоровел.

Осенью последовала новая простуда. Проделали полный цикл лечения по поводу пневмонии.

Из года в год ничего не менялось, кроме того, что кашель, слабость и изредка подъёмы температуры не проходили даже тогда, когда не было обострений. Витя был бледен, худ, легко утомлялся. Старался не играть с ребятами, так как сильно потел и задыхался, не мог постоять за себя.

К пятнадцати годам, когда мальчика впервые нам показали, он перенёс шестнадцать обострений хронической пневмонии. В промежутке между приступами жаловался на недомогание, общую слабость и почти непрекращающийся кашель, правда без мокроты. Рентгеновский снимок, сделанный в поликлинике, никакой патологии не выявил.

Но частые обострения не могли быть без какой-то серьёзной причины! Чтобы определить её, мы произвели двустороннюю бронхографию и обнаружили изменения в одном из сегментарных бронхов. Он был утолщён и мешковидно расширен. Вот в чём загвоздка! Пока этот дефект не устранён, вспышки неизбежны. Нечего было и думать в такой стадии добиться успеха терапевтическими средствами. Единственно, чем можно предупредить рецидивы, — это удаление небольшого участка лёгочной ткани вместе с «испорченным» бронхом.

Свои выводы мы изложили родителям Виктора. Они запротестовали. Как же так? При воспалении лёгких и вдруг — операция?! У сына эти пневмонии бывают каждый год. Что же, каждый раз оперировать? Мы объяснили, что возник опасный незатухающий очаг. Если от него избавиться, есть надежда, что повторные пневмонии исчезнут. Родители согласились.

Мальчика прооперировали, убрав ему лишь среднюю долю. Всё обошлось благополучно, наши расчёты оправдались. Больше воспалением лёгких он не болел. Температура оставалась нормальной. Кашля, мокроты, слабости не было.

Подобных «простых» больных оказалось не много. У людей, страдающих хронической пневмонией, как правило, поражён не один, а несколько сегментов лёгкого, причём обычно вначале поражается средняя доля справа или слева, а затем захватывается и нижняя доля. Нередки случаи, когда лёгкие атакуются с обеих сторон, а изменения в бронхах настолько значительны, что тут терапия уже бессильна — необходима рука хирурга. Но встречаются процессы и обратимые — тогда реально помочь лекарствами. И точно определить, в каких случаях поражённую часть лёгкого можно оставить, а в каких надо убрать, часто бывает невозможно.

Поэтому при решении вопроса об операциях на лёгких мы часто попадали в сложное положение. С одной стороны, чем радикальнее будут удалены все участки поражённого лёгкого, тем надёжнее и устойчивее будет выздоровление. С другой — чем экономнее будет резецировано лёгкое, чем больше лёгочной ткани останется у больного, тем легче ему будет дышать, тем полноценнее его жизнь после операции. Но в природе заболевания нет тех четких границ, которые бы так явно отличали здоровое от больного. Имеются промежуточные стадии, где восстановление деятельности ещё возможно. Но отличить эту ткань от той, которую оздоровить уже нельзя, часто бывает невозможно. Конечно, хирургу легче при малейшем сомнении убрать всё подозрительное. И это мы делаем без колебаний, когда дело касается опухоли. Однако при воспалительных заболеваниях такой решительный подход может привести к тому, что слишком много будет удалено лёгочной ткани и больной после операции будет страдать от дыхательной недостаточности.

Такие затруднения особенно часто встречались у нас при двусторонней хронической пневмонии в далеко зашедших стадиях. Здесь проще сказать: вас оперировать нельзя, у вас слишком распространённый процесс. Хирург, отказав больному, избавляет себя от многих тревог, но не всякий может это сделать. Как трудно подобное сказать пострадавшему больному! Поэтому там, где есть хоть какая-то надежда, мы старались с помощью двусторонних операций избавить больного от страданий. Не всегда наши настойчивые попытки приносят исцеление больному, но всегда доставляют хирургу много переживаний. Подобные случаи особенно ярко подчёркивают, как нелёгок труд хирурга...

Света М. в три года перенесла воспаление лёгких в тяжёлой форме. Шёл 1959 год. Время для страны всё ещё было трудное, родители не имели возможности летом свозить её на Южный берег Крыма, и у девочки, которая вроде бы и поправилась, сохранились остаточные явления пневмонии. Она покашливала, у неё часто бывала повышенная температура, она легко простужалась и все годы росла бледной и худой.

В 9–10 лет она перенесла несколько раз рецидив пневмонии, с которой практически больше не расставалась. Хроническая пневмония, захватившая несколько сегментов в обоих лёгких, не покидала девочку, то затихая, то обостряясь. Длительный воспалительный процесс в лёгких привёл к глубоким изменениям в бронхиальном дереве с обеих сторон, но особенно слева в нижней доле. В 1961 году, не у нас в клинике, ей была сделана операция удаления левой нижней доли.

Здесь была допущена ошибка, на которую мы указывали ещё в 1950 году, но которая проникала в сознание лёгочных хирургов очень медленно. Ещё в конце 40-х годов нами, как и некоторыми хирургами на Западе, указывалось на то, что поражение нижней доли левого лёгкого всегда сопровождается поражением язычковых сегментов верхней доли того же лёгкого. Поэтому, удаляя левую нижнюю долю, обязательно надо одновременно и удалить язычковые сегменты. Позднее, в Институте пульмонологии, мы не только подтвердили правильность этого положения, но и на тысячах примеров доказали, что сам разрушительный процесс в левом лёгком начинается с язычковых сегментов и лишь позднее этот процесс переходит на нижнюю долю. Если и ныне с этим положением не все согласны, то в 50-х и 60-х годах правила удалять вместе с нижней долей и язычковые сегменты придерживались далеко не все торакальные хирурги. Поэтому тот факт, что Свете была удалена только нижняя доля, в то время не считался ошибкой, но это сказалось на всей последующей её жизни.

В течение семи лет после операции девочка чувствовала себя удовлетворительно, хотя кашель у неё оставался и она, как и до операции, чаще, чем её сверстники, переносила простудные заболевания. Врачи всё время признавали у неё хроническую пневмонию в стадии затихания. В 1969 году, то есть в девятнадцать лет, она перенесла очень тяжёлые обострения хронической пневмонии, после чего впервые у неё отмечено было кровохарканье. Тогда же, при более детальном обследовании, были обнаружены мешетчатые расширения бронхов (бронхоэктазы) в язычковых сегментах. То есть выявлено то, что должно быть удалено ещё при первой операции. Но длительное существование воспалительного процесса в язычковых сегментах не было безразличным для остальной части лёгкого. Инфекция попадала и в другие отделы лёгкого. Поэтому при исследовании было обнаружено расширение бронхов уже и в нижней доле правого лёгкого. Процесс делался двусторонним, что резко ухудшало прогнозы и затрудняло радикальное лечение больной. Учитывая провоцирующую роль мешетчатых бронхоэктазов язычковых сегментов слева, в 1969 году ей была сделана в том же учреждении операция — удаление язычковых сегментов. Уже на следующий год у неё вновь возникло обострение хронической пневмонии с длительным и тяжёлым течением. В том же учреждении ей предполагалось удалить нижнюю долю правого лёгкого, но в связи с резким ухудшением состояния операция не была предпринята. В течение последующих пяти-шести лет у неё по два-три раза в год наступали тяжёлые обострения пневмонии.

В 1976 году — двадцати шести лет — Света поступила в нашу клинику в тяжёлом состоянии с очередным обострением. После длительного и упорного лечения нам удалось вывести её из тяжёлого состояния и провести всестороннее обследование. При этом была выявлена печальная картина. Поражены оказались оба лёгких, но слева изменения были более резкими, особенно в переднем сегменте оставшейся верхней доли. Мы долго думали над тем, что же нам делать. Справа неблагополучно. Там поражено несколько сегментов, причём во всех долях. Но поражения не очень резкие, бронхоэктазы цилиндрические, которые не так часто ведут к тяжёлым осложнениям. В оставшейся левой верхней доле поражены все сегменты. Но в задних — цилиндрические расширения бронхов, а в переднем — мешетчатые, то есть такие, которые особенно часто при любых неблагоприятных обстоятельствах дают обострения. Конечно, по всем правилам надо удалять всю левую долю. Но, учитывая поражения с другой стороны, мы решили убрать только тот сегмент, где бронхоэктазы мешетчатые.

Операция протекала тяжело. После двух предыдущих операций в плевральной полости образовались мощные спайки, разделение которых — целая проблема. С большим трудом нам удалось осуществить задуманное, и все оказалось напрасным. Оставшийся сегмент, скованный спайками, практически не функционировал, а изменённые бронхи были только источником новых обострений. Поэтому через полгода пришлось пойти на новую операцию. Все эти месяцы она температурила и не выходила из тяжёлой интоксикации. Сердце, отравленное и истощённое высокой температурой и непрекращающимся воспалением лёгких, начинало сдавать. Это и заставило нас идти на операцию в самых неблагоприятных условиях. При перевязке сосудов и бронха наступила остановка сердца. Целый час продолжался его массаж, который с целым комплексом других мероприятий в конце концов восстановил его работу. Целый час жизнь в этом теле, и особенно в мозгу, поддерживалась массажем. Собственных сокращений сердца не было.

Нет ничего удивительного, что в послеоперационном периоде целый месяц у неё имела место лёгочная и сердечная недостаточность. Всё же больная поправилась и через месяц выписалась домой. Она пришла к нам на контрольное обследование через пять лет. За это время у неё были небольшие обострения, но в целом она чувствовала себя неплохо, хотя и не работала по инвалидности.

Нам удалось сохранить её жизнь, добиться того, что обострения у неё стали реже и более лёгкими, но мы не могли вернуть ей полную работоспособность. И это понятно. У неё осталось одно лёгкое, в котором тоже поражено несколько сегментов.

История жизни и болезни этой девушки поучительна и драматична. Она в три года перенесла тяжёлое воспаление лёгких. После этого она длительное время требовала врачебного наблюдения, и для неё было очень важно, чтобы она два-три летних сезона провела на Южном берегу Крыма. Она всё время кашляла, у неё часто были простуды, но она после этого ни разу всерьёз не лечилась, не обследовалась. Она вновь попала под наблюдение врачей уже в десять лет, когда в её лёгком развились тяжёлые, необратимые изменения. Операция, пережитая ею в одиннадцать лет, не была сделана достаточно радикально. Почему? Здесь очень сложный комплекс вопросов. Ей удалили нижнюю долю, а надо было убрать ещё и часть верхней. А это значит, что ребёнку надо сделать вместо одной практически две большие операции. Ребёнок ослаблен. Хирург решает, что лучше убрать не всё, но ребёнок останется жив, чем удалить всё больное, а он не перенесёт операцию. Но если бы девочка после операции была направлена на курортное лечение, особенно на Южный берег Крыма, и если бы она провела такое лечение повторно, то очень может быть, что на этом бы весь процесс в лёгких и остановился. Но этого не случилось. Ни на какой курорт девочку не послали. А ослабленный операцией организм девочки не мог справиться с находившейся в нём инфекцией, и это привело к тяжёлому поражению обоих лёгких.

Таких примеров, когда из-за отсутствия санаторно-курортного лечения у больных детей, перенёсших тяжёлую пневмонию, развивались осложнения, которые в дальнейшем требуют операции, мы видим на каждом шагу. Мы отлично понимаем, что сама операция не только несёт за собой угрозу для жизни, но и оставляет нередко тяжёлые последствия. Вот почему мы так болезненно переживаем, что на Южном берегу Крыма, в самом эффективном курорте для лёгочных больных, детской службе не уделено то внимание, которое необходимо, с моей точки зрения.

Второе, что невольно напрашивается, — это необходимость дополнительного лечения взрослых больных, перенёсших лёгочную, да и сердечную, операцию.

Вопрос о реабилитационных учреждениях давно поднимается учёными всех стран, в том числе и у нас, и разрешается очень медленно. А между тем такие учреждения разгрузили бы наши больницы, и особенно хирургические отделения, поскольку из-за их отсутствия хирурги вынуждены держать послеоперационных больных дольше, чем этого требует хирургическое лечение. И в этом отношении наши санатории должны быть особенно целенаправленны на лечение послеоперационных больных, перенёсших тяжёлые операции. У нас нередко путёвки на курорт, где должны лечиться больные после операции, выдаются за хорошую работу совершенно здоровым людям как премия. Здоровые люди тяготятся санаторным режимом, им бы туристическую путёвку или в дом отдыха, а они в санатории томятся, скучают и только нарушают режим. Необходимо более целенаправленное и целесообразное распределение нашего санаторно-курортного фонда, чтобы помочь более полно восстановить здоровье больных после лечения в больнице или после операции, чем мы в значительной мере сократим у больных такие страдания, которые выпали на долю Светланы.

Ценность наших предложений — не в расширении оперативных вмешательств, а, наоборот, в изыскании более щадящих способов лечения.

Как я упоминал, очень заманчиво было попытаться направить лекарства по точному адресу — прямо в бронхиальное дерево. Мы разрабатывали, испытывали, проверяли те или иные методики и убедились, что эффективность их различна, но всё же они лучше, чем внутримышечное введение антибиотиков. Так мы подошли к санации — очищению и промыванию бронхов.

Систематическое лечение хронической пневмонии местным воздействием давало впечатляющие результаты. И сейчас уже вряд ли найдутся специалисты, которые станут отрицать перспективность найденного нами метода.

6

Среди многочисленных лёгочных больных отдельное место занимают больные бронхиальной астмой, а поскольку в институт присылали самых тяжёлых, нам вскоре пришлось вплотную столкнуться и с этой проблемой.

В своём большинстве наши пациенты страдали астмой, спроецированной хронической пневмонией при глубоких изменениях бронхиального дерева. Следовательно, кардинальное излечение было возможно только оперативным путём. Такое решение тоже поначалу вызвало волну скептицизма среди медиков.

Существуют две точки зрения на этимологию бронхиальной астмы. Одни учёные, в основном западные, считают заболевание чисто аллергическим: дескать, под влиянием неведомых причин в организме повышается чувствительность, например, к запахам, что и приводит к спазму бронхов. Особенно затрудняется выдох. Спазм продолжается от нескольких часов до нескольких дней, и, если не принять неотложных мер, человек может погибнуть от удушья.

— Доктор, он задыхается! — часто, взывая о помощи, обращаются к врачам.

По данным других исследователей, и прежде всего русской школы, начиная от Боткина, бронхиальная астма — заболевание инфекционно-аллергическое. Аллергия возникает на почве длительно гнездящейся в организме инфекции, обостряет его реакцию на различные вещества, запахи, простуды и т. д., в результате чего и развивается тяжёлая картина бронхоспазма.

Эту точку зрения последовательно защищал наш современник, профессор Пантелеймон Константинович Булатов, крупнейший специалист по бронхиальной астме, известный и за рубежом.

Используя новейшую аппаратуру, мы задались целью выяснить, где же располагаются очаги инфекции, которая повергает больного в состояние аллергии. Обследовали более 250 человек. Почти всегда очаг инфекции находился в бронхиальном дереве. Там и идёт воспалительный процесс по типу хронической пневмонии со всеми её проявлениями.

Вывод напрашивался сам собой. Если изменения в бронхах не очень выражены, больных надо лечить терапевтически. Если последствия болезни уже необратимы, требуется удалить поражённый участок лёгкого.

Расскажу характерную историю.

Доктор Всеволод Михайлович Бачин по окончании института уехал в центр России, в небольшой районный город. Однажды осенью вместе с товарищами отправился на охоту. Там промочил ноги, простудился и заболел воспалением лёгких. Болел долго, принимал антибиотики, но так до конца и не поправился. Остались недомогание, кашель и боль в груди. Вышел на работу. Справляться с нагрузкой мешала слабость. Время от времени возобновлялась пневмония. Вводили пенициллин и стрептомицин; лекарства не действовали.

Стало трудно дышать. Чем дальше — тем больше, пока не случился тяжёлый приступ удушья. Затем приступы участились, и доктор поехал в Ленинград, в клинику профессора П. Н. Булатова. Однако и здесь, несмотря на все принятые меры, ему не сделалось лучше.

Нависла угроза над жизнью. Бачина перевели в Институт пульмонологии по просьбе самого Пантелеймона Константиновича, который с интересом относился к нашим работам.

Бачин был в предельно плохом виде. Дыхание поверхностное свистящее и очень затруднённое. Попробовали делать новокаиновую блокаду блуждающего нерва. Не помогает. Пришлось дать наркоз, вставить трубку в трахею и начать искусственное дыхание. Но спазм бронхов продолжался ещё долго. Это чувствовалось по тому, как опорожнялся резиновый мешок в наркозном аппарате. Только к вечеру спазм уменьшился и врачи прекратили наркоз.

Больной проснулся. Через два дня приступ закончился. Дышалось легче. Постепенно явления удушья прошли совсем.

Обследование показало, что в правом лёгком есть затемнение, а соответствующий бронх деформирован. Полагая, что тут скрывается пусковой механизм бронхиальной астмы, мы предложили операцию. Бачин согласился и сразу же после удаления средней доли почувствовал себя хорошо. Мы радовались, что таким образом был найден путь радикальной борьбы со страшным заболеванием. Правда, путь не совсем простой, хирургический, но других никто не знал.

Бачина выписали домой. Через каждые 2—3 месяца он присылал письма с сообщением о здоровье. Прошло четыре года, он полностью вернулся к своим обязанностям, много работает, благодарит врачей за избавление от страданий.

В институте вслед за ним почти сорока больным провели такой же курс лечения — удаляли поражённую часть лёгкого — и неизбежно добивались хороших результатов.

А блокада блуждающего нерва, с чего начали спасение Бачина? Что это?

Углублённое изучение бронхиальной астмы навело нас на мысль, что в спазме бронхов «виноваты» перераздражения блуждающего нерва (вагуса). Значит, для купирования приступа надо блокировать новокаином именно вагус, а симпатический нерв, его антагонист, находящийся рядом, — не трогать. Между тем рекомендуемая некоторыми учёными вагосимпатическая блокада действует на оба нерва и потому не даёт должного эффекта. Исходя из этих соображений, мы разработали свою методику и вскоре же удостоверились, что были правы. «Избирательная» блокада, при которой к симпатическому нерву новокаин не подводился, оказалась результативной и заняла прочное место в ряду консервативных методов лечения бронхиальной астмы.

Чтобы блокировать не только ствол вагуса, но и его ветви, идущие к лёгким, и тем скорее добиться расслабления спазма бронхов, мы во время бронхоскопии «вкалывали» длинной иглой новокаин прямо в средостение. Но как видно из примера с Бачиным, медицинская помощь в столь экстремальных обстоятельствах требовала разнообразия тактики.

Астматический приступ, статус астматикус... Если вообще бронхиальная астма каждый раз — трудный случай для клинициста, то тяжёлый приступ приводит врача в отчаяние. Больной задыхается, его грудная клетка и без того раздута, а любой вдох лишь «накачивает» воздух, потому что выдох почти невозможен... Тут уж врач не думает о том, как вылечить пациента, — необходимы экстренные меры, чтобы восстановить нормальное дыхание, иначе он может погибнуть.

Много времени отдали мы поискам и раздумьям, прежде чем овладели тактикой борьбы с такими приступами. Едва к нам в реанимационное отделение поступал больной вроде Бачина, его немедленно усыпляли, вставляли в трахею трубку и с усилием подавали наркоз и кислород. Через промежутки в 10—20 минут откачивали из бронхов тягучую слизь. И снова продолжали искусственное дыхание. Порой человека приходилось держать на искусственном дыхании под наркозом по полтора и двое суток, пока он не начнёт дышать самостоятельно. После этого обследовали лёгкие. Установив изменения в них, назначали лечение — терапевтическое или хирургическое.

...Вдвоём с Сергеем Александровичем Борзенко мы сидели у меня в кабинете. Вошла сравнительно молодая женщина с заплаканными глазами.

— Извините, Фёдор Григорьевич, за вторжение. Я знаю, что у вас была тяжёлая операция и вы устали. Но горе матери заставляет меня прервать ваш отдых.

— Не смущайтесь. Я на службе. Чем могу быть полезен?

— В реанимационном отделении лежит мой сын, Коля Вольский, двенадцати лет.

— Что с ним?

— Приступ бронхиальной астмы. Его привезли без сознания, совсем без пульса.

— Вы считаете, что недостаточно хорошо лечат?

— У меня никаких претензий к врачам нет. Заведующая, Клавдия Никитична, почти не отходит от мальчика. Но я прошу вас: посмотрите сами. Уже целые сутки он находится под наркозом. Сколько же ещё его будут держать в таком положении?..

И вот наш обычный разговор с заведующей отделением Клавдией Никитичной Лазаревой у постели вновь поступившего больного.

— Что с Вольским?

— Ребёнка доставили вчера во второй половине дня в состоянии клинической смерти. Мы сразу же начали массаж сердца, интубацию и искусственное дыхание под наркозом. Как только у него выровнялась гемодинамика, стали систематически отсасывать содержимое бронхов, промывая их содовым раствором.

— Сколько времени мальчик под наркозом?

— Около суток.

— А это необходимо? Ведь длительное пребывание трубки в трахее может вызвать осложнения.

— Недавно переводили его на самостоятельное дыхание, но тут же возобновился приступ. Фёдор Григорьевич, вам же известно, что мы держали больных под наркозом более двух суток с хорошим результатом. Осложнений не было.

— Что собираетесь делать потом?

— Когда кончится приступ, применим новокаиновые блокады, введём лекарства в бронхиальное дерево. В дальнейшем с помощью бронхографии уточним степень поражения бронхов и тогда будем решать вопрос окончательно.

Вернувшись в кабинет, постарался успокоить мать. Наркоз даётся поверхностный, и для мальчика он безвреден.

— Припомните, как и когда начал болеть ребёнок?

— Когда Коле исполнилось полгода, я отдала его в ясли. Там он заразился насморком от своего соседа, такого же малютки. Их кровати стояли рядом. Болезнь перешла на лёгкие. Пневмония. Справились с ней, я отнесла сына в ясли. Через четыре дня он снова подхватил насморк, и опять пневмония.

— Часто это повторялось?

— Да, он больше был дома, чем в яслях. Потом его перевели в детский сад. Там продолжалось то же. Три-четыре дня походит в группу — месяц-полтора дома.

— А вы пробовали долгое время не водить ребёнка в детский сад?

— Пробовала. Брала расчёт и не работала несколько месяцев.

— И что же?

— Пока дома — не болеет. Ну, думаю, теперь окреп, может, и в садике не заболеет. Устроюсь на работу, смотрю — через неделю-другую он сызнова с насморком, который тут же даёт воспаление лёгких. И ведь что интересно! Бегает Коля на улице, придёт — руки холодные, ноги холодные. И ничего. Но стоит кому-то около него побыть с насморком, он обязательно заразится и кончится у него воспалением лёгких. Значит, всё дело в контакте здоровых детей с больными.

— А как в школе?

— В школе такая же картина. Болезнь год от года делалась тяжелее. Присоединилось удушье. Не хватало воздуха. Врачи установили: бронхиальная астма. Мальчик терял сознание. Вот и в этот раз. И если бы не попали к вам в институт... Неужели так и не поправится? Он ведь не живёт, а мучается! На него жалко смотреть. Вылечите! Верните нашего единственного сына!

Легко сказать — вылечите. Процесс запущен, за двенадцать лет ребёнком не занимались всерьёз, в условиях специализированного учреждения. К хронической пневмонии прибавилась астма. И с одной-то хронической пневмонией непросто справиться, а тут — целый букет с астмой в придачу.

Бронхиальную астму, как и хроническую пневмонию, легче предупредить, чем лечить. Вот почему очень важно беречь детей от повторных инфекций.

Мать Коли ушла. Сергей Александрович, внимательно слушавший женщину и что-то записывавший себе в блокнот, спросил меня:

— Есть какая-нибудь надежда?

— Бронхиальная астма — сложнейшее заболевание, про которое один учёный сказал: «Мы про астму знаем много, а понимаем мало».

— Часто ли она протекает так тяжело, как у Коли?

— В последние годы — всё чаще и не так редко, как это было прежде, заканчивается смертью больного на высоте приступа.

— В чём же дело — в загрязнении среды или в больших нагрузках на нервную систему?

— Не берусь судить о причинах. Нужно глубокое изучение, нужна статистика по социальным слоям, географическим регионам.

Борзенко, как всегда, захотел разобраться и в этой проблеме. И я вкратце рассказал ему о выводах наших пульмонологов.

Во-первых, бронхологическое исследование показало, что у большинства астматиков такие же изменения в лёгких, как и у больных хронической пневмонией. Во-вторых, удаление поражённых участков кладёт конец проявлениям бронхиальной астмы. В-третьих, чтобы добиться купирования приступа, вводятся солидные дозы антибиотиков в кровь или непосредственно в лёгочную артерию; и если бы не инфекция вызывала астму, то антибиотики только усилили бы аллергическое состояние, а следовательно, и само заболевание.

Справедливость таких выводов подтвердило и течение болезни Коли Вольского. После того как кончился приступ, произвели бронхографию, распознали значительные изменения в бронхах нижней и частично верхней доли левого лёгкого. Ликвидировать их можно было лишь операцией. Я вызвал к себе родителей Коли, всё им объяснил, сказав, что мы надеемся на излечение не только хронической пневмонии, но и бронхиальной астмы.

Операция прошла без осложнений и оправдала наши расчёты.

Подобный метод лечения не был описан в мировой литературе. Понимая всю ответственность, мы применяли его с осторожностью, тщательно проверяли результаты.

Поиск путей борьбы с бронхиальной астмой стал самостоятельным направлением в деятельности коллектива учёных института. Требовались дополнительные кадры специалистов, особая аппаратура. В министерстве мало чем могли помочь. И тогда, памятуя уроки прошлого, обратился в Совет Министров.

Горький опыт научил, что когда товарищи на местах не любят, чтобы их тревожили, и потому остаются глухи к интересам дела, нет иного выхода, как «перешагивать» через инстанции.

В 1953 году меня назначили главным редактором журнала «Вестник хирургии», который издавался раз в два месяца на шести печатных листах. Этот порядок был установлен в период блокады Ленинграда при недостатке бумаги и общих трудностях. Но с тех пор прошло много лет. Условия давно изменились. Сама же хирургическая мысль была на подъёме, её надо широко освещать. Редакция хлопотала безуспешно. Я тоже включился в хлопоты. Получая отказ, не успокаивался и шёл дальше. Обошёл двенадцать инстанций. Конца не видно. Тут я и позвонил секретарю ЦК КПСС Петру Николаевичу Поспелову с просьбой принять нас, членов редколлегии. Он спросил, о чём идёт речь, и порекомендовал вначале прислать мотивированное письмо, чтобы ему вникнуть в суть.

И вот мы у товарища Поспелова. Он сказал:

— То, что вы просите, совершенно законно и очень скромно. Мы выделим вам 120 листов на 12 номеров в год. Через некоторое время, возможно, ещё увеличим листаж.

Так на самом верху быстро решился, казалось бы, весьма простой вопрос ведомственного значения.

Аналогичным образом поступил я и на этот раз. В Совете Министров все наши заявки удовлетворили. Институту дали первую категорию, отпустили средства на оборудование и лимит на жилплощадь для сотрудников.

Коллектив института напряжённо проводил научные изыскания, мы делали сложнейшие операции. Наш метод лечения таких тяжёлых заболеваний, как хроническая пневмония и бронхиальная астма, вносил новое в понимание неизлечимого в прошлом недуга.

Работами наших учёных стали интересоваться во многих клиниках и больницах, к нам чаще стали ездить зарубежные делегации.

7

В некоторых случаях пневмонии у резко ослабленного больного при бурно развивающейся инфекции происходит распад лёгочной ткани. Возникает острый абсцесс лёгкого, а то и гангрена.

Издавна люди с острым абсцессом ставили перед врачами неразрешимую задачу. При самой энергичной терапии, с применением антибиотиков, абсцессы ликвидировать не удавалось. Наоборот, распад продолжал увеличиваться или оставался в прежнем положении, вызывая тяжёлое состояние, близкое к общему заражению крови. Часто для спасения больного хирурги решались на крайнюю меру: удаляли долю или все лёгкое.

Изучая эту проблему в Институте пульмонологии, мы убеждались: здесь надо тоже идти по линии местного вве-

дения антибиотиков, подавать их тем или иным путём
в поражённый участок.

Метод местного лечения, может быть, подсказала мне
хирургическая практика ещё в 40-х годах. Хирург в своих
операциях всегда конкретен, выходит в точно намеченное
место организма. Обнажишь очаг болезни и нередко заду-
мываешься: как хорошо было бы прямо сюда направить
нужные лекарства. Подчас так и делал. И замечал удивительные по эффективности последствия — организм очи-
щался от болезнетворных микробов, наступало облегчение.
Но в клинике мы прежде редко встречали острые абсцессы,
больше хронические.

И всегда при раздумьях о хронических лёгочных заболеваниях мысленному взору рисовались миллионы и миллионы жертв, унесённых в разные времена в могилу. Сколько
среди них наших великих соотечественников! Белинский,
Добролюбов, Чехов... Многие декабристы, тысячи револю-
ционеров, простуженных в сибирских далях... Давно, очень
давно я, как и другие врачи, мучительно искал средства
помощи таким больным.

Надёжного средства не было.

А мысль об интенсивной «осаде» поражённого участка
лёгкого при острой пневмонии всё больше во мне укрепля-
лась. Она вновь и вновь являлась при операциях на самых
различных органах. Посмотришь, как сильно действуют
лекарства в концентрированном виде, и снова догадка:
а острый абсцесс лёгкого? Почему и его не попробовать
лечить целенаправленной атакой?..

Как часто случается, экстремальные обстоятельства служат последним толчком к осуществлению смелых замыслов.
Для меня таким толчком стала болезнь моего блокадного
друга Александра Георгиевича Друина. На постороннем я бы,
наверное, не решился испытать метод, основанный на одной
лишь догадке, а тут заболел родной человек, почти что я сам.
Спасти его могла только отчаянная мера, ну я и отважился.
Впрочем, расскажу обо всём подробно и по порядку.

Александр Георгиевич, или Саша, как мы его в семье
называем, заболел у меня на даче. Выехали они с женой
к нам в Комарово, захватив мою собаку Акбара. Я иногда
поручал её Александру Георгиевичу, и она признавала его за

второго хозяина. Ещё в дороге Друин почувствовал недомогание. Приехав на дачу, свалился на диван. Овчарка устроилась рядом и никуда не отходила. Меня дома не было. Хотели к Саше подойти, чтобы измерить температуру, собака никого к нему не подпустила. И когда я вернулся домой, моему другу было уже совсем плохо. Он терял сознание и в бреду то говорил о какой-то детали, которую не успел сделать на работе, то называл фамилию доктора, лечившего его ещё во фронтовом госпитале.

Я многое знал о жизни своего товарища на войне, известна была и история его ранения.

Случилось это на невском пятачке. Осколком снаряда Саше раздробило ногу. Он лежал несколько часов на снегу, боясь шевельнуться. На пятачке было жарко. Головы не поднять. Траншеи вырыть нельзя. Все наши солдаты как на ладони — ни куста, ни бугорка, а фашисты на железнодорожной насыпи, на возвышенности. Чуть кто двинется, забрасывают минами. Да и снайперы брали на прицел.

Пришлось Саше Друину ждать темноты, обливаясь кровью. Сапог застыл, превратился в льдину. О том, чтобы снять его и сделать перевязку, нечего было и думать. Он впал в полузабытье. Сколько времени прошло, не помнит. Ранило его до обеда. Значит, весь день пролежал неподвижно. Когда стемнело, пополз к реке — там, по слухам, располагался медсанбат. Полз медленно, с трудом волоча окровавленную, обледенелую ногу. От потери крови клонило ко сну. Сознание меркло. Усилием воли заставлял себя ползти. Понимал, что, если уснёт, никто его не найдёт и к утру он замерзнет. Голова кружилась, тошнило, и боль была такая, что при малейшем толчке кусал губы, чтобы не закричать. Всё пересиливал и упорно продвигался вперёд. У реки оказался уже ночью. Было совсем темно. Пить хотелось страшно. А берег завален трупами...

— Хорошо помню, — рассказывал Саша, — как я раздвинул трупы и припал к воде. Когда напился, почувствовал, как замерз. Зуб на зуб не попадает. В медсанбате увидел горячую печь — попросил: «Доктор, можно к огню?» Хотелось самому в печку залезть — так простыл на холодной земле. — И добавлял: — Я всю жизнь с благодарностью вспоминаю врачей, которые меня лечили. Но в том, что я стою на обеих ногах, есть и моя заслуга.

В медсанбате подошёл к нему санитар, разрезал голенище и снял обледенелый сапог. Хирург долго смотрел на ногу и сказал:

— Отнимать придётся, иначе раненый погибнет.

Друин сквозь забытье услышал эти роковые слова и, едва шевеля губами, прошептал:

— Что хотите со мной делайте, доктор, а я не даю согласия.

Хирург опять внимательно посмотрел на него и подал полстакана водки.

С неохотой выпил Саша водку и тут же не то уснул, не то потерял сознание. Как перевязывали, как переправляли через Неву — ничего не помнит.

Очнулся уже в госпитале. Около него стоит врач.

— Вы отказались от ампутации, но на спасение ноги почти никакой надежды нет. Разовьётся газовая гангрена, резать надо будет много выше, да и жизнь окажется в опасности.

— Всё равно решительно возражаю!

— Что же нам с тобой делать? — задумчиво проговорил врач, которому, по-видимому, и самому было жаль калечить солдата. — Пригласите, пожалуйста, профессора, — распорядился он. Вошёл невысокого роста, худощавый человек с седыми подстриженными усами. Из-под медицинской шапочки выбивались совершенно белые волосы. Эта седина находилась в полном противоречии с его молодо выглядевшим лицом, блестящими голубыми глазами, смотревшими остро и даже весело.

— Что вас смущает, Георгий Иванович? — просто, не по-военному обратился профессор к хирургу.

— Вот, Александр Александрович, у солдата раздроблена нога, вырван большой кусок мягких тканей. Мне кажется, что нога нежизнеспособна, а он не позволяет отнимать её. Боюсь, что ногу-то мы сохраним, а человека потеряем.

Александр Александрович Немилов, консультировавший в блокаду одновременно в нескольких военных госпиталях, осмотрел Сашу, изучил рентгеновские снимки, проверил пульс, измерил температуру и заговорил спокойно:

— Вы, Георгий Иванович, правы, здесь реальная угроза для жизни. Но всё же побороться за ногу стоит. Если возникнет осложнение, мы должны его вовремя ликвидировать. Надо наложить прочный гипс, оставить в нём окно, чтобы можно было наблюдать за раной и делать необходимые перевязки, не травмируя раздробленные кости.

— Как я был благодарен профессору! — вспоминал Друин. — Множество больных у него, а ведь и про меня не забывал. Придёт, бывало, в госпиталь и обязательно ко мне заглянет. Случалось, и сам почистит рану, вынет осколки, положит лекарство. И так не раз и не два... Хлопот я им всем доставил!..

В блокадном Ленинграде оставались преимущественно лишь пожилые хирурги, не пожелавшие эвакуироваться. Молодые и здоровые — на фронте. Поэтому-то каждому профессору доводилось консультировать в нескольких госпиталях сразу. Работали они дни и ночи, не жалея сил и собственного здоровья.

Одним из самоотверженных тружеников был и Александр Александрович Немилов. Он умер в 1942 году от истощения и стенокардии, не прекращая работы, — на боевом посту.

Тот, кто был на фронте, кто видел врачей в деле, тот, как правило, с глубоким уважением относился не только к хирургу, но и к медицинскому учреждению вообще. За войну свыше семидесяти процентов раненых наших воинов были возвращены в строй.

Медсанбат стоял перед глазами Саши Друина, когда он лежал у нас в бреду, с высокой температурой. В тот же день мы поместили его в клинику. Рентгеновские снимки выявили крупозную пневмонию во всей верхней доле правого лёгкого, с распадом в центре. Ясно вырисовывался ряд крупных полостей с неровными контурами, что скорее свидетельствовало о гангрене. Тут было над чем призадуматься.

Гангрена — самое тяжёлое и почти безнадёжное осложнение крупозной пневмонии. В памяти отчётливо обрисовывалась подобная картина у больного Г., умершего сколько-то месяцев назад. Его доставили из терапевтической клиники поздно — от начала заболевания прошло свыше двух недель. Верхняя доля справа полностью омертвела. Мы откачивали ему жидкость с помощью толстой иглы и даже дренажной трубки — всё напрасно. Процесс нарастал. Позднее присоединилось кровохарканье, и больной погиб. На операцию по удалению омертвевшей части лёгкого в таких условиях мы пойти не могли. Слишком ясно было, что риск неоправдан и мы лишь ускорили бы печальный исход.

И вот теперь, глядя на своего друга, я поневоле заколебался: что предпринять? Лечить большими дозами антибиотиков?! Но там, где распад и скопление жидкости, ни внутримышечные, ни внутривенные введения антибиотиков не помогут. Вскрыть абсцесс через грудную клетку, как практиковали раньше? Но опыт показал, что это неэффективно. Решиться на изъятие омертвевшей доли? Операция тяжелейшая, Саша в таком состоянии её не выдержит.

Однако надо что-то делать. Произойдёт непоправимое — никогда себе не прощу! А тут ещё Наталья Ивановна сидит над своим Сашей и плачет. С ним они прожили сорок лет, вырастили двух замечательных сыновей. Как же она останется без него?..

Острые абсцессы и гангрена лёгких и поныне представляют собой одну из труднейших проблем медицины. Тогда же вообще не знали, почему в одних случаях воспаление лёгких рассасывается, в других, наоборот, переходит в абсцесс, а в третьих — наступает даже омертвение целой доли. Не знали эффективных методов лечения, и больные нередко умирали или становились инвалидами.

Как предупредить столь грозные осложнения? А если они возникли, как с ними бороться?

Когда в начале 70-х годов я был по линии Всемирной организации здравоохранения в Париже с целью изучения лёгочной патологии, то обратил внимание, что у французов абсцесс или гангрена лёгких встречаются исключительно редко. Почему? Оказывается, при пневмонии они назначают дозы антибиотиков, намного превышающие наши; используют препараты, которые и в таких концентрациях не дают побочных эффектов. Если того требуют обстоятельства, вводят их одномоментно и внутривенно, и внутримышечно.

Вернувшись из командировки, я составил подробный отчёт в своё министерство, рассказал об этом и внёс коекакие предложения. Сожалею, что они остались без ответа.

...У нас не было способов лечения больных, к каким относился Друин, и порой хирурги шли на «операции отчаяния». Почти всегда безуспешно.

Между тем уже со второй половины 40-х годов мы удачно применяли лёгочные пункции — подавали антибиотики непосредственно в полость хронического абсцесса. Но ведь у Саши абсцесс острый! И если при хроническом, как правило, имелись спайки между лёгкими и грудной стенкой, то при остром их могло и не быть. А если спаек между лёгким и плеврой нет, то при проколе воздух попадёт в плевральную полость, спровоцирует острый пневмоторакс; туда легко проникнет гной, и тогда возникнет разлитый гнойный плеврит. То есть будут уже два тяжелейших заболевания — острый абсцесс лёгкого и острый гнойный плеврит. Больной и вовсе не выберется из критического положения.

Вот эти опасения и заставляли хирургов воздерживаться от подобных активных действий.

Но сейчас, мне казалось, другого выхода не придумаешь.

Я снова взял Сашу в рентгеновский кабинет, примерился и наметил точку в том месте, где полость абсцесса ближе всего подходила к грудной стенке, в надежде, что, может быть, здесь уже успели сформироваться спайки. Затем отвёл его в перевязочную, усадил в ту же позу, какая у него была в рентгеновском кабинете, и подготовил грудную клетку для пункции.

Тщательно проведя анестезию кожи и глубоких слоёв, наполнил большой шприц раствором новокаина, надел длинную иглу и стал осторожно вкалывать её в грудную полость, всё время нажимая на поршень. Последний поддавался с некоторым трудом. Вдруг почувствовал, как поршень легко пошёл внутрь. Значит, я попал в полость! А если это кровеносный сосуд?! Со страхом потянул назад...

К моему и Сашиному счастью, в шприце крови не было. Я не ошибся!

Откачав жидкость, взял другой шприц, наполненный раствором пенициллина с новокаином, повторил ту же операцию. Соблюдая правила, извлёк иглу...

Больному сделали укол морфия, и он, откашлявшись, уснул.

На следующий день Александра Георгиевича Друина было не узнать. Температура упала, сознание прояснилось, боли в груди исчезли.

После 26 таких уколов он полностью поправился...

С каждым годом к нам поступало всё больше лёгочных больных; нередко попадались случаи, похожие на друинский. Вот тут-то и помогал метод интенсивных местных атак антибиотиками. Им вскоре уверенно овладели врачи. Удалось спасти сотни людей, которых ещё вчера не умели лечить.

В институте этому методу дали научное обоснование и составили рекомендации для сети лечебных учреждений. Бывая за границей, я не однажды встречал коллег, с успехом его применявших. Но следует сказать: не всегда он результативен.

И мы продолжали работу. Поручили В. Ф. Егизаряну дальнейший поиск; он исследовал триста пациентов, систематизировал показания, вывел закономерности и внёс ряд толковых предложений. Впрочем, и ныне медики не перестают совершенствовать данный метод.

История моего блокадного друга наглядно иллюстрирует и ещё одно непреложное правило: за жизнь больного, каким бы тяжёлым он ни был, надо бороться до конца. И проявлять при этом решительность, смелость.

Много переживаний доставили нам больные с острыми абсцессами и гангреной лёгких, которым и внутрилёгочные пункции не приносили облегчения. Все виды лечения тут оказывались напрасными. Смертность была высокой. А у тех, кто выживал, часто держалось нагноение плевры, бронхиальные свищи, гнойная интоксикация и т. д.

Со временем мы разнообразили тактику. Если ни хирургическое вмешательство, ни терапия, ни введение антибиотиков в полость абсцесса не были успешными, мы прибегали к более сложным, но эффективным методам, сулившим нам определённые надежды.

Как-то заходит ко мне ассистент Путилов Максим Григорьевич, опытный хирург с хорошими руками.

— Фёдор Григорьевич, посмотрите, пожалуйста, больного Иванова. Несмотря на все принимаемые меры, ему все хуже. Боюсь, что мы его потеряем.

— А что с ним?

— Он уже несколько лет болеет хронической пневмонией. Каждый год у него бывают обострения, которые надолго выводят его из строя. С каждым годом эти обострения протекают всё тяжелее.

— А что является причиной обострения?

— В этот раз он был где-то с приятелем на рыбалке. Выпили, и он полежал на земле. На следующий день у него температура поднялась до 39,5 градуса и, несмотря на самые энергичные меры, не снижается. Больной слабеет, временами теряет сознание.

— Что выявлено на рентгеновских снимках?

— Множественные абсцессы в верхней доле правого лёгкого.

Действительно, на рентгенограммах была выявлена довольно грозная картина. Все правое лёгкое было инфильтрировано воспалительным процессом, и на фоне затенения в верхней доле ясно были видны различной величины полости с горизонтальным уровнем.

— А вы вводили ему антибиотики через грудную стенку?

— Да, несколько раз, но почему-то без эффекта.

— А как вы думаете — почему?

— Думаю, что из-за множественности абсцессов. Кроме того, некоторые из них находятся глубоко у корня лёгкого, их иглой не достанешь. Опасно — можно проткнуть сосуд.

— Пойдёмте, покажите мне больного.

Это был средних лет, крепкого сложения мужчина. В момент осмотра он был в сознании; лежа на подушках, тяжело и часто дышал. Пульс был частый, слабый. Бледный, с запавшими щеками и лихорадочно блестящими глазами, он производил впечатление обречённого. И в самом деле, положение его было почти безнадёжное. Абсцессы располагались очень близко к корню лёгкого, то есть к крупным сосудам и бронхам. Попасть в абсцесс почти невозможно, но зато легко проколоть иглой сосуд и вызвать кровотечение.

— А внутривенно и внутримышечно вы вводили ему антибиотики?

— Да, и в больших дозах. Эффекта никакого. Между тем если мы что-либо не предпримем — он погибнет. У него и теперь уже намечаются признаки общего заражения крови.

Положение было очень сложным. Больной поступил к нам из терапевтической клиники, где опытные клиницисты признали своё бессилие и направили к хирургам как к последней надежде. А что нам делать? Операцию? Но какую? По литературе было известно, что некоторые хирурги идут в подобных случаях на удаление лёгкого. Но во-первых, это же калечащая операция, а во-вторых, выдержит ли он её в таком состоянии? Между тем что-то надо делать. Больной не только с каждым днём, но с каждым часом становился тяжелее, и казалось, что ничем не удастся предотвратить печальный исход. Силы больного истощены, сопротивления никакого, а наше лечение не достигает цели.

Я опять вызываю М. Г. Путилова.

— Как больной?

— Ему всё хуже.

— А что, если нам ввести антибиотики непосредственно в тот сосуд, который снабжает кровью поражённый участок лёгкого? То есть в верхнедолевую ветвь правой лёгочной артерии, в зоне которой и располагается распад ткани.

— А если возникнет тромб, который закупорит лёгочную артерию, тогда гибель неотвратима...

— Вместе с антибиотиками в раствор добавить небольшие дозы гепарина, предупреждающего свёртывание.

— А каким путём вводить?

— А вы не читали, в журнале сообщалось о введении химиопрепаратов при лечении рака лёгкого. Они применяли подобную же методику. А катетер ввести через бедренную вену.

— Значит, путь катетера будет таким: бедренная вена, нижняя полая вена, правое предсердие, правый желудочек, главный ствол лёгочной артерии, правая лёгочная артерия, верхнедолевая ветвь.

— А вы не пугайтесь такого длинного пути. Возьмите рентгеноконтрастный тонкий катетер и в рентгеновском кабинете проведите его. Установив конец его в нужном месте, закрепите и начинайте непрерывно капельно вводить лекарство. Составьте список, что вводить, в какой пропорции, и согласуйте со мной.

— Иду выполнять немедленно. Это единственный шанс на его спасение.

— Помните только, что строжайшая асептика — это первое условие для достижения успеха.

Катетер был установлен в нужном месте, и мы начали вводить сложный состав лекарств непосредственно в сосуд, снабжающий поражённую долю. В основе этого состава были сверхмощные дозы антибиотиков. Уже на следующий день состояние больного улучшилось и температура снизилась. Больной начал поправляться. Через двадцать восемь дней мы извлекли катетер при хорошем состоянии больного. На рентгеновском снимке абсцессы исчезли, инфильтрация уменьшилась. А ещё через полтора месяца все рассосалось и в лёгком не осталось никаких следов от бывшей катастрофы.

Так было положено начало новому методу в лечении одного из самых грозных осложнений хронической пневмонии — абсцесса и гангрены лёгкого.

После этого, ввиду того что ассистент М. Г. Путилов ушёл на базу для занятий со студентами, мы поручили применение этого метода В. Ф. Егизаряну и, испытав его более чем на ста самых тяжёлых больных, получили хорошие результаты.

Конечно, этот метод очень сложен и при несоблюдении всех правил чреват осложнениями. Тем не менее в хороших руках это, несомненно, очень сильное средство лечения наиболее тяжёлых больных.

Чем больше мы занимались пульмонологией, тем яснее становилось для нас, что эта проблема в нашей стране незаслуженно заброшена. Изучение мировой литературы, а также собственные массовые осмотры населения и изучение контингента больных в поликлиниках и стационарах показывают, что лёгочные заболевания выходят на одно из первых мест. А главное, темпы роста этих заболеваний вызывают беспокойство во всём мире. Причём рост заболеваний идёт главным образом за счёт так называемых неспецифических воспалительных заболеваний лёгких: хронической пневмонии, хронического бронхита, бронхиальной астмы.

Как-то разговорились мы с Иваном Владимировичем.

— Что это, Фёдор Григорьевич, за последнее время мы всё чаще встречаем больных, которым ставят диагноз хроническая пневмония. В чём дело? Почему пневмония так часто переходит в хроническую стадию? Или, может быть, нам так кажется?

— Нет, это не кажется. И на самом деле сейчас хроническая пневмония стала встречаться чаще, чем раньше.

— А почему это так? Что за причина?

— А причин тут много. Начать с того, что с появлением антибиотиков и других лечебных препаратов мы стали предупреждать печальный исход у тех больных, которые прежде неизбежно погибали.

— Так это же хорошо.

— Это действительно очень хорошо. Но, спасая больного от грозящей ему смерти, мы нередко не можем полностью ликвидировать те осложнения в лёгких, которые уже наступили, и они в дальнейшем дают обострение, что и приводит к хронической пневмонии.

— Какие же ещё причины?

— Недостаточно квалифицированное и не вовремя применённое лечение.

— А от чего это зависит?

— Прежде всего от того, что у нас нет руководств по лечению больных пневмонией, написанных на современном уровне.

— А это почему?

— Потому, что этот вопрос никто всерьёз не изучает. У нас же нет ни одного научного учреждения, кроме Института пульмонологии с его малым количеством коек, которое бы всерьёз изучало этот вопрос, хотя как по нашим данным, так и по данным мировой литературы лёгочные, не туберкулёзные заболевания выходят на одно из первых мест. Так, например, в нашей стране уже в 1966 году таких больных было в три раза больше, чем больных туберкулёзом и раком лёгкого вместе взятых.

— А как за рубежом?

— В Америке, например, в 1974 году по этим заболеваниям было свыше восьмидесяти миллионов дней нетрудоспособности, то есть если считать, что каждый проболел в среднем двадцать дней, то, значит, болело четыре миллиона человек. И учёные подсчитали, что количество таких больных удваивается приблизительно каждые пять лет.

— Это же очень тревожные сообщения и положение. Какие же меры предпринимаются?

— К сожалению, внимания к этому вопросу не уделяется в том размере, как он заслуживает.

— Что вы этим хотите сказать?

— Вот, например, для лечения туберкулёзных больных имеется целая сеть институтов и диспансеров, где не только такие больные лечатся, но и вопрос подвергается дальнейшему изучению. Больные раком лёгкого могут обратиться в институты и диспансеры по онкологии, правда, с этими больными дело обстоит хуже, чем это необходимо.

— А что предпринято для лечения больных хроническими не туберкулёзными заболеваниями? Ведь их же, наверное, миллионы?

— Совершенно верно. Их миллионы. И среди них сотни тысяч детей. Но для их лечения ничего не предпринимается.

— Почему?

— Тот, от кого это зависит, занимает странную позицию, своего рода «страусовую политику». Закрывает глаза на эти миллионы больных и ведёт себя так, как будто их нет совсем.

— А вы обращались куда-либо?

— Ещё будучи в институте, мы не раз вносили предложения и проекты по организации пульмонологической службы в стране. Но ни разу из этого ничего не выходило. Те, кто должен решать этот вопрос, так сильно увлеклись сердцем, что про лёгкие и не вспомнили ни разу, о чём можно судить по их публичным выступлениям.

— А что показали научные изыскания института, которым вы руководили?

— Изучив этот вопрос всесторонне, мы установили, что чаще всего люди болеют хронической пневмонией с различными осложнениями в виде бронхиальной астмы, абсцедирования, эмфиземы лёгких, лёгочно-сердечной недостаточности.

— А что сейчас изучает Институт пульмонологии?

— К сожалению, в институт пришли люди, увлекающиеся операциями на сердце. Не довольствуясь стенами своего учреждения, они уходят для этой цели в другие учреждения.

— Но это же хорошо, операции на сердце — очень важное дело.

— Совершенно правильно. Важное и очень нужное дело. Но двумя этими проблемами одновременно заниматься очень трудно, особенно если одна из них для тебя дело новое. В результате пульмонология стала страдать. От полученных нами научных данных отказались, пошли в сторону от того курса, на котором мы имели столь ободряющие результаты.

— Но эти труды ваши и ваших сотрудников анализированы, обобщены? Ведь очень важно, чтобы они не пропали даром!

— К сожалению, они не обработаны, и боюсь, что они пропадут для науки.

— Этого ни в коем случае нельзя допустить. Вы обязаны это сделать. Ведь как директор института вы руководили работой всех разделов и лабораторией. Результаты исследований могут быть правильно оценены только вами, и потомки вам не простят, если вы этого не сделаете.

— Я и сам понимаю, что это, при создавшемся положении, могу и обязан сделать я сам. На этом же всё время настаивает и Эмилия Викторовна, которая хорошо знакома с работой института. Но где взять время? А кроме того, вы же знаете, в каких условиях находится сейчас наша клиника? Где тут творческая обстановка?

— Всё это ясно. Но может быть, кто-то сознательно поставил вас в такие условия, чтобы затруднить ваш творческий процесс? В таких случаях как истинный патриот вы тем более обязаны преодолеть все трудности и сделать то, что так важно для русской науки, то есть, обобщив весь материал, написать солидную монографию!

— Не могу не согласиться с вашими доводами. Они слишком логичны, да и я сам так же думаю. Поэтому, пожалуй, не буду больше откладывать и возьмусь за научную книгу!

— Но всё же вы мне не ответили, почему же хроническая пневмония стала встречаться чаще, чем раньше. Почему тяжёлые больные с острой пневмонией не излечиваются, а часто у них процесс переходит в хроническую стадию? Что нужно, чтобы тяжёлая пневмония заканчивалась полным выздоровлением?

— Во-первых, надо понимать те процессы, которые происходят в организме, а во-вторых, таких больных надо лечить долго, упорно и нередко повторно.

— А что этому мешает?

— Самое главное, что нет учреждений, оснащённых необходимой аппаратурой, имеющих специальные лаборатории, в которых эти больные могли бы получить квалифицированную помощь на современном уровне. В обычных же клиниках и больницах основной показатель хорошей работы — это короткий койко-день. И все стремятся выполнить этот показатель, нередко в ущерб больному и на радость администратору. Между тем определённые процессы требуют определённого времени, и преждевременная выписка больного неизбежно приводит к переходу процесса в хроническую стадию. Кроме того, бездумное и часто в малых дозах применение антибиотиков приводит к тому же. В результате количество больных с хронической пневмонией растёт из года в год. Особенно большой контингент таких больных даёт каждая эпидемия гриппа.

— Почему это?

— Потому что гриппозная инфекция, подобно туберкулёзной, с самого начала предрасположена к длительному, хроническому течению. А это в повседневной практике не учитывается, и больные с гриппозной пневмонией так же рано выписываются на работу, как и при обычном воспалении лёгких. А это обеспечивает переход в хроническую стадию у очень многих больных. По нашим данным, у 14% больных пневмонией, возникшей при эпидемии гриппа, процесс переходит в хроническую стадию... А учитывая массовый характер болезни — каждая эпидемия гриппа оставляет после себя тяжёлый след.

— Всё это чрезвычайно интересно, и будет непростительно с вашей стороны, если вы ваши труды и труды своих сотрудников тщательно не проанализируете и не обобщите в виде отдельной монографии.

В самом деле. Наши исследования как внутри института, так и по стационарам и поликлиникам города показали, что основное заболевание, приводящее больных к инвалидности и преждевременной гибели, а также дающее тяжёлое осложнение в виде бронхиальной астмы, абсцедирования, эмфиземы лёгких и лёгочно-сердечной недостаточности, является хроническая пневмония. Поэтому мы все разделы института, все его лаборатории направили на изучение всех сторон этого заболевания.

Не ставлю перед собой задачу перечислять и описывать все поиски, находки, а подчас и подлинные научные открытия, которые появились на счёту Института пульмонологии. Его штат составляли несколько сот человек — в большинстве увлечённые, пытливые люди. За короткий период в три-четыре года они сумели найти и определить сущность ряда тяжёлых лёгочных заболеваний, верные способы борьбы с ними. (В опубликованной потом объёмной монографии подведены итоги теоретических и практических исследований.) Главное же, что важно подчеркнуть, — в институте с первых дней заботились о продвижении нового в практику больниц и клиник всей страны. Печатали научные труды, инструкции, разъяснения, рассылали на места. Была налажена широкая сеть консультаций. Сотрудники выезжали в другие города. Устраивались сессии учёного совета, симпозиумы, семинары, конференции...

Наша деятельность завоевала признание и за рубежом.

К нам зачастили многочисленные делегации. На встречах с ними сообщения наших специалистов неизменно сопровождались аплодисментами. Из ряда стран делегации стали приезжать систематически, причём группами до ста человек.

Приведу выдержку из отчёта президента Американского общества хирургов Гарольда Холстранда. Во втором номере журнала «Интернациональная хирургия» за 1970 год он писал: «12 мая я посетил 1-й Ленинградский медицинский институт и был приглашён на первое научное заседание, открывшееся докладом профессора Ф. Г. Углова об оригинальных работах по пневмонии... На следующий день мы вновь посетили институт. В этот раз мы имели честь наблюдать, как профессор Углов резецировал аневризму левого желудочка сердца под искусственным кровообращением. Техника и оборудование были высшего калибра, а руки профессора Углова — сказочно мягки...»

Именно наши работы по пневмонии в первую очередь привлекли внимание учёного, и он выразил желание, чтобы я выступил перед американскими врачами. По возвращении на родину профессор Холстранд прислал письмо: «Как президент секции Соединенных Штатов Международной корпорации хирургов и от имени всех наших членов я хотел бы пригласить вас участвовать в нашем очередном конгрессе, который состоится 20—25 ноября сего года в Лас-Вегасе, штат Невада... Для нас было бы большой честью, если бы вы приняли приглашение...»

Крупный перуанский хирург Эстебан Рокка, в начале 70-х годов познакомившийся с нашими методами лечения пневмонии, бронхиальной астмы и острых гангрен лёгкого, будучи президентом XIX Международного конгресса хирургов, попросил меня присутствовать на заседаниях в качестве его личного гостя и сделать доклад. Заочно я был избран почётным членом конгресса.

Директор ВОЗ профессор Ямомото письменно уведомил, что поставлен вопрос об организации у нас Мирового центра пульмонологии. Это сулило большие ассигнования и прекрасное техническое оборудование по линии ВОЗ. К тому же было приятно, что престиж института вырос в международном масштабе.

2 | Каждый день и всю жизнь

1

Во фронтовых очерках Борзенко есть такой эпизод. В минуту откровения кто-то из командиров спрашивает военного журналиста, с которым только что вышел из боя:

— Если бы тебя убили, какие бы ты произнёс последние слова?

Журналист, не задумываясь, отвечает:

— А всё-таки я прожил хорошую жизнь.

Здесь нет натяжки, ложного пафоса. И не стал бы лукавить всегда предельно искренний Сергей Александрович ради красного словца. Он и себя судил по большому счёту и именно на войне окончательно понял простую истину: цену человека определяют его дела. Сознание выполненного долга — высшее счастье. В этом смысле сам Борзенко был, безусловно, счастлив. И я полностью разделяю его точку зрения.

Свыше полувека отдал я служению людям, преимущественно — в качестве хирурга. Мне приходилось работать в различных условиях, начиная от участковой амбулатории в сибирском селе и кончая первоклассной ленинградской клиникой.

По существу, в любой обстановке врач может почувствовать свою «нужность». Конечно, приятнее оперировать в помещении с бестеневым освещением, пользоваться многочисленной аппаратурой, помогающей установить подлинную картину болезни. Но в конце концов, если с душой отдаёшься делу, если его знаешь и беспрерывно совершенствуешь, если у тебя умные руки, доброе сердце, то удовлетворение, радость от полученных результатов ты испытываешь там, где приносишь больше пользы.

Врачи-гуманисты во все времена тяжело переживали поражения, отступая перед непобеждёнными болезнями. Боткин писал своему другу Белоголовому: «Из всей моей деятельности лекции — это единственное, что меня занимает и живит; остальное тянешь, как лямку, прописывая массу ни к чему не ведущих лекарств. Это не фраза и даёт тебе понять, почему практическая деятельность в моей поликлинике так тяготит меня. Имея громадный материал хроников, я начинаю вырабатывать грустное убеждение в бессилии наших терапевтических средств».

Приблизительно в таком же духе высказывался знаменитый немецкий хирург Бильрот в переписке с композитором Брамсом.

Разумеется, с тех пор возможности медицины резко возросли. Однако и по сей день остаются недуги, в сражениях с которыми медицина пока беспомощна. И вот перед лицом этих-то так называемых «неизлечимых болезней» врачи ведут себя по-разному. Одни сравнительно легко смиряются, стараясь всё же участием и нейтральными лекарствами как-то успокоить и облегчить страдания больного. Другие не признают инертности — наоборот, всю энергию, талант, силы отдают постижению способов борьбы за человека. Таким врачам нелегко. Их испытывают на прочность и всякого рода стрессы, и наветы тех, кто уже «смирился»; они первыми идут по бездорожью, прокладывая путь другим.

Мне запомнились строки из стихотворения Василия Фёдорова:

> Ну, а если нам до ста
> не придётся дожить,
> значит, было не просто
> в мире первыми быть.

И ещё как не просто!

В. Вересаев утверждал: «...настоящим врачом может быть только талант, как только талант может быть настоящим поэтом, художником или музыкантом».

И дальше: «..."научиться медицине", т. е. врачебному искусству, так же невозможно, как научиться поэзии или искусству сценическому. И есть много превосходных теоретиков, истинно «научных» медиков, которые в практическом отношении не стоят ни гроша».

Если так правомерно сказать про врача вообще, то тем более — про хирурга, ибо считается общепризнанным, что хирургия — это наука, помноженная на искусство.

В нашей стране период с 1945 года характеризуется крупными достижениями в освоении новых разделов хирургии. Очевидно, экстремальные условия, в которые были поставлены врачи в лихолетье Великой Отечественной войны, явились мощным стимулом к прогрессу, пробудили их творческую активность. Я и сам был главным хирургом фронтового госпиталя. Не перечислить, какие увечья я повидал, какие сложные задачи пришлось мне решать у операционного стола!.. И чаще всего без предварительной подготовки, без дополнительных консультаций, при отсутствии должного числа квалифицированных ассистентов. Глаза боялись, а руки делали. И нередко с успехом завершались операции, казалось бы, требующие в обычной обстановке коллективного ума маститых учёных и звёзд хирургического мира.

Война, страшные картины мучений побудили и меня к интенсивным поискам нехоженых дорог в медицине.

В первые же послевоенные годы особое внимание стали уделять операциям на органах грудной клетки — лёгких, пищеводе, сердце, сосудах, — так как многие тяжёлые заболевания этих органов считались неизлечимыми. У каждой болезни тут свои особенности и свои проявления, а хирургическое вмешательство в каждом отдельном случае — это совершенно самостоятельные разделы хирургии, которые были созданы и внедрены в практику за сравнительно короткий промежуток времени.

Некоторые хирурги, освоив какой-то вид лечения, на том и останавливались. Иные же, разработав одну методику и передав её ученикам, принимались за другую. И так, не унимаясь, не довольствуясь достигнутым, день за днём брали все новые и новые высоты.

Можно говорить о двух типах хирургов. Одни — специалисты в узкой области. Они знают, может быть даже в совершенстве, небольшое число операций на конкретном органе.

Вторые — оперируют на многих органах в общем-то одинаково. Кто из них более ценный? Так ставить вопрос нельзя. Оба типа ценны, оба имеют достоинства и недостатки. Всё зависит не от узости или широты взглядов хирурга, а от его таланта. Талантливый человек, к тому же если он честен и добросовестен, окажется весьма полезен и в ограниченном круге своих знаний. Но мне больше по сердцу многогранные специалисты. Очевидно, это идёт от моего характера.

Я воспитан в среде простых сибиряков, землепроходцев. С детства меня приучали к деловитости. Сколько помню, всегда слышал наставления отца: все делай быстро! У нас в семье не было слова «сходи», а было «сбегай». Если ты «пошёл», то сейчас же кто-то другой побежит, тебя обгонит, и тогда останется только краснеть за свою нерасторопность. Для работы мне не нужны были никакие «условия». Уроки готовил или лежа на животе рядом с горящей печуркой, или приткнувшись к какому-нибудь «чужому» свету. Я и затем, став взрослым, мог трудиться где угодно: в трамвае, в очереди, в поезде, — лишь бы можно было достать ручку и писать.

Во время операции приучил держать себя в руках. Здоров я или болен, спокоен или взвинчен — всё равно: подошёл к операционному столу — будь хладнокровен, сосредоточься исключительно на том, что тебе предстоит.

Судьбу мою определила Октябрьская революция. Не будь её, не попал бы я, деревенский парень, в институт, не открылись бы для меня двери лучших клиник, и уж конечно никогда бы мне не стать ассистентом и учеником Николая Николаевича Петрова — крупнейшего русского хирурга, культурнейшего и благороднейшего человека, одного из основоположников отечественной онкологии.

Революция распахнула мир перед прежде бесправными массами, она дала им всё, считая и медицинскую помощь.

В. Вересаев, к которому я питаю большое уважение, в своих «Записках врача» с горечью размышляет: «Медицина есть наука о лечении людей. Так оно выходило по книгам, так выходило и по тому, что мы видели в университетских клиниках. Но в жизни оказалось, что медицина есть наука о лечении одних лишь богатых и свободных людей. По отношению ко всем остальным она являлась лишь теоретической наукой о том, как можно было бы вылечить их, если бы они были богаты и свободны; а то, что за отсутствием последнего приходилось им предлагать, на деле было не чем иным, как самым бесстыдным поруганием медицины».

В. Вересаев приводит многочисленные примеры того, как социальное неравенство, бедность и нищета, равнодушие власть имущих к участи тех, кто обеспечивал их благополучие, обрекали на бессмысленную гибель тысячи несчастных.

«В деревне ко мне однажды обратился... мужик с одышкою. Все левое лёгкое у него оказалось сплошь поражённым крупозным воспалением. Я изумился, как мог он добрести до меня, и сказал ему, чтобы он немедленно по приходе домой лёг и не вставал.

— Что ты, барин, как можно? — в свою очередь изумился он. — Нешто не знаешь, время какое? Время страдное, горячее. Господь батюшка погодку посылает, а я — лежать! Что ты, господи помилуй! Нет, ты уж будь милостив, дай каких капелек, ослобони грудь.

— Да никакие капли не помогут, если пойдёшь работать! Тут дело не шуточное — помереть можешь!

— Ну, Господь милостив, зачем помирать? Перемогусь как-нибудь. А лежать нам никак нельзя: мы от этих трёх недель весь год бываем сыты.

С моею микстурою в кармане и с косою на плече он пошёл на свою полосу и косил рожь до вечера, а вечером лёг на межу и умер от отёка лёгких».

Невозможно читать эту сцену без гнева и боли!

После победы Октября в вузы пришла новая смена — выходцы из рабочих и крестьян. Взять хотя бы мою семью: из шести братьев и сестёр пятеро получили высшее образование, о котором раньше не смели бы и мечтать. Народная интеллигенция формировалась на народные средства...

Бывая за границей, в самых развитых капиталистических странах, я видел там совсем другую картину. Профессор Бек из Кливленда (США) — крупный кардиолог, один из пионеров хирургии сердца. Он предложил ряд операций при коронарной недостаточности, получивших его имя: «операция Бек I», «операция Бек II» и т. д. Так вот, в откровенной беседе профессор говорил нам, что дать образование детям даже ему было очень трудно. Обойтись зарплатой, чтобы платить за их учение, он не мог. Пришлось выкручиваться —

купить участок земли и сделать её источником дополнительных доходов.

Лесли Смит, старший научный сотрудник ракового
института Андерсена (Хьюстон), на наш вопрос ответил:

— Я не женюсь потому, что содержу брата, пока он учится, а родителям это и вовсе не по карману.

— Каков же ваш оклад? — спросили мы.

— Немалый — 1200 долларов в месяц. Но квартира,
налог, страховка... Едва свожу концы с концами. Если
женюсь, то или перестану помогать брату, или родители
будут голодать...

В последний раз я посетил Америку в 1971 году. Однако
мои коллеги и ученики, ездившие в США недавно, расска-
зывают, что условия жизни медиков там остаются прежними, — разве что инфляция ещё больше осложнила их мате-
риальное положение. Высокой остаётся у них и плата за
обучение в вузе.

Я же всю студенческую пору получал стипендию, как
и мои товарищи. Стипендию, конечно, скромную. Но
и сама страна в то время была разорена. И всё же из скуд-
ного бюджета выделялась часть на подготовку необходимых
специалистов.

Закончив университетский курс, я несколько лет проработал практическим хирургом, а потом ощутил острую
потребность совершенствовать дальше свои знания. Приехав из Сибири, попросил место аспиранта в выбранной
мной клинике. И это место дали. Три года я постигал пре-
мудрости хирургии высшего класса, причём был обеспечен
настолько, что мог учиться и жить вместе с семьёй.

Я вспоминаю здесь известные истины. Но о них не надо
никогда забывать. Дети и внуки пусть тоже знают, что никакие удобства и блага жизни с неба не валятся, что за сегод-
няшнее благополучие уплачено пóтом и кровью миллионов
прекрасных людей.

Как бы ни было теперь богато и могуче наше государство, его возможности не безграничны. Много у нас тратит-
ся на здравоохранение, и всё-таки не всегда хватает. То
нужно строить новое помещение для клиники, то малы
штаты, то недостаёт оборудования. В те же времена, когда
я начинал работать, проблемы возникали одна за другой.

В сибирской больнице, куда я попал по распределению, не было даже операционного стола. Захватил учебники с рисунками и описаниями, пошёл к главному инженеру завода:

— Прошу помощи. Вот по этой схеме необходимо срочно изготовить операционный стол.

— А вы не могли бы выбрать более подходящий момент? — полушутя-полусерьёзно спросил он. — У меня все до единого человека заняты. Сейчас самые ударные дни.

— Ну что же, — говорю я. — Если вам или кому-нибудь из ваших близких понадобится вдруг экстренная операция, я скажу, что она откладывается, пока у речников не кончится аврал.

Что можно было возразить? Вопрос серьёзный. Главный инженер тотчас вызвал к себе проектировщика и, как тот ни ссылался на запарку, велел немедленно взяться за чертежи. Примерно такой же разговор состоялся с начальником столярной мастерской. Ему было приказано все отставить и сделать операционный стол.

Примечательно, что сами рабочие, как только узнавали, что от них требовалось, с энтузиазмом выполняли заказ. Операционную оборудовали своими силами, и с год она функционировала так, пока из Ленинграда не прислали специальный стол заводского производства.

Зачем я рассказываю об этом вроде бы незначительном случае? Тогда я впервые, наверное, понял наглядно, что такое долг. Мало хорошо выполнять обязанности «от» и «до», пассивно воспринимая препятствия, которые-де не от тебя зависят. Борись, настаивай, добивайся, проявляй инициативу, становись организатором, хозяйственником, если нужно. Иди к людям, и тебя всегда поддержат, потому что на твоей стороне правда.

2

Когда в Ленинграде мы начали строить здание клиники госпитальной хирургии, обком партии и горсовет живо интересовались ходом работ. Заведующий в то время отделом строительства в обкоме М. М. Команов часто у себя в кабинете устраивал совещания, считая клинику самым важным объектом. Начальник Главленинградстроя

А. А. Сизов в предпусковой период сам проводил пятими-
нутки, проверял, как идут дела. Он продолжал помогать нам
и когда стал председателем горсовета.

Новой клиники ещё не было, а жизнь шла своим чере-
дом. И тяжёлые больные не переставали к нам поступать.
Врачи старались предпринимать всё возможное, даже если
шансы на удачу почти равнялись нулю.

Однажды приняли больного с опухолью. Оказалось, что
это огромная саркома средостения, заполняющая чуть ли
не всю правую половину грудной клетки. Явно неопера-
бельный вариант.

— Фёдор Григорьевич! Неужели так и оставить человека,
ничего не попытавшись сделать? Ведь он обречён и не проживёт дольше двух-трёх недель. А может быть, удастся опухоль убрать? Облегчим положение и жизнь продлим! —
взмолился наш ассистент, горячий и чуткий к страданиям
больных В. Ф. Егизарян.

Действительно, почему не попытаться? Дорог каждый
миг, саркома коварна и безжалостно душит свою жертву.
И хоть мало было надежды на успех, мы решились на операцию. С большим трудом, по частям, но всё же опухоль
удалили. К сожалению, на всех участках, с которыми она
соприкасалась, началось профузное (непрекращающееся)
кровотечение из мельчайших сосудов — капилляров. И как
мы ни бились, сколько крови ни переливали, больной умер
на операционном столе. В общей сложности мы не отходили от него часов семь или восемь. Совсем обессилели. Но
едва я спустился в кабинет, тут же раздался телефонный
звонок. Меня участливо спросили: «А надо ли оперировать
такого больного? Не лучше ли было его совсем не трогать?»
Лучше — для кого? Бесспорно, спокойнее и проще не вме-
шиваться — случай-то ясный, никто не попрекнёт. Мы же
хотели подарить лишние крохи жизни своему пациенту, и не
наша вина, что всё так кончилось...

Тут я позволю себе снова обратиться к замечательной
книге В. Вересаева «Записки врача». Автор оспаривает
философию обывателей в науке, утверждающих, что надо
«употреблять только испытанное». В. Вересаев пишет: «Пока
я ставлю это правилом лишь для самого себя, я нахожу его
хорошим и единственно возможным. Но когда я представлю себе, что правилу этому станут следовать все, — я вижу,

что такой образ действия ведёт не только к гибели медицины, но и к полнейшей бессмыслице».

Что касается хирурга, то дело тут ещё щекотливее. Как бы ты ни боролся за жизнь больного, но если он умер, в глазах обывателя ты всегда виноват.

Практикуя на далёкой периферии, я проводил сложные и новые для того времени операции. Позднее, в клиниках, тоже вторгался в малоисследованные области. И не сумел бы спасти множество людей, если бы боялся идти на риск. Однако ни в Сибири, ни потом, будучи уже зрелым специалистом, никогда не разрешал себе брать с родственников, а тем более с больного, расписку в том, что они предупреждены об опасности операции.

Эта формальная акция, которую требует наше ведомство, по моему глубокому убеждению, унижает человеческое достоинство и врача, и его подопечных. Хирург и без такого рода «индульгенции» обязан проявить максимум добросовестности, использовав весь свой опыт и знания. Никто и ничто не снимает с него личную ответственность. Ни разу за все годы хирургической деятельности мне не пришлось раскаиваться в том, что я отказался от подобных расписок, и ни разу я не сталкивался с нареканиями, хотя, конечно, как у каждого хирурга, у меня были неудачи.

Считал и считаю, что в трудных ситуациях вполне достаточно предварительной беседы. Поставил в известность больного или его близких, взвесил вместе с ними все «за» и «против», принял решение, записал в историю болезни. Надо доверять мнению хирурга, если мы вручаем ему нашу жизнь, а коль скоро есть основания сомневаться — поможет ли тут чьё бы то ни было письменное согласие?

На эту тему мы разговорились как-то с американским коллегой из штата Небраска. Он сказал:

— У нас врач должен известить больного или его родных о том, каких осложнений можно ожидать при данной операции и какие возможны последствия. Отразить это в истории болезни и потребовать подписи.

— И если больной умрёт, к врачу претензий не предъявляют?

— При предвиденных осложнениях — нет. Но если больной умрёт от других причин, о которых родственники не предупреждены, то они вправе подать в суд.

— Что же будет хирургу?

— Суд может приговорить его к выплате семье умершего суммы, какую тот заработал бы, останься он жив.

— А как избежать таких последствий?

— Врачи, помимо скрупулёзного заполнения истории болезни, страхуют себя. Внося в год определённые проценты, они избавляются от разбирательств и от угрозы компенсации. Все хлопоты и расходы берёт на себя страховая компания.

Я подумал тогда: в мире бизнеса медицина с комплексом своих проблем тоже вовлечена в круг обнажённо деловых отношений. Соображения гуманности тут явно отходят на второй, а то и на третий план.

По утвердившемуся в нашей стране порядку первое суждение по каждому летальному исходу выносит врачебно-контрольная комиссия, призванная объективно установить причины смерти больного. Будет в протоколе зафиксировано, что смерть произошла, скажем, по вине хирурга, — последуют серьёзные неприятности, вплоть до судебного разбирательства.

Но ведь вина вине рознь! Да, непростительны халатность, грубая некомпетентность, легкомысленные эксперименты или такие деяния, когда врач прямо или косвенно вступает в конфликт с юридическим законом. А если он, движимый благородными чувствами, искренне заблуждался? Пытался спасти человека, но во время экстренной операции ему не хватило опыта?

Хирурга нельзя судить за неполноту знаний, несовершенство мастерства, потому что никто не становится специалистом сразу. И никто не гарантирован от ошибок, как бы ни старался. Значит, в случаях, когда со стороны хирурга нет преступных нарушений, в протоколе врачебно-контрольной комиссии так и надо писать — не виновен.

Мой учитель, академик Николай Николаевич Петров, придавал большое воспитательное значение разбору профессиональных промахов. В интересах будущих больных страх перед наказанием не должен заслонять истину.

Однажды мы, его ученики, обратились к Николаю Николаевичу с вопросом:

— Как вы смотрите на существующий порядок оценки роковых результатов у нас по линии хирургии?

— Полагаю, что делается это без учёта воспитания молодёжи. Чтобы не подвести хирурга под угрозу суда, мы
вынуждены в протоколах подчёркивать элемент случайности в его действиях. Но важен-то именно элемент ошибоч-
ности, а не элемент случайности. Все ошибки непременно
требуется вскрывать и выносить на обсуждение без попытки их приуменьшить. Нужно создавать такую атмосферу,
чтобы никто не стеснялся указывать на упущения других
и анализировать свои собственные. Только тогда из оплош-
ности хирурга можно извлечь урок, не повторить её снова,
обогатить постепенно опыт. — Потом он продолжал: — Трагический случай мы более подробно разбираем на совещании кафедры уже без «протокола» и там говорим открыто
об ошибках и их конкретных виновниках.

— На чём, по вашему мнению, основана эта двойствен-
ность?

— Тут задаёт тон как бы заранее существующее недоверие к хирургу. А хирургу надо верить. Он всегда рискует,
вступая в борьбу за жизнь человека. Как же не прислушаться к его словам?

— Но всё-таки бывает и преступная халатность!

— Если это подтверждено высококвалифицированными
экспертами, суровое наказание неминуемо. Во всех остальных случаях ошибки хирурга неподсудны.

В самом деле, хирург неизменно работает исключительно
напряжённо. За один день, например, к нам в клинику доставили 45 больных. Бригада из 3—4 врачей (среди них и совсем
молодые специалисты) должна в кратчайший срок их осмотреть, поставить правильный диагноз и принять соответствующие меры: одних срочно прооперировать, других — подготовить к операции, третьих — лечить консервативно, чет-
вёртых — перевести в другую клинику, подходящую по
профилю, пятых — выписать, признать здоровыми и т. д.

Кроме осмотра и заполнения документации, врачи за
сутки проделают 15—20 операций, каждая из которых может
продолжаться и час, и два, и даже больше! Они осуществят
целый ряд других манипуляций, вроде вправления вывихов,
наложения гипса, и это — при весьма ограниченном лими-
те времени! А назавтра администратор, сам ни разу подобной работы не проводивший, строго спросит врача: «Почему вы задержались с операцией больному X.?» И не ведает

того, что привезли сразу 10 человек, нуждающихся в хирургическом вмешательстве.

Наша ещё не изжитая беда в том, что администрация порой понимает свои функции только как контролирующие. Контроль необходим, кто спорит, но при обязательном условии: выяснить до конца специфику данного труда, быть в курсе повседневно возникающих трудностей, предпринимать конкретные усилия, чтобы их ликвидировать. Иначе что толку в окриках? Вносится излишняя нервозность в сложную и без того обстановку.

Хотел бы повторить: хирург, как правило, совершает ошибки невольно, руководствуясь единственной целью — оказать срочную помощь. Ещё меньше оснований обвинять его в правомерной попытке спасти больного путём недостаточно апробированной операции — использовав последний шанс, если действительно не было иного выхода. Резкое осуждение ударит хирурга по рукам. При слабом характере у него вообще отпадёт охота рисковать, он будет «употреблять только испытанное», а к чему это приводит — видно из слов В. Вересаева.

Помню, оказался у нас пациент с тяжёлой формой миастении — хронического нервно-мышечного заболевания, сопровождающегося большой мышечной слабостью, отчего у человека затруднено дыхание. Мы решили удалить зобную железу, ибо знали, что от неё эта слабость зависит. Пригласили специалиста с солидным опытом подобных операций. Однако все старания не облегчили положения больного. Наши врачи в течение двух недель делали ему искусственное дыхание ручным способом, не отходя от его постели ни на минуту. Несмотря на такую самоотверженность, больной умер. Через некоторое время родственники написали жалобы в несколько учреждений, в том числе и в ряд газет.

Каждая инстанция создавала свою комиссию, которая не удовлетворялась выводом предыдущей, снова вызывала медперсонал, учиняла допрос. Коллектив лихорадило, людей отрывали от дела, волнение мешало работать, страдали другие больные. И хотя комиссии всё же признали, что причиной гибели послужила неизлечимая стадия болезни, но самим фактом столь бесцеремонного обследования клиники они нанесли заметный моральный вред.

Здоровье — самое большое и неоценимое богатство человека. Оно — источник радости и счастья. Без него жизнь теряет не только свою прелесть, но и нередко смысл. А если у человека болезнь сопровождается болями, он делается мучеником, страдальцем.

Пока человек здоров, он не понимает, каким богатством обладает. А если и понимает, то совсем его не бережёт, растрачивая попусту, подвергает ненужной опасности.

Но стоит человеку занемочь, как сразу же с обострённой ясностью сознаёт, что он потерял самое дорогое, и готов идти на всё, чтобы восстановить здоровье. К сожалению, в начале заболевания, пока самочувствие сносно, пока болезнь ещё не зашла далеко, иные не оценивают во всей полноте своё положение и относятся к себе легкомысленно. И лишь когда болезнь основательно подточит организм, когда жизнь поставлена под угрозу — тогда только понимают в полной мере, чего они лишились. Трудно это осуждать, но нужно способствовать тому, чтобы больной активно боролся за свою жизнь и здоровье. Когда человек понимает, что над его жизнью нависла угроза, а врачи, к которым он обращается, не могут ему помочь, он ищет других врачей, едет в авторитетные клиники, обращается к учёным, специалистам. Можно ли ему отказать в совете, в помощи или в операции только потому, что он живёт не в нашем городе или не в нашем районе? На этой почве у меня иногда возникали объяснения с администраторами. К счастью, люди, которых судьба посылала мне в начальники, по большей части не чинили препятствий в лечении больных, прибывающих из других районов страны. Однако несколько лет назад был издан приказ, запрещающий принимать в клиники пациентов из других городов и областей. Нужно направление из облздравотдела или из Минздрава республики. Бывали случаи, когда койки в клинике свободны, а человеку, которому мы могли бы помочь, в приёме отказывают. Хирург принять больного не имеет права. Нужна бумага из облздравотдела. Почему такое недоверие хирургу? Если он злоупотребляет своим положением, его можно проверить и решить, прав он или нет, силами администрации на месте. Но нельзя же больного человека гонять за бумажкой сотни километров. Последние годы мы имели немало примеров того, что больные погибали на пути за направлением. При наших расстояниях больному иногда приходится ехать за бумажкой в облздрав 300—400 километров совсем в противоположном направлении от клиники. Почему работник облздрава лучше решит, чем хирург, надо ли его принять в клинику?

Недавно Центральное телевидение показало спектакль, поставленный по пьесе А. Софронова «Операция на сердце». Я испытал удовлетворение оттого, что многомиллионная зрительская аудитория смогла воочию представить себе проблему защиты не только профессионального, но и человеческого достоинства врача. Впрочем, эти понятия редко разделимы.

Взят внешне нехитрый сюжет. В некую клинику сердечной хирургии является инспекция в составе двух человек, чтобы проверить обоснованность претензий, содержащихся в поступившем заявлении. Объект нападок — главный хирург: он-де ведёт неверную кадровую политику, выдвигает любимчиков, затирает неугодных, враг справедливости, творит, что пожелает, а вокруг беспорядки, расхищается государственное добро... Инспекция приступает к расследованию.

Драматург художественными средствами рисует предельно выразительные образы. На одном полюсе — заранее воинственно настроенный член инспекции, который не сомневается, что ему даны права вершить праведный суд. Размеренный тон в разговоре, холодный, пристальный взгляд, тонкая усмешка, ложная значительность. Он внимательно выслушивает явных кляузников, с удовольствием цепляется за любой мелкий предлог, способный очернить руководителя клиники. В специально отведённом кабинете с пристрастием допрашиваются врачи, сестры, лаборанты, завхоз. Очень важно узнать, куда пропал старый телевизор (его просто списали) или насколько велик перерасход спирта, и пропускается мимо ушей возмущение сотрудников клеветой на их шефа. Присланный «ревнитель правды» воспринимает законное возмущение происходящим как проявление групповщины, он весь полон злой силы и рад, если подмечает её в других.

На другом полюсе — второй член инспекции, стоящий на объективных позициях, которому в конце концов делается стыдно за своего коллегу, а также все честные люди врачебного коллектива, порой мучительно преодолевающие собственную нерешительность.

Как бы там ни было, моральный климат клиники нарушен, следствие продолжается, нравственная борьба обостряется.

По большому счёту идёт поединок между творчески беспомощным чиновником от медицины и талантливым хирургом, совершающим чудеса исцеления. Каждый производит операцию на сердце. Хирург — очередную, запланированную, виртуозную. Инспектор — в переносном смысле этого слова: его методы разбирательства, оскорбительные для чистого душой человека, делают своё дело. Выйдя из операционной, хирург скоропостижно умирает.

Спектакль получил общественный резонанс. Актуальность его темы несомненна, как всегда актуально противоборство добра и зла.

Повторяю вновь: я отнюдь не ратую за анархию и не предлагаю отменить контролирующие нас органы. Речь идёт о другом — о такте, чувстве меры, доброжелательной помощи, а не о грубом администрировании, когда почему-то считается, что всё дозволено. Нет, нормы нашей жизни никто не отменял. И любые вопросы надо решать, не переступая этических границ.

3

Сергея Александровича Борзенко, человека пытливого, чутко воспринимавшего всё, что касалось людских судеб, особенно интересовал период, когда интенсивно осваивались новые методы кардиохирургии. Я уже говорил, что в то время мы много оперировали больных с митральным стенозом, с врождёнными пороками сердца. Это были первые опыты.

Мы разработали и осуществили операцию при сужении аорты, незаращении межпредсердной и межжелудочковой перегородок. Учились делать внутрисердечные операции вначале под гипотермией (охлаждением), а затем и с аппаратом искусственного кровообращения.

Очень часто в те годы, встретив больного, которому ещё не могли помочь, мы не отказывали ему вовсе, а просили подождать: «Пока нужной вам операцией мы не овладели. Поезжайте домой и пишите нам. Может быть, скоро вызовем». Так было, в частности, с одним больным, кому довелось впоследствии перенести уникальную операцию.

Ко мне в кабинет из операционной позвонила Антонина Владимировна Афанасьева, уже самостоятельно бравшаяся за сложные случаи:

— Фёдор Григорьевич, помогите, пожалуйста! Попробуйте сами войти пальцем в сердце. Я не могу понять, что там.

— А с чем больной? — спрашиваю.

— Была типичная картина митрального стеноза. Диагноз не вызывал сомнения, а вот теперь стеноза я не нахожу. Но всё же есть какое-то препятствие для поступления крови в левый желудочек.

Войдя пальцем в сердце, я убедился, что створки клапана не сращены, но над отверстием между предсердием и желудочком нависает какая-то масса, которая и прикрывает его, имитируя стеноз. Тщательно ощупал стенки левого предсердия. Как же быть? Иссечение опухоли, расположенной внутри сердца, возможно только с аппаратом искусственного кровообращения, которого у нас нет. Сейчас мы должны зашить рану и выходить больного, потом вызвать его снова, когда во что бы то ни стало приобретём такой аппарат.

И действительно, года через два мы с успехом повторили операцию, удалив у этого человека большую опухоль из стенки левого предсердия. Он поправился и с тех пор чувствует себя совсем здоровым.

Много напряжённого труда, долгих часов, проведённых в библиотеке, потратили мы, чтобы научиться предупреждать тяжёлые осложнения, нередкие спутники операций на сердце у людей с запущенной болезнью.

Операция прошла, казалось бы, хорошо, отверстие в сердце расширили, гемодинамика (движение крови по сосудам) выровнялась... Но когда больной проснулся — у него паралич одной половины туловища. Что его породило? Оказывается, частички тромба из предсердия попали в сосуд мозга и закупорили его. Грозное осложнение!

Опять книги, эксперименты, мучительные раздумья... Наконец мы предложили способ профилактики, снижающий риск этих осложнений в двадцать раз!

Борзенко слушал меня с интересом, и я продолжал:

— Внедряли у себя в клинике метод искусственного охлаждения.

— Кстати, держал как-то в руках брошюрку, описывавшую такую методику...

Известно, что чем эрудированнее человек, тем с большим вниманием он воспринимает всё новое, что услышит. Здесь, по-видимому, есть своя закономерность. Он потому высокообразован, что в нём развито стремление познавать непознанное. И в то же время чем больше он знает, тем острее у него желание узнавать ещё. Сергей Александрович очень много знал и был благодарным слушателем.

— Какие же операции вы производили под охлаждением?

— Самые различные, в том числе на сердце и на лёгких.

— Если не торопитесь, расскажите подробнее, — попросил Сергей Александрович.

— С падением температуры тела жизненные процессы в организме замедляются: все ткани, включая мозг, потребляют меньше кислорода, медленнее течёт кровь в сосудах, тормозится деятельность центральной нервной системы, чувствительность уменьшается, благодаря чему любая травма, и операция тоже переносится легче, чем при обычном наркозе.

При охлаждении потребность мышцы сердца в кислороде снижается настолько, что оно в состоянии выдержать кислородное голодание, от которого в других условиях наступают необратимые изменения.

Гипотермия позволила нам оперировать сердечных больных с явлениями декомпенсации, что было совершенно невозможно под обычным наркозом. Заметили, что молодой организм лучше реагирует на охлаждение, — начали делать операции у детей с врождёнными пороками сердца.

Вы запомнили девочку, с которой позавчера беседовали?

— Да.

— Так вот, она одна из тех, кого мы вылечили, применив гипотермию.

— А что у неё было?

— Врождённый дефект межпредсердной перегородки.

— А как вы определяете, что это именно дефект, а не что-то иное? Ведь сердце не прощупаешь, не остановишь, и оно всегда переполнено кровью...

— Выявить порок нетрудно. Будут ненормальные тона и шумы. Но установить точно, в чём он заключается, и правда нелегко. Потребовались годы, чтобы овладеть методикой исследования. Без точного же диагноза нет и кардиохирургии.

Постепенно мы научились вставлять тонкие трубочки — катетеры — во все отделы сердца и крупные сосуды, набирать оттуда порции крови и по содержанию в них кислорода и углекислоты определять характер нарушений. Удалось также вводить в сердце контрастное вещество. На серии снимков по 8—10 кадров в секунду можно увидеть изменения в гемодинамике.

— Вы так говорите, как будто всё давалось просто.

— Далеко не просто. К тому же наша медицинская промышленность отставала от требований жизни.

— Вы хотели рассказать про операцию той девочки.

— Хирурги, не имея ещё аппарата искусственного кровообращения, упорно искали более или менее безопасные пути проникновения в полость сердца.

Гипотермия, казалось, открывала такие возможности. Опыты на животных обнадёживали. Однако природа поставила свой предел — организм нельзя переохлаждать, переходя границу 33—34°. Чем ниже градусы, тем вероятнее осложнения, которые сводят на нет преимущества гипотермии.

Мы и остановились тогда на таком уровне охлаждения. Вот например, как было с девочкой. Мы её усыпили и повезли в ванную комнату. Там опустили в ледяную воду. Когда температура тела снизилась до 34°, больную вынули, завернули в простыни и доставили в операционную.

Сердце обнажили, сосуды, идущие к нему и от него, перехватили тесемками. Когда все подготовили, по команде тесемки натягивались, и сосуды пережимались. Кровообращение прекращалось. В считанные минуты надо было разрезать сердце, ушить дефект в перегородке и обработать рану.

Девочка справилась с операцией хорошо и сейчас, как вы знаете, вполне здорова.

— Наверное, не у всех заканчивалось благополучно?

— Безусловно. И это самое главное, что не удовлетворяло хирургов, заставляло их усиленно форсировать создание аппарата искусственного кровообращения. Но в то время у нас выхода не было, а даже небольшая отсрочка порой могла стать роковой.

— Представляю себе ваши переживания...

— Каждую операцию, а новую особенно, сопровождают психологические моменты, которые понятны и неизбежны, но которые всегда приводят к излишнему расходу нервов.

— Вы имеете в виду взаимоотношения с семьей больного?

— Вот именно. Мне понятна тревога родных за судьбу близкого им человека, и я всегда стараюсь говорить с ними предельно откровенно, не боюсь высказать и сомнения в успехе, признаться в своей неопытности, в том, что операцию такую делаю впервые.

— А как было с девочкой?

— Отец у неё профессор, мать — учительница. Единственная дочь. Родилась, когда они уже потеряли надежду иметь детей. Я объяснил им, что лечение откладывать нельзя, и сказал, что операция предстоит сложная, новая для нас и неотработанная. На неё отводится всего 300 секунд. За пределами этого срока — неотвратимая угроза кислородного голодания мозга и смерть.

Неизведанная операция, как это часто бывает, проходила в чрезвычайном нервном напряжении, охватившем всю врачебную бригаду. Пережав сосуды, мы рассекли предсердие, отсосали кровь и увидели большой дефект. Накладываю непрерывный шов. Ассистент затягивает его, наркотизатор считает минуты. Вроде бы мы только что приступили, а он уже говорит: «Три!» Надо спешить... Но тут ассистент переусердствовал, натянул нитку слишком сильно — и шов порвался. Снова прошиваю это место... Когда заканчивали, вдруг нитка запуталась... Пять! Необходимо завершать операцию, а ещё два стежка!.. Шесть! Предел. Срезаем нитки, закрываем рану предсердия зажимом, распускаем тесемки... Начинаем активную подачу кислорода и лёгкий массаж сердца. Оно отозвалось, забилось.

Но самое главное — как мозг?

Зашиваем сердце и грудную клетку. Согреваем девочку грелками. Температура выровнялась. Работа сердца не внушает опасения. Остаётся неясным, что с мозгом? (Электроэнцефалографом ещё не обзавелись.) Девочка стала просыпаться. Рефлексы сохранены, зрачки узкие. Открыла глаза. Заговорила. Мозг сохранён!

— Да... — задумчиво протянул Сергей Александрович. — Это, конечно, не метод операции. Слишком велик износ нервных клеток хирурга.

...Испытание и применение аппарата искусственного кровообращения знаменовало собой заметный этап в развитии сердечной хирургии. В передовых клиниках приступили к операциям, считавшимся ранее невозможными. Многим страдальцам, которым мы раньше отказывали в лечении, послали вызов; другие, узнав из газет о прогрессе в медицине, сами к нам приехали.

Казалось бы, теперь проблема операций на открытом сердце решена. Нам удалось спасти немало детей с дефектами межжелудочковой и межпредсердной перегородок, отнять их у неминуемой смерти. Но по мере того как у нас появлялись больные с более сложными пороками, возникали новые вопросы, и ответ на них надо было искать в книгах. И вновь мы шли в библиотеку, брали литературу, учились у тех, кто имел большой опыт.

Основное, что волновало хирургов, — это защита сердца от кислородного голодания при необходимости пережать аорту. Дело в том, что при искусственном кровообращении, осуществляемом с помощью аппарата, кровь, вводимая в одну из артерий человека, наполняет всю артериальную систему, в том числе и аорту. От аорты ответвляются коронарные сосуды, питающие сердце. Через них поступает довольно много крови. По мнению ряда специалистов, 25—35 процентов всего её количества идёт на питание мозга и сердца.

Такой значительный кровоток мешает хирургу, ибо при самом энергичном отсасывании остаётся ещё достаточно крови, чтобы заливать места, где нужны тонкие и точные манипуляции.

Если пережать аорту, внутрисердечный кровоток прекращается. Кроме того, под влиянием наступившего кислородного голодания сердце постепенно перестает сокращаться, затем и вовсе останавливается. Создаются идеальные условия для работы: сухое неподвижное сердце. Но кислородное голодание небезразлично для сердечной мышцы. В ней происходят настолько глубокие изменения, что сердце потом не возобновляет свою деятельность. А если возобновляет, то сердцебиение слабое, всё равно человек погибает. Так и было со многими детьми. Когда мы пережимали аорту на 10—15 минут, тут ещё добивались успеха. Но срока этого часто не хватало. Например, при операциях на аортальных клапанах, рассечении комиссур при стенозе, вставлении искусственного клапана при сердечной недостаточности.

В мире продолжались поиски. Была высказана идея — охлаждать сердце кусочками льда, потому что тогда оно легче переносит кислородное голодание и можно увеличить время «отключения» аорты. Однако данный метод оказался ненадёжным; здесь трудно регулировать степень охлаждения. Если последнее будет слабым, кислородное голодание повредит мышцу сердца и приведёт к плохим последствиям в послеоперационном периоде; если очень резким — скажется на состоянии сердца в дальнейшем.

Поиски не прекращались. Было испытано в эксперименте, проверено, а затем перенесено в практику предложение поддерживать искусственное кровоснабжение сердца через коронарные сосуды. Для этого по вскрытии аорты в устья коронарных артерий вставлялись и закреплялись катетеры. Через них отдельным отводом из аппарата подавалась кровь. Тем самым обеспечивалось «питание» сердца при открытой аорте. Эта методика довольна сложна, но, выполненная безупречно, она давала хорошие результаты. Мы успешно применяли её несколько раз на детях при врождённых пороках и врождённых стенозах клапанов аорты.

Чем больше мы делали операций при искусственном кровообращении, тем отчётливее понимали, как важно суметь более или менее надолго остановить сердце. Обкладывание его кусочками льда не годилось. А что взамен?..

В лучших клиниках внедрялся другой метод — так называемый метод коронарной перфузии: в коронарные сосуды попадала кровь, охлаждённая до плюс 2—4 градусов. Это вызывало моментальную остановку сердца, которая держалась до тех пор, пока длилась перфузия. Но вот операция закончена, организм получает кровь нормальной температуры, сердечная функция быстро восстанавливается. Метод неплох, однако и он не устраняет ряд неудобств, и прежде всего — его можно применять только при вскрытой аорте. И вновь поиски, ответы, эксперименты...

Нашли и стали упорно совершенствовать способ остановки сердца при помощи общей глубокой гипотермии. Кровь из правого предсердия в этом случае забирается в аппарат для насыщения кислородом. Но прежде чем она будет нагнетаться в бедренную артерию, её охлаждают до плюс 5—6 градусов. Под влиянием холодной крови все ткани и органы постепенно теряют тепло, мозг и сердце — в первую очередь. По мере снижения температуры биения сердца становятся редкими, затем беспорядочными, наступает фибрилляция. Наконец, при плюс 10—12 градусах сердце останавливается. И в таких идеальных для врача условиях он может работать 30—40 минут. Картина своеобразная — хирург оперирует на человеке, у которого нет признаков жизни. Он лежит «замороженный», сердце неподвижно, никакой циркуляции крови. Мало того, электроэнцефалограф показывает, что полностью отсутствует биоэлектрическая активность мозга. Прибор записывает прямую линию.

После окончания внутрисердечной части операции кровь в аппарате доводят до 39° и заполняют ею артерии. Организм согревается, в сердце появляются сперва мелкие сокращения, потом они нарастают, при температуре 37° наблюдается уже обычный ритм. Если этого не происходит, через сердце пропускают короткий электрический удар.

Сочетание искусственного кровообращения с глубокой гипотермией позволило осуществлять сложные хирургические вмешательства. Медицина сделала большой шаг вперёд.

Взять хотя бы такой факт. При охлаждении, когда тормозятся жизненные процессы, все ткани и органы потребляют значительно меньше кислорода. Значит, можно сократить объём циркуляции крови через аппарат, а при глубокой гипотермии — вообще остановить её движение. Почему это важно? В течение длительной операции форменные элементы крови (эритроциты, лейкоциты и др.) понемногу подвергаются разрушению, что очень вредно для больного. И поэтому чем меньше объём циркуляции, тем меньше подобная опасность.

Вырывая пациентов из когтей смерти, персонал клиники — дежурные врачи, сёстры, санитарки — затрачивает огромный труд. Малейший недосмотр или небрежность могут стоить больным жизни. А сколько душевной теплоты отдают им медицинские работники, чтобы поддержать в тяжёлые минуты! Тут и сверхурочные часы, и бессонные ночи. Бескорыстно, безвозмездно, ради одного только долга перед людьми и наукой...

Сама операция, кровь, медикаменты и всё, связанное с уходом, обходится государству весьма дорого.

Первенство по дороговизне держит медицинская помощь в США.

Если там кому-то предстоит та или иная манипуляция или сложное обследование, не говоря уж об операции, на это требуются солидные суммы.

В Нью-Йорке мне довелось присутствовать на бронхоскопии, которую проводил профессор. Процедура обошлась больному в 110 долларов. Сложные внутрисердечные исследования оцениваются ещё выше. Заметьте — лишь исследования. В платных госпиталях ряда городов пребывание в хирургическом отделении в начале 70-х годов стоило 35 долларов в сутки, а в послеоперационном периоде — 50 долларов. Что касается собственно операций, то за нормальные роды в платном роддоме ещё в то время брали 700 долларов, за простой аппендицит — 600—700, а за осложнённый — 1000 долларов. Резекция желудка — 1—2 тысячи долларов, резекция лёгкого — 2—3 тысячи, операция на сердце с аппаратом искусственного кровообращения — до 5—10 тысяч долларов. Нам было странно, что цены за медицинское обслуживание в разных штатах резко колеблются, — они могут быть в два-три раза ниже, чем, скажем, в Нью-Йорке или Хьюстоне. Тем не менее одна операция, особенно крупная, часто уносит все сбережения, которые средний американец скапливает за долгие годы. Далеко не все эти деньги поступают в руки врачей. Значительная часть их отчисляется в распоряжение администрации госпиталя, а из того, что получит врач, 50—80 процентов — в виде налога — пойдёт государству.

От многих американских коллег я слышал, что они, несмотря на высокие заработки, тяготятся частной практикой и охотно бы предпочли пусть скромное, но стабильное жалованье. Для больных же плата за лечение — поистине катастрофа. Правда, они могут обратиться в муниципальные госпитали, где лечение бесплатное или доступное. Но там вся обстановка и помощь несколько отличаются в худшую сторону.

Глядя на своих маленьких пациентов, оперированных с аппаратом искусственного кровообращения, я невольно думал о том, каково бы пришлось их родителям, окажись они в американской действительности. По валютному курсу это выглядело бы так: амбулаторный осмотр с анализами — 100 рублей, пребывание в клинике в течение месяца — минимум 1000, операция — 5 тысяч рублей...

По самым приблизительным подсчётам, на уровне цен почти двадцатилетней давности, родители заплатили бы за каждого ребёнка 6 тысяч. А ведь известно, что цены в США с тех пор неизмеримо выросли.

Побывал в нашей клинике один прогрессивный американский юрист с женой. Спросил меня:

— Как вы считаете, нужно ли жене делать косметическую операцию на носу?

Внимательно присмотревшись, я заметил, что кончик несколько уплотнён, в остальном нос выглядел вполне нормально.

— Нет, — говорю, — думаю, что никакие косметические операции здесь не нужны.

— Ну вот видите, — обрадовался мой гость, — а жена настаивает ещё на одной операции.

И он рассказал, что года полтора назад у неё был установлен диагноз: рак кожи на кончике носа. Участок этот удалили. Всё было хорошо, в том числе и внешне, но жену её нос беспокоил. Понадобились ещё три операции — по 600—700 долларов.

У американцев существует система страхования, при которой в случае болезни часть расходов на лечение покрывают страховые компании. Однако величина такой части всецело зависит от величины взносов. И так как взносы достаточно велики, то, по словам американских врачей, полностью застрахованные, то есть те, кто совсем не платит за лечение, не превышают 5 процентов от всех клиентов компании.

Вскоре после войны в США приняли законодательство: рабочий, потерявший трудоспособность на производстве, получал с предпринимателя какую-то долю зарплаты. В случае стопроцентной потери трудоспособности — в продолжение пяти лет. Мы поинтересовались у врача: а на что же будет жить инвалид труда потом? Врач пожал плечами: «Конечно, наше законодательство в этом вопросе ещё далеко не совершенно, но спасибо, что хоть такое есть».

В США имеются прекрасно оснащённые передовой техникой госпитали и клиники, много отличных специалистов — врачей разных специальностей, любящих свою профессию. Они понимают всю трудность положения тяжело заболевшего бедного человека, но сами ничего изменить не могут. Такая система действует, как машина, и у больного отберут всё причитающееся заблаговременно, до того, как проведена операция, вне зависимости от её исхода.

Большинство врачей ищут такую службу, где они были бы свободны от денежных расчётов с пациентами. Стремятся в институты. Там нередко лечат бесплатно, взяв с родственников больного расписку, что они заранее согласны на любую, даже на экспериментальную операцию, которую институт сочтёт нужным сделать. Это, конечно, не гуманно, но в США с такой системой мирятся. Однако и в институтах мест слишком мало, и туда попадают, по существу, единицы. Основная масса врачей частично или полностью живёт на средства от частной практики.

Но вернёмся к нашим делам.

Большая работа по внедрению операций с искусственным кровообращением, с гипотермией и остановкой сердца сама по себе отнимала силы, время и главное — внимание всего коллектива. При этом нас не оставляла забота о сотнях других больных. А они между тем поступали непрерывным потоком.

В Ленинграде много лечебных учреждений, где принимали и принимают сейчас тяжёлых, так называемых неоперабельных больных, чтобы попытаться радикально им помочь. И нередко это удавалось. Нам — тоже. Наша репутация крепла.

Расставаясь с очередным выхоженным «чудом» человеком, мы изучали отдалённые результаты операции. Подавляющее большинство бывших наших подопечных чувствовали себя хорошо, они вернулись в строй полноценными тружениками. Контраст между их состоянием до хирургического вмешательства и после был столь разительным, что они считали операцию своим вторым рождением и праздновали этот день.

Нет нужды говорить, какую радость приносили их письма сотрудникам клиники.

Вот одно из многих:

«Дорогой Фёдор Григорьевич!

С наступающим Новым, 1982 годом! Желаю Вам, чтоб Дед Мороз мешок со счастьем Вам принёс, другой мешок со смехом, а третий пусть с успехом! Желаю Вам и всем Вашим близким доброго здоровья, бодрости, хорошего настроения. Пишет Вам Ваша бывшая пациентка. 19 января исполняется 23 года, как Вы мне сделали операцию на сердце, ведь только подумать, Фёдор Григорьевич, как много я прожила, и это все сделали Ваши золотые руки, ум и находчивость, а ведь я была совсем безнадёжная. Спасибо Вам, дорогой Фёдор Григорьевич!!! Сейчас здоровье, конечно, идёт на убыль, да и старость подбирается, но я стараюсь не поддаваться, занимаюсь дыхательной гимнастикой, а лет мне 53. Уже много. Может, Вам и неинтересно всё это, нас много, а Вы — один, но мне кажется, все помнят Ваши руки, бессонные ночи Ваши, мы ведь переписываемся друг с другом, бывшие Ваши пациенты, и всегда помним о Вас! Радости Вам, счастья в новом году! Всего Вам доброго.

С искренним уважением и пожеланиями
Кныш Екат. Ив. из Уфы.
450055, г. Уфа, пр. Октября, 114—46. Кныш Е. И.»

При прочтении подобного письма перед мысленным взором встаёт не только эта, но и сотни подобных тяжелейших больных. Предварительно они пишут слёзные письма, которые читать без волнения нельзя. Из них видно, что больные по тяжести состояния неоперабельны. Об этом же говорят и сами больные. С болью сообщают они о том, что уже обращались с письмами или даже приезжали в те немногие города, где подобные операции в то время производились, и получали отказ.

Мне было трудно устоять, я разрешал приехать на консультацию, чтоб лично убедиться в возможности помочь человеку. Некоторые, наименее тяжёлые, сами приезжали и садились перед кабинетом измученные, синюшные, тяжело дышащие; как их можно было не принять? Вот мы и принимали их, а вместе с ними принимали на себя все упреки и выговоры от главного врача за большой койко-день, за перерасход крови и медикаментов.

Такие больные обычно лежат долго. Они все перезнакомятся между собой, вместе переживут горе каждого и потом надолго остаются друзьями, поддерживая связь перепиской, а время от времени встречаясь в клинике при контрольных осмотрах.

Операции у таких запущенных больных редко протекают гладко. То или иное осложнение — обычное явление. Это-то и отпугивает хирургов. Каждая операция оставляет немалый рубец на сердце самого хирурга. Вот почему подобные письма, которые сообщают о двадцати и даже тридцати годах жизни после операции, вырвавшей обречённого человека из лап смерти, доставляет истинное счастье хирургу.

Врачи нашей клиники в 60-х годах оперировали без нужной аппаратуры и инструментов. Достать (именно «достать», а не купить) их было невозможно. И всё же мы не отступались: оперировали и одновременно доставали оборудование, строили клинику.

4

Александр Александрович Сизов всю войну прошёл простым солдатом. Может быть, поэтому и на посту председателя Ленинградского горисполкома он отличался поразительной чуткостью и добротой к людям. И не зря пользовался всеобщим уважением и любовью.

Некоторое время спустя после окончания строительства клиники заходит ко мне в кабинет Александр Александрович:

— Пришёл провериться. Я ведь помогал оснащать лаборатории — вот вы меня и посмотрите при помощи тех самых приборов и аппаратов.

— Что вас беспокоит? Сердце? Рано. Вы ещё молодой человек. Наверное, пятьдесят с небольшим?

— Так точно, Фёдор Григорьевич. Да ведь какие нагрузки! Много лет я был начальником Главленинградстроя. А сейчас председатель горсовета. Сами понимаете...

— Да, конечно. Так что вас беспокоит?

— Появились сжимающие боли в области сердца, в левой руке и лопатке. Временами одышка.

Сделали электро- и баллистокардиограмму (регистрация механических движений тела, обусловленных сердечными сокращениями и движением крови по крупным сосудам).

— У вас выраженная коронарная недостаточность, — сказал я Сизову. — Вызвана она спазмом сосудов сердца. К счастью, это пока ещё только спазм, но его надо снять, иначе всё может кончиться инфарктом. Ложитесь к нам в институт, проведём курс энергичного лечения. Думаю, что боли пройдут и угрозы инфаркта не будет.

— Хорошо. Я подумаю, — как-то неуверенно ответил Александр Александрович.

Вскоре я узнал, что он находится в ведомственной больнице. Там он спросил врачей:

— Не пригласить ли Углова для загрудинной блокады?

— Зачем вам колоться? — возразили ему. — Мы дадим лекарства, и у вас всё как рукой снимет. Загрудинная блокада — дело новое, не совсем ясное. К тому же процедура сложная, мало ли какие вызовет последствия.

Но боли скоро к нему вернулись. Летом Сизов уехал на курорт, а осенью его настиг инфаркт.

И на этот раз он был помещён в ту же больницу — пролежал там недолго и выписался на работу.

Встретившись на каком-то совещании, я вновь предложил Александру Александрович взять его в институт, однако он опять отказался, сославшись на занятость.

Кстати, замечу, что мало кто из тех, кто прикреплён к ведомственной больнице, соглашается лечь в обычную, хотя бы и специализированную. По-видимому, их привлекают условия: отдельная палата, хороший стол, меньшая загруженность персонала. А кого это не привлекает? Каждый больной крайне в этом нуждается. Но если стоит вопрос — квалифицированное лечение или бытовые удобства — я как врач выбрал бы первое.

Наступила длинная пауза. Он не показывался и не звонил. Неожиданно меня попросили приехать в ведомственную больницу на консультацию. Заведующая хирургическим отделением Евгения Эмилиевна Суни начала рассказывать:

— Три месяца назад у больного случился острый приступ холецистита. Картина тяжёлая. Требовалась неотложная операция.

— Я опасался оперировать один, — вступил в разговор хирург Евгений Васильевич Смирнов. — Хотел заручиться вашей помощью, но вас не было в городе. Ждать нельзя, и я скрепя сердце пошёл на операцию. У Александра Александровича оказался флегмонозный холецистит. Промедли мы — развился бы перитонит. Общий желчный проток мы не дренировали. Правда, был озноб, что свидетельствовало о наличии инфекции в желчных путях, но состояние больного не позволяло затягивать хирургическое вмешательство.

— Недомогание и слабость остались и после выписки, — продолжала Евгения Эмилиевна. — Вероятно, инфекция угнездилась прочно, она и давала время от времени высокую температуру с ознобом. Больной снова поступил к нам с признаками восходящего холангита — инфекции в печёночных ходах.

— Думаю, что здесь показана повторная операция, — высказал я своё мнение. — Надо вставить дренаж в общий желчный проток, что постепенно приведёт к очищению желчных путей. Другого выхода не вижу.

Сизов взмолился:

— Помилуйте! Я только что провалялся в постели полтора месяца! У меня же вся работа стоит. Нет, я возражаю категорически!

Евгений Васильевич не настаивал, Евгения Эмилиевна молчала. Решили положиться на антибиотики. И действительно, Александру Александровичу стало лучше — озноб прекратился. Он заторопился на службу.

Как-то Академия медицинских наук поручила мне обследовать московский Институт сердечной хирургии. Вдруг сообщают, что меня вызывает междугородная. Говорят из приёмной председателя Ленинградского горсовета. Уже несколько часов идут розыски. Звонили моему секретарю в клинику, звонили домой, затем в академию и, узнав, где я, позвонили в кабинет директора института.

— Александр Александрович в больнице, — услышал я в трубке. — Поставлен вопрос об экстренной операции, но он не даёт согласия, просит вас срочно приехать.

Я связался с президентом, объяснил ситуацию и бросился в аэропорт Шереметьево. В восемь часов вечера уже был у постели больного. Тут же дежурили профессор Смирнов и доктор Суни.

Сильнейшие ознобы сменялись у Александра Александровича обильным потом. Когда лихорадило, его буквально подбрасывало на кровати, а после падения температуры наступала такая слабость, что он лежал распростертым, не в силах пошевельнуть ни рукой, ни ногой. Так продолжалось уже несколько суток. Состояние с каждым днём становилось все хуже. Смирнов серьёзно опасался, что во время одного из приступов больной может умереть.

Было совершенно ясно, что непобеждённая злая инфекция вышла из-под контроля и, бурно развиваясь, захватила всё желчные протоки. Речь шла о гнойном холангите, переходящем в септический. Об угрозе заражения крови. Анализы подтверждали перенапряжение всех кроветворных органов.

После осмотра больного мы удалились в соседнюю комнату на совещание. Первым заговорил профессор Смирнов:

— Очевидно, все согласны с диагнозом. — Он повернулся в мою сторону: — Фёдор Григорьевич, положение крайне тяжёлое. Хотел бы оперировать вместе с вами.

— Спасибо за доверие. Предлагаю делать операцию немедленно.

— Пойдемте к Сизову, поговорим. А пока, Евгения Эмилиевна, распорядитесь, чтобы все подготовили.

Александр Александрович лежал в сознании, но был очень слаб.

— Необходима неотложная операция. Вы согласны?

— Согласен. Я и сам чувствую, что иначе не жилец...

В десять часов вечера мы вошли в операционную. В два часа ночи вышли из неё. Это были часы чудовищного напряжения, сомнений и ежеминутного риска. Повторная операция на том же самом месте во много раз сложнее, чем первая, которая влечёт за собой сращения, нарушение топографии органов и сосудов. Если же сюда присоединяется гнойная инфекция, то все усложняется ещё больше. В данном случае, помимо гнойного холангита, под печенью около общего желчного протока оказались гнойники, «вторгшиеся» во взаимоотношения тонких структур. Надо было отыскать этот проток, вскрыть и вставить в него широкую резиновую трубочку-дренаж. По нему желчь будет свободно отходить и как бы вымывать инфекцию. Задача в обычных условиях довольно простая, а здесь почти непосильная: доступ к общему желчному протоку был закрыт сращениями, гнойниками и прочными рубцами. К тому же совсем рядом, интимно с ним спаянные, расположены важные сосуды — печёночная артерия и воротная вена, а также нижняя полая вена, «спрятавшаяся» глубже, в забрюшинном пространстве. Печёночная артерия не более 2—3 миллиметров в диаметре. Найти её в рубцах и спайках очень трудно, а если повредить — неминуемы некроз печени (омертвение из-за плохого кровообращения) и гибель больного. Воротная вена — это крупный сосуд 1—1,5 сантиметра в диаметре, с тонкими стенками. Она находится сзади протока. Но при рубцовых перетяжках и её легко поранить. Словом, малейшая неосторожность чревата смертельной опасностью, а неуверенные, робкие продвижения вперед ничего не дают. Мы не можем обнаружить желчный проток. Как же быть? Уходить из операционной? Расписаться в своей беспомощности? Значит, столь травматичное для больного и единственно возможное для его спасения хирургическое вмешательство было предпринято зря?..

Тревога нарастала, мешала трезво оценивать обстановку, сковывала движения. И больной-то необычный. Случись что, завтра подымется шум: «Углов зарезал нашего мэра». Может быть, прекратить поиски? Пусть умирает, только не на операционном столе... Но какой же ты тогда врач?! Ты перестраховщик, заботящийся о собственном благополучии. Больной так ждёт, так надеется, а ты, заведомо зная, что он погибнет без дренажа, бросил его, беззащитного, потому что побоялся ответственности. Нет, надо во что бы то ни стало добраться до этого окаянного протока! Взять себя в руки, удесятерить внимание...

Такие мысли, сомнения, страх, ужас, когда вдруг покажется, что ты пересёк «недозволенный» сосуд, как вихрь, проносились в голове, бросая то в жар, то в холод. Когда наконец общий желчный проток обнаружили, вскрыли и дренировали, мы все — и хирурги, и ассистенты — были мокры от пота... Из операционной выходили, едва передвигая ноги.

Домой я уехал в четвёртом часу ночи. Жена встретила с испугом: «Что случилось? Ты бледен и осунулся. Как больной?» В одиннадцать утра я уже опять был у его постели...

Выздоровление затянулось. Долгих два месяца, изо дня в день я ездил в больницу к Сизову, как на вторую службу. Процесс очищения желчных путей от коварной инфекции требовал, кроме правильной тактики хирурга, внимательного наблюдения и безукоризненно точного выполнения назначений, ещё и времени.

Однажды, когда у Александра Александровича появилась температура и мы возились два часа, чтобы наладить дренаж, главный врач предложил:

— Может быть, нам собрать консилиум, пригласить специалистов из Москвы?

Я всегда ратовал за то, чтобы лишний раз посоветоваться со специалистами. Но тут попросил отсрочку. Неизвестно, кто приедет, какие даст рекомендации. Длительное время больной балансировал на грани жизни и смерти в состоянии неустойчивого равновесия, и я очень боялся, что один неверный шаг — и будут сведены на нет и наша операция, и весь наш уход.

Когда же клиническая картина, словно нехотя, стала меняться в лучшую сторону, консилиум состоялся. В нём приняли участие опытные московские хирурги — профессора Розанова и Маят, хорошо знакомые с печёночной патологией. Внимательно осмотрев Александра Александровича и ознакомившись с нашими назначениями, они записали в историю болезни, что полностью согласны с курсом лечения и ничего добавить не могут.

Выздоровление, однако, продвигалось медленно. Ослабленность организма сказывалась на том, что отделение желчи, а следовательно, и процесс очищения желчных путей происходили не так быстро, как нам хотелось бы.

Вспомнив, что в Индии я приобрёл таблетки, содержащие ряд ингредиентов из натуральных веществ, в том числе знаменитое желчегонное «каскара сограда», я отдал Сизову целый флакон.

Рано или поздно, но настал момент, когда Александр Александрович поправился и вернулся на работу. Постепенно забылась опасность, которую удалось чудом избежать. А может, он так до конца этого и не сознавал. У меня же надолго сохранилось беспокойство за его здоровье.

Председатель горсовета снова с головой ушёл в дела, не жалея себя, не считаясь с тем, что у него уже был инфаркт. Часто можно было видеть, как он, оставив машину, идёт по городу пешком; заходит в школу, в детский сад, просто и по-доброму беседует с учителями, воспитателями, что-то записывает в свой блокнот. Сизов всегда охотно откликался и на наши просьбы, доброжелательно, где можно, помогал. Он заботился о нуждах всех лечебных учреждений города.

Руководители их и теперь вспоминают его с теплотой и признательностью.

Сизов много работал: объём перегрузок создавал напряжение нервной системы, которое приводило к спазмам сосудов сердца. Инфаркт миокарда повторился. Оправившись, Александр Александрович не снижал трудового ритма. Постоянно занятый, он всё же иногда заглядывал в нашу клинику. Как-то сотрудники, собравшись у меня в кабинете, попросили его сфотографироваться с нами. И мы храним эту фотографию. Затем посещения пошли на убыль. Когда я встречал Сизова, видел на его лице следы большого переутомления. Уговаривал пощадить себя — он отшучивался. Людям его поколения, прошедшим войну, не свойственно думать о своих недомоганиях; долг для них — превыше всего.

Думать об этом, по-моему, должны окружающие, движимые высоким чувством гуманизма, уважения к ветеранам. Учитывая их заслуги, надо бы сказать каждому: «Вот что, друг, не злоупотребляй здоровьем, оно принадлежит не только тебе, но и народу. Лечись как следует. Ты ещё многое сможешь».

...В городе свирепствовала эпидемия гриппа. Александр Александрович температурил, но ходил на службу. А тут его пригласили в Москву — 8 мая 1967 года зажигался Вечный огонь на могиле Неизвестного солдата. Бывший фронтовик, он не мог не поклониться памяти своих павших товарищей. Врачи не особенно препятствовали, и Сизов поехал.

Он стоял в Александровском саду у Кремлевской стены с непокрытой головой в непогоду. К вечеру — молниеносная форма пневмонии, и в два дня его не стало...

Выслушав эту историю, Борзенко помолчал, потом задумчиво проговорил:

— Да, жаль, настоящий, видно, был человек... А кстати, Фёдор Григорьевич, любопытно было бы знать ваше мнение о ведомственных больницах. У них, бесспорно, есть свои преимущества но ведь они универсальны. Взять ту же терапию — туда поступают с заболеваниями сердца, лёгких, желудочно-кишечного тракта и прочее, и прочее. Трудно представить, что бывают эрудиты, которые одинаково хорошо знают все разделы своей специальности. Значит, в чём-то они достаточно сильны, в чём-то ориентируются хуже и будут лечить больных на соответствующем уровне. А особые случаи, по себе знаю, им совсем не по плечу. Правда, остаётся сеть консультантов — как штатных, так и «чужих», возможности привлечь любого узкого специалиста...

— Моё глубокое убеждение, что судьба больного зависит не от консультантов, а от того, к какому лечащему врачу он попадёт. Судьба больного зависит от раннего диагноза, а за его правильность в ответе лечащий врач и заведующий отделением, именно те, кто повседневно наблюдают пациента. Теперь представьте, что что-то важное упущено. Никто и не догадается запросить помощь до тех пор, пока болезнь не войдёт в такую силу, когда никакой консультант уже ничего не сделает. Или сделает, но ценой громадного напряжения, в экстремальной ситуации.

Я частенько вспоминаю Евгения Васильевича Смирнова — консультанта той больницы, где лежал Сизов. Он был признанным авторитетом, к нему приезжали отовсюду для операций на желчных путях. А в ту тяжёлую для нас обоих ночь он побоялся брать вторично огромную нагрузку на свою нервную систему, ибо довольно пережил после первой операции. Побоялся ради блага больного, стремясь подстраховать себя присутствием ещё одного хирурга. Да и потом я постоянно ездил в больницу, не рискуя кому-либо перепоручить выхаживание Сизова, разумеется, в дополнение к остальным обязанностям, от которых меня никто не освобождал. Так что консультации — это ещё как посмотреть...

К тому же не надо забывать и другое обстоятельство. Ведомственные больницы не являются клиническими, то есть в них не ведётся преподавание, на этой базе не разворачивается научная работа профессоров, ассистентов, доцентов, аспирантов, не обучаются студенты. Между тем латинская пословица гласит: «Уча, мы учимся». А если «учимся» все — от начинающих до маститых, — то тем самым постоянно повышаем квалификацию, овладеваем новейшими методами исследований и лечения.

Поэтому при самых больших затратах на эти больницы больные не смогут получить там квалифицированной помощи, которую они могли бы получить, находясь в специализированных больницах, институтах, клиниках. Отсюда ясно, что такая система не обеспечивает наилучшей лечебной помощи своим больным на современном уровне при затрате даже огромных средств. Я уверен, что те, кто подальновиднее и поумнее, понимают, что созданием ведомственных больниц они обедняют себя и подвергают большей опасности, чем если бы они лечились в специализированных лечебных учреждениях на общих основаниях.

Если говорить откровенно, то нас не везде может удовлетворить состояние дел в лечебных учреждениях. В самом деле, в поликлиниках имеют место большие очереди, скученность в коридорах, где находятся больные, грубость со стороны некоторых малокультурных врачей. Но больной не может пойти к другому врачу, а тем более поехать в другой город, потому что он прикреплён к какому-то участку. Очень плохо у нас с анализами и сложными исследованиями. Ко мне часто обращаются мои знакомые с просьбой дать направление в платную лечебницу, где бы они могли сделать анализ или рентгеновский снимок, так как у них в поликлинике или большая очередь, или нет плёнок.

Не лучше дело обстоит с внутрибольничной помощью. Больницы перегружены, и в них часто больные лежат в коридорах. Почти полное отсутствие санитарок, резкий недостаток сестёр, отсутствие должного оборудования, необходимой аппаратуры, штата лаборантов и нужного инструментария, недостаток в медикаментах — всё это приводит к тому, что больные надолго задерживаются в больнице без пользы для себя. В результате резко уменьшается фактическая обеспеченность населения больничной помощью. У нас средний койко-день в стране выше, чем таковой в некоторых высокоразвитых странах, а это значит, что фактическая обеспеченность стационарной помощью у нас ниже, чем номинальная. Резко отрицательно сказывается на уровне обслуживания населения неудовлетворительное снабжение стационарных больных медикаментами. Нередко дежурные врачи заявляют: «У меня на дежурство остаётся две ампулы кордиамина на сто больных. Как я могу их распределить?!» В то же время выписать рецепт больному, находящемуся в стационаре, для приобретения лекарства в аптеке категорически запрещено, чтобы не нарушать принципа «бесплатной помощи». Разве может это нас удовлетворить?

В настоящее время каждый застрахованный, даже в капиталистических странах, получает медицинскую помощь бесплатно. При этом лечебные учреждения, где оказывается помощь застрахованным, часто нисколько не хуже, чем многие из наших больниц и поликлиник.

Между тем в ряде стран дело обслуживания застрахованных поставлено неплохо. Например, в Англии застрахованный может пойти к любому врачу, не обязательно к своему «участковому». За приём он отдаёт врачу жетон, выданный страхкомпанией. Чем лучше врач, чем большей любовью и авторитетом он пользуется, тем больше у него будет больных, а значит, и жетонов, и тем выше заработок. В Италии при госпитализации больных проявляется большая гибкость в сочетании платной и бесплатной помощи.

Будучи в Риме, я посетил целый ряд госпиталей и реанимационных отделений. Профессор Беге, показывая мне больных, рассказывал о порядке организации медицинской помощи. Как-то мы были в частной лечебнице. Показывая на больного, профессор Беге говорит: «Этот больной застрахован. Он имеет право на то, чтобы страховые компании оплачивали его лечение, где бы он ни лечился». И они действительно оплачивают лечение по стоимости муниципальных больниц. Остальное доплачивает сам больной, совсем немного. Зато он имеет отдельную палату, индивидуальный уход и т. д. Следовательно, дело не в бесплатной медицинской помощи, а в её уровне. А уровень её у нас в некоторых больницах и поликлиниках весьма невысокий.

Будучи в Бостоне в гостях у профессора Оверхольта, мы осматривали обычный госпиталь. Подведя нас к одной из палат средней величины, профессор Оверхольт сказал: «В этой палате почти два месяца находился Роберт Кеннеди после автомобильной катастрофы в бытность Джона Кеннеди президентом США».

В Гааге мы осматривали госпиталь для обычных больных. Подойдя к одной палате, профессор сказал:

— Мы не будем заходить сюда. Здесь лежит король. Он пожилой человек и плохо спит. Не будем его беспокоить.

— А что же, у короля нет специальной больницы для лечения!

— Нет, — отвечали, — он лечится в тех же госпиталях, что и все граждане.

Так же обстоит у нас дело и с санаторно-курортным лечением. Слишком большой разрыв между так называемыми профсоюзными санаториями и санаториями, принадлежащими ведомствам. На если с этой разницей в положении санаториев для взрослых ещё можно как-то мириться, то с состоянием курортного лечения детей в профсоюзных санаториях мириться вряд ли возможно, учитывая общую политику нашей партии и государства в отношении забот о детях.

С этим я случайно столкнулся в связи с необходимостью провести санаторно-курортное лечение сыну восьми лет. Выяснилось, что не только взрослых, но даже детских санаториев, обслуживающих пятимиллионную армию медицинских работников, не существует. Во всяком случае нам об этом ничего не известно. Это тем более досадно и удивительно, что медицинские работники и их дети болеют много чаще, чем работники других профессий и их дети.

Я обратился в курортное управление Минздрава Украины, где мне любезно предоставили путёвку в один из детских санаториев Евпатории под названием «Юбилейный». Дети в этом санатории, по словам воспитателей, выходят из-за стола не всегда сытыми, и родители, как правило, подкармливают их. Кроме того, этот санаторий стоит на мысу, окружённом водой и степью. Ветры, часто холодные, не прекращаются там ни на один день. Почти все дети простужаются, ходят с насморком, болеют ангиной. Присматривать за детьми и обтирать их после купания некому, так как воспитатель один на сорок человек.

На следующий год мы решили поехать в район Ялты, на Южный берег Крыма.

Оказалось, что в Ялтинском районе нет ни одного неведомственного оздоровительного учреждения для детей, которое бы располагалось на берегу Чёрного моря. Все они ютились высоко в горах на 150 метров выше над уровнем моря, а подъезды к ним были очень неудобны из-за плохих дорог. Детей на берег моря доставляли автобусами, а как происходит эта доставка, можно судить по словам отдыхающих и сотрудников санатория «Ясная Поляна», куда, например, на 900 человек подают всего два автобуса.

На мой вопрос, почему детские учреждения расположены не на берегу моря, мне ответили, что весь берег целиком на всём протяжении занят санаториями для взрослых союзного или республиканского значения. Дети же вынуждены ютиться высоко в горах, хотя, казалось бы, на автобусах легче и безопаснее возить взрослых, чем детей. А кроме того, взрослые могли бы и пешком добраться до моря, тем более что большинство из отдыхающих имеет много излишнего веса и им такой моцион был бы только на пользу.

На меня ещё большее впечатление произвёл быт детских учреждений. Я познакомился с санаторием для детей с хроническими заболеваниями лёгких. Этим детям нужны просторные помещения, а они спят на спаренных кроватях. Им нужно лечение, а им отпускают в день на лечение всего 16 копеек. Им нужно усиленное питание, а они получают продуктов всего на один рубль 22 коп. в день (для сравнения: в ведомственных санаториях на взрослых, среди которых 80% имеют излишний вес, отпускают продуктов от 3 руб. 10 коп. до 6 рублей в сутки). Мало этого, в то время как эти взрослые получают и рыбу и мясо, свежие овощи и фрукты до персиков и ананасов включительно — дети в двадцатых числах июля в Крыму не получали ни свежих овощей, ни фруктов, потому что их снабжение идёт с другой базы, в которой совсем нет тех продуктов, которые имеются на базе снабжения ведомственных санаториев.

А можно было решить эти проблемы просто: детей перевести на берег моря, а взрослых — в санатории, расположенные в более высоких местах, некоторую часть средств отнять у взрослых, и без того, как правило, располневших, и передать их детям, которые в возрасте 7—14 лет наиболее интенсивно растут, им требуется высококалорийное и витаминизированное питание значительно больше, чем взрослым, а особенно если принять во внимание, что эти дети с хроническими пневмониями. Но даже и в эти детские санатории очень многие не могут попасть, так как родители не относятся к тому или иному ведомству и даже при желании уплатить любые деньги не попадут в эти лечебные учреждения, ибо они рассчитаны только на определённую категорию людей, отмеченных, по-видимому, определёнными ведомствами.

Я ни в какой мере не хочу умалять тех достижений, которые мы имеем за годы Советской власти, и особенно за последние 10—15 лет, в вопросах санаторно-курортного лечения наших трудящихся. Они огромны и признаны во всём мире. Тем досаднее диспропорция в обслуживании взрослых и детей. Южный берег Крыма наиболее благоприятный, несомненно самый лучший курорт для больных хронической пневмонией. Проведённое здесь лечение больного с затянувшейся пневмонией может дать полное излечение, чем избавит больного от хронической пневмонии, т. е. предупреждает инвалидность человека. А лечение больных хронической пневмонией, особенно проведённое повторно, может надолго, а то и полностью избавить больного от тяжёлого недуга.

И в этом отношении Южный берег Крыма — с его воздушными и морскими ваннами, с его гелиотерапией — имеет исключительно большое значение для детей, у которых, несмотря на тяжёлое клиническое течение хронической пневмонии, в бронхах ещё не развились необратимые изменения и санаторно-курортное лечение в Крыму может дать полное излечение ребёнку, возвратив ему отнятую болезнью радость жизни. Но здесь очень важно комплексное лечение: солнце, воздух и вода в сочетании с усиленным питанием, витаминизацией и благоприятными условиями быта. Всё это для детей во много раз важнее, чем для взрослых, и не учитывать это, не предоставить больным детям должного лечения в Крыму мы просто не имеем морального права...

В общем, я бы предпочёл специализированную клинику. Посудите сами, где ещё вы найдёте такое оборудование, предназначенное для обследования лёгочных больных, как не в Институте пульмонологии? Сердечников — как в нашей клинике? Заболеваний желудочно-кишечного тракта — как в клинике А. А. Русанова или в Институте гастроэнтерологии? И дело не только в оборудовании, но и в строгой «профильности» медперсонала, когда даже санитарки приобретают опыт ухода за определённой категорией больных. И результаты несравненно эффективнее, и ошибки практически исключены.

Мой добрый знакомый, директор Книготорга Сергей Васильевич Капустин, внезапно заболел. Почувствовал сильные боли в животе и самостоятельно на электричке поехал с дачи в город.

Жена его, Вера Ивановна, дорогой спрашивает:

— Может быть, в клинику поедем?

— Да нет, в нашу больницу. Там меня знают, и я уж привык.

Их приняла женщина-хирург. Диагноз — острый аппендицит — не вызвал у неё никаких сомнений, и она, что называется, с ходу предложила немедленную операцию.

Капустин согласился. Через семнадцать часов звонят Вере Ивановне:

— Мы будем оперировать Сергея Васильевича вторично. У него непроходимость.

Оказалось, что непроходимость запущенная, и хирурги решили вывести поражённые петли кишок наружу. Капустин промучился десять дней и умер. Время для срочного принятия мер было упущено, обследование — явно неудовлетворительное.

Конечно, от несчастных случаев не застрахован любой врач, но о такой грубой ошибке я давно не слышал.

Такие факты в настоящее время в медицинском мире считаются ЧП и подвергаются тщательному изучению и разбору с участием главного хирурга города. Когда я спросил об этом профессора Ф. К. Кутышева, он сказал, что эта больница на положении экстерриториальности. Главный хирург ничего об этом не знает, эти случаи нигде не обсуждаются, а следовательно, врачи никаких уроков из этих ошибок для себя не извлекают. К сожалению, насколько мне известно, и в других ведомственных больницах подобные факты не обсуждаются.

Как видите, мы недаром тратим столько времени и усилий, чтобы обзавестись нужной аппаратурой, воспитать кадры, соответствующие требованиям того или иного специализированного лечебного учреждения. Однако если смотреть шире, то организация своевременной и квалифицированной медицинской помощи населению ещё нуждается в преодолении ряда серьёзных недостатков.

Мы должны от них избавиться. Уже делается многое. Растут больничные корпуса. Открываются поликлиники в местах новостроек. В здравоохранение направляются средства, полученные от субботников. Медучилища увеличивают выпуск специалистов среднего звена. Разнообразится ассортимент препаратов.

Бесплатное медицинское обслуживание — великое завоевание социализма, и государство неустанно предпринимает меры, направленные на его совершенствование. Но я имею в виду сейчас другую сторону вопроса. Вспомните, как мы начинали свою кардиохирургию, как добивались строительства клиники. Чего бы мы достигли, оставаясь пассивными? Наверное, и по сию пору ждали бы, когда нам преподнесут готовенькое на блюдечке. Нет, если ты истинно радеешь за вверенного тебе больного человека, становись не просто хорошим специалистом — будь настойчивым и в устройстве всех сторон жизни больницы. Всегда можно найти неиспользованные резёрвы, попытаться рационально перестроить лечебный процесс, отыскать способ компенсировать сверхнормативный труд сестёр и т. д. Инициатива должна исходить сверху и снизу, тогда будет успех. И на это не жалко сил — по себе знаю.

И ещё. Без сомнения, лучше работается на крепкой современной базе, но база как таковая не гарантия правильного лечения. Опасно, когда врач подчиняется потоку, действует по шаблону, самоуспокаивается под влиянием ложного чувства непогрешимости, игнорирует необходимые этапы проверок и обследования. Цена ошибки непомерно высока! Всем нам, независимо от занимаемой должности, надлежит руководствоваться сознанием величайшей ответственности — за диагноз, выбранную тактику, наконец, за отношение к больному. Древние были сто раз правы, передав нам неустаревающий завет: «Врач — сам лекарство...»

5

В один из приездов в Москву меня встретил мой давний пациент Евгений Георгиевич. По натуре он человек общительный, шумный, любит весёлую беседу, остроумную шутку и сам умеет красочно рассказывать. От него я позвонил своему другу — писателю Петру Трофимовичу, предупредить, что задержусь. Ответил упавший хрипловатый голос. Друг сообщил, что заболел, лежит и не может подняться. Евгений Георгиевич махнул рукой:

— Не может быть! Я ведь с ним говорил по телефону, всё было в порядке. Он притворяется!

Я начал объяснять, что ему не свойственно притворяться. На это Евгений Георгиевич с обычным своим простодушием сказал:

— А если не он, так это вы придумали уловку. Никуда я вас не пущу, а лучше позову Петра Трофимовича сюда. И вы убедитесь, что никакой он не больной. Сплошные фантазии!

Я знал широкую натуру Евгения Георгиевича, его искусство поднимать дух, увлекать, но эта затея показалась мне несерьёзной. У человека болит сердце, может быть, спазм сосудов — в любом случае ему нужна медицинская помощь. И я уже вышел в коридор, хотел одеваться. Евгений Георгиевич силой затянул меня в столовую, стал набирать номер. Я услышал, как он говорит в трубку:

— Сердце, сердце! И у других есть сердце, и у меня оно, между прочим, вот уже шестьдесят семь лет стучит без отдыха. Тебе ж только пятьдесят пять, можно сказать, щенячий возраст, а ты уже — сердце! Ну ладно, нечего нам с тобой тары-бары разводить. Вставай и выходи к подъезду. Там через пятнадцать минут будет машина. И не возражай. У меня есть японские таблетки, живо тебя на ноги поставлю. Да, ну вот и молодец! Я знал, что ты меня послушаешь. А Фёдор Григорьевич нам не указ. Он хоть авторитет в своём деле, а дружеская солидарность превыше всех врачей. Сядем вот сейчас, таблетку кинешь под язычок, и споём сибирские песни.

За столом засмеялись, но мне было не до смеха. Снова позвонил Петру Трофимовичу. Тот охал, однако поддался на уговоры. Я предложил ему сесть и просчитать по секундомеру пульс. Оказалось — 76.

— О, — вскричал Евгений Георгиевич, — а у Наполеона пульс был 40, и это не помешало ему до Москвы чуть ли не пешком дошлёпать!

Я немного успокоился: пульс нормальный, значит, беды большой нет. Посоветовал Петру Трофимовичу одеваться осторожно, идти по ступенькам тихо. Вскоре он присоединился к нам. По лицу, по блеску глаз я понял, что ничего серьёзного не случилось. Но почему же он не мог ходить по комнате, да и теперь сидит как деревянный? Евгений Георгиевич дал ему таблетку, запить велел крепким чаем, и Пётр Трофимович постепенно развеселился, все забыли о его болезни.

Спиртного никто не пил. Хозяйка дома угощала душистыми соками, чаем, на столе лежали фрукты. И мой друг ел наравне со всеми, смеялся и шутил тоже наравне со всеми.

Евгений Георгиевич стал рассказывать о нашей с ним первой встрече:

— Я давно страдал язвой двенадцатиперстной кишки, но после войны она обострилась так, что меня кормили только жиденькой манной кашей, и даже при этом я испытывал постоянные боли.

— Что же вы не оперировались? — спросил Пётр Трофимович.

— Боялся. Как подумаю об операции, дурно становилось. В то время я был начальником Кировской железной дороги, и врачи, зная мою «слабость», даже не заикались об операции, стараясь помочь другими средствами. Правда, безрезультатно. Отощал до предела. При моём росте я весил тогда сорок шесть килограммов.

— Что же вы не пошли к Фёдору Григорьевичу? — опять спросил Пётр Трофимович.

— Признаться, он настойчиво приглашал. Да он же хирург, и очень активный хирург. А я никак не мог преодолеть свой страх. Но однажды, когда я был в Ленинграде по службе, мой заместитель всё же настоял на том, чтобы посетить клинику. «Хирург не зверь, — убеждал он. — Может, он даст добрый совет, и вам станет легче». Так мы попали к Фёдору Григорьевичу. Он принял нас ласково, обо всём расспросил, осмотрел и порекомендовал лечь в клинику для уточнения некоторых данных. Дня через два подошла сестра и сделала укол, от которого сразу же исчезли боли. Затем двое молодых людей положили меня на каталку и привезли в какой-то кабинет. Уложили на стол. «Зачем?!» — ужаснулся я. «А вы никогда не лечились вдыханием кислорода?» — спокойно спрашивает сестра. «Нет, никогда». — «Ну вот, сейчас и полечитесь». Я вдохнул несколько раз и больше ничего не помню. Очнулся в палате. К руке и ноге прикреплены трубки, подающие не то жидкость, не то кровь, а на животе марлевая наклейка. Я сразу все понял. И такой страх напал, что не только пошевелиться — дышать боюсь. Врачи требуют: дыши глубже, а я дышу — как цыплёнок. К вечеру поднялась температура.

Наутро приходит Фёдор Григорьевич. «Вставайте», — приказывает. «Вы что это, серьёзно, доктор? У меня же все болит!» Он пощупал мой живот, нахмурился: «Ну, если встать не можете из-за болей, придётся вскрывать снова». Делать нечего, надо подниматься. А Фёдор Григорьевич берёт меня под руку и осторожно ведёт по палате. Пересекли её раза два, подошли к койке. «Теперь ложитесь. Ходить нужно каждый день и дышать глубже, а иначе живот будем расшивать».

Я принял его слова всерьёз. Один страх пересилил другой. И вставал, и дышал, как полагалось. Температура быстро упала, и дышать стало легче. Дня через три — обход. Появился профессор, за ним человек двадцать врачей и студентов. Я думаю: это меня смотреть. А он, поравнявшись с палатой, говорит: «Здесь ничего интересного, банальный случай — резекция желудка при язве. Гладкое течение». И они пошли дальше.

С того момента я полностью успокоился. Спустя неделю меня выписали из клиники и поместили в нашу железнодорожную больницу. За месяц восстановилось хорошее состояние. Потом санаторий. И десять лет я не показывался врачу, пока не прихватил острый холецистит. Но это другая история. Что же касается желудка, то я ем все, что хочу, и никаких болей не чувствую.

Рассказ Евгения Георгиевича, пересыпанный шутками, содержал преувеличения, столь обычные для больных, перенёсших операцию. Выходило, будто мы его взяли в операционную, никого не предупредив. На самом деле это не так. Все вопросы согласовали с его родными, ближайшими помощниками, с лечащими врачами. Больной об этом ничего не должен был знать: учитывая психический настрой, мы не хотели его зря травмировать. Да и чрезмерную мнительность после операции тоже надо было каким-то образом снять. А в интерпретации Евгения Георгиевича как раз это-то и выглядело особенно комично.

Вместе со всеми дружно смеялся и Пётр Трофимович, ни разу не вспомнив про свою болезнь. Но ведь он-то не мнителен и жалуется, когда у него действительно что-нибудь сильно болит. Что же произошло? Неужели под общее настроение и болезнь отошла сама по себе? Такие случаи бывают, но всё-таки так магически подействовать перемена обстановки не могла.

Когда мы ехали к нему на квартиру, я поинтересовался:

— Вы правда не могли встать?

— Да, Фёдор Григорьевич, ночью вступило под лопатку, словно гвоздь вбили. Дышать тяжело было.

— А сейчас?

— Вроде бы полегчало, видно, японская таблетка помогла, но всё равно — болит.

После минутной паузы поделился своими переживаниями:

— Оно бы ничего, проснулся утром с сильной болью под лопаткой, но ходил, хандре не поддавался. Приехал врач, послушал меня и велел лежать в ожидании, когда сделают кардиограмму. Сказал: «Кажется, у нас инфаркт, дело пахнет керосином...»

Я перебил:

— Так и сказал — керосином?

— Да, Фёдор Григорьевич, так и сказал. И глаза такие тревожные, как будто я уже отхожу туда... где «тишь и благодать». Ну, я сник, лёг и не шевелюсь. Врач отбыл, а я смотрю в потолок и слушаю, что там у меня творится внутри. Вскоре окончательно уверовал, что с сердцем моим плохо. Спасибо Евгению Георгиевичу, он меня прямо к жизни вернул.

Сообщение об инфаркте встревожило.

— Да как же вы решились подняться, если у вас обнаружили инфаркт? При инфаркте покой нужен и серьёзное лечение.

— А вот видите, решился. Теперь и вовсе не верю заключению врача.

В квартире я попросил его раздеться, принялся прощупывать и прослушивать. Под лопаткой нашёл болевую точку, посоветовал выпить пирамидон и на ночь поставить на спину горчичники. Утром моему пациенту стало лучше, но боли ещё оставались. Сделали электрокардиограмму. Всё в порядке. Я наклеил на больное место перцовый пластырь и предложил Петру Трофимовичу вместе со мной нанести деловые визиты. В бегах по Москве он и не вспоминал о хвори, а когда мы вновь вернулись к нему на квартиру, боль совсем его покинула.

Я ничего не сказал Петру Трофимовичу, но сам задумался над этим вроде бы проходным эпизодом. Невольно возникали вопросы: а если бы Евгений Георгиевич не уговорил моего друга подняться? А если бы я не нашёл истинную причину болей? А если бы?.. Так и дрожал бы он от страха в ожидании врачей с аппаратами. Может, и впрямь хватил бы инфаркт.

Как часто поспешный, ещё не подтверждённый диагноз врача повергает пациента в тяжёлое нервное состояние! Но даже если есть веские основания, надо ли выносить приговор? Не лучше ли сказать что-либо предположительное, успокаивающее и не прибегать к словам, которые действуют хуже ножа? В крайнем случае скажи родственникам, жене, отцу, брату. И уж совсем непростительно, когда угнетающие душу диагнозы ставят походя: изрёк — спичку бросил — и пошёл, не оглядываясь, а пожар занялся. Жди, пока наступит конец всем твоим счётам с жизнью.

Врачи, поступающие таким образом, не просто нарушают врачебную этику — по моему убеждению, они совершают преступление. Сколько раз мне доводилось слышать от больного, ввергнутого в полную апатию: «Доктор предупредил, что я проживу от силы год. Вот и жду всё это время смерти. Прошло уже три года — живу на удивление!» Что же это за жизнь, если он непрестанно думает о приближающейся смерти, видит её во сне, мысленно прощается с родными и близкими! Дела забросил, стремлений нет, личность разрушена...

Нередко врач не выбирает выражения в разговоре с пожилым пациентом: «Что вы хотите — возраст! Пора быть болезням. Никакие таблетки вам радикально не помогут». Или в таком духе: «Ваша болезнь хроническая, надо готовиться к худшему». Выслушает эти слова человек и повесит голову. Упадочное настроение, ослабленный тонус — глядишь, болезнь и прогрессирует.

Бехтерев сказал: плох тот врач, от беседы с которым больному не становится лучше. Нет лекарства более стойкого и живительного, чем сочувствие, душевный такт, доброта. А как прикажете характеризовать доктора, если от него уходят в слезах?!

Помимо низкой культуры и, как правило, невысокой квалификации, грубость врача, как, впрочем, и каждого человека, свидетельствует о его преувеличенном мнении о себе и пренебрежительном отношении к тем, кто обращается к нему за помощью. Образно и точно представил Л. Н. Толстой, как определяется суть личности: это дробь, в числителе которой то, чего объективно стоит человек, а в знаменателе — то, что он о себе думает. И чем больше самомнение, тем меньше ценность данного индивидуума. Скромность и простота — самые важные человеческие достоинства. Недаром старинная пословица гласит: «Можно быть скромным, не будучи мудрым. Но нельзя быть мудрым, не будучи скромным».

Что бы я ответил, если бы меня спросили: какие проблемы существуют сегодня в медицине, что следует считать главным? Я не стал бы перечислять болезни, и поныне непобеждённые, — это известно. Не стал бы упоминать о нехватке у нас стационарных мест или о задачах улучшения технического оборудования больниц, — это поправимо. Проблемой проблем остаётся чуткость врача к больному, и её не решить только прослушиванием курса лекций по деонтологии, — тут сказываются недочёты в системе воспитания.

После выхода моих книг, адресованных массовому читателю, я получаю множество писем, и если в них жалуются на врачей, то в основном — на грубость и невнимание. И на консультативных приёмах иногородние приезжие говорят о том же ненормальном положении.

Пришла женщина, жительница столицы одной из республик. Болезнь явно запущена. Интересуюсь: почему не обращаетесь к своим специалистам? У вас есть прекрасные хирурги. Называю фамилию. Она чуть не плачет — больше к нему ни за что не пойду. Не было нужды уточнять, виноват ли тут сам профессор или «отличились» его помощники, но факт остаётся фактом: в учреждении со значительными научными достижениями не соблюдается основополагающий принцип медицины — её гуманизм.

А ведь люди в белых халатах издавна олицетворяли собой по праву! — именно гуманизм, готовность идти на жертвы ради спасения человека. Особенно в годы народных бедствий и тяжких испытаний.

Мы как-то разговорились с Сергеем Тимофеевичем Зацепиным, замечательным хирургом, который поднялся до вершин совершенства в лечении травм и тяжёлых болезней костей.

— В начале войны, — вспоминал он, — я был санитаром, со мной рядом трудились простые деревенские женщины. Меня поражало их ласковое, любовное отношение к раненым. С иным возились, как с малым ребёнком...

Да и я, работая в госпитале в блокадном Ленинграде, мог бы привести нескончаемое количество примеров самоотверженности медперсонала, не считавшегося ни с какими опасностями.

Было бы неверным утверждать, что сейчас утрачена столь славная традиция, — нет, конечно. И наша клиника не единственная, где большинство врачей, сёстры, няни предельно заботливы, отдают много тепла при уходе за больными. Меня больше всего радует, что они способны на сопереживание. Какие бы трудности ни сулила предстоящая операция, сколько бы бессонных ночей ни предвиделось, это их не пугает. Я никогда не слышал от своих учеников, что не надо оперировать больных, имеющих ничтожный шанс на спасение. И слабая надежда — надежда...

Но исключения из непреложных правил медицинской этики, к сожалению, ещё встречаются. На общем фоне они тем более бросаются в глаза, и они непростительны. Врач, который приезжал к Петру Трофимовичу, вроде бы и грамотный специалист, наверное, аккуратно выполняет свои обязанности, а вот элементарной человечности не обучен. И только ли в служебной сфере?.. Худший вариант — когда любят не медицину в себе, а себя в медицине, видят в пациентах лишь «материал» для научной карьеры. Это уже крайняя степень душевной глухоты и равнодушия.

И именно потому, что среди массы честных врачей попадаются — пусть, к счастью, редко, — такие вот равнодушные, необходимо бить тревогу. Подвергать их резкому общественному осуждению. Я бы сказал: проблема заключается в том, чтобы всеми средствами, комплексно, воспитывать у врачей чувство высокого долга перед больными, безупречное рыцарское благородство.

6

Мой друг, ныне уже покойный, Александр Иванович был крупным специалистом, его нередко приглашали и на консультации, и на операции. Однажды он рассказал мне историю, очень поучительную во многих отношениях. Я позволю себе привести её почти целиком.

— Когда человек в любом деле проявляет излишнюю самоуверенность — это плохо, — начал Александр Иванович. — Но в медицине, а в хирургии особенно, это просто недопустимо. Причём интересно, что апломба-то хватает только до трудного момента, который он сам же и спровоцировал, а когда возникает опасность, весь апломб улетучивается. В сложной ситуации с такого человека сразу слетает шелуха ложной значительности, он панически ищет выхода, думая лишь о том, как бы не нажить неприятностей.

У меня перед глазами стоит хирург П. П., с которым пришлось не однажды сталкиваться. С возрастом у него развилось высокомерие, которое накладывало отпечаток на все его поступки, в том числе и на хирургическую деятельность. Перед ним заискивали главным образом те, кто стоял ниже на служебной лестнице. Товарищи, равные по рангу, относились к нему сдержанно. Им не импонировало, что у их коллеги нет подлинного чувства собственного достоинства, заставляющего уважать и других. В одном он был мастер: удивительно ловко умел приспосабливаться к обстоятельствам, неизменно заботясь о своём благополучии.

Относясь к окружающим людям, к их делам скептически, с иронией, такой человек выступает не как критик, а как критикан. Чуждый благородных идеалов, он бежит в область личного благополучия и ради его достижения подчас не брезгует ничем. Сколько бы он ни имел, какой бы властью ни обладал, ему всё мало. Дать ему волю, он бы объединил все должности вместе и занял бы их сам. К категории таких людей и относился мой коллега.

Лихачи подобного рода по справедливости так или иначе терпят фиаско. К великому сожалению, в нашей профессии они имеют дело со здоровьем людей. Невозможно при этом всегда рассчитывать на удачный случай и слепое везение. Хирургу требуются обширные знания, большое искусство, непрерывный напряжённый труд...

Как-то в приёмной П. увидел посетителя — назовем его Князев, — знакомства с которым добивался по личным соображениям.

— Проходите в кабинет, — поздоровавшись, любезно пригласил он.

Пациенту близилось к шестидесяти. Красиво посаженная голова, шапка густых волос с проседью, высокий лоб, выразительные глаза, решительные жесты — все говорило о недюжинном уме и волевом характере.

— Уже давно у меня выделяется кровь, — начал больной, — но я не обращал внимания. Думал, геморрой. Много ведь приходится сидеть. Пешком почти не хожу. Вот пришёл посоветоваться.

— И правильно сделали. Пройдите в соседнюю комнату и разденьтесь... Я вас посмотрю.

После беглого осмотра врач сказал:

— Надо оперироваться.

— Вот это новость! Что же у меня?

— Небольшой полип. Мы его удалим.

— У меня много дел, самый ответственный период. Откладывать нельзя.

— Вам и не придётся откладывать. Это лишь звучит громко: операция! А в действительности — пустяки! Мы сейчас же, в амбулаторном порядке.

— Ну, если так...

Князев позвонил на работу, распорядился его не ждать и ничего не приостанавливать. И даже домашних не предупредил, чтобы не волновать понапрасну.

Поскольку предполагалась амбулаторная операция, то ни особых исследований, ни какой-либо подготовки к ней не проводилось. У больного заныло в груди: «Спешка».

— А наркоз не понадобится? — спросил ассистент.

— Зачем? Убрать полип — всего-то! Обойдёмся местной анестезией.

Применив локальное обезболивание, хирург, как принято у нас говорить, подошёл к полипу. И сразу же увидел, что картина здесь значительно серьёзнее, чем он думал. Полип оказался не на узкой ножке, которую прошить легко, а на широком основании, глубоко уходившем в подслизистый слой; он сильно кровоточил. И чем больше вытирали кровь, тем больше травмировали его поверхность.

Сомнений не оставалось: при таком строении прошивать полип у основания бесполезно! Операция не принесёт облегчения, наоборот, может способствовать превращению полипа в рак. Но в то же время удалить его, как положено, со стороны кишки будет, по-видимому, очень трудно: неизвестно, на какую глубину он распространяется. Ведь рентгена не сделали, а пальцем из-за мягкости стенки ничего прощупать не удалось.

Хирург забеспокоился. Больной потерял порядочно крови. К тому же он постанывает, жалуется на боль — местная анестезия не рассчитана на столь травматичные манипуляции.

— Обеспечьте переливание крови и дайте наркоз!

— Ответственного наркотизатора в больнице сегодня нет, — подавленно ответил ассистент. — У него грипп... Есть только практикант...

— Хорошо, зовите его!

Князев стонал уже громко, порой от нестерпимой боли и потери крови лишался сознания... Скоро начало падать давление.

— Перенесите больного в операционную! И поскорее наркоз!

Практикант-наркотизатор стал готовить аппаратуру. Долго возился. Бежало дорогое время.

Чтобы как-то выйти из положения, хирург решил ограничиться полумерой: прошить и отсечь сам полип, а основание удалить при другой операции, через новый разрез — сверху.

Однако едва он прошил полип и хотел его перевязать, рыхлая ткань разорвалась, и полип здесь же, у основания, был срезан ниткой, как бритвой. Кровотечение неудержимое! Попытки захватить кровоточащие места зажимами ни к чему не привели — ткань угрожающе расползлась...

Хирург растерялся. А тут ещё практикант не справляется со своей задачей.

— Когда же наконец дадите наркоз?

— Не можем вставить трубку в трахею.

— Попробуйте через маску!

— Язык западает и закрывает гортань. Накладываем маску — больной синеет...

И тут врач совсем теряет самообладание:

— Чёрт бы вас побрал, таких помощников! Ну как же продолжать операцию под местной анестезией! Что угодно придумайте, только дайте поскорее наркоз! Больной уже в шоке!

Хирург решается на отчаянный шаг — иссечение всей кишки, из-за полипа-то!

Сделав круговой разрез, он принялся выделять опухоль снаружи — вместе с кишкой. Но та плотно примыкала к копчику, никак не поддавалась... Тогда он пошёл на ещё больший риск для больного: вскрыл брюшную полость, чтобы удалить кишку изнутри.

На помощниках лица не было. Гнетущая атмосфера повисла в операционной.

Интратрахеальную трубку ввести так и не удалось. Кислород не поступал в трахею. Кислородное голодание и кровопотеря вызвали тяжёлый шок. Сердце больного сдаёт, несмотря на могучий организм. А вдруг совсем не выдержит?.. От этой мысли похолодел... Спокойствие его покинуло окончательно. Он понимал, что страшная беда нависла над... ним! Нет, в тот момент он меньше всего думал о своей жертве.

Надвигалась гроза! Слишком уж отчётливо предстанет перед всеми его легкомысленный поступок, непростительный даже студенту-медику! Где, в чём, у кого найдёт он оправдание своим действиям?! И что будет с ним, с его карьерой, которая так блестяще развивалась... Когда он судил сам, то был беспощаден, за ошибки, в сто раз меньшие, требовал самого сурового наказания, и ему нравилась эта роль — неподкупного ревнителя правды защитника больных...

А сейчас? Здесь даже не ошибка... хуже! И никто другой не виноват — он один!

Куда девались его гордыня, недоступность для окружающих... Склонившись над больным, он слепо тыкал зажимом то в одно, то в другое место раны, не зная, что предпринять.

— Постарайтесь закончить операцию скорее, — робко заметил ассистент. — Трубка в трахею не входит, а через маску давать наркоз трудно. И у больного совсем слабый пульс...

— Я не могу кончить быстро! Операция продлится долго. Пошлите-ка за наркотизатором в клинику Александра Ивановича... — Хирурга осенило. — Кстати, пригласите его сюда. Скажите, что я очень прошу его немедленно приехать.

П. понимал: ещё несколько дополнительных часов операции — ничего обнадеживающего!.. Западня! И он сам её захлопнул! Он был достаточно опытен, чтобы осознать это. А сознавая, ещё лихорадочнее уцепился за мысль спрятаться за чужую спину. Ведь если будет известно, что больного оперировали два хирурга, и один из них Александр Иванович, весьма популярный как отличный клиницист, то тем самым суждения о необоснованной и совершенно неправильной операции будут смягчены. Спасение в нём, Александре Ивановиче... Лишь бы появился, пока Князев ещё жив!..

И хотя П. ясно представлял, что каждый лишний час на операционном столе только усугубляет и так роковое состояние больного, что вся надежда на благоприятный исход —

в быстром окончании операции, — в этом хоть минимальный шанс, — он, затампонировав раны в брюшной полости и в области кишки, бросил Князева и стал ждать приезда второго хирурга.

Проходит полчаса... час... Кровотечение не унимается. Все тампоны набухли. Но врач не приближается к больному. Лишь бы нашли Александра Ивановича! Отношения с ним у П. не очень тёплые, больше того, между ними случались размолвки. Однако Александр Иванович из врачей-рыцарей, ради спасения человека обязательно приедет.

А тем временем Александр Иванович Вознесенский после напряжённого рабочего дня был на пути к своей даче. «Волга», управляемая опытным шофёром, шла быстро. Тем не менее они заметили, что за ними, сев на «хвост», спешит другая машина, да ещё сигналы подает! Вознесенский сказал водителю: «Сверни на обочину, пропусти её! Надоело — без конца гудит!..» Как только освободили проезжую часть дороги, шедшая сзади машина сразу же обогнала их, затормозила, из неё быстро выскочила молодая женщина и подбежала к Александру Ивановичу:

— У нас тяжёлый больной! Вас просят...

Александр Иванович пересел в другую машину и приехал.

Зайдя в операционную, он увидел хирурга, сидевшего у окна. Осмотрел Князева. По характеру операции подумал, что она предпринята по поводу рака. И с ужасом узнал, что всё это — из-за полипа!..

— В таких случаях лучше удалить кишку вместе с копчиком. Это менее травматично. Я всегда так делаю, — подал свой первый совет Александр Иванович.

— А я никогда кончик не резецирую, — буркнул под нос П., снова приступая к манипуляциям.

Александр Иванович недоумевал. Совершенно очевидно, что единственный выход — в точном и сверхнежном обращении с тканями, а тут — ни того, ни другого! «Зачем меня позвали?» — пронеслось в голове. Он ещё несколько раз пытался давать советы, но хирург молча и упорно делал по-своему.

На седьмом часу операции сердце больного остановилось...

Александр Иванович, потрясённый, ещё стоял некоторое время у операционного стола, затем, когда принятые меры по оживлению не дали результата, направился к двери. На пороге оглянулся, посмотрел на П. и, ничего не сказав, ушёл.

— И представьте себе, Фёдор Григорьевич, — закончил свой рассказ Александр Иванович, — хирург, погубивший такого больного, через год получил звание Героя Социалистического Труда!

Помимо научно-тактической несостоятельности, этот факт поражает ещё и другим. Большинство хирургов никогда не позволят себе не воспользоваться малейшим шансом на спасение больного, поэтому особенно горестно сознавать, что есть ещё такие в нашей среде, которые ради престижа готовы пожертвовать чужой жизнью. Нас буквально потряс безответственный поступок П., в результате чего так глупо погиб человек.

Я не впадаю здесь в противоречие, когда продолжаю утверждать, что хирург заслуживает того, чтобы ему верили. Отдельные «чёрные мазки» не должны портить общую картину, а люди, случайно попавшие в медицину, не представляют во множественном числе тех, кто трудится во имя больных без страха и упрека. Да, проблема медицинской этики не снята с повестки дня как раз затем, чтобы не было никого из «случайно попавших», чтобы пресекать всяческие поползновения нарушать нравственные (и только ли нравственные?) законы.

Истина заключается в том, что именно горе и слёзы больных издавна заставляли врача идти неизведанными дорогами, искать способы борьбы с коварными, неподдающимися заболеваниями. Как и каждый человек, врач может сказать, что его смена кончилась и ему пора домой; он может сказать, что вообще данные болезни в настоящее время ещё не лечатся, и спокойно отдыхать в кругу семьи или друзей. Но часто ли вы слышали такое? Зайдите в клинику почти в любой операционный день, зайдите поздним вечером — у постели тяжелобольного вы застанете и дежурного, и лечащего врача, и ассистентов хирурга, которые принимали участие в операции, и наркотизатора, и уж конечно самого хирурга. Все они заняты делом: проверяют пульс больного, давление, частоту дыхания, берут анализы крови, для чего специально просят задержаться лаборантку. Завтра у них снова напряжённая вахта, и за часы неусыпного бдения никто им не платит сверхурочных. Да, впрочем, они и не думают об этом. Их волнует судьба пациента, которого надо спасти. А завтра другой больной пойдёт на операцию, они и за него будут так же переживать, так же сторожить у его постели, чтобы не пропустить какое-нибудь осложнение, успеть его ликвидировать.

Таков труд врача, и таков он был во все времена. Самоотверженный, подвижнический, чуждый корысти.

Ныне много делается для обезболивания, уменьшения травматизма хирургического вмешательства, и всё-таки исцеление человека хирургом не бывает без боли. Поэтому особенно важно, чтобы хирург был твёрд, но нежен, решителен, но заботлив, настойчив, но гуманен. Пожалуй, лучше всего это удаётся женщинам.

Среди моих ближайших помощников женщин немало. Я бы сказал, что они в дополнение к своим высоким профессиональным качествам обладают ещё такими свойствами души, которые облагораживают и смягчают общую атмосферу, не дают мужчинам огрубеть в повседневной работе.

Конечно, труд хирурга очень тяжёл, плохо совмещается с самой женской природой. И когда спрашивают моё мнение студентки, я им не советую быть хирургами. Тем не менее многие молодые женщины буквально рвутся на это поприще и становятся специалистами, обычно ни в чём не уступая мужчинам. Но, к сожалению, весьма дорогой ценой. Увлечённые профессией, они нередко остаются без семьи или без детей, не имея времени, чтобы ими обзавестись. Например, дежурства по скорой помощи иногда длятся сутки, когда нет возможности не то что прилечь, а даже присесть, чтобы выпить стакан чая. Женщина, с её хрупкой организацией, вынуждена бывает выстаивать часы у операционного стола. Это трудно переносимо мужчиной и едва ли допустимо женщине.

И всё же у нас не переводятся женщины-хирурги, которых больные благословляют и которые беззаветно служат человеку.

Одна из таких ярких представительниц — уже упоминавшаяся мною Антонина Владимировна Афанасьева, ныне профессор, доктор медицинских наук. Она начала свою работу в клинике в тот период, когда ею руководил Николай Николаевич Петров. Несколько лет была операционной сестрой. Потом пошла учиться в институт. Блестяще закончила его и уже врачом вернулась в прежний коллектив на должность больничного ординатора. Клинику тогда возглавил Юстин Юлианович Джанелидзе.

Когда я «получил» кафедру госпитальной хирургии, Антонина Владимировна была уже опытным хирургом-ассистентом. В течение ближайших же лет её утвердили доцентом и одновременно — заведующей отделением.

Первые два десятилетия нашей совместной деятельности были годами непрекращающегося поиска решений не разрешённых до того задач. Напомню: мы стали проводить операции при хронических неспецифических лёгочных заболеваниях, при раке лёгкого, при врождённых пороках сердца (каортация аорты, незаращение межпредсердной и межжелудочковой перегородок, баталлового протока), при слипчивом перикардите, митральном и аортальном стенозе по закрытой и открытой методике; операции под охлаждением, с искусственным кровообращением и т. д., и т. п. И Антонина Владимировна во всех этих начинаниях была моей правой рукой, особенно когда сделалась заведующей клиникой — вторым профессором.

Любые операции, которые я осуществлял впервые, через какое-то время осваивала и Антонина Владимировна, а затем и другие мои помощники. Она обладала как бы врождённым хирургическим даром, поразительно мягко и нежно обращалась с тканями.

Все больные, нуждавшиеся в не апробированных ещё операциях, требовали исключительного внимания не только со стороны хирурга, но и всего персонала. Афанасьева не упускала из виду ничего: и предварительную подготовку, и послеоперационный уход, и всестороннее обучение молодых ординаторов и ассистентов. Как ни придёшь в клинику, всегда застанешь её в окружении молодёжи. Она умела строго спрашивать и с себя, и со своих учеников, за малейшие упущения была беспощадна. Не знаю почти никого, кто не выходил бы из её кабинета со слезами на глазах после очередного «пропесочивания» за нерадивое отношение к больному. Но обиду не таили. Она сама являла собой образец бережного и беззаветного служения пациентам.

Не пройдёт и двух-трёх лет работы молодого хирурга, смотришь — он уже ассистирует при операциях, а там и самостоятельно начинает их делать, сперва более лёгкие, а затем и посложнее. В этом, безусловно, большая заслуга Афанасьевой. Когда я уезжал домой после тяжёлой операции, я был спокоен, зная, что Антонина Владимировна не покинет больного без присмотра, пока он не окажется уже вне опасности.

Антонина Владимировна, как говорится, педагог от Бога. И с молодыми врачами, с сотрудниками занятия строит увлечённо, зажигая слушателей любовью к больному и к своей профессии, стремлением как можно лучше овладеть знаниями. Чуть не каждое утро она собирает всех пораньше, даёт конкретные указания, проникнутые заботой о больных. Попробуй что-то не выполнить — всё помнит и за всем проследит. В то же время нет человека, который бы так помогал, так защищал молодых врачей, так знал их тревоги и нужды.

Одна из наших воспитанниц, Лидия Ивановна Краснощёкова, проработав под непосредственным руководством Антонины Владимировны несколько лет, по семейным обстоятельствам вынуждена была переехать в другой город и попала в одно из лечебных учреждений, где оперировали маленьких детей. При встрече она жаловалась на то, как ей не хватает привычной тёплой атмосферы. Как будто и стараются выхаживать того или иного ребёнка, но казённо, без души, словно это лишь повод для оттачивания хирургической техники.

Такого в нашей клинике никогда не было: гуманность никогда не отодвигалась на второй план. Антонина Владимировна подчиняла ей и научную работу. Не наука для науки, а наука для пользы страждущему человеку, избавления его от страданий.

Ещё при Николае Николаевиче Петрове мне пришлось столкнуться с непонятным фактом. Надо было резецировать лёгкое ввиду нагноительного процесса, но едва я смог перевязать лёгочную артерию, как артериальное давление у больного резко упало и, несмотря на все наши мероприятия, не повышалось. Чтобы закончить операцию и удалить лёгкое, необходимо было перевязать ещё две крупные вены и прошить, пересечь бронх. Однако как только мы начинали манипулировать на корне лёгкого, давление падало ещё ниже и больному грозила смерть на операционном столе.

Что же предпринять? Прервать операцию на этом этапе казалось невозможным. По данным литературы, у животных после перевязки лёгочной артерии наступала гангрена лёгкого, и они погибали. Прождав довольно долго и не добившись повышения давления, я, по совету Николая Николаевича, всё же прервал операцию и зашил рану, не удалив лёгкое. К нашему удивлению, больной быстро поправился, у него исчезли симптомы лёгочного заболевания. Мы решили, что нашли новый метод лечения. Между тем он не всегда оправдывался. В одних случаях действительно получали хороший результат, в других — никакого эффекта. Но почему? И почему в эксперименте перевязка лёгочной артерии приводит к некрозу лёгкого, а у больных — не приводит?

Антонина Владимировна заинтересовалась этим фактом. Она проследила судьбу всех прооперированных таким способом, занялась целой серией экспериментов и анатомических исследований и установила, что здесь основную роль играют плевральные спайки, вызванные воспалительным процессом в лёгких. При отсутствии спаек может наступить омертвение, а при спайках лёгкое питается за счёт дополнительно образующихся сосудов. Стало ясно, что этот способ не может считаться надёжным и трудно предусмотреть, когда он будет эффективным, а когда бесполезным.

Непрерывное горение на работе отнимало у Антонины Владимировны всё время, и для себя, для личной жизни его не оставалось. Клиника, молодые врачи и студенты заменили ей семью и детей.

В нашем, да, наверное, и не только в нашем, коллективе мало было хирургов-мужчин, которые могли бы сравниться с Афанасьевой и в хирургическом мастерстве, и в вопросах воспитания молодёжи. Не говоря уже о её чисто материнском отношении как к больным, так и к персоналу. И мои помощники, зрелые хирурги, доктора и профессора — С. П. Иванов, А. Л. Стуккей, В. Н. Зубцовский, С. С. Соколов, А. А. Воронов, Л. А. Цакадзе и другие — вряд ли взяли бы на себя смелость утверждать, что они хоть в чём-то превзошли Антонину Владимировну. А она была у нас в клинике не одна. Блестящей техникой владели и другие женщины-хирурги, кандидаты и доктора наук: И. И. Рупенко, Г. О. Карякина, И. К. Депп, Л. И. Краснощёкова, Ф. А. Мурсалова, В. Д. Пуглеева и др.

У нас воспитывались многие десятки врачей. Окончив ординатуру или аспирантуру, они уходили в «большую жизнь» хирургами и заведующими отделениями, а некоторые не расставались с клиникой. Восемьдесят человек самых различных национальностей защитили кандидатские и докторские диссертации. Мы охотно принимали к себе и из-за рубежа. У меня, например, обучался в аспирантуре доктор Война Маринеслу, который в последующем стал крупным учёным, членом-корреспондентом своей академии, выдающимся хирургом и ряд лет занимал пост министра здравоохранения Румынии. Были среди аспирантов украинцы, белорусы, грузины, таджики, узбеки и пр.

Н. У. Усманов, закончивший у нас докторантуру, сделался видным специалистом в Таджикистане, возглавив одну из ведущих кафедр по хирургии в республиканском медицинском институте. Он принимал активное участие в разработке такой нелёгкой проблемы, как хирургическое лечение циррозов печени, начиная от диагностики и кончая методикой собственно операции, которая называется портокавельный анастомоз и по сей день считается одной из вершин хирургии. Задача заключается в том, чтобы уменьшить давление в сосудах печени, создав соустье между воротной и нижней полой веной. При циррозе затрудняется прохождение крови от желудочно-кишечного тракта через печень, которая, как лаборатория, очищает кровь от токсинов, прежде чем она поступит в общий кровоток. Из-за рубцовых изменений в этом органе, чаще всего на почве хронического отравления алкоголем, кровь задерживается в сосудах печени и давление в них повышается в 5—6 раз против нормы. Тонкостенные сосуды под давлением расширяются, истончаются, и достаточно малейшей причины, чтобы сосуд лопнул и началось неудержимое, нередко смертельное, кровотечение. Дабы спасти больного, и требуется создать соустье между сосудами, пропускающее некоторую часть крови, минуя печень, и тем самым предупредить застой крови и кровотечение. Операция наложения такого соустья исключительно сложна и доступна лишь хирургам-виртуозам.

Хотелось бы сказать несколько слов признательности о лезгинке Фейрузе Александровне Мурсаловой — доценту кафедры, отдавшей клинике более тридцати лет.

Она родилась в дагестанском ауле, в семье старого большевика. Отец и мать трагически погибли, когда ей сравнялся год. Она воспитывалась у дяди, тоже революционера, члена партии с 1918 года. Он был женат на русской, сам прекрасно говорил по-русски, и Фейруза росла, не зная своего родного языка. В войну добровольно попросилась на фронт, была контужена, демобилизована и поступила в Дагестанский медицинский институт. Училась отлично, получала повышенную стипендию, и через некоторое время после окончания вуза её направили в Ленинградский институт усовершенствования врачей на кафедру Н. Н. Петрова. Заинтересовавшись вопросами лёгочной патологии, она пошла в интернатуру (в то время трёхгодовая стажировка) при нашей кафедре в 1-м Ленинградском мединституте, где приобщалась к обследованию, лечению лёгочных больных и послеоперационному их выхаживанию.

Поставьте себя на место хирургов, которые должны были принимать со всех концов страны людей, отягощённых многолетним страданием, при крайнем истощении и интоксикации. Терапия уже безнадёжна, а хирургическое вмешательство слишком опасно. Требовался буквально неисчерпаемый запас любви и терпения, чтобы не прийти в отчаяние, не сказать таким больным: «Операция вам не показана», — а долго и упорно лечить их консервативно, прежде чем всё-таки оперировать. Мы делали всё возможное, чтобы улучшить их состояние. Специальные виды физкультуры, наборы лекарств, повторное переливание крови и т. д. Но часто больных лихорадило по-прежнему, потому что нагноительный очаг в лёгких не мог найти выхода. Даже антибиотики, вводимые в больших дозах внутримышечно, не приносили облегчения.

Вот в подобных случаях (впервые — когда я спасал Друина) мы решились с помощью иглы через грудную клетку подавать антибиотики непосредственно в район поражения. Как известно, при этом есть угроза, во-первых, вызвать искусственный пневмоторакс, если воздух попадёт в плевру, а во-вторых — воздушную эмболию, если воздух проникнет в кровеносный сосуд. В обоих случаях тяжёлые последствия и даже смерть. Но иного выхода у нас для спасения таких больных не было. И мы без конца проверяли себя в прозекторской и в эксперименте. Вопрос для всестороннего изучения был поручен Фейрузе Александровне.

Она прекрасно справилась с задачей. Появилась методика, которая, при её строгом соблюдении, не давала осложнений, но быстро выводила больных из кризиса, подготавливая их к радикальному хирургическому вмешательству. Сразу же стали сказываться результаты. Если раньше неблагоприятные исходы наблюдались не так уж редко, то впоследствии больные, как правило, легко переносили самую трудную операцию. Метод был полностью апробирован и стал широко применяться в клинике.

Фейруза Александровна написала и защитила кандидатскую диссертацию, а спустя какое-то время опубликовала собранный материал в виде монографии. Вскоре её утвердили в должности ассистента.

У доктора Мурсаловой ценное качество — умение органично сочетать педагогическую, научную и практическую деятельность, не останавливаться на достигнутом; она всегда энергично включается во все новые изыскания.

Когда в середине 50-х годов мы занялись хирургическим лечением митрального порока в тяжёлой стадии, решающее значение придавалось предоперационной подготовке, которая длилась иногда несколько месяцев, зато спасала десятки жизней. Здесь доброе женское сердце, терпение и забота имели несомненное преимущество, и поставленные на это дело женщины-хирурги справлялись нередко гораздо лучше мужчин.

Овладев техникой сложнейших лёгочных и сердечных операций, проработав более тридцати лет в клинике, Мурсалова ни на йоту не стала равнодушнее к пациентам, сохранив любовь к каждому страдающему человеку. И поныне, если в отделении больной, жизнь которого висит на волоске и зависит от любой неточности, я прошу Фейрузу Александровну взять его под своё наблюдение и спокоен, что будет сделано всё возможное в наших условиях.

Она приближается к пенсионному возрасту, но полна неиссякаемой энергии и, я бы сказал, активного милосердия. И клиника много потеряет от ухода ей подобных педагогов и врачей, а их, подлинных энтузиастов, работающих со мной десятки лет, немало. И заменит ли их во всех смыслах идущая им на смену молодёжь — ещё неизвестно. Вот

почему предоставленное право опытным специалистам трудиться не до регламентированного срока, а до тех пор, пока
у них есть силы, я считаю совершенно правильным, полезным и прогрессивным...

7

Благодаря проведённому лечению Сергею Александровичу Борзенко стало заметно лучше. Температура — стойко
нормальная, явления воспаления в лёгких исчезли, слабость
прошла, вернулись силы. А главное, поднялся тонус. Он
рвался домой. Но врачей по-прежнему смущала высокая
РОЭ. И хотя не обнаруживалось ничего похожего на опухоль, мы всё же пригласили крупнейшего онколога нашей
страны, академика медицины Александра Ивановича Рако-
ва, с которым я был в самых дружеских отношениях. Мы
оба ученики Н. Н. Петрова.

Александр Иванович изучил историю болезни, рентгеновские снимки, тщательно обследовал больного и заявил,
что высокая РОЭ есть результат длительного воспалительного процесса в лёгких.

Я спросил:

— Может быть, назначить курс химиотерапии? Что-то
явно неблагополучно...

— Реакция оседания эритроцитов не скоро приходит
к норме, даже при полном радикализме. Но всё-таки посо-
ветуемся с нашим заведующим отделением Михаэлем Лаза-
ревичем Гиршановым.

На следующий день мы снова собрались. Михаэль Лаза-
ревич внимательно посмотрел анализы, прощупал лимфа-
тические узлы больного.

— Считаю, что в новом виде лечения сейчас нет смысла.
Никаких признаков опухоли. Пусть товарищ отдыхает.
А месяца через три, если будет что-либо подозрительное,
применим химиотерапию.

Раков поддержал заключение своего сотрудника. Оставалось подчиниться мнению специалистов, тем более что
сами мы химиотерапию не проводили, а в необходимых
случаях обращались к ним в институт. Вопреки решению
консилиума я попробовал было уговорить Борзенко задер-

жаться у нас хоть ненадолго, чтобы ещё понаблюдать его, но он взмолился:

— Не могу! Работы у меня непочатый край. Звонят из редакции. Ждут. Болеть некогда. Я и на самом деле поправился. Надо ехать!

Беспокойство меня не покидало. Выписывая Сергея Александровича, я сказал:

— Важно, чтобы вы отдохнули от процедур. Но следите за собой и если отметите какое-нибудь ухудшение, сразу же дайте знать. Буду в Москве, обязательно зайду вас посмотреть.

И действительно, как только я оказался в Москве, в тот же день навестил его в редакции. Он встретил меня бодро, весело. На столе лежала большая пачка писем.

— Пишут отовсюду. Просьбы самые разные. Нельзя же отказать! Вот и приходится засиживаться допоздна. А тут ещё книга времени требует — разрываюсь на части.

— Анализ крови сделали, как я просил?

— Сделал, не забыл. Вот посмотрите. Вчера получил.

К моему огорчению, цифры РОЭ оставались высокими. Никакой тенденции к снижению.

— Ну что вы задумались? — приободрил он меня. — Чувствую я себя отлично, а это главное.

Вид Сергея Александровича не внушал опасения. У него ни разу не было обострения лёгочного процесса. Тем не менее анализ крови тревожил.

— Может быть, вернётесь в институт? Вливания, ингаляции помогут окончательно ликвидировать следы пневмонии. Вам ведь у нас лучше становилось?

— Конечно, мне в институте было хорошо. И я непременно приеду, когда справлюсь с запаркой...

Чем больше институт набирал силу и поднимался его авторитет, тем чаще к нам присылали самых тяжёлых больных со всевозможной лёгочной патологией. Эти больные требовали внимания и заботы. Работы с каждым днём прибавлялось. У меня ещё не было заместителей по научной и хозяйственной части, а забот по организации работы всех звеньев института становилось всё больше. А тут ещё участились мои заграничные командировки. Впрочем, никакая загруженность не заслоняла от нас главного — заботы о больных. Не забывали даже тех, кто прошёл в институте курс лечения, выписался, но не чувствовал себя вполне здоровым. Таким до конца не познанным и неизлечимым больным был Сергей Александрович Борзенко.

По отношению к Борзенко мною руководило не только чувство врачебного долга, я ещё испытывал и личные симпатии. Чем больше я узнавал Сергея Александровича, тем полнее раскрывались всё новые его достоинства. Особенно привлекали его ум, обширные знания, способность талантливого журналиста вникать в суть проблем, с которыми он сталкивался. Это словно ему посвящены стихи:

Если ты пошёл в газетчики —
навсегда забудь о покое,
мы за все на земле ответчики —
за хорошее и за плохое...

Из таких-то людей обыкновенно выходят большие учёные, художники, писатели. Он и стал писателем.

В очередной раз будучи в Москве, я позвонил Борзенко.

— Чувствую себя прилично, — ответил он. — Правда, утомляюсь, потому что много работаю. Но вы не волнуйтесь. Будет плохо, сразу же сообщу, как обещал.

Истекло ещё три месяца. Никаких известий не поступало. Как-то я не вытерпел, пошёл домой к Сергею Александровичу. Он всё так же бодрился, уверял, что здоров, но вид его был хуже, в глазах угадывалась тревога.

Попросил его раздеться. Взглянул на грудь, и сердце моё сжалось: между третьим и четвёртым ребром около грудины выступала опухоль размером с половину небольшого мандарина.

То, что она выросла так быстро, указывало на её злокачественный характер!

Опухоль была эластичной, не очень плотной и, судя по её локализации, исходила из лимфатической ткани средостения. Значит, хирургическое лечение невозможно. Остаются два пути: лучевая и химиотерапия. Но прежде надо убедиться в диагнозе, пройти всестороннее обследование в специальном учреждении.

Сергей Александрович напряжённо наблюдал за мной.

— Поедем в научно-исследовательский институт. Проконсультируемся. Не исключено, что придётся лечь туда.

— Ну что ж, я готов, — внешне спокойно сказал Борзенко, неизменно удивлявший меня спокойствием и выдержкой. Таким наверное, был и на фронте.

Принял нас директор. Он вызвал заведующего отделением, поручил ему осмотреть больного и, если надо, поместить в стационар.

Врач, увидев опухоль, ни минуты не колебался: необходимо ложиться немедленно. Сергей Александрович посмотрел на меня. Я кивнул в знак согласия.

Но всегда покладистый, здесь он почему-то воспротивился. Вежливо, но твёрдо настоял на том, что день-два должен подумать. Это шло вразрез с тем, о чём мы договорились по дороге.

Когда очутились на улице, он спросил:

— Заметили, какие у них равнодушные глаза? Нет, сюда не лягу. Для них я существую не как человек, а просто как ещё один экземпляр для науки.

Что тут возразишь? В конце концов, каждый имеет право верить или не верить врачам. Возникло недоверие — пользу лечение не принесёт.

— Ну не хотите остаться здесь, я заберу вас обратно в Ленинград. Будем приглашать в помощь специалистов.

Этот вариант Борзенко устраивал.

При повторном обследовании предположительный диагноз подтвердился: злокачественная опухоль, исходящая из лимфатической ткани средостения.

Все исследования и манипуляции Сергей Александрович воспринимал без паники, по-деловому. Несомненно, понимал, что над ним нависла грозная опасность, однако его поведение, интерес к жизни, активная позиция нисколько не изменились. Он был тем же благородным, красивым, скромным, удивительно отзывчивым человеком, каким его знали в иные времена.

Мои многолетние наблюдения убедили меня в том, что благородство, внутренняя культура человека и человеческое достоинство вернее познаются в минуты тяжёлых испытаний, будь то болезнь, несчастье или крупные неприятности по службе. Некоторые, процветающие в период полного благополучия, при больших ударах судьбы тускнеют, опускаются, размякают и делаются такими несчастными, что их становится жалко.

Чаще всего это люди, которые в лучшие дни своей жизни упиваются своим положением, славой и властью. В несчастье же они резко меняются, превращаясь в слабых и беспомощных. К сожалению, даже умные и сильные по натуре люди не всегда находят в себе достаточно мужества, ума и воли, чтобы при перемене судьбы не уронить своего человеческого достоинства.

Мне как врачу часто приходилось видеть, как по-разному действует на людей свалившееся на них горе. А тяжёлая болезнь часто и является таким пробным камнем для человека.

И в этом отношении Сергей Александрович был лучшим образцом человеческой породы; он и в самые горестные минуты не вешал головы, оставался человеком.

Как и в первое своё пребывание у нас, он много работал, не давая себе послабления. И меня подгонял. Дело в том, что ещё раньше Борзенко настойчиво советовал мне взяться за перо.

— Просто грех не рассказать о пройденном вами пути. Это будет очень поучительно для молодёжи.

— Я ведь не литератор. А кроме того, обо мне уже есть небольшая книжка.

— Да, знаю, её написал Дягилев. Но ни Дягилев, ни кто бы то ни было другой не может поведать о вашей жизни того, что можете вы как специалист в своей области. И вы обязаны это сделать. Хорошая книга служит долго, она — мудрый учитель.

После того памятного разговора Сергей Александрович часто спрашивал, начал ли я записи. Наконец я составил план и пришёл к нему в палату проконсультироваться. Он оживился, всё одобрил, а потом стал ещё настойчивее.

Поражала его человеческая цельность. В атмосфере сгущавшейся опасности он находил силы, чтобы не только самому жить плодотворно, но и поддерживать в окружающих столь ценимый им дух творчества.

Трогательно было смотреть, как Борзенко радовался моим первым литературным опытам. Писать было некогда. Я подолгу не приносил ему новых страниц и видел, что это его огорчало. А хотелось доставить хоть какую-нибудь радость! Выкраивал вечерние часы, использовал дни отдыха. Потихоньку что-то получалось...

Оставаясь верен себе, Сергей Александрович вникал и в наши медицинские заботы. Навыки корреспондента помогали ему быстро схватывать основную сущность событий, но во время наших встреч он больше задавал вопросы о жизни нашего института. Тут он много знал учёных, судьба Института пульмонологии была ему особенно дорога.

При отсутствии лимита на прописку, при отсутствии жилфонда надо было в короткий срок подобрать людей на замещение ведущих должностей. Искали специалистов из ленинградцев — дело было нелёгким. Найти хорошего доктора наук или профессора, нигде не работающего, не так-то просто. Ценного работника ни один руководитель не отпустит.

Во всех подразделениях Института пульмонологии продолжалась напряжённая работа. Мы сконцентрировали внимание на изучении отдельных структур лёгкого — бронхов, сосудов, альвеол... Искали и осваивали надёжные методы диагностики, не говоря уже о лечении. При хронической пневмонии стали широко применять бронхоскопию и бронхографию. Учёные и врачи института научились делать их настолько искусно, что это было совершенно безопасно для каждого пациента с лёгочной патологией.

Наряду с новым направлением исследований не забывалась в клинике и кардиохирургия. Совершенствовались операции по замене поражённого клапана сердца искусственным, начали готовиться к замене одновременно двух клапанов. Как и прежде, производили операции на сосудах, питающих мозг, разрабатывали радикальные методы хирургических вмешательств при самых сложных врождённых деформациях сердца.

Эффект лечения, наглядно представленный на рентгенограммах, заинтересовал всех медиков — как хирургов, так и терапевтов, в институт зачастили делегации из разных стран мира.

Как-то, сидя у меня в кабинете, Борзенко спросил:

— Опять немцы из ФРГ к вам приезжали? Кажется, очень много, чуть ли не сто человек?

— Да, врачи страховых компаний. Организатор этих поездок — доктор Орт, прогрессивно мыслящий специалист. Он какой-то крупный администратор, каждый год собирает группу, везёт к нам, чтобы изучать наши достижения в области пульмонологии. Никак не укладывается в голове, что это их соотечественники так зверствовали в годы минувшей войны! Помню, один из делегатов, совсем ещё молодой, попросил меня рассказать о блокаде Ленинграда. Я начал с того, что сам все 900 дней провёл в городе и всё испытал на себе. Говорил о голоде и холоде, о бомбёжках и артобстрелах, о смерти тысяч стариков, женщин, детей, о Дороге жизни, о непрекращающейся даже в этих условиях работе для фронта, для победы. И закончил словами: «При мне умирали люди разных возрастов, профессий и образования. Но никто из них ни в ясном сознании, ни в бреду не сказал, что надо сдать город, чтобы избавиться от этих мук и поесть досыта, как это обещали фашистские листовки. Все умирали, как герои, на своём посту, с твердой уверенностью, что Ленинград выстоит и мы победим».

Воцарилось молчание. Потом какой-то немец, пожалуй, самый пожилой среди остальных, заметил: «Вот такой рассказ очевидца ленинградской эпопеи неплохо бы послушать каждому у нас, да и в других странах, чтобы навсегда похоронить мысль о реванше, о возможности добиться чего-либо с позиции силы».

Мы с Сергеем Александровичем оба надолго задумались.

Перед глазами встали картины войны, которые не потускнели в памяти, над которыми не властно время...

— А откуда ещё бывают делегации?

— Много учёных приезжают из Северной и Южной Америки. Группами по 60—80 человек. Врачи, профессора, администраторы госпиталей. Института, аналогичного нашему, у них нет. А об иных методах лечения они даже не слыхали, и наши результаты производят сильное впечатление. Американские коллеги знакомятся со всем новым, что удалось внести в учение о хронической пневмонии. Интерес к научным работам советских медиков возрастает.

Всё чаще становились мои поездки за рубеж, в Москву или же на очередную пульмонологическую конференцию в отдалённых районах страны. Как я уже говорил, у меня долго не было заместителя по науке: в моё отсутствие институт оставался фактически без руководителя. По приезде из любой поездки я каждый раз вынужден был с головой окунаться в руководство научной работой, накапливались больные, ожидавшие моих операций, надо было следить за тем, чтобы каждый отдел, каждая лаборатория выполняли план работ, направленных на разрешение единой проблемы. А тут ещё моё посещение члена правительства, закончившееся большой победой. Кого-то временно пришлось понизить в должности. Так или иначе, против меня началась клеветническая кампания. Не видя поддержки, я подал заявление и ушёл с должности директора Института пульмонологии, где я пять лет работал бесплатно. Остался, как и прежде, только заведующим кафедрой хирургии.

Все пять лет одновременной работы на кафедре и в институте, все помыслы коллектива, которым я руководил, были направлены на раскрытие сущности заболеваний, ради которых был создан институт. Мы пробирались в тёмных лабиринтах человеческого недуга, шли на ощупь, у нас не было компаса, но было много энергии и желания помочь людям. Мы не знали усталости и шаг за шагом отвоёвывали у природы новые рубежи знаний. Поэтому работу в институте считаю лучшим и плодотворнейшим временем в моей жизни. Мне удалось изложить в виде монографии по хронической пневмонии результаты деятельности всего коллектива, и я чувствую, что труд наш не останется без последствий. Как бы ни отнеслись к нему некоторые учёные, истина, добытая нами путями объективных исследований и наблюдений, непременно проложит себе дорогу. Уйдя из института вместе с несколькими сотрудниками, проработавшими со мной много лет, в неприспособленное помещение, мы отремонтировали клинику, снабдили её необходимым оборудованием, организовали при клинике пульмонологическое и кардиологическое отделения и продолжаем разрабатывать проблемы, над которыми коллектив клиники работает уже более 30 лет. Мы имеем хороший, дружный коллектив сотрудников клиники, работающих с большим энтузиазмом. Академия выделила для разработки тех же научных вопросов академическую группу, состоящую из преданных науке людей. В результате этого мы ни на один день не прервали и не ослабили темпы наших научных изысканий.

Невнимание к больному и особенно грубость в обращении с ним я считаю самым крупным недостатком врача. Какой бы он ни был высокой квалификации, но если врач не любит больных, если он не проявляет к больному сочувствия, если он грубит — он нередко приносит больше вреда, чем пользы. В связи с опубликованными книгами «Сердце хирурга» и «Человек среди людей» я получаю тысячи писем, и если там жалуются на врачей, то в основном больные жалуются на грубость и невнимание.

Такое поведение врача по отношению к больному не только аморально и недостойно высокого звания врача, оно очень вредно и в значительной степени способствует тому, что болезнь запускается и делается трудно- или совсем неизлечимой. И к чему это приводит? А к тому, что наиболее благородные люди, которые берегут своё человеческое достоинство и ценят здоровье, не хотят и не могут им поступиться, — они уходят из такого учреждения и идут искать такого врача, который отнесётся к ним по-человечески, проявит внимание, заботу и сочувствие.

Что же такое грубость вообще и со стороны врача в частности? Прежде всего, я думаю, в этом никто не будет сомневаться, грубость — это есть проявление низкой культуры человека. Кроме того, это признак эгоцентризма, повышенного мнения о себе, суждение, что себе все дозволено.

Обычно это недалёкие люди, и грубость, хамство есть ширма, которой они прикрывают чувство собственной неполноценности. Таких людей нельзя отнести к благородным, ибо благородство — это прежде всего уважение человеческого достоинства другого человека. Тот, кто без уважения относится к другому, сам недостоин уважения.

Бехтерев сказал, что если после разговора с врачом больному не становится легче — то это не врач. И эти слова знаменитого русского врача отражают основной принцип всей русской медицины — её гуманность, её человеколюбие. Что же надо сказать о таком враче, после разговора с которым больные уходят в слезах и заявляют, что они будут умирать, но к этому врачу больше не пойдут?!

Об этом очень убедительно говорил Добролюбов, который считал, что наибольшее хамство можно встретить со стороны лакея, вообразившего себя барином.

Если грубость и невнимание во всех случаях характеризуют человека отрицательно, то для врача это совершенно недостойно, и здесь любое проявление грубости, жестокости или тем более хамства по отношению к больному человеку должно осуждаться как самый крупный отрицательный поступок, требующий решительного порицания со стороны не только администрации, но и всех его коллег.

Стоит мне дать согласие на любую самую рискованную операцию — если она даёт хоть один шанс на успех, — они сделают всё для того, чтобы она прошла как можно более гладко.

Я всегда старался обучать моих помощников всем тем операциям, которые делал сам, чтобы не быть монополистом сложных операций. Поэтому в клинике операциями на сердце и на лёгких владеют почти все сотрудники, проработавшие со мной несколько лет. Весьма опытными хирургами являются мой заместитель — профессор В. Н. Зубцовский, доценты В. А. Соловьёв, Ф. А. Мурсалова, В. В. Гриценко, ассистенты В. П. Пуглеева, И. И. Проходцев, М. М. Бурмистрова, С. М. Лазарев, П. И. Орловский, завотделением В. Н. Головин и другие.

Учитывая, что операции с искусственным кровообращением, в том числе операции по протезированию клапанов, требуют специальных технических навыков и освоения деталей этих операций, мы создали специальную бригаду хирургов, которая упорно работает, совершенствуя методику операций. Это позволяет более быстрыми темпами осваивать новые операции и проводить их в более безопасных условиях. При этом сколько бы часов ни заняла операция, сколько бы суток непрерывного ухода ни потребовал больной, ни одного даже намека на недовольство, ни одной жалобы на трудности, на усталость я не слышал ни от кого из членов нашего коллектива. А для меня самым радостным было то, что о клинике говорят, что в ней работают внимательные и чуткие врачи.

Болезнь Борзенко прогрессировала. Вновь был приглашён на консультацию Александр Иванович Раков. Когда мы остались одни, он сказал:

— Злокачественный характер опухоли не вызывает сомнения. Однако важно знать гистологическую структуру, чтобы выбрать наиболее эффективный способ лечения. Конечно, можно взять кусочек для исследования, но не хочется тревожить опухоль, ибо после иссечения оставшаяся доля начинает расти быстро и легко метастазирует.

— А что, если удалить плотную лимфатическую железу из-под мышки и отправить её на гистологию?

— Именно это я и хотел предложить.

Опасения наши подтвердились — в железе уже оказался метастаз. Хирургическое вмешательство исключалось.

— Я полагаю, здесь целесообразна лучевая терапия. Не поможет — будем пробовать химию. — Александр Иванович вопросительно посмотрел на меня. — Лучше всего перевести Борзенко к нам, но боюсь, что наше учреждение подействует на него удручающе...

— Всё же самое главное — лечение. А что касается эмоций, то Сергей Александрович человек на редкость мужественный. Вы сами в этом убедитесь. Он всё оценит правильно. Ведь у вас и современная аппаратура, и прекрасные специалисты. Только очень прошу — ему необходимо создать благоприятную обстановку для работы. Это единственно верное противоядие, которое может поддержать душевные силы.

Александр Иванович заверил меня, что всё будет сделано.

...Борзенко резко изменился. Кожа приобрела серый, землистый оттенок. Одежда, ещё недавно так красиво облегавшая его стан, висела как на вешалке. И лишь голубые глаза, излучавшие добро, да улыбка, детская, доверчивая, остались прежними. На него нельзя было смотреть без грусти.

Чтобы доставить Сергею Александровичу хоть какое-нибудь удовольствие, мы с женой пригласили его к нам на дачу в Комарове.

Сели в машину.

— Скажите, а Дорога жизни далеко? Я бы хотел на неё взглянуть, если можно.

— Конечно, можно. Поехали.

Знаменитая дорога, которая в дни блокады, как узкий кровеносный сосуд, питала тело громадного города, шла мимо перелесков, полей и болот. Справа от неё возвышались гранитные столбы, на каждом надпись: «Дорога жизни» и верста такая-то. В воспоминаниях вновь воскресли и муки голода, и первое пробуждение Ленинграда, когда он, словно перенёсший тяжёлую болезнь, стал постепенно оживать.

Вот и берег Ладожского озера — здесь было огромное скопление людей и грузов. В воздухе носились вражеские самолёты, сбрасывали бомбы, обстреливали из пулемётов.

Мы вышли из машины. Погуляли по берегу.

— Давно мечтал побывать тут, но как-то не доводилось, — сказал Борзенко. — Спасибо, что привезли меня сюда. Я хоть и не был на Ленинградском фронте, но живо помню всё, что тогда писалось, о чём говорили в связи с блокадой. Эта дорога — ещё один пример безграничной отваги советского человека, его преданности Родине...

Приехали на дачу. Дни стояли тёплые, солнечные. Мы часто ходили в сосновый лес. Он тоже хранил раны от былых боёв: остатки блиндажей, окопов, даже целые дзоты, воронки от взрывов...

— Не скоро исчезнут эти следы войны, — вслух размышлял Сергей Александрович, — да это и неплохо. Надо, чтобы никогда не изгладились из памяти людей ужасы, которые принёс с собой фашизм. Тогда будут обречены на провал любые человеконенавистнические замыслы.

Вечерами сидели около камина. Я очень люблю наблюдать, как горят дрова. Глядишь на вспыхивающие огоньки или замирающее пламя, на постоянно меняющуюся картину, а у самого мысли бог весть где.

Время от времени перемолвимся парой слов с Сергеем Александровичем и опять погружаемся в раздумье.

Ничто не запомнилось мне так отчётливо, как эти наши часы, проведённые у камина.

Сергей Александрович говорил всё меньше, всё больше молчал и думал.

Потом мы ужинали, а после ужина пошли гулять. То ли после невесёлых воспоминаний, то ли от лирической задушевной музыки мой спутник загрустил, молчал всё больше, и тогда я решил рассказать ему о своём соседе — об Иване Абрамовиче Неручеве. Для начала спросил:

— Вы что-нибудь слышали о писателе Неручеве?

— Как же! — ответил Борзенко. — Знаю такого писателя, читал, и он мне очень нравится. В журнале «Молодая гвардия» печатался отрывок из его новой книги. По-моему, он пишет больше о разоблачении преступного мира, следствиях, судах и так далее.

— Не только, но в основном — да.

— Я заметил в авторе большие способности беллетриста, верность психологических описаний — он хорошо изображает внутреннее состояние героев. И ещё обратил внимание: он хорошо знает юридические дела.

— Как же ему не знать! Всю жизнь работал на этом поприще, он генерал-лейтенант юстиции в отставке. Ему ведь без малого восемьдесят.

— И он всё пишет?

— Если бы он только писал...

Как раз в это время мы проходили калитку дачи Неручева; я решил прогуляться с Борзенко до Финского залива, рассказать ему по дороге о Неручеве, а на обратном пути зайти к Ивану Абрамовичу.

Писатель поправлялся после недавней болезни, и мне, кроме всего прочего, надо было справиться о его здоровье. Болезнь протекала непросто, и он, можно сказать, вернулся с того света. Заболел он в моё отсутствие; я надолго уезжал за границу, а когда вернулся, мне позвонила дочь Ивана Абрамовича — Лариса Ивановна. Просит совета: как быть. Ивана Абрамовича уложили в ведомственную больницу с болями в области сердца. Прошло уже больше месяца, но ему нисколько не лучше. А главное, он всё время спит, а когда проснётся, плохо ориентируется в окружающей обстановке, говорит невнятно. Тут же ложится и вновь засыпает. Чем дальше, тем хуже.

Я спрашиваю: получает ли он какие-нибудь лекарства от бессонницы?

— Да, по три таблетки в день.

Я позвонил дежурному врачу больницы и попросил выяснить, что было назначено. Он взял историю болезни и прочитал, что больному более месяца назад невропатологом был назначен седуксен по одной таблетке на ночь в течение трёх дней. Затем по таблетке через день ещё две недели.

Я спросил доктора, почему больной до сих пор принимает снотворное. Оказалось, что, вопреки назначению невропатолога, лечащий врач велела больному принимать эти таблетки три раза в день, а так как в больнице их часто не бывает, то ему приносили из дома. Так продолжалось больше месяца. Разумеется, всё отменили, и Неручев решительно настоял на выписке. Однако состояние его оказалось тяжёлым. Психика не приходила к норме. На этом фоне он, находясь в Доме творчества писателей Комарово, заболел тяжёлой пневмонией. Мне опять его дочь позвонила и сказала, что Иван Абрамович в тяжёлом состоянии. Когда я приехал в Комарово, он был очень плох. Температура 40°, пульс частит, верхняя часть (половина) правого лёгкого захвачена воспалительным процессом.

У больного находилась всё это время опытная медицинская сестра, давнишняя знакомая Ивана Абрамовича.

Мы решили, что везти его в город опасно. Было назначено экстренное лечение, и только через неделю, когда больному стало получше, его поместили в нашу клинику. Здесь мы обратили внимание на неполное просветление психики. Через месяц он выписался здоровым. Никаких следов заторможенности не осталось. Сейчас говорит, что чувствует себя хорошо.

Он часто заходит к нам поделиться новостями или просто посидеть у камина. Мы живём поблизости друг от друга уже лет двадцать, но сошлись дружески не так давно. Оба мы по натуре не очень склонны к скорому сближению, поэтому хоть и виделись, но долгое время даже не были знакомы.

Иван Абрамович много лет отдал службе в армии, занимал большие должности в юстиции, состоял во многих комиссиях — нередко возглавляя их — по расследованию особо важных крупномасштабных преступлений. Память его хранила массу интересных историй, и вполне естественно, что, обладая литературным даром, он всю жизнь разумно сочетал свою работу с писательской деятельностью. Пишет рассказы, очерки, повести, романы, пьесы. Сюжеты берёт из юридической практики и поднимает важные, злободневные вопросы, которые волнуют многих: семья и брак, разводы и алименты, воспитание детей, причины преступности и так далее.

Иван Абрамович активно работает в местном отделении Союза писателей. Неподкупный, честный и принципиальный человек, он живёт без компромиссов и не стесняется указывать на те изъяны, которые встречаются на его пути.

— И заметьте, — заключил я свой рассказ о Неручеве Сергею Александровичу, — в своём возрасте он пишет новые книги... Да вот вы сейчас увидите.

С этими словами мы зашли на участок Неручева — калитка у него всегда открыта, дом тоже не заперт, хотя живёт он обычно во времянке, которую превратил в уютное жилище и рабочий кабинет.

Ещё у двери мы услышали стук пишущей машинки.

— Входите! — крикнул нам хозяин.

У Ивана Абрамовича был посетитель, старичок из соседнего села, хлопотал по пенсионному делу. Неручев как юрист дал ему консультацию, написал заявление в райсобес.

Старичок ушёл, а Иван Абрамович показал на бумаги, лежавшие на его столе:

— Кляузы разные. Приходится помогать людям, консультировать, хлопотать по инстанциям. Не уберегались мы от бюрократизма. Не уберегались. И много теряем от волокитства, бездушия.

Я представил ему своего гостя:

— Вот, знакомьтесь: Борзенко Сергей Александрович! Может, слыхали?..

— Как же! — вышел из-за стола Неручев. — Борзенко мы знаем: писатель, журналист — удостоен за подвиги в войне звания Героя Советского Союза. Личность, можно сказать, историческая. — И словно его осенило: — Вот кстати! На ловца и зверь бежит. Вы же в «Правде» влиятельный человек. Помогите нам ломоносовскую усадьбу отстоять. Предали её забвению, сносят, разрушают... Вот фотография, документы... Да я уж и статью написал...

Я взял его за руку, и он успокоился. Понял: нельзя же так с ходу атаковать гостя.

И потом, угощая нас чаем, говорил:

— Заканчиваю новую повесть, да не знаю, хорошо ли всё у меня вышло. Я, знаете ли, признаю только смелых писателей. Вот Лермонтов! Надо же ведь было всем сильным мира бросить в лицо:

> А вы, надменные потомки
> Известной подлостью прославленных отцов!..

Я, знаете ли, люблю Лермонтова как сына, как брата, как отца — да что там! — больше! Одно только сознание, что были у нашего народа такие сыны, наполняет моё сердце счастьем. Вот видите!..

Иван Абрамович показал на стены, увешанные портретами:

— Пушкин, Лермонтов, Некрасов... Поэты! Какие же это были люди!.. Или вон — Кондратий Рылеев!.. Когда оборвалась веревка, на которой его вешали, он сказал: «Я счастлив, что дважды умираю за Родину!..»

Иван Абрамович говорил страстно, горячо. Он походил на бойца, поднявшегося в атаку. Борзенко оживился — может быть, встретил брата по духу, товарища по перу, такого же чистого душой и светлого помыслами человека.

Они сидели друг против друга и говорили так, будто знакомы были много-много лет.

Я вообще замечал: хорошие, смелые, благородные, талантливые люди, встретившись друг с другом, быстро находят общий язык, и между ними почти сразу же протягивается незримая нить взаимных симпатий, дружеского расположения, духовного родства. И наоборот: люди неискренние, некрасивые душой, встречаясь друг с другом, не испытывают взаимного расположения, они как бы слышат, чем дышит другой, и проявляют настороженность. И если уж обстоятельства понуждают их участвовать в каком-то общем деле, они поневоле идут друг другу навстречу. Однако настороженность в их отношениях остаётся, и в душе они всегда будут чужими.

Неручев и Борзенко — люди одного характера, одного строя мыслей. И случись им увидеться раньше, большая мужская дружба возникла бы между ними, но судьбе было угодно подарить им одну встречу, да и то короткую. Мы, посидев час у Неручева, стали прощаться.

На следующий день я отвёз Сергея Александровича на вокзал. Он уезжал в Москву. Перед самым отъездом вдруг загрустил, молчал и лишь изредка улыбался печально. Я обещал скоро быть в Москве, зайти к нему. Он согласно кивал, но взгляд его говорил: «Дни мои сочтены, я знаю это и спокойно иду навстречу своей судьбе».

Тягостным было это наше последнее расставание в Ленинграде.

Избрание на ту или иную научную должность всегда считалось делом исключительной важности. От этого зависела судьба не только данного научного учреждения, но и авторитет науки. И тот факт, что наши научные учреждения до последнего времени, как правило, возглавлялись крупнейшими представителями русской науки, есть результат борьбы за демократические принципы, борьбы, которую, начиная с М. В. Ломоносова, вели прогрессивные русские учёные.

Это было традицией в русской науке и обеспечивало избрание на должность директора научного учреждения самых выдающихся, самых талантливых её представителей.

Очень часто учёные сами создавали эти институты и руководили ими долгие годы, обеспечивая высокий уровень и авторитет русской науки.

Многим нашим учёным приходилось выдерживать большую борьбу с чиновниками, которым были в высшей степени чужды интересы науки и учреждения и которые, чтобы легче было проводить свою не всегда патриотическую линию, готовы были пренебречь эрудицией учёного, лишь бы иметь покладистого директора. Вспомним, какую борьбу приходилось вести основоположнику русской науки М. В. Ломоносову с Шумахером и другими иноверцами, приезжавшими в Россию за лёгкой добычей.

В традициях русской науки было строгое соблюдение демократических принципов, когда при избрании руководствовались исключительно научным потенциалом учёного, и нам трудно представить, чтобы И. П. Павлов, или Н. Н. Петров, или С. С. Юдин при избрании учёного в академики или на должность директора принимали во внимание родственные связи конкурирующего или его жены. Более того, они своих родственников не позволили бы рекомендовать к избранию, чтобы не вызвать ни у кого сомнения в беспристрастности своих суждений.

Нарушение этих правил, которые считались делом чести каждого русского учёного, приводит к тому, что в академики или на должность директора нередко выдвигаются ординарные учёные, не внёсшие никакого серьёзного вклада в науку. А если у руководства стоит такой директор, то и учреждение будет работать на том же уровне.

В традициях русской науки было правило: директорами научно-исследовательских институтов назначались умные, прославившие себя большими научными трудами учёные, внёсшие крупный вклад в тот раздел науки, по которому работает институт, и этим обеспечивался высокий уровень научной деятельности института.

Последнее время в ряде мест стала нарушаться эта прекрасная традиция. Иногда стали назначать на должность директора научного института какого-нибудь ординарного профессора, ничем не проявившего себя в научном мире.

Вскоре после этого его избирают в академики, чтобы закрепить за ним должность.

И нередко бывает так: избрали такого-то директора в академию а затем, разобравшись в нём, его с директорства снимают, и он остаётся рядовым научным сотрудником, без серьёзных научных трудов и без должности. И все удивляются, почему тот или иной рядовой сотрудник оказался членом академии? За какие научные заслуги?

Такое отношение к избранию в члены академии тревожит многих учёных людей, которые привыкли смотреть на академика как на научную звезду первой величины.

Для меня лично был эталоном академик Н. Н. Петров. Большой учёный, автор научных трудов фундаментального значения и ряда монографий, по которым учится не одно поколение молодых специалистов и студентов, смелый экспериментатор, новатор в своей отрасли знаний, непрерывно открывающий новые пути и совершенствующий старые.

И в то же время удивительно скромный, никогда не выпячивающий себя, не требующий себе никаких преимуществ или привилегий. Таким академика представлял не только я, но и многие мои коллеги, большие русские учёные, также, как правило, скромные и даже застенчивые, когда речь идёт об их заслугах.

Не раз, встречаясь на заседаниях научного общества, мы в кулуарах обсуждали этот вопрос, и очень многих из нас возмущал тот факт, что на избрание того или иного учёного большое влияние оказывали родственные связи не только его самого, но и его жены. В связи с этим интерес к жёнам заметно повысился среди лжеучёных, и это не могло не волновать настоящих учёных, болеющих за престиж русской науки.

Как известно, не только хорошие, но и плохие примеры заразительны, и, к сожалению, в научных кругах некоторых провинциальных городов система необъективного подхода к избранию учёного на ту или иную должность получила довольно широкое распространение.

Как-то, возвращаясь с нашей поездки на Лену, мы приехали в провинциальный, но, правда, университетский город, куда меня приглашали товарищи хирурги. Я был в этом городе не раз. У меня там было немало добрых знакомых. На следующий день начиналось заседание научно-медицинского общества, его годичное собрание. В городе было много научно-исследовательских и учебных институтов, и учёные пользовались большим авторитетом и влиянием. Может быть, поэтому предстоящему собранию медицинского общества придавали большое значение и в медицинских кругах уже накануне живо обсуждались как научные доклады, так и предстоящие выборы нового правления.

Мы с женой получили приглашение и, не зная хорошо дороги до института, где должны были происходить заседания, вышли из гостиницы заблаговременно и, взяв такси, поехали по указанному адресу. Такси въехало в огромный двор, где на большом расстоянии друг от друга стояли великаны корпуса. У одного из них мы остановились и вышли из машины. Мы приехали рано. Люди, обслуживающие заседание, только готовили свои рабочие места. Постепенно стали подъезжать и приходить участники заседания. Вестибюль стал заполняться молодыми людьми, подготавливающими работу собрания, и учёными, которые, солидно улыбаясь, поднимали шапки и кланялись издали, увидев своих знакомых коллег. Молодые доктора, закуривая на ходу, то и дело вскидывали руки и по-разному улыбались и кланялись, увидев ли равного по рангу молодого или крупного учёного.

Вошёл по-деловому, слегка припадая на ногу, профессор Родинцев А. А. Спокойно, просто, не торопясь шёл профессор Ролев Б. В. Взбежал, на ходу пожимая руки по сторонам, Г. Е. Верхов; приветливо улыбаясь и поглаживая седеющие волосы, вошёл Д. Д. Блоков, по-деловому входили военные.

Вестибюль наполнялся учёными, которые, раздевшись и зарегистрировавшись, поднимались на второй этаж, где была организована продажа канцелярских принадлежностей, книг, медикаментов. У аптечного киоска образовалась очередь. К ней подошёл, важно откинув голову, профессор А. В. Альман.

— Зачем вы всё это берёте? — спросил он у знакомого в очереди. — Вы же здоровый человек, как я на вас посмотрю.

— Да я не себе. Я набираю всё это для своих больных. В аптеках этого не бывает, а ко мне без конца обращаются с просьбами.

Так, приветствуя друг друга и разговаривая о мелочах быта, участники сессии начинали подходить к обширному залу, где будут проходить заседания.

Раздался звонок, и учёные энергично заторопились в зал.

— Собрание объявляю открытым, — сказал седой, высокий, с сохранившейся фигурой председатель.

Президиум предоставил слово первому докладчику, директору одного из научно-исследовательских институтов.

На трибуну поднялся тучный учёный, который одновременно занимает и солидную административную должность.

Отметив достижения в области онкологии, докладчик перешёл к проблемам реанимации.

— У нас создаются барокамеры для лечения тяжёлых больных. Вот на этих диапозитивах перед вами целая система барокамер, которая стоит не один миллион рублей. Это пока единственная в нашей стране установка, созданная в нашем институте.

В СССР создаются крупные сосудистые центры, — продолжал докладчик. — Первая успешная операция была выполнена мною. Перед нами стоят большие задачи в области реконструктивной хирургии. В нашем институте производятся реконструктивные операции на трахее и бронхах...

Доклад продолжался долго. Не только в зале, но и в президиуме многие дремлют. Чтобы не уснуть, учёные начинают тихо переговариваться между собой.

— Опять саморекламой занимается, — говорит сухопарый, с бледным лицом и коротко подстриженными волосами учёный. — Как пример хорошей работы и современного оборудования приводит свой институт.

Ему бы этого стесняться, а он хвастает. Он же сам у нас в городе распределяет импортную аппаратуру. И не велико геройство снабжать свой институт не только в первую очередь, но и преимущественно за счёт других клиник. В его коридорах она стоит годами нераспакованная, а учёные задыхаются от недостатка оборудования, особенно импортного.

— Мне всегда грустно бывает, когда я слушаю его доклады, — тихо отвечает ему худощавый, с длинными седыми волосами сосед. — На какую бы тему ни говорил, а все примеры только из своего института, а своё оборудование показывает уже, наверное, пятый раз.

Последнее время взял моду — что ни проблема, он основной докладчик. Сами судите: хирургия, травматология, ортопедия, сердечно-сосудистая хирургия, онкология, переливание крови, пластическая хирургия... Вот далеко не полный перечень его докладов за последние несколько месяцев, которые он делал на самых авторитетных заседаниях.

— Неужели и по онкологии? Когда же он стал онкологом?

— А как же, лет тридцать назад он сделал несколько операций, при раке кардиального отдела желудка и пищевода. Этого вполне достаточно, чтобы считать себя крупным специалистом и на форуме онкологов сделать доклад о современном состоянии этого вопроса.

— А почему по переливанию крови?

— Когда-то он сделал переливание крови в аорту во время операции. И до него многие хирурги это проводили, но сенсации из этого не делали. Он же с этого времени считает себя настолько крупным специалистом, что делает доклад на высоком собрании.

Я его доклад по пластической хирургии слушал. Помощник сделал несколько операций на трахее и бронхах, и он стал первым специалистом в стране по пластической хирургии.

Когда утверждали докладчиков на международный конгресс, оказалось, что почти половина докладчиков, рекомендованных, из нашего города, были из его института.

Получается, что вся медицинская наука в городе создаётся только в его институте...

Раздались аплодисменты... Докладчик, окончив свою речь, с достоинством и сознанием огромной пользы, принесённой своим докладом, сел в первый ряд президиума.

Объявлен перерыв.

В вестибюле снова поднялся шум, как на стадионе, не слышно друг друга, даже стоя рядом.

Снова встречи, приветствия, оживлённые беседы.

Мы пришли в буфет. В углу, подперев рукой голову, профессор Раев о чем-то рассуждает с Ничковым.

У буфетной стойки очередь. Мы встали в конце её. К ней, толкаясь, подбежал Цаньвань, недавно ставший профессором.

— Эдик! — кричит ему профессор Минвипер. — Я тебе очень благодарен за полученную информацию.

— Да? Ты всё понял?

— Ну конечно! Это радостная весть! Пойдём вот за тот столик к Фогельсону. Надо с ним поговорить.

— По поводу выборов?

— Ну да.

Они направились к столикам. Раздался звонок. С нами поравнялся всеми уважаемый хирург, бывший ученик профессора С. С. Юдина — Д. А. Рапов.

— О, здравствуйте! Я недавно написал рецензию на вашу книгу.

Учёные занимали места. Мимо нас солидно прошла и села неподалёку профессор Н. П. Тегерева.

Заполнялся президиум. Вошёл и грузно опустился на центральное место заведующий облздравом. Брови у него всегда были приподняты, отчего на лбу образовалась гармошка складок. Толстое, крупное лицо устало, со скукой глядело в зал. К нему повернулись профессора Женевский и Ернух, и лицо заведующего расплылось в улыбке.

Доклад делал председатель. Он в речи обращался к заведующему облздравом с просьбой помочь организовать новый институт, поставив его во главе областного центра по аллергологии. Заведующий не реагировал. Но когда председатель сказал о необходимости вынести такой центр подальше, за пределы города, некоторые, сидящие поблизости, снисходительно заулыбались, ловя сочувствующий взгляд шефа.

В докладе председатель несколько раз весьма почтительно и даже восторженно упомянул заведующего, на что последний реагировал снисходительной улыбкой.

После доклада председателя открылись прения. На трибуну вышли несколько учёных, обычно выступающих на сессии. После чего был объявлен перерыв до следующего дня, на который был намечен ряд теоретических сообщений.

На следующий день было немного слушателей. Председатель вынужден был сделать замечание учёным и сказал, что надо регистрироваться два раза: при приходе и уходе. Учёные смеялись: «Совсем как школьники!» Тем не менее все они аккуратно приходили отмечаться. Участники собрания с нетерпением ждали административного заседания. Предстояло избрать членов правления общества, а также переизбрать президиум. К этому вопросу учёные всегда проявляли большой интерес: каждый понимал влияние персонального состава правления общества на всё развитие науки в области. Поэтому в перерывах между заседаниями часто можно увидеть группы учёных, живо обсуждающих вопросы избрания в правление.

Я подошёл к одной такой группе, где собралось несколько знакомых мне учёных. Одни из них в шутливом тоне говорили:

— Успех учёного в его продвижении в правление иногда зависит от того, насколько удачно он выбрал себе жену.

— Жёны во все времена помогали мужьям делать карьеру, это известно, — заметил Т. Ф. Федорович, мой старый друг ещё по Иркутскому университету.

— А вы что думаете, — вмешался А. К. Синяков, физиолог. — Когда посмотришь на научные труды иного учёного, то невольно думаешь — разве можно такого избрать? Значит, тут играли роль какие-то, как у нас говорят, «паранаучные» факторы.

— В самом деле, — вмешался в разговор молчавший до сих пой профессор А. М. Снегиревский. — На днях я слыхал забавную историю про учёного, который, как вы знаете, пробился у нас в большие начальники. И всё через свою новую жену.

— Этот случай получил у нас довольно широкую известность. Я не знаю, почему вы о нём ничего не слышали.

— В этой истории с профессором много справедливого. У него всего одна монография, выпущенная лет двадцать назад, и то не по тому профилю, по которому он избран на кафедру.

— Тут действительно что-то не совсем чисто, — согласились остальные.

В это время раздался звонок, призывающий учёных в зал заседания, и наш кружок распался, разойдясь по рядам большого конференц-зала.

Разговоры в нашем доверительном кружке меня заинтересовали. Слушая малоинтересные доклады, я невольно мыслями возвращался к рассказам моих коллег, думая о том, кто из учёных войдёт в правление общества. По-видимому, эти вопросы волновали не одного меня. Сидевший рядом со мной профессор А. И. Ребров нет-нет да и скажет мне что-нибудь, касающееся предстоящих выборов.

Александр Иванович Ребров — большой русский учёный и блестящий организатор. Ряд лет он работал заместителем директора онкологического института, основанного ещё до войны. С 1944 года, весь восстановительный период после войны, Александр Иванович в течение 20 лет был директором этого института, много сделав для его развития.

Он был учеником Н. Н. Петрова. Как большой учёный он свою административную работу совмещал с активной научной деятельностью в области онкологической гинекологии. Им было впервые установлено, что рак шейки матки — одно из самых тяжёлых и распространённых онкологических заболеваний женщин — развивается чаще всего на месте послеродовых разрывов шейки матки, не ушитых в первые же часы после родов. Отметив этот феномен, Александр Иванович провёл наблюдения в ряде учреждений, где стали ушивать послеродовые разрывы. Изучив отдалённые результаты, он установил, что почти никто из этих женщин раком шейки матки не заболевал.

Это было крупнейшее научное достижение, которое спасло и продолжает спасать сотни тысяч женщин от ужасного заболевания. Опыт, опубликованный А. И. Ребровым, был воспринят большинством акушеров-гинекологов страны, чем удалось предупредить развитие рака у тех женщин, которым применяли этот метод.

Ряд других достижений в области онкологической гинекологии выдвинули А. И. Реброва в число самых выдающихся специалистов этой области в нашей стране. А будучи директором онкологического института, он мог оказывать влияние на развитие онкологической науки в городе и области. Александр Иванович отличался исключительной честностью и принципиальностью. Он не терпел фальши ни в науке, ни в общественных отношениях.

Вот и сейчас он был обеспокоен положением дел в правлении медицинского общества, видя, что здесь всячески нарушаются демократические принципы при избрании новых членов правления.

Когда был объявлен перерыв, он не пошёл в буфет, а, повернувшись ко мне, сказал:

— Боюсь, что на этих выборах правление будет проводить своих людей, не считаясь с научными достижениями кандидатов. После того, что с нами произошло, ни у кого не возникает охоты оказывать им сопротивление.

— А что с вами было? Расскажите.

— А вы разве ничего не слыхали?

— Я что-то слыхал, но через вторые источники и не всё ясно представляю.

— Это было много лет назад. Но я всё так ясно помню, как будто это было только вчера, — начал Александр Иванович. — Были выборы в правление общества. В конкурсную комиссию вошли П. А. Прянов в качестве председателя, Б. Г. Горов, А. Г. Славин, ещё один крупный учёный, фамилию я не запомнил, и я. Обсуждались две кандидатуры: А. и Н. Мы потратили много времени, чтобы тщательно изучить научные труды того и другого. Перед работой комиссии, а также во время её работы руководящие работники области и старого правления недвусмысленно дали понять членам комиссии, что они хотят видеть избранным профессора Н. Однако когда члены комиссии познакомились с трудами обоих кандидатов, ни один из них не высказался в его пользу. Началось обсуждение.

— Мне кажется, что мы должны прислушаться к мнению облздрава и президиума, — сказал один из членов комиссии. — Не потому, что они правы, а потому, что они настоят на своём.

— Что они сделают, я не знаю, но я, во всяком случае, выполню свой долг учёного и честно выскажу свою точку зрения, основанную на документах да и на знании кандидатов и их научной ценности, — сказал другой.

— Это все, конечно, правильно. Но мы наживём себе врагов в облздраве и правлении общества, да ещё в лице кандидата, которого мы готовим на второе место, а он всё равно пройдёт!

— Что он пройдёт, в этом можно не сомневаться.

— За него многие хлопочут, даже непонятно почему. Тут, надо думать, на него большие виды имеются. Может, даже готовят его в президиум. Вот тогда он нам и отплатит за второе место, — сказал тот, кто первым выразил сомнение.

— В условиях, когда этому нет поддержки облздрава, наше поведение будет выглядеть как донкихотство и обязательно отразится на ком-нибудь из нас, а то и на всех, — мрачно сказал молчавший до сих пор член конкурсной комиссии.

— Как бы ни настаивал и президиум, и облздрав, нельзя же ставить на первое место человека, который не имеет ни одной серьёзной научной работы по своей специальности. Да и вообще он имеет всего одну монографию, написанную чуть ли не двадцать лет назад. Как же ему отдавать предпочтение перед профессором А., известным учёным, много лет работающим в этой области, имеющим солидные монографии и большое количество статей по этой проблеме? — с жаром заявил тот, кто говорил первый.

— Раз имеются такие суждения, проведём тайное голосование. Кого из этих двух кандидатов члены комиссии считают нужным поставить на первое место, — заявил председатель конкурсной комиссии профессор П. А. Прянов, раздавая всем чистые листы бумаги.

После того как каждый член комиссии написал фамилию кандидата, листки собрали, перемешали и развернули. На всей листках стояла фамилия профессора А.

Решение конкурсной комиссии надо было доложить президиуму. П. А. Прянов сказал, что его «вызывают в важное учреждение», на президиум не пошёл.

— Решение комиссии докладывал я, — продолжал Ребров. После доклада члены правления некоторое время молчали.

Первым заговорил профессор Аркисян.

— Ай-яй! — с притворным удивлением воскликнул он. — Я не знал, что вы так враждебно настроены по отношению к профессору Н.

— При чём тут враждебность и моё мнение? — удивился я. — Это единогласное решение всей комиссии.

Меня поддержал присутствовавший на заседании президиума профессор Горов Борис Григорьевич.

На собрании, как и следовало ожидать, профессор А. прошёл в правление абсолютным большинством голосов.

Наступила заминка. Объявили перерыв. Президиум вместе с облздравом пошли на совещание. Через некоторое время объявили, что имеется ещё одно место в правлении. На него, вопреки уставу, без объявления в газете, не принимая во внимание других кандидатов, поставили на голосование одну кандидату профессора Н. Несмотря на то что у него не было конкурентов, он прошёл в правление только после третьего тура голосования. Особенно настойчиво ходатайствовал за профессора Н. сам председатель правления общества профессор Акулов, который был избираем председателем двух созывов и пользовался большим авторитетом у медиков. Они предполагали избрать его опять.

Когда он пришёл на заседание конкурсной комиссии и стал просить поставить профессора Н. на первое место, один из членов комиссии и говорит:

— Что вы так хлопочете о нём? Просите, чтобы мы пошли против своей совести. А зачем это вам?

— Вы знаете, облздрав на меня нажимает. Требуют, чтобы его провели в правление во что бы то ни стало.

— Как бы он вас за ваше ходатайство не «столкнул» с председательского места да сам бы не сел на него, — сказал другой член комиссии профессору Акулову.

— Ну, до этого дело не дойдёт, — уверенно сказал председатель. — Но членом правления его можно избрать. Хоть учёный он и небольшой, зато очень активный молодой человек.

Через час после окончания выборов учёные снова собрались на общее собрание общества для избрания председателя и членов президиума медицинского общества.

Один из сидящих в президиуме встаёт и вносит предложение избрать председателем профессора Н.

Все учёные открыли рот от удивления. Председатель же сидел бледный, с красными пятнами на лице и шее. Похоже было, что это для него было совершенно неожиданно, что никто из инициаторов не нашёл нужным поставить его в известность о кандидатуре председателя. После нескольких перебаллотировок профессор Н. был избран председателем правления медицинского общества города.

В тот же день члены комиссии уже в кулуарах, стоя около лестницы, обсуждали итоги выборов. В то время по лестнице поднимался бывший председатель. Поравнявшись с членами комиссии, он, взглянув на того, кто его предупреждал о профессоре Н., сказал:

— Вы как пророк — далеко вперёд видите! Как вы это догадались, что они что-то замышляют, не согласовав со мной?

— Мы ничего не знали, но возня вокруг этой кандидатуры была слишком активной и показалась нам подозрительной.

Между тем председатель, привыкший, чтобы к нему относились с уважением — он своими научными трудами и самоотверженной работой заслуживал этого, — тяжело переживал эту историю. Сразу же после заседания он слёг в постель и долго не мог работать. Он, по существу, так и не поправился как следует после такого оскорбления. И все мы не сомневались, что его преждевременный уход от нас в значительной степени был связан с этим эпизодом.

Рассказ Александра Ивановича Реброва напомнил мне все эти и последующие события, которые происходили на моих глазах, но были мне тогда не совсем понятны. Только после рассказа Александра Ивановича всё это у меня встало на свои места, и становилось понятным поведение многих членов правления общества и облздравотдела.

Между тем Александр Иванович продолжал свой рассказ:

— Прошло несколько месяцев относительного спокойствия. Однажды, зайдя в правление медицинского общества, я увидел Бориса Григорьевича Горова, который казался несколько смущённым.

— Что-то в президиум меня вызывают. Не понимаю, зачем я им понадобился?

Через час мы снова встретились в коридоре общества. Борис Григорьевич был сильно взволнован:

— Вы представляете себе, Александр Иванович, такого ещё медицинское общество не знало. Когда я пришёл в президиум, они без всяких обиняков заявили мне, что меня снимают с должности директора института, где я работал 40 лет, из них 20 — в должности директора. Как вы знаете, я заменил умершего основателя этого института Николая Николаевича Руденко!..

— Какая же причина вашего увольнения? — с удивлением спросил я.

— Причин никаких нет. По возрасту, говорят, вам уже давно пора уходить. А место нам нужно для другого. По-моему, всё связано с прошлыми выборами.

— Это вы имеете в виду работу нашей конкурсной комиссии?

— Конечно.

— Не может быть, чтобы учёный показал себя таким мелочным.

— Нет, вы его не знаете. Чтобы сделать карьеру, он способен на всё.

— Кого же прочат на ваше место?

— Переводят из другого города нашей области профессора А. И. Рутяна, моего ученика, которого я всегда принимал у себя как родного и который клялся в своей преданности.

Так накануне своего 70-летнего юбилея был смещён с должности директора в полном расцвете творческих сил один из крупнейших учёных Б. Г. Горов.

Все были возмущены таким отношением к учёному. Он был в полной форме, физически здоровым и крепким, выглядел моложе своих лет, а главное, имел ясную, светлую голову.

Новый директор А. И. Рутян должен быть утверждён в этой должности на сессии правления общества путём тайного голосования. Абсолютным большинством голосов он не был утверждён директором. Однако вопреки уставу оставлен в этой должности. Три года подряд эту кандидатуру ставили на утверждение и каждый раз проваливали абсолютным большинством голосов. Так непопулярна была его кандидатура и как учёного, и как человека. Однако на должности директора он оставался вопреки уставу.

Б. Г. Горов, окружённый симпатиями и сочувствием всех учёных, продолжал трудиться уже вне стен родного института, занимаясь в основном творческим трудом.

Но почему-то его лишили возможности отдавать народу в полном объёме свой талант и свои знания.

А в это время А. И. Рутян, который был моложе своего предшественника, только числился директором, а время проводил в больнице. За три года его баллотировки на должность директора он перенёс три инфаркта. При последнем у него началась фибрилляция желудочков, для снятия которой ему свыше тридцати раз применили дефибриллятор.

— Чем же объяснить, что у Рутяна сердце так сдавало? — спросил я Александра Ивановича.

— Не каждый человек свой некрасивый поступок так легко забывает. Некоторых мучает совесть, всё это и отражается у них на сердце. А у профессора Рутяна и другие причины для переживания, ведь, по существу, медицинское общество относилось к нему с неприязнью за его поступок с Борисом Григорьевичем Горовым.

— Но этим не кончились гонения на членов экспертной комиссии, — продолжал Александр Иванович. — Через год после снятия с должности Б. Г. Горова я как директор онкологического института случайно узнаю, что председатель правления общества разговаривал якобы в горкоме о новой кандидатуре директора нашего института, но даже не заглянул в наш институт.

Обеспокоенный, я пошёл к первому секретарю горкома.

— Не беспокойтесь, Александр Иванович, — заверил меня Георгий Иванович. — Всё в порядке. Работайте как работали. Никого не слушайте.

Трудно сказать, чем были вызваны эти слова, но через полтора месяца к нам в институт приходит профессор Нечкин с приказом в руках, что он назначен директором института онкологии вместо меня, а я этим же приказом с данной должности снимаюсь.

Это было для всех как гром среди ясного неба. Никто ничего не мог понять. Многократные обследования института и его научная продукция говорили о полном благополучии в этом учреждении. И только один Александр Иванович понимал, что за свою принципиальность, проявленную на сессии, он получает такой «подарок» почти накануне своей юбилейной даты...

Группа учёных института во главе с профессором А. И. Козероговым поехала в Москву к президенту Академии наук. Тот, выслушав, признал их правыми, а действия администрации по отношению к институту неправильными.

Через месяц А. И. Реброва вызвали в Москву на заседание с участием заместителя министра.

— А почему вы недовольны должностью заместителя директора по науке? — неожиданно спрашивает он Александра Ивановича.

— А мне, — отвечает Ребров, — этой должности никто не предлагал.

— Вот мы вам её предлагаем. — И тут же, связавшись с нашим городом, говорит: — Профессор Нечкин также согласен.

А. И. Ребров стал работать заместителем директора по науке, и все как будто успокоились. Но ненадолго.

Профессор Нечкин никогда онкологией всерьёз не занимался. Он, что называется, «чистый хирург». И можно только удивляться, не зная внутренних мотивов, которые толкнули начальство на этот шаг, почему оно назначает директором специализированного научного учреждения неспециалиста? Не понимая основных задач института и своих обязанностей как директора этого учреждения, хирург ударился в оперативную деятельность. Брал больных с опухолями желудка, кишечника, пищевода и делал расширенные операции. Больные раком значительно хуже переносят любую операцию, чем обычные больные. Тот, кто этого не знает, получит очень тяжёлый урок. Так было и с профессором Нечкиным. У него оказалась очень высокая послеоперационная смертность. Но он, вместо того чтобы остановиться и тщательно проанализировать причины столь высокой смертности, не смущаясь, продолжал много оперировать.

Группа учёных института написала письмо в правительство. Оттуда позвонили в Минздрав. Нечкина сняли с должности директора и оставили заведующим кафедрой хирургии медицинского института.

Вместе с Нечкиным сняли и А. И. Реброва с должности заместителя директора, не предоставив ему никакой работы. Он более пятнадцати лет, будучи вполне трудоспособным, со светлой и ясной головой, выполнял обязанности члена редколлегии журнала «Вопросы онкологии», не имея возможности отдать свои знания и способности народу как крупный специалист-онколог. После снятия Нечкина был поставлен на должность директора также ученик Н. Н. Петрова — Алексей Ионович Козерогов, крупный онколог-хирург. Работа института снова стала входить в свою нормальную колею. Но ненадолго. Вскоре в институт по чьей-то протекции поступил врач Сальман, который проявил удивительную настойчивость в организации лаборатории. Директор и член учёного совета на первых порах шли ему навстречу. Но вскоре все стали убеждаться, что за громкими фразами Сальмана кроется пустота.

Поэтому стали ограничивать его деятельность.

Но у Сальмана откуда-то появились защитники. Звонки, разговоры. А со стороны Сальмана — заявление. Создалась обычная для таких случаев нервозная обстановка, парализующая работу института. Сальман бегал по институту, кричал, требовал, грозил. Но все в институте, в том числе неоднократные комиссии, убеждались, что от деятельности Сальмана нет не только результатов, но в ней нет и здравой мысли. Поэтому когда пришёл срок переизбрать его на следующее пятилетие, как конкурсная комиссия, так и учёный совет абсолютным большинством голосов забаллотировали этого сотрудника.

Несмотря на это, директор института А. И. Козерогов в течение полугода продолжал держать его в этой должности, поддавшись уговорам, что он «покажет» свою работу. Затем продлил ещё на несколько месяцев и, только убедившись в полной бесперспективности сотрудника, подписал приказ о его увольнении.

Казалось, обстановка должна разрядиться, снова начнётся нормальная работа института. Но этого не случилось. Областная газета прислала свою сотрудницу, которая беседовала с членами учёного совета и выяснила причины неутверждения Сальмана. Об этом профессор Ельников после появления статьи рассказал мне следующее:

— Научный сотрудник Сальман, которого Алексей Ионович принял по чьей-то рекомендации, был не только глупым и наглым, он был, по мнению всех учёных, просто шизофреником. Он работал фармакологом, когда неожиданно на учёном совете сделал доклад о радиобиологических методах диагностики и потребовал создать для него такую лабораторию. На мой вопрос, имеет ли он хоть одну научную работу по радиобиологии, Сальман ответил отрицательно, — сказал Роман Александрович. — В лаборатории ему отказали, тогда он хитростью и даже шантажом добился у А. И. Козерогова разрешения на создание патофизиологической лаборатории. Результатов работы этой лаборатории мы так и не увидели, зато своей безграмотностью в сочетании с наглостью он сделался нетерпимым в коллективе.

На учёном совете, где был поставлен вопрос о его переизбрании в должности на пять лет, против него проголосовало 18 из 23. Несмотря на то что всё было сделано законно, областная газета опубликовала статью «Чёрные шары», в которой оскорбительно отозвалась о директоре и других учёных, голосовавших против Сальмана.

— Это не единственный случай, когда эта газета так пишет о наших учёных-медиках, — продолжал Роман Александрович.

Есть там такой Орин, специалист по медицинским вопросам. Но в этот раз была женщина-корреспондент; как бы от его имени она, подобно следователю, вызывала к себе по очереди всех членов учёного совета и задавала им один и тот же провокационный вопрос: что они имеют против Сальмана и почему бросили против него «чёрные шары»?

От некоторых членов совета, которые за многие месяцы эти успели забыть подробности конкурса, она путём хитро поставленных вопросов добилась неопределённых ответов, на основании которых была написана статья «Чёрные шары».

Не выдержал всего этого Алексей Ионович и скоропостижно скончался.

Спустя какое-то время после появления статьи «Чёрные шары» я вновь на одном из заседаний встретился с Р. А. Ельниковым.

— Что случилось с Алексеем Ионовичем Козероговым? Он же казался совсем здоровым? — спросил я профессора Р. А. Ельникова.

— После появления в областной газете статьи «Чёрные шары» Алексей Ионович очень переживал, хотя и отлично понимал, что статья ложная. Знал он и автора статьи Орина, который не раз выступал с подобными статьями. И всё же он очень нервничал.

Слишком уж бесчестно были подтасованы все факты. Опубликование статьи не могло быть без санкции облздравотдела, а это вновь создавало тяжёлую обстановку в институте, в котором работать директору становилось все труднее.

Вернувшись из командировки, куда он ездил с докладом и где несомненно также нервничал, — продолжал Р. А. Ельников, — Алексей Ионович, находясь в трамвае, почувствовал себя плохо. Подошедшим к нему он успел только назвать себя и тут же умер. Сердце не выдержало долгого напряжения.

Вскоре после этого я приехал в город N. Звонит профессор Николай Иванович Раковский. Он всё ещё не может прийти в себя после смерти А. И. Козерогова и просит зайти к нему.

— Мы же были с ним школьными товарищами, — говорил он чуть ли не со слезами. — Это был кристальной души человек, его убили. Я об этом так прямо и написал в редакцию областной газеты.

И он показал мне копию своего гневного письма.

— Конечно же они не опубликовали моего письма, направленного на опровержение клеветнической статьи Орина «Чёрные шары».

...Конкурсные комиссии после случая с Горовым и Ребровым уже не оказывают никакого сопротивления такому произволу.

Один член комиссии говорит:

— Я больше не буду участвовать в работе конкурсной комиссии. Это просто издевательство и над членами конкурсной комиссии, и над конкурирующими.

— Чем вы так взволнованы? — говорю. — Расскажите, в чём дело?

— В прошлый раз мы тщательно изучали труды всех кандидатов, а их было человек пятнадцать. Разобрали каждого со всех сторон и, учитывая все данные, а в первую очередь научный уровень и актуальность его трудов, распределили, кого поставить на первое место, кого — на второе, кого — на третье. При этом устроили дискуссию, спорили, доказывали... Вдруг заходит завоблздравом и, не спросив нашего разрешения и даже нашего мнения, заявляет:

— Этого поставить на первое место, этого — на второе, этого — на третье.

При этом назвал кандидатов, которые у нас по их научной значимости стояли на самых последних местах.

Президиум утвердил списки для голосования в том порядке, в каком предложил заведующий. А за всю нашу работу даже спасибо не сказали. Да это не важно. Дело не в их благодарности. Обидно то, что действительно талантливые учёные не проходят в правление, а оно пополняется лицами, умеющими войти в доверие к заведующему облздравотделом и членам президиума.

Очень типичен в этом отношении откровенный разговор со мной на этом собрании профессора В., несомненно способного и прогрессивного хирурга.

— Звонит мне, — говорит он, — знакомый профессор-хирург и говорит:

— Срочно подавай заявление и документы в члены правления общества.

— Но какие у меня шансы на избрание? И по возрасту, и по заслугам есть куда более достойные, чем я. Мне даже неудобно конкурировать.

— Сложилась для тебя очень благоприятная обстановка. Имеется два места в члены правления. Заведующий решил провести двух своих приближенных, О. и Л.

— Но у нас есть куда более достойные, чем они.

— Мы это хорошо знаем, но у О. есть сильная поддержка. Во всяком случае, его, не стесняясь, тянут в правление.

— Кто же второй кандидат, которого тянет шеф? Не я же, он со мной даже не разговаривает.

— Если бы он тебя тянул, моего звонка не было бы. Но он во что бы то ни стало хочет протащить в правление своего заместителя профессора Л. Все, кто услышал это, возмущены. Он же и оперировать не умеет и знает только узкий вопрос, по которому защищал диссертацию. Какой же он член правления?

— Но если шеф решил провести своего заместителя, он всё равно это сделает. Тут лучше не срамиться и не подавать заявления.

— А ты всё же подай. Ситуация как нельзя более благоприятная. К тебе учёные относятся хорошо.

В. срочно подал документы.

Как и предполагалось, шеф настаивал на своих кандидатах, но В. и по возрасту, и по научным заслугам имел явные преимущества перед двумя кандидатами; его отвергнуть было невозможно, и его поставили в списке третьим кандидатом.

При голосовании В. прошёл большинством голосов. Право на перебаллотирование имел только А. Тогда президиум заявляет, что для членов правления выделяется ещё одно место. В нарушение устава ставятся на голосование только эти два кандидата, О. и Л., и оба в конце концов проходят. Между тем если бы соблюдать устав, то для голосования должны быть включены все кандидаты, подавшие заявление. Подобная система протаскивания в правление по признакам родства, знакомства и симпатии ничего общего не имеет с традициями русской науки, когда избрание шло исключительно по научным достоинствам.

Субъективистская же система приводит к тому, что проходят случайные люди, а настоящие учёные оказываются вне правления общества.

Проникновение в правление людей без достаточной эрудиции, а также проводимая в последнее время в городе компрометация ряда больших учёных несомненно грозит упадком медицинской науки в их области, а так как это продолжается не первый год, то ущерб, нанесённый отечественной науке, трудно даже себе представить. Если же мы примем во внимание, что нередко им удаётся протащить своих людей не только в правление, но и на руководящие должности в нём, можно себе представить, как они засоряют правление нашего медицинского общества.

В городе, где мы присутствовали на заседаниях медицинского общества, медицинский администратор сидит на этой должности уже давно, вошёл в доверие к начальству города и творит всё что хочет. Все боятся ему перечить.

Последние годы он решил окончательно прибрать к рукам правление медицинского общества и усиленно протаскивает в него своих учеников и помощников. Пользуясь тем, что правление переизбиралось почти каждый год, он заранее наметит, кого из своих провести в правление, и заблаговременно обрабатывает всех, кто может ему помочь в этом.

Уже года через три после нашего посещения этого города к нам в Ленинград приехал мой добрый знакомый профессор-хирург С. и рассказал о похождениях своего медицинского администратора. Как я уже писал, он постарался занять по совместительству как можно больше должностей. В частности, он был и директором клинического научно-исследовательского института. У него роль «мальчика для поручений» выполнял заведующий торакальным отделением института профессор М. И. Неман. Хирург он был невысокого класса, но всё же операции на лёгких делал, поскольку до этого несколько лет работал в туберкулёзном институте и делал там довольно часто торакопластики.

Желая, по-видимому, как-то отблагодарить этого профессора за его безотказное служение ему лично, администратор решил его провести в правление медицинского общества и выдвинул его кандидатуру по линии хирургов. Однако при голосовании он получил ноль голосов. Тогда на следующий год он решил перехитрить всех и выдвинул его по линии «лёгочной хирургии». Такой метод выдвижения не выдерживает никакой критики, так как он не имеет под собой научной основы. Если можно выдвигать по «лёгочной хирургии», то завтра выдвинут по «желудочной», а послезавтра — по «печёночной хирургии», и так можно дойти, как смеялись хирурги, до «хирургии пятого пальца левой ноги»!

Ввиду такого необычного предложения никто из хирургов, даже сделавших операций на лёгкие больше, чем М. И. Неман, не подал заявления. Благодаря такому трюку этот небольшой учёный попал в правление. Но как потом выяснилось, боясь, что на это место будет выдвинут заведующий областным пульмонологическим отделением, профессор Н. М. Плутов, администратор договорился с ним, чтобы он в этот раз отказался от выдвижения своей кандидатуры и что на следующих выборах они его проведут обязательно.

И действительно, он стал заранее принимать необходимые меры, чтобы заручиться поддержкой администратора города. И хотя она была ему обещана, он серьёзно сомневался, что эта кандидатура пройдёт. Поэтому он решил пойти на хитрость. Объявили, что в этот раз в правлении хирургам предоставляется одно место, куда и был выдвинут достойный кандидат профессор Белава. В это время администратор предлагает в качестве второго кандидата поставить кандидатуру Плутова: «Он, конечно, не пройдёт, но пусть будет второй кандидат для солидности выборов». Учёные не стали возражать и на одно место выдвинули двоих. Все не сомневались, что из них обязательно пройдёт Белава.

И вдруг, перед тем как раздать бюллетени для тайного голосования, председатель объявляет, что правление, посоветовавшись, решило для хирургии дать два места. И вопреки уставу общества, не принимая во внимание других, более достойных кандидатов по хирургии, правление поставило на голосование эти две кандидатуры и добилось того, что профессор Плутов прошёл в члены правления.

Все хирурги, да и не только хирурги, были возмущены, так как он как заведующий пульмонологическим отделением не пользовался никаким авторитетом. Более того, он, по существу, развалил пульмонологическую службу. Не будучи достаточно эрудированным в лёгочной патологии и желая показать себя оригинальным, объявил, что хронической пневмонии не существует, а есть только обструктивный бронхит. Однако что это такое — ни сам Плутов и никто из его приближенных пульмонологов объяснить не мог. Самое главное, что, по его мнению, хронической пневмонии не существует. А недавно он читал лекции, где заявил, что 39% умерших детей умирают от острой пневмонии. Тут же кто-то написал ему записку и предложил подать на открытие такое чудо в медицине: острая пневмония существует, а хронической нет. Это же единственное явление в медицинской практике; когда записку зачитали, все заулыбались. А Плутов всячески выкручивался из этого щекотливого положения, однако от линии своей не отказался.

Одно это говорит об уровне человека. Поэтому нет ничего удивительного в том, что когда администратор попросил хирургов выступить с выдвижением Плутова в правление, то ни один из них не согласился, и пришлось администратору самому выступать и рекомендовать его.

Так правление «обогатилось» ещё одним «приближённым» администратора, который и без того имеет в нём чуть ли не большинство. И как в своё время он, будучи главным хирургом области, говорил, что «хирургия — это я», так и теперь он может сказать, что «правление медицинского общества — это я».

Работая напряжённо в течение пяти лет в Институте пульмонологии, я глубоко осознал всю важность этой проблемы. Ведь пневмония имеет значение не только как самостоятельное заболевание. Не меньшее значение она имеет и как осложнение другого заболевания, присоединившись к которому она резко отяжеляет его течение и нередко становится непосредственной виновницей гибели больного. Хотя причиной смерти может считаться и основное заболевание. Скажем, у больного инфаркт миокарда. Течение тяжёлое, но не безнадёжное. Но в это время присоединяется пневмония, и больной погибает. Причиной смерти считается инфаркт, а на самом деле больного в могилу свела пневмония. И так во многих случаях. Мы делаем операцию по поводу холецистита. Но в послеоперационном периоде присоединяется пневмония, и больной погибает. В истории болезни считается, что больной умер от холецистита, а на самом деле причиной смерти является воспаление лёгких. У больного с хронической пневмонией случилось какое-то острое заболевание, потребовавшее операции, например ущемлённая грыжа. После операции хроническая пневмония обостряется, и больной погибает. В карточке учёта считается, что он умер от ущемлённой грыжи, а на самом деле от пневмонии.

Учёные-пульмонологи уже давно отметили, что значение лёгочных заболеваний выходит далеко за рамки, которые им определены в номенклатуре человеческих страданий.

Мы за пять лет смогли значительно продвинуться в понимании всей этой проблемы, и нам виделось время, когда все эти вопросы будут близки к их полному пониманию и разрешению.

Несмотря на то что я ушёл из Института пульмонологии и работал только на кафедре, лёгочные больные продолжали оставаться в центре внимания. Познакомившись с программой проблемной комиссии по пульмонологии, я убедился, что научное направление, данное мною коллективу сотрудников института, не получило дальнейшего развития. Новый руководитель института по-иному смотрел на проблемные вопросы, придерживаясь взглядов зарубежных учёных, поэтому и занял иную позицию по главным направлениям в вопросах пульмонологии. С первых же дней моей работы в институте оргметодотдел объективно изучал пульмонологические вопросы путём массовых осмотров населения, путём обследования контингента больных в поликлиниках и больницах города, путём тщательного анализа историй болезни лёгочных больных, находящихся в стационаре, передо мной предстала ясная картина нарастающей частоты лёгочных заболеваний во всём мире, в том числе и в нашей стране. При этом темпы роста этого заболевания вызвали беспокойство многих учёных мира. Выяснилось, что рост заболеваний идёт главным образом за счёт так называемых неспецифических воспалительных болезней лёгких: хронической пневмонии, хронического бронхита, бронхиальной астмы.

Наши исследования как внутри института, так и по стационарам и поликлиникам города показали, что основным заболеванием, приводящим больных к инвалидности и преждевременной гибели, а также дающим тяжёлые осложнения, является хроническая пневмония. Поэтому все отделы института, все его лаборатории были направлены на всестороннее изучение этого заболевания.

Очень скоро нам удалось выяснить многое о сущности этой болезни.

Результаты пятилетней деятельности всех отделов и лабораторий хотя и были частично опубликованы, но только в виде разрозненных сообщений и в таком виде большой научной ценности не представляли. Их надо было проанализировать, обобщить и на этой основе создать учение о хронической пневмонии. Как это будет воспринято современниками — не важно. Главное, чтобы результаты труда всего коллектива и мой почти тридцатилетний опыт работы по этой проблеме не пропали бесследно.

В конце концов, оставив все дела, я принялся за монографию. Изучив основные труды зарубежных авторов, а также русских учёных, я уделил основное внимание изучению работ своих сотрудников и тщательному анализу их результатов.

Наконец монография была написана. В ней с современных позиций представлена не только хроническая пневмония, но и те заболевания, которые тесно к ней примыкают: хронический бронхит, бронхиальная астма, абсцедирование. Главное же, на чем был сделан упор, — выяснение сущности хронической пневмонии, её патогенез.

В основу монографии, кроме массовых осмотров населения и изучения многих тысяч историй болезни стационарных и поликлинических больных, было положено детальное и всестороннее обследование полутора тысяч больных хронической пневмонией. Все эти больные переведены к нам из терапевтических клиник, то есть диагноз ставился не только нами, но и терапевтами.

Для изучения сущности заболевания, помимо всестороннего клинического и биохимического обследования, проведены этим больным более пяти тысяч бронхоскопий и более шести тысяч бронхографий, при которых подвергли изучению детали строения бронхиального дерева. Кроме того, были сделаны большие экспериментальные работы по этой проблеме, а правдивость суждений проверена по полученным непосредственным и отдалённым результатам.

Из представленных кратких данных любой непредубеждённый человек увидит, сколь важна проблема, над которой в течение пяти лет работал коллектив института, и как важно итоги этой работы обобщить и опубликовать. Так думал и я, когда писал заявку в редакционно-издательский отдел Академии медицинских наук.

Еще до монографии о хронической пневмонии я решил опубликовать небольшую книжечку по методике бронхологических исследований лёгочных больных. Эта методика не была знакома большинству терапевтов и хирургов, а без знания её полное обследование, а следовательно, установление диагноза у подобных больных практически невозможно. Мне казалось, что академия, учитывая актуальность проблемы, ухватится за эту тему и книга получит зеленую улицу. Но вышло не так. Продержав заявку около года, редакционно-издательский совет академии прислал ответ за подписью председателя и ответственного секретаря, где говорилось кратко: «В связи с невозможностью издать в ближайшие годы отклонить предложение академика Ф. Г. Углова «Бронхологическая диагностика заболеваний лёгких», 10 авторских листов, протокол № 3 от 16 марта 1973 года».

Я был крайне удивлен таким ответом, но, подумав, решил, что писавших ответ понять можно. Председатель редакционно-издательского совета — патофизиолог, занимается вопросами теоретической медицины и вполне может не понять значения пульмонологической проблемы для теории и практики медицинской науки и здравоохранения. Что же касается женщины-секретаря, насколько можно было судить по непродолжительным разговорам с ней, она к медицине не имеет отношения вообще или, по крайней мере, последние многие годы. Не зная близко работы президиума, я не стал ломать голову и отклонённую заявку оставил бея последствий.

Я никак не думал, что здесь все значительно серьёзнее.

Работа над монографией «Хроническая пневмония» была в полном разгаре. Передо мной уже вырисовывались контуры будущей книги не только в общем, но и по отдельным главам. Поэтому в 1973 году, приблизительно за год до окончания работы, я подал заявку в академию с просьбой включить в план издание книги на 1975 год.

Моя заявка опять попала к тем же людям. Долго я не получал никакого ответа, наконец когда я пришёл лично поговорить с председателем, он мне заявил, что они не могут удовлетворить моей просьбы, и как особую милость он разрешает отпустить на монографию 20 печатных листов, причём включает её в план не ранее 1978 года, т. е. через 5 лет.

Я тут же написал в редакционный совет заявление мотивировкой.

В апреле 1974 года я получил следующий ответ:

«От 2.04.74 г. за № 25—62.

Глубокоуважаемый Фёдор Григорьевич!

К моему глубокому сожалению, жесткий лимит бумаги, которым располагает редакционно-издательский совет, не позволяет увеличить объём Вашей монографии «Патогенез, клиника и лечение хронической пневмонии» с 20 до 30 листов, к тому же в редакционном портфеле, как Вам известно, есть монография над эту тему...

Председатель *А. М. Чернух*».

Кстати о названии. Когда был разговор относительно включения моей монографии над названием «Хроническая пневмония» в план 1975 года, он мне сказал, что название надо изменить, так как подобное название уже есть у книги, которая находится в портфеле редакции и выйдет в ближайшее время. Это монография Н. С. Молчанова, которого, к сожалению, уже не было в живых, но который после себя оставил готовую книгу. Я не хотел вступать в пререкания перед светлой памятью большого учёного и согласился на изменение названия, хотя, как оказалось, сведения были неточными. Книга эта не вышла до сих нор, т. е. до конца 1977 года, и это, оказывается, не монография, а сборник работ под его редакцией, что, как известно, не одно и то же.

Меня долго занимал вопрос: зачем понадобилось во что бы то ни стало изменить название? Как-то спросил своего приятеля академика, работавшего несколько лет в издательском отделе.

— Всё это очень понятно. «Хроническая пневмония», при злободневности проблемы, — слишком броское название. А так, как они предложили, это всё смазано.

— Почему же он так негативно относится к моей заявке?

— Это не только к твоей. В этом отделе как на подбор сидят люди, начиная от председателя и кончая секретарём, которые ко всем таким, как ты, учёным относятся с той же «симпатией».

Мне пришлось пойти к президенту Владимиру Дмитриевичу Тимакову, человеку большой эрудиции и государственного ума. Выслушав меня, он сказал:

— Тут какое-то недоразумение. Проблема и тема слишком важны и животрепещущи, чтобы мы стали сокращать листаж. Кроме того, у нас так редко книги пишут сами академики, что мы их стараемся не урезать в объёме. Об этом есть и специальное указание партии.

— А почему вы говорите, что академики мало сами пишут?

— Посмотрите наши издательские планы. Там редко фигурирует фамилия академика, а если где и стоит она, то обязательно в соавторстве или под редакцией, что, как вы знаете, не одно и то же.

— Как же мне всё-таки быть с листажом?

— Мы постараемся вас удовлетворить полностью. Во всяком случае, вы пишите. А когда напишете — приходите. Мы тогда листаж утвердим окончательно.

Через несколько дней, когда я зашёл к А. М. Чернуху, он мне сказал, что редакционно-издательский отдел утвердил мне 25 печатных листов. Я понимал, что этого явно недостаточно, но, успокоенный заверениями президента, не стал ни на чём настаивать. Уехал к себе в Ленинград и продолжал работать над книгой.

В назначенный срок я повёз свою монографию в редакционно-издательский совет. Секретарь, подсчитав мои рисунки и пересчитав страницы, заявила:

— Рисунки тоже входят в объём, а они занимают у вас пять листов, а всего у вас 35 листов. Сократите до 25 и приносите.

Мне пришлось снова пойти к президенту и напомнить ему наш разговор. Он позвонил председателю, и на ближайшем заседании редакционного совета мне был утверждён лимит в 30 печатных листов.

Мне пришлось недели две вплотную посидеть за книгой, чтобы сократить пять листов. Прихожу в редакционный отдел. Меня столь же нелюбезно (мягко выражаясь) встретила секретарь. Бегло перелистала мою рукопись и, возвращая её мне, говорит:

— Здесь у вас лишний лист. Принять не могу. Сократите до нужного объёма.

— Вы неточно сосчитали. Там имеются недопечатанные страницы и вычеркнутые разделы по полстраницы и более, так что объём не превышен. Кроме того, книга пойдёт на рецензию. Может быть, рецензент подскажет, какой раздел сократить, какой, наоборот, развить. Я обещаю, что при окончательной сдаче после рецензента рукопись будет должного размера.

— Я вам сказала, что у вас лишний лист. В таком виде рукопись не приму. Или сдавайте в том виде, как я говорю, или мы вообще её не примем. Скорей — завтра последний день сдачи рукописи.

Я увидел, что доказывать здесь что-либо совершенно бесполезное дело, что не принеси я рукопись вовремя, они воспользуются своим формальным правом и вычеркнут меня из плана.

Чтобы не создавать конфликтной ситуации, я решил убрать одну главу, чтобы не коверкать другие разделы. При этом, так как моя рукопись рассчитана в основном на терапевтов и пульмонологов, я убрал главу об особенностях хирургического лечения хронической пневмонии. Кроме того, я твёрдо знал, что объём не превышен и при окончательной сдаче рукописи в издательство я главу поставлю на место. Рукопись была принята. При этом мною было сдано два экземпляра, в том числе и рисунки полностью. Никакой расписки о том, что рукопись сдана и какого числа, мне не было выдано. Между тем, как показывает опыт, эта деталь имеет немаловажное значение. Рукопись сдана в срок, до 15 сентября. Прошло пять месяцев. За всё это время мне никакого сообщения, а на мои телефонные звонки — стандартный ответ: «Рукопись на рецензии».

Захожу сам.

— Рецензент отказывается давать заключение о вашей рукописи, поскольку там нет главы о хирургическом лечении хронической пневмонии.

Немедленно привожу эту главу в двух экземплярах.

Прошло ещё два месяца. При любой ситуации семь месяцев на рецензию — это более чем достаточный срок. Прихожу к главному учёному секретарю академику и прошу его узнать, кто рецензент, и поторопить его.

Спустя месяц рукопись вместе с рецензией была прислана в редакционный отдел. Как выяснилось, рукопись была на рецензии у профессора, хирурга с профилем по туберкулёзу лёгких. По правилам монографию академика должен был рецензировать также академик или в крайнем случае член-корреспондент и обязательно пульмонолог, поскольку хроническая пневмония — это центральный вопрос пульмонологии и по нему у представителей другой специальности могут быть самые различные и нередко неверные суждения.

Рецензия была краткой, всего на 4—5 страницах, и в основном положительной. Были сделаны небольшие и непринципиальные замечания. Поэтому мне осталось непонятным, зачем требовалось держать 8 месяцев рукопись пульмонолога, почти 30 лет занимающегося этой проблемой и пять лет возглавляющего Всесоюзную проблемную комиссию и институт этого профиля.

В течение нескольких дней все замечания были учтены, рукопись была приведена в надлежащий вид, как я говорил, с добавлением вышеуказанной главы. Размер монографии не превысил установленного листажа.

Я сдал свой экземпляр в редакционный отдел, второй же вместе с рисунками, которые были тщательно просмотрены ими, находился всё время у них.

Сдав рукопись, я уехал в отпуск. Совершенно случайно, вернувшись из отпуска раньше времени, я нахожу письмо из академии. Новый учёный секретарь, кандидат биологических наук, пишет:

«11 августа 1975 г. № 25—237.
Академику АМН СССР Ф. Г. Углову
Глубокоуважаемый Фёдор Григорьевич!
Детально ознакомившись с положением дел Вашей рукописи «Хроническая пневмония», я вынужден напомнить Вам о необходимости срочного приведения её в полную готовность (завершение сдачи рисунков, уменьшение объёма и пр.) с тем, чтобы рукопись была зарегистрирована в издательстве до 15 сентября с. г. В противном случае, к моему великому сожалению, редакция академической литературы не может гарантировать Вам выход в свет книги в 1976 году, что чревато весьма длительной задержкой, т. к. план выпуска 1977 г. в редакции уже укомплектован и 30/VII утверждён президиумом АМН СССР.
Я просмотрел всю рукопись — безусловно, она написана на хорошем уровне и ясным языком и представляет ценность не только для научных работников, но и для практических врачей. Однако с вашим ответом рецензенту я не вполне согласен. В особенности в отношении объёма. Вам

определён объём в 30 авторских листов, а ведь в рукописи 36–37. Так что я оставляю за собой право дать указание научному редактору на сокращение.

Кроме того, глава XIX, на мой взгляд, вообще должна быть опущена, т. к. в монографиях не принято излагать практические вопросы по организации здравоохранения — это прерогатива журнальных статей и неразумно загружать книгу информацией преходящей ценности...

В заключение ещё раз прошу срочно принять меры к сдаче рукописи до 15.IX с. г. и сообщить мне.

С уважением уч. секретарь НИСО *Р. Веселухин*».

Не надо быть учёным, достаточно быть только грамотным человеком, чтобы видеть, что по отношению к учёному допускается тон, который был бы непростителен даже для президента в его разговоре с техническим секретарём. Здесь же прибегают к заведомой неправде с единственной целью обосновать изъятие из плана нежелательной кому-то книги. Год назад книга сокращена до 30 листов и в таком виде всё это время находится в их отделе, а учёный секретарь делает вид, что этого не знает, настойчиво предлагает мне её сократить, а я, оказывается, упрямо отказываюсь выполнить их требования. Рукопись вместе с рисунками при приёме её была тщательно просмотрена и принята работниками отдела, а спустя год мне заявляют, что мне нужно «завершить сдачу рисунков и сократить объём». Причём все говорится в ультимативной форме, и они уже готовы исключить книгу из плана. Наконец, Веселухин Р., кандидат биологических наук, снисходительно похлопав академика по плечу и успокоив его тем, что рукопись «безусловно написана на хорошем уровне...», всё же поучает его, что главу XIX не надо печатать, так как «в монографиях не принято излагать практические вопросы по организации здравоохранения — это прерогатива журнальных статей» (будучи более 20 лет главным редактором хирургического журнала, я, оказывается, не знал этого!), и далее поучает: «...неразумно загружать книгу информацией преходящей ценности». В этом витиеватом послании видна чёткая мысль и ясная цель оправдать в глазах президента исключение моей монографии из плана, взвалив на меня всю ответственность. Я не стал отвечать Р. Веселухину, а написал письмо президенту. Чтобы быть объективным, приведу дословно и своё письмо:

«Президенту АМН СССР академику В. Д. ТИМАКОВУ.
Глубокоуважаемый Владимир Дмитриевич!

Посылая Вам копию письма учёного секретаря НИСО, кандидата биологических наук, хотел бы обратить Ваше внимание на следующее.

Оставляя в стороне тон письма, который, мне кажется, необычен для разговора с академиком, я хотел бы сообщить Вам, что моя рукопись монографии «Хроническая пневмония» была представлена в НИСО в объёме **30 печатных листов** (согласно Вашему указанию и соответствующему решению НИСО) ещё в сентябре 1974 года. К сожалению, какого-либо документа относительно получения рукописи и её объёма автору не было дано.

На рецензии рукопись находилась более 8 месяцев (Вы согласитесь, что сам по себе этот факт необычен). После этого она в течение нескольких месяцев без всякого основания переадресовывалась от автора в НИСО, из НИСО в Медгиз и обратно, пока, наконец, в начале августа с. г., т. е. в отпускное время, мне не заявили, что часть моих рисунков не принимается и требует замены (хотя все они были проконсультированы и одобрены главным художником Ленинградского отделения Медгиза и приняты предыдущим учёным секретарём НИСО), и т. д.».

Подробно объяснив президенту, что они, затормозив издание книги, стремятся всю вину взвалить на меня, я закончил письмо так:

«Убедительно прошу Вас проявить Ваше доброжелательное отношение, чтобы книга, с моей точки зрения, столь необходимая врачам, увидела свет в назначенное время.
С искренним уважением Ваш *Углов*».

В издательстве забеспокоились. Они боялись фундаментальной проверки всего их плана. Поэтому мне секретарь прислал длинное письмо, где изображал создавшуюся ситуацию так, что они всё делали для меня в порядке исключения, т. е. что только сверхвнимательным и заботливым отношением лично ко мне можно объяснить тот факт, что книга не выброшена из плана. В письме было 4 раза указано, что всё делалось в порядке исключения, и таким тоном, который я никогда не встречал со стороны работников издательства. Он заключил, что научному редактору было дано указание «обратить особое внимание на главу XIX». И в таком же менторском тоне было написано письмо более чем на шести страницах.

Редактор держит монографию уже полгода и на все мои телефонные звонки отвечает, что она очень занята и пока что приступить к редактированию моей монографии не может.

Тогда я вынужден вновь, уже в третий раз, написать письмо лично президенту В. Д. Тимакову и описать ему положение дел. Я указал, что отсутствие должного оформления приёма рукописи создаёт условия для произвола, который чинят некоторые работники НИСО.

В результате мою рукопись вынуждены были передать новому редактору Нине Максимовне Карпенко, очень грамотному и добросовестному хирургу. Она выполнила свою работу блестяще, и в конце 1976 года монография «Патогенез, клиника и лечение хронической пневмонии» была выпущена в свет. Правда, тираж её был установлен в 8 тысяч экземпляров, а она нужна не только терапевтам и пульмонологам, но и педиатрам, хирургам, поликлиническим врачам и т. д., то есть сотням тысяч врачей. И ко мне пошли письма с просьбой переиздать книгу массовым тиражом.

Вот что по этому поводу написал мне один больной, не врач, член партии с 1920 года. Привожу выдержки из этого письма:

«Москва, 26 апреля 1977 г.
Уважаемый Фёдор Григорьевич!

В конце прошлого года я Вам позвонил, чтобы узнать, ждать ли мне Вашего ответа на моё письмо, направленное Вам редакцией «Известий».

Вы мне ответили, что на все многочисленные письма больных, поступившие в Ваш адрес, Вы дадите ответ в Вашей книге, которая должна выйти в свет в декабре 1976 года.

С 11 декабря 1976 года я ежедневно справлялся в издательстве о дне выхода Вашей книги в свет, но только в десятых числа января она появилась наконец в магазине «Медкнига».

Представьте себе моё состояние, когда в этом магазине мне сообщили, что Ваша книга продаваться не будет, а будет распределяться между организациями, подавшими плановые заявки, а их набралось чуть ли не в десять раз больше, чем весь тираж Вашей книги!

Дан такой мизерный тираж, как 8000 экземпляров, когда для ознакомления только институтов, стационаров и специалистов, имею в виду врачей-хирургов, терапевтов, педиатров и др., требуется как минимум 300 000 экземпляров? Невозможно понять, для чего издавать книгу таким малым тиражом.

Что касается меня и моих личных интересов, то я, испытав за шесть лет «лечение» в специальных больницах, твёрдо убедился, что в московских лечебных учреждениях квалифицированной помощи не получу, а мне крайне необходим хотя бы один год нормального состояния, чтобы добиться реализации двух серьёзного государственного значения незаконченных работ.

С уважением *Ц. М. Вол.*
Инженер-механик, член КПСС с янв. 1920 г.»

Этот же больной, по-видимому, очень настрадался, и он уже думает не только о себе, но и о тысячах подобных больных, которые лечатся очень по-разному, потому что руководств по хронической пневмонии до сих пор не было. Он прислал мне копию письма, посланного им председателю Госкомитета по делам издательства, в котором обстоятельно аргументирует необходимость издания книги большим тиражом.

Думаю, если бы даже председатель и захотел что сделать, ему было бы нелегко. У меня сложилось убеждение, что в редакционно-издательском отделе кем-то настойчиво поддерживается та же атмосфера по отношению к некоторым учёным и их трудам. О том, что подобное отношение имеет место не только ко мне, но и к другим таким учёным, говорит хотя бы такой факт. Прождав полгода рецензию на монографию «Хроническая пневмония», я обратился к своему другу академику с просьбой оказать своё влияние на рецензента и ускорить рецензию.

У него собрались все известные хирурги, и в присутствии их я стал возмущаться.

— Вы представляете, — говорю, — монография академика, председателя Всесоюзной проблемной комиссии по пульмонологии, посвящённая хронической пневмонии, находится полгода на рецензии, а всего после заявки прошло более двух лет.

Виктор Иванович, поприветствовав меня, снисходительно улыбнулся на мою наивность.

— Ничего нет удивительно, — говорит он. — Такова тактика нашего отдела по отношению к таким, как ты, учёным. Мои книги, как правило, также маринуются по три-четыре года. Между тем известно, что книги некоторых академиков печатаются ежегодно, да не по одной монографии в год.

— И всё это они сами пишут? — удивился я.

— Вряд ли. Редко кто из академиков пишет книгу под одной фамилией. А это чаще всего означает, что он свою фамилию только подставляет. Ну, хорошо, если обрабатываются результаты хирургической работы или описывается метод, им предложенный, если бы он сам книгу переработал, внёс бы что-то своё, — его соавторство можно оправдать. Но ведь как часто бывает — академик ставит свою фамилию на книгу, которую он не только не написал, но возможно, что даже не читал. Да и в самом деле, если за его фамилией выпускается не одна монография в год, то когда он её будет читать? Ведь у каждого академика куча других дел.

— Вы совершенно правы, — вмешался в разговор один из присутствующих хирургов, внимательно слушавших наш разговор. — Подставить свою фамилию куда легче, чем написать книгу. К сожалению, многие «учёные» к этому прибегают, если их административная должность открывает двери издательств. Кроме того, здесь происходит процесс «взаимного опыления»: «ты мне — я тебе».

— Вы правы, — заговорил тот, который поднял этот вопрос. — Вы знаете профессора Семёна Владимировича Сергеева. Окончив Иркутский университет, он много лет работал хирургом в городе Якутске. Имел там большую хирургическую практику и стал очень даже неплохим оператором. Правда, наукой он занимался мало, хотя кандидатскую и защитил. Накопив большой материал по хирургическому лечению базедовой болезни, он, приехав в Москву, его обработал, защитил докторскую диссертацию и стал заведующим кафедрой в городе Калинине.

Переработав данные своей диссертации, он опубликовывает её в виде монографии, но не под одной своей фамилией, а поставив на первое место фамилию Бориса Васильевича. Я при встрече спросил его: зачем он это сделал, ведь работал над материалом и писал он один, а Борис Васильевич, наверное, даже и не читал ее? Профессор Сергеев мне чистосердечно признался, что сколько он ни пытался отдать рукопись в Медгиз, её не принимали.

— И если бы я не поставил фамилию Рептовского, моя книга никогда бы не увидела свет! — сказал он мне.

У нас тоже есть один учёный-администратор, очень загруженный делами. Он и директор НИИ, и председатель правления общества, и главный редактор. Кроме того, он ещё и председатель научного совета при академии и ещё многое другое. За последние годы он стал постоянным докладчиком по всем основным научным проблемам на всех авторитетных научных заседаниях. Кроме того, у него очень много времени отнимает строительство и оборудование своего института, чем он энергично занимается почти пятнадцать лет: сначала он построил себе большое пятиэтажное здание и оборудовал его импортной аппаратурой. Затем захватил прилежащее к нему двухэтажное здание, перестроил и также оснастил его современной аппаратурой. Много миллионов истратил на строительство своей уникальной барокамеры для операций под повышенным давлением...

— Эта барокамера не только уникальная, но и единственная у нас в стране потому, что он никому больше не разрешает строить в учреждениях, ему подведомственных. В Ленинграде, например, при строительстве клиники Василия Ивановича Колесова было построено помещение для барокамеры, и последняя изготовлялась на специальных заводах. Узнав об этом, он категорически запретил строить барокамеру, и помещение так и осталось пустовать, зато в строительстве своего института он не остановился на достигнутом.

Увидев, что другой академик-хирург построил себе четырнадцатиэтажное здание Института хирургии, начал пристраивать к своему институту новое семнадцатиэтажное здание.

Уже много лет оно является его главной заботой. Все средства, вся импортная аппаратура, предназначенные для строительства хирургических клиник, идут в основном на его институт. Скоро строительство закончится, и хирурги надеются, что тогда и им что-то перепадет из аппаратуры.

— Надо бояться, чтобы кто-нибудь из хирургов не начал строить двадцатиэтажное здание, а то он начнёт себе строить институт в 25 этажей. Что же касается непорядков с печатанием книг, то подобное раболепие перед чинами и званиями, полное игнорирование своих святых обязанностей по объективной оценке каждой книги, невзирая на лица, есть тяжкое преступление перед народом и государством, поставивших этих людей на столь ответственный пост.

Звания главного редактора или председателя редакционно-издательского отдела, давая большие права, налагают и большую юридическую и моральную ответственность. Пренебрежение этой ответственностью, преклонение перед «сильными мира сего», а тем более использование высокой должности в своих личных целях характеризуют такого человека как мелкого и непорядочного. Подобных людей надо немедленно снимать с их должностей и посылать на рядовую работу.

При существующей же ситуации книги многих русских учёных годами задерживаются в портфеле издательского отдела академии, и очень многим из них отказывают без серьёзных оснований.

После издания книги по хронической пневмонии я несколько раз обращался в медицинское издательство и в научно-издательский совет Медицинской академии с просьбой издать мои новые книги — и получал ответ вроде: «Предложение отделения клинической медицины академии об издании Вашей книги «Бронхиальная астма в понимании пульмонолога» 3 июня 1977 года рассмотрено на заседании бюро научно-медицинского совета академии и отклонено в связи с достаточным освещением вопроса в медицинской литературе». Это значит, что моя заявка на издание книги, поддержанная самым крупным отделением академии и рекомендованная им, была отклонена научно-издательским советом.

Миллионы людей страдают от бронхиальной астмы. В то же время ни в нашей стране, ни за рубежом нет ни одной работы подобного направления. Как известно, монографии и статьи по бронхиальной астме освещают этот вопрос с позиций аллергии, почти не касаясь ни лёгких, ни бронхов, где и разыгрывается вся эта катастрофа. Нами в Институте пульмонологии впервые доказано, что пусковым механизмом приступов бронхиальной астмы является, как правило, воспалительный процесс в лёгких и бронхах, излечение которого может привести к полному и стойкому излечению бронхиальной астмы. И заявка на такую тему отклоняется.

Наша клиника занимается вопросами сердечной патологии больше 30 лет. Как известно, мы являемся одними из пионеров этого раздела хирургии в нашей стране. Занимаясь изучением наиболее тяжёлых форм митрального порока сердца, мы имеем наибольший опыт в лечении больных IV—V стадии митрального стеноза. При этом с отдалёнными результатами более 20 лет.

По решению президиума академии у нас организована академическая группа по изучению проблемы митральных пороков IV—V стадии. Группа работает уже пять лет и накопила солидный научный материал.

Мы считаем своим долгом опубликовать двадцатилетний опыт по лечению наиболее тяжёлых сердечных больных и подвести итоги пятилетней работы группы учёных, специально изучавших эту проблему. Нами была подана заявка на монографию «Приобретённые пороки сердца». Мы мыслили, что эта монография явится руководством по диагностике и лечению приобретённых пороков сердца. Таких руководств, освещающих всю проблему приобретённых пороков сердца, в нашей стране нет, а монографии, освещающие вопросы хирургического лечения митрального стеноза, имеют давность 15—20 лет. К сожалению, к нашей работе и по проблеме «заболевания сердца» в академии отнеслись не с большим вниманием. Решение вопроса не дошло до научно-издательского отдела, а мы получили письмо из отдела клинической медицины, где сказано, что они отказываются включать в план нашу книгу, так как два профессора отрицательно смотрят на издание подобной монографии.

Из этого краткого описания встреч с издательствами видно, что некоторым авторам очень трудно бывает пробить свою книгу. По существу, хождение по издательствам — это титанический труд, более тяжёлый, чем написать книгу. И я часто думаю, что, может быть, немало хороших книг не дошло до народа, так как некоторые авторы не проявили достаточной настойчивости, чтобы преодолеть упорство людей, стоящих на пути полезных для народа книг.

И не менее удивительно другое: если так трудно выпустить книгу, получившую положительный отзыв и заведомо нужную и полезную, то почему же наш книжный рынок завален книгами, которые иногда никто не покупает, а в библиотеках никто не спрашивает?! Ведь их-то выпускают те же люди?!

Мой добрый знакомый Иван Абрамович сообщил мне такой эпизод: студенты Литературного института проверили «читаемость» книг авторов, которых широко рекламируют. В канун встреч объявления, напечатанные крупным шрифтом, красуются в библиотеках. На одной из них, а именно в библиотеке Дзержинского района г. Ленинграда, студенты проверили, как часто спрашивает читатель книги пятнадцати авторов. Оказалось, что, за два года их спросили от 0 до 3 раз. В среднем каждая из книг этих авторов была спрошена один раз в год. И несмотря на это, их чуть ли не каждый год переиздают. Спрашивается: почему издательства, прежде чем переиздать книгу, не спросят библиотеку, как её читают и кто те рецензенты, которые рекомендуют эти книги для издания?

Тот же знакомый сообщил мне, что один из литераторов сумел издать за 7—8 лет 10 книг, у которых за всё это время, по данным библиотеки, было всего лишь 11 читателей! Что называется — дальше ехать некуда. Испортить горы бумаги, чтобы за 7—8 лет эти книги посмотрели 11 человек!

Меня всегда удивляли люди, которые, казалось, находили удовольствие в том, чтобы причинить неприятности, а то и горе другим. Странно бывает смотреть, как человек лжёт, обманывает, идёт на всякие подлости и преступления для того, чтобы незаконно взять, а иначе говоря, ограбить кого-то из людей или государство и тем нажить себе дополнительный капитал. В газетах не раз сообщалось, что те или иные мошенники наживали миллионы, и нередко очень скоро их сажали в тюрьму или они погибали под влиянием постоянных стрессов. А для чего? Ведь проходит сколько-то лет, и этих людей уже нет. Они сгорели в погоне за наживой!

И сами себя сожгли в этой борьбе, и очень многим причинили горе и несчастье. Между тем истинное счастье — высшая цель жизни человека как разумного существа — заключается в том, чтобы его счастье сливалось со счастьем ближнего, со счастьем других людей, которым он помог. Другое счастье, т. е. счастье только для себя ценой несчастья других, есть эгоизм, который, наряду с удовлетворением себялюбивых чувств, всегда несёт в себе элементы внутренней неудовлетворённости страха, раскаяния. Настоящим хирургам, работающим по призванию, особенно страшно и непонятно видеть людей, которые сознательно чинят препятствия другим, часто ничего от этого не получая, кроме удовлетворения своих низменных, человеконенавистнических чувств — зависти, неприязни и внутренней злобы, порождённой сознанием собственной неполноценности. Нам это странно и ненавистно потому, что в жизни, в работе мы встречаем так часто трудности и препятствия, порождённые природой, болезнетворными агентами, непредвиденными обстоятельствами, несчастными случаями; так часто нам приходится преодолевать трудности, не зависящие от нас самих или даже вообще от людей, что нам кажется настоящим кощунством создавать их сознательно.

Может быть, это связано с тем, что, берясь за операции, стоящие на грани человеческих возможностей, мы особенно часто встречаемся и с непредвиденными трудностями и осложнениями.

В самом деле, как часто в своей деятельности, направленной на спасение людей или избавление от грозившей им опасности, мы сталкиваемся с осложнениями и препятствиями, которые подчас не связаны с нашими ошибками или упущениями, не зависят от самого больного. Осложнения, которые возникают совершенно самостоятельно и ставят под угрозу не только здоровье, но и жизнь больного, сводя на нет многочасовой и даже многодневный труд хирурга и целого коллектива. Это встречается столь непредвиденно и столь часто, что многие хирурги, как бы точно они ни выполняли операцию и как бы ни были уверены в исходе, всегда осторожны с прогнозом. Редкий, уж очень самоуверенный хирург скажет: «Операция сделана хорошо, всё будет в порядке». Вот этого последнего ни один хирург предсказать не может, ибо здесь могут возникнуть тысячи непредвиденных обстоятельств, которые осложнят всё сделанное хирургом и могут привести к отрицательным результатам. При этом есть определённая закономерность: чем сложнее операция, чем запущеннее болезнь, тем чаще и серьёзнее возникают осложнения. Поэтому чем опытнее хирург, чем более крупные операции он делает, тем осторожнее он в своих предсказаниях об исходе операции, даже если она прошла совершенно гладко. Приведу пример позднего осложнения после успешно сделанной операции, когда, казалось бы, мы могли говорить о хорошем исходе всего нашего лечения.

Таня К., 12 лет, приехала к нам из Сибири. Отец её — офицер — служил в отдалённых районах страны. Несколько раз его переводили из одного города в другой, поэтому и семья его, следуя за ним, не имела постоянного, прочного места жительства. Может быть, поэтому девочка поступила в клинику с далеко зашедшей стадией заболевания, находясь на границе операбельности. Сразу же после рождения Тани врачи выслушивали у неё шум в сердце. Когда девочка немного подросла, врачи сказали родителям, что у неё врождённый порок сердца, что её нужно обследовать и лечить в специализированном кардиологическом учреждении. Однако девочка чувствовала себя хорошо, ни на что не жаловалась, и родители, успокоенные её самочувствием, не спешили идти к врачам.

Прошло несколько лет относительно благополучно. Девочка в своём развитии почти не отличалась от своих сверстниц. Может быть, она была немного бледна, субтильна, и у неё часто были простудные заболевания с переходом на почки. Наблюдающие её врачи-педиатры настойчиво рекомендовали родителям положить девочку в клинику, но родители продолжали отказываться.

С десятилетнего возраста, может быть, в связи с увеличением нагрузки в школе, самочувствие девочки ухудшилось. Она стала жаловаться на усталость, слабость, на усиленное сердцебиение. Родители забеспокоились и собрались вести ребёнка в больницу, но в это время отца отправили в Сибирь, где поблизости не было специалистов-кардиологов. Когда же девочке стало совсем плохо, родители написали в клинику письмо и по вызову явились 28 января 1977 года, когда девочке уже исполнилось 12 лет. При поступлении она жаловалась на быструю утомляемость, одышку, учащённое сердцебиение даже при незначительной физической нагрузке; бегать совсем не может.

При всестороннем обследовании у девочки был выявлен врождённый порок — незаращение межпредсердной перегородки с повышением давления в малом круге кровообращения. Давление в лёгочной артерии вместо 20—25 мм рт. ст. в норме было 50 мм рт. ст. У неё, таким образом, была вторая стадия заболевания, т. е. та стадия, где операция уже опасна, но где возможность выздоровления ещё сохранена. В третьей стадии, когда давление поднимается до 75 мм, опасность очень большая и возможность выздоровления ничтожна. При четвёртой стадии давление в ленточной артерии поднимается до 100 мм — операция уже не делается ввиду её бесполезности и большой опасности.

Чтобы понять состояние девочки, надо представить себе, что из себя представляет порок.

У человека сердце разделено на 4 камеры: два предсердия и два желудочка — правые и левые. Предсердия, как и желудочки, друг с другом не соединяются и разделены межпредсердной и межжелудочковой перегородками. Давление в полостях разное. В левом предсердии 8—10 мм, в правом 2—4. В левом желудочке и в аорте — 100—120, в правом желудочке и в лёгочной артерии — 20—25 мм рт. ст.

Если по каким-то внутриутробным причинам в межпредсердной перегородке образовался дефект, кровь из левого предсердия будет поступать не только в левый желудочек, как ей положено, но и в правое предсердие. В нём будет повышаться давление, а отсюда будет повышаться давление и в правом желудочке, в лёгочной артерии и в мелких сосудах лёгкого. Возникает лёгочная гипертензия. По мере повышения давления в правом желудочке нарастает нагрузка на сердце, усиливается одышка, учащается сердцебиение. При давлении в 50 мм наступают признаки расстройства сердечной деятельности. Когда давление поднимается до 100 мм, т. е. оно сравнивается с давлением в левом желудочке, в сосудах малого круга произойдут глубокие изменения, которые являются необратимыми, и любая операция будет уже бесполезной. Такие больные погибают в молодом возрасте от сердечной недостаточности.

Таня пришла к нам, когда давление было хотя и высоким и создавало опасность для жизни, но всё же операция имела шансы на успех.

Операция была сделана в условиях искусственного кровообращения. При вскрытии правого предсердия был обнаружен дефект в 2 сантиметра в диаметре. Он был ушит двухрядным непрерывным швом. Гладкое заживление ран. Весь послеоперационный период протекал нормально.

Девочка ходила, ни на что не жаловалась.

На восемнадцатые сутки, в ночь перед выпиской, постовой сестрой отмечено резкое ухудшение состояния больной: цианоз кожных покровов, аритмичный, нитевидный пульс, нарушение ритма дыхания. Срочно вызванный дежурный врач выявил у больной острую сердечную недостаточность. На электрокардиограмме была зарегистрирована фибрилляция желудочков, что означает фактически полную остановку сердца, так как при фибрилляции желудочков сокращения мышц нет и выбрасывание крови в аорту отсутствует. Немедленно начат закрытый массаж сердца, дыхание рот в рот.

Дежурный хирург и дежурный реаниматолог перевели больную из палаты в перевязочную, ввели в трахею трубку и начали искусственную вентиляцию лёгких. Внутривенно был введён весь комплекс лекарств, направленный на восстановление сердечной деятельности. Однако сердце продолжало фибриллировать, т. е. по существу остановка сердца продолжалась. Трижды проводилась дефибрилляция сердца с помощью электрического удара, она оказалась безуспешной. Предпринятые меры не дали восстановления сердечной деятельности. Через 20 минут от начала проведения реанимационных мер — вскрыта грудная клетка, рассечен перикард и начат открытый массаж сердца. Внутрисердечно введены норадреналин, хлористый кальций и другие вещества, стимулирующие сердечную деятельность. Сердце по-прежнему безмолвствует.

Вновь несколько раз проведена дефибрилляция сердца с помощью электрического удара. Сердечная деятельность восстановилась на короткое время, затем снова угасла. Только после восьмой дефибрилляции, через 2 часа от начала реанимации, удалось добиться стойкого восстановления сердечной деятельности. Давление установилось на уровне 90/50 мм рт. ст., пульс — 120 ударов в минуту.

Только через шесть часов после окончания реанимационных мероприятий больная пришла в сознание. Однако нарушение ритма оставалось, и не было никаких шансов на то, что ритм восстановится самостоятельно. Между тем аритмия была настолько сражённой, что мы всё время опасались, что она опять перейдёт в фибрилляцию желудочков.

Чтобы установить необходимый и устойчивый ритм, решено провести через левую подключичную вену внутрисердечный электрод для электрокардиостимуляции частоты сердечных сокращений. После пункции левой подключичной вены электрод был проведён в правое предсердие. Но при установке в нужное положение электрод оборвался на уровне подключичной вены.

Нормализовать ритм сердечных сокращений не удалось, хотя давление оставалось в пределах нормы. В сердце же оставался обломок электрода. Он, не выполняя функции электростимулятора, явился инородным телом в сердце со всеми вытекающими отсюда возможными последствиями.

Через 18 часов после обрыва электрода больная была взята в операционную. Под интратрахеальным наркозом продольно рассечена грудина по старому разрезу. Выявлены плотные сращения сердца с перикардом в области правого предсердия и желудочка. Осторожно, где тупо, где остро, спайки разделены. После рассечения спаек с правым предсердием в области синусового узла (место соединения нервных элементов, откуда идут стимулы работы сердца) сразу же восстановился синусовый ритм, т. е. нормальный ритм работы сердца.

Через небольшое отверстие в стенке правого предсердия удалён катетер электрода. Рана предсердия ушита кисетным швом. В избежание новых спаек с перикардом на уровне венозного синуса перикард иссечён.

Рана грудной клетки ушита и зажила первичным натяжением. На 15-е сутки после повторной операции больная выписалась из клиники в хорошем состоянии. В 1981 г., т. е. через пять лет после операции, больная принята в клинику для контрольного обследования: жалоб нет, чувствует себя хорошо, занимается лёгкой атлетикой. С отличием закончила десятый класс средней школы, собирается поступать в институт. При объективном исследовании: сердечные сокращения ритмичны, 72 удара в минуту. Тоны сердца ясные, шумов нет, давление 110/60 мм рт. ст. На электрокардиограмме — уменьшение нагрузки на правые отделы сердца по сравнению с дооперационным, т. е. электрокардиограмма в норме. Давление в лёгочной артерии меньше 25 мм рт. ст.

Больная признана здоровой без всяких ограничений.

Таким образом, как сама болезнь, так и возникшее осложнение, которое катастрофой свалилось на больную, были устранены настойчивыми и умелыми действиями хирургов.

Пропусти они несколько минут, не прими они неотложных мер, и гибель ребёнка была неизбежна. Она и так два часа лежала с остановившимся сердцем. Казалось, нет никаких надежд на её оживление, но врачи продолжали упорно бороться за её жизнь и одержали победу над смертью.

Здесь, как мы видим, на пути к выздоровлению после первой операции, когда, казалось, уже всё плохое было позади, возникли совершенно неожиданные и ничем не спровоцированные препятствия, осложнения, которые привели больную к смерти и потребовали от врачей двухчасового оживления.

В нашей жизни и работе не так уж редко случаются осложнения, которые приводят человека на край гибели. У нас был случай, когда больной, также после операции на сердце, собираясь выписываться, стоял у стола, где дежурная писала ему справку. Вдруг он упал и умер. Мы оживляли его несколько часов. Он полностью поправился и уехал от нас здоровым. В том и другом случае промедление с оживлением на несколько минут стоило бы им обоим жизни. Только находчивость медперсонала и самые экстренные меры помогли справиться с неожиданно возникшими осложнениями. Вот почему я хочу повторить: хирурги так часто встречаются с непредвиденными препятствиями в своей деятельности по спасению людей, что с возмущением относятся к тем, кто сознательно создаёт препятствия, которые становятся на пути к здоровой и счастливой жизни человека.

В качестве примечания хочу сказать несколько слов о дежурстве хирургов и врачей вообще. Как мы видели из приведённых примеров, дежурство врача требует огромного напряжения физических и моральных сил, приводя их к преждевременному износу. Между тем эти дежурства входят в рабочие часы хирурга и никак не учитываются как сверхурочная и ночная работа. И она или совсем не оплачивается, или оплачивается столь мизерно, что является неприкрытой эксплуатацией врачебного труда.

Меня поражает полная бездеятельность профсоюза медицинских работников.

Долго я находился под впечатлением последней встречи с Сергеем Александровичем, и мысли мои всё время возвращались к нему. Я перечитал вторую книгу его романа «Какой простор». Он писал его, уже будучи не совсем здоровым. А сколько в нём жизнелюбия и жизнеутверждающей силы. С какой любовью и уважением говорит он о русских людях, о их самоотверженной работе, о их героических делах. Всё это он описывает правдиво, без навязчивости. Просто, как сама жизнь. А люди получаются красивыми, как и их дела. Я люблю читать о больших и сильных людях, о тех, кто трудом своим возвеличивает Родину, делает жизнь людей легче, радостнее. Мне близки по духу авторы, в чьих произведениях заключена вера в народ, в его высокое предназначение.

Особенно я люблю Гоголя. Многие отрывки из его произведений знаю наизусть. Как хорошо понимает он русского человека. Как уважает его за сметливость, за нетребовательность, за умение делать всё в любых условиях так, что «созерцатель» диву даётся! Вот его чудесное творение «Тройка». Маленький отрывок из романа «Мертвые души», а какая в нём мысль, сколько сыновней любви там светится к Родине, к народу, у которого эта тройка только и могла родиться. И управляет-то ею кто! Неказистый ярославский мужик: «...борода да рукавицы, и сидит чёрт знает на чём; а привстал, да замахнулся, да затянул песню — кони вихрем... только дрогнула дорога, да вскрикнул в испуге остановившийся прохожий...

Не так ли и ты, Русь, что бойкая необгонимая тройка несёшься? И косясь, постораниваются и дают ей дорогу другие народы и государства». И что всего больше поражает меня в Гоголе, так эта его глубокое проникновение в душу народную. Как верно и тонко понимает он талант человека из народа, его умение в любых условиях творить.

«...И сидит чёрт знает на чём». А в мире науки?.. Часто случается так: никаких условий нет — ни материалов, ни лабораторий. А создаёт он часто в одиночку то, что не под силу целому институту.

Через три дня я отвёз Борзенко в онкологический институт Александру Ивановичу Ракову.

Институт располагался недалеко от Ленинграда. Мы с женой нередко навещали своего друга. И всегда заставали его за работой. Он торопился закончить книгу, которую давно писал.

И на новом месте Сергей Александрович неизменно расспрашивал меня о делах нашего коллектива — судьба Института пульмонологии была ему особенно дорога.

8

В то время мы ещё комплектовали кадры. Не хватало специалистов на ведущие должности. Не было и заместителя директора по науке. Многие претендовали на эту роль, но мало кто из желающих был достаточно для неё подготовлен. Мне самому приходилось вникать в научные планы каждого отдела, каждой лаборатории, добиваться, чтобы все звенья придерживались нужного направления. Если иметь в виду, что продолжались к тому же разные организационные хлопоты, что руководство институтом велось на общественных началах, то станет понятным объём все увеличивающихся нагрузок. Нужен был настоящий помощник, заслуживающий доверия, который по праву делил бы со мной ответственность за жизнь лёгочных больных.

Неизвестно, чем бы закончились наши поиски, но в один прекрасный день мне «спустили» в заместители профессора Феликса Витальевича. Характеризовали в самых лестных выражениях.

И вот он сидит в моём кабинете — молодой, вежливый, приятный. Голубые глаза смотрят кротко. Застенчиво улыбается, прикрывая рукою рот, может быть, потому, что при улыбке рот кривится и это, по-видимому, его смущает. Работал в нескольких институтах, в клинике, оперировал. Увольнялся по собственному желанию. И кажется, не жалел о том, что трудовая книжка его испещрена записями о перемещениях.

Я заметил при нашей первой встрече:

— Не задерживаетесь подолгу на одном месте...

Он ответил:

— Душа не принимает беспорядков.

— Я тоже плохо уживаюсь с беспорядками. На этот раз вы будете хозяином положения. Наводите порядок, мешать вам не стану.

Его внешность, подчёркнутая скромность, при весьма солидном запасе знаний, производили хорошее впечатление.

И действовать он начал с задором. Часто приходил в тот или иной отдел, собирал вокруг себя молодёжь и, показывая какую-нибудь статью из иностранного журнала, говорил: «Вот какие чудеса творят люди! Не попробовать ли и нам?» Он был эрудирован, следил за медицинскими публикациями, умел увлекать новыми идеями. К нему тянулись.

Феликс Витальевич любил оперировать. Не боялся трудных случаев, смело приступал к делу. Это импонировало. Я тоже не отказываю тяжёлым больным — наоборот, стараюсь брать их на себя, чтобы быть уверенным, что для их спасения использован пусть малейший шанс. Есть обоснованная надежда — не будешь оглядываться на «испорченную» статистику.

Однако прошло какое-то время, и у меня стала расти тревога. Смелость Феликса Витальевича, явно опережавшая его умелость, объяснялась, скорее всего, непомерным тщеславием. Он во что бы то ни стало хотел блеснуть, искал в институте тот или иной «объект» для какой-нибудь очередной уникальной операции, которой можно было бы удивить мир. Его прельщала лёгкая слава и не тяготили ненужные жертвы.

Невольно усомнившись в его способностях хирурга, я позвонил на кафедру, где он работал до прихода к нам в институт. На обеих кафедрах, где он работал, ему дали неблестящую характеристику. Да, он смелый хирург, но его смелость превышает умелость. Операционная смертность у него во все годы была очень высокой.

— Недавно, — сообщили с одной кафедры, — мы специально проанализировали исходы операций каждого хирурга отдельно у нас на кафедре. И оказалось, осложнений и смертельные исходов, имевших место в клинике, больше половины падают на операции, которые производил профессор Балюк.

Я вызвал Феликса Витальевича к себе в кабинет. Сказал, что на него как заместителя директора смотрят все врачи, — у него они учатся не только технике, но и тому, как ставить показания, как относиться к больному, что плохо подготовленные операции и большая смертность, во-первых, вообще непростительны и не соответствуют духу, в котором воспитан коллектив, а во-вторых, подрывают его собственный авторитет.

Феликс Витальевич по обыкновению держался очень скромно, виновато улыбался, прикрывая рукою рот, и заверил, что всё осознал, что подобных ошибок конечно же не повторит. К сожалению, это было сплошное притворство. Практику он не изменил, а защищать авторитет принялся по-своему. Скоро я понял, чего именно «не принимает его душа». В первую очередь — как раз порядка.

Когда ему ни позвонишь, когда ни спросишь секретаря, Феликса Витальевича в институте нет. Как потом выяснилось, он работал по совместительству консультантом на заводах, производящих медицинскую аппаратуру. Совместительство оформил какими-то неведомыми мне путями. Научными изысканиями сотрудников — своими прямыми обязанностями — занимался спустя рукава. На дисциплину смотрел как на помеху. Зато энергично вербовал сторонников.

Беря пример с заместителя директора, некоторые заведующие отделами и лабораториями, а за ними и рядовые врачи стали опаздывать на утреннюю конференцию, рано уходить со службы, не выполнять вовремя научные планы. Однажды я сознательно пришёл не к началу утренней конференции, а когда она уже заканчивалась, я, стоя в стороне, услышал, как пренебрежительно Феликс Витальевич высказывался о диагнозе, показаниях и даже о методике моих операций, давая понять, что институт погряз в консерватизме, что здесь нет свежей, здоровой мысли, игнорируют прогресс в хирургии, в частности пересадку органов, и т. д. Многие встретили его слова с сочувствием. Было ясно, что заместитель раскалывает коллектив.

Тут надо немедленно наводить порядок железной рукой. Однако этому мешали частые поездки за рубеж, в Москву или на очередную пульмонологическую конференцию в отдалённых районах страны, от которых я не мог и не имел права отказываться. В моё отсутствие Феликс Витальевич оставался полным хозяином, сметая всяческое сопротивление тех, кто с ним не соглашался.

Возвращаясь из продолжительных командировок, я находил в лабораториях и в отделах новое оборудование, удобную мебель. Оснащением у нас ведали несколько товарищей, но как-то так выходило, что докладывал о приобретениях заместитель. Феликс Витальевич подробно изображал хождения за тем или иным аппаратом, и всегда героем оказывался он сам. Ненавязчиво, исподволь подводил меня к мысли, что, не будь его в институте, мы ничего бы не добились, никто бы нам не помог. Надо признаться, в чём-то он был прав: у Феликса Витальевича были обширные связи, он действительно многое добывал через друзей. И ещё в своих рассказах не забывал упомянуть меня, подчеркнув значение моего авторитета. Вот так: в глаза — одно, а за глаза — совсем другое.

Я, конечно, понимал, что это ложь, мне было и неловко за него, и обидно, что он меня так бесцеремонно дурачит, но, довольный хозяйственными успехами, я прощал заместителю неумеренную лесть, относил её к не столь уж порочным особенностям характера. И сильно ошибся. Страстишка эта отнюдь не невинна. Лесть — тот же обман, а обман ничего хорошего не сулит.

Главное же, что больше всего смущало, — как быстро молодые врачи усваивали небрежное отношение к больным. Чему учили их старшие коллеги, подавая пример каждодневным подвижническим трудом? Пациентов необходимо любить, как своих близких. Не важно, произведена редкая операция или ординарная, принесёт она славу или никто на неё не обратит внимания, а важно, что конкретный человек встанет на ноги, вернётся в семью и на работу. На худой конец, получит облегчение, что продлит ему жизнь. В этом смысл и радость нашей профессии, при этом условии только и можно испытывать глубокое удовлетворение. Под влиянием же Феликса Витальевича, казалось, охотно были преданы забвению все нравственные уроки. Разговоры пошли лишь о том, кто сколько сделал тех или иных операций, кому ещё сколько нужно сделать и каких, чтобы набить руку, попробовать нечто новое. Но ведь за любым хирургическим экспериментом стоят люди, за любым осложнением, неудачей по пятам следует людская трагедия!..

Однажды мне доложили, что больного, которого по моей рекомендации поместили в институт, выписывают без операции. Я потребовал объяснений у лечащего врача, старшего научного сотрудника.

— Мы посоветовались с Феликсом Витальевичем и решили: незачем с ним возиться, если человеку семьдесят девять лет.

Откровенный цинизм, жестокость были возмутительны. Я предложил подать заявление об уходе. Видимо, на врача это подействовало отрезвляюще. Через некоторое время он извинился и попросил оставить его хотя бы ординатором. Я не возражал: специалист хороший, а гуманизму пусть поучится под руководством более опытных товарищей.

...Привезли к нам молодую женщину с неясным диагнозом. Непонятная слабость, временами отёки и упорные, изнуряющие головные боли. Со стороны сердца и лёгких никакой патологии. А вот в почках выявили недостаточность функций. По рентгенограммам видно было, что они уменьшены в размерах. На этом основании поставили диагноз: сморщенные почки.

Больная подлежала более тщательному и всестороннему изучению. Предстояло провести внутривенную пиелографию и ангиографию — контрастное исследование почек, лоханок, мочеточников и почечных сосудов; кроме того, установить функцию почки. Тогда уже, уточнив с нефрологом бесперспективность терапевтического лечения, рассматривать вопрос о возможности пересадки почки. Подготовиться к пересадке органа — значит определить биохимические показатели крови и отдельно кровяных элементов, подобрать иммунодепрессанты для подавления реакции отторжения. Только после этого искать донора, хоть в какой-то мере подходящего по биологической совместимости. Ничего из этого не было осуществлено, потому что вопрос о пересадке почки ещё находился в стадии обсуждения.

В это-то время к нам доставили человека, пытавшегося покончить с собой. Его сняли с петли живого, но, судя но некоторым признакам, кора мозга уже не функционировала. Решив, что кора погибла безвозвратно и реанимационные мероприятия бессмысленны, Феликс Витальевич тут же вечером, прямо-таки с бухты-барахты, захотел произвести пересадку почки самоубийцы больной женщине. К счастью, дежурившим врачам удалось отговорить его от столь рискованного шага.

Я был взбешён таким преступно-легкомысленным отношением заместителя к чужой жизни. Между нами состоялся тяжёлый разговор. К моему удивлению, Феликс Витальевич не был ни смущён, ни обескуражен. Сидел спокойно, невозмутимо, а когда я кончил, встал и резко сказал:

— В данном случае, Фёдор Григорьевич, вы занимаете позицию консерватора, перестраховщика. Я же, решившись на операцию, поступил как врач, борющийся за прогресс в медицине.

Бесстыдная демагогия! Куда девалось его показное смирение?.. Сдерживая себя, снова постарался доказать этому горе-профессору, что авантюрная операция никак не может свидетельствовать о прогрессе хирургии, за лихачество расплачиваются больные, а, хирург оказывается в положении уголовно наказуемого.

Наверное, каждый остался при своём мнении. Я серьёзно задумался о том, что Феликс Витальевич пока что пользы не принёс никакой, если не считать его снабженческих талантов, а вреда успел наделать много и не заслуживал доверия. Обратился к руководству с просьбой забрать его от нас, но — как в глухую стену. Следствием, однако, было то, что Феликс Витальевич опять присмирел.

...В институте лежал довольно молодой морской офицер с раком лёгкого. Опухолевым процессом было поражено одно лёгкое, но и во втором на рентгеновских снимках просматривались тени, похожие на метастазы. Картина безнадёжная, добиться излечения не удастся. Если больному и удалить все лёгкое с первичным ракообразованием, он умрёт от метастазов.

Надо было думать, как хоть временно воспрепятствовать болезни — рентгеновскими лучами или с помощью химиотерапии, поскольку если не выздоровление, то борьба за продление жизни была возможна и необходима. Какое именно продление — сказать трудно, но любой «подаренный» срок есть благо. Спроси у человека, что ему лучше — умереть сегодня или через неделю, он ответит, что лучше через неделю.

Николай Николаевич Петров так учил нас:

— Вечной жизни мы дать больному не можем. Наша задача — её продлить и сделать приятнее.

Вот почему первая заповедь Гиппократа, обязательная для медиков, — не вреди. Если ты не можешь помочь, то по крайней мере — не вреди.

Дело было летом. Я отдыхал на курорте. Феликс Витальевич, будучи в моё отсутствие главным хирургом и главным администратором института, вновь пошёл на «смелый, новаторский» шаг.

В реанимационное отделение поступил больной с сильным ушибом мозга. Он был в бессознательном состоянии, рефлексы погашены, на электроэнцефалограмме — прямая линия. Между тем сердце работало нормально. Дыхание поддерживалось искусственно.

И вот в субботу, когда у большинства сотрудников выходной день, Феликс Витальевич пригласил операционную сестру, двух молодых наркотизаторов и стал готовиться к пересадке лёгкого от больного с травмой черепа к раковому больному.

С точки зрения показаний операция не имела ни малейшего смысла.

Даже если предположить, что лёгкое прижилось, моряка это не избавило бы от уже распространившихся метастазов. А если бы метастазов не было, куда безопаснее удалить поражённую часть: люди нестарого возраста хорошо переносят операцию, одышки не испытывают — оставшееся лёгкое берёт на себя целиком дыхательные функции. Напротив, в пересаженном органе очень долго, многие месяцы, резко ограничен газовый обмен, что конечно же не облегчило бы самочувствие больного, чьи дни и так были сочтены.

С научной точки зрения подобный «эксперимент» наглядно демонстрировал грубое невежество.

Известно, что чужеродное лёгкое, когда не принимаются соответствующие меры, отторгается на четвёртый — одиннадцатый день вследствие генетически обусловленных различий между донором и реципиентом (тем, кому производится пересадка). После любой гомотрансплантации в крови реципиента появляются антитела. Учитывая природу тканевой несовместимости, исследователи изыскивают способы блокировать иммунные реакции организма; без этого предпринимать такого рода операции — преступно. К тому же необходимо позаботиться о том, чтобы сохранить лёгкое: пока меняют «хозяина», оно находится в состоянии аноксии, то есть кислородного голодания, до двух часов и более. Здесь рекомендуется «замораживать» трансплантат охлаждённым раствором глюкозы с гепарином, что предотвращает склеивание эритроцитов в капиллярах лёгочной ткани на несколько часов.

Ни одно из этих условий Феликс Витальевич не выполнил. Допустил он и чисто технические ошибки.

Кроме двух вен, приносящих кровь в левое предсердие из лёгкого, и лёгочной артерии, доставляющей кровь из правого желудочка в лёгкие, имеется ещё так называемая бронхиальная артерия, одна или несколько, диаметром 2—3 миллиметра и меньше, которые идут непосредственно из аорты и питают ткань лёгкого и бронхов. При пересадке их тоже надо обязательно сшить, иначе лёгкое может омертветь. И ещё. Большое значение имеет лимфообращение, нарушение которого вызывает отёк лёгкого. Поэтому с лимфатическими путями требуется особо бережное обращение.

И этого Феликс Витальевич не предусмотрел.

В результате к концу операции оба больных погибли, что и следовало ожидать.

Когда я вернулся из отпуска, шум, поднятый вокруг данного экстраординарного события, уже утих. Погасила «неприятный» инцидент специально приезжавшая комиссия.

Нет ничего удивительного в том, что и в этот раз Феликс Витальевич не сделал никаких выводов. К сожалению, по существующему положению я не имел права его уволить, а мои неоднократные беседы и увещевания приносили мало пользы. Он их выслушивал, соглашался, но стоило мне куда-то отлучиться, продолжал вести себя по-прежнему.

Я вызвал его и предложил ему подать заявление об уходе, т. к. работать с ним больше не хочу.

В среде культурных людей такого разговора было бы вполне достаточно, чтобы человек тут же подал заявление. Однако Феликс Витальевич был не из тех людей. Он извинился, обещал больше так не делать, а на моё предложение об уходе сказал, что он подумает. На какой-то срок он действительно присмирел и не шёл на необоснованные операции, но стоило мне уехать в заграничную командировку, как по приезде я вновь столкнулся с подобным поведением моего помощника.

Размышляя о тех днях, стоивших нам стольких волнений, хотел бы обратить внимание вот на что. Далеко не случайно сейчас перед каждым из нас со всей остротой поставлен вопрос об ответственности. Личной, государственной, партийной. И чем больше от тебя зависит, тем строже надо спрашивать. При этом, по моему мнению, много зла приносит укоренившаяся практика руководствоваться протекцией, использовать «кумовство».

У Феликса Витальевича оказались действительно влиятельные покровители. Прибывшая в институт комиссия заняла субъективную позицию, по существу, выгородив того, кто систематически пренебрегал высоким нравственным долгом советского врача и кого в силу этого ни по каким нормам нельзя было подпускать к больным. Беспринципность оценки происшедшего к тому же ощутимо отразилась на коллективе.

Не получив должного отпора и, вероятно, уверовав в безнаказанность, Феликс Витальевич продолжал свои выходки — и у нас, и когда перешёл на другую работу.

Я был за рубежом, а он вдруг исчез из института на целый месяц, бросив его на произвол судьбы и никого не предупредив. Ни заявления, ни телефонного звонка. Дома отвечают, что его нет и не знают, где он. Чудеса какие-то!

Наконец дошли слухи, что он болен, лежит в такой-то клинике. Но почему это надо скрывать?

Снарядили делегацию — выяснить состояние, не нужно ли чем помочь. К Феликсу Витальевичу делегация пробилась с трудом и... нашла его в добром здравии. «Секрет» заключался в том, что он подрядился в помощники к крупному хирургу, который собирался произвести пересадку сердца, и дежурил в клинике, ожидая подходящего донора. На что он рассчитывал — непонятно, но такой прогул был уж слишком очевидным произволом, и Феликс Витальевич в очередной раз уволился «по собственному желанию».

Он остался на той кафедре, где «подпольно» дежурил в течение месяца. По-прежнему брал больных на операцию без серьёзных оснований, да ещё пытался испытывать на них новую технику, в создании которой активно участвовал, часто без достаточной проверки. Однако не учёл того немаловажного обстоятельства, что попал в другое ведомственное подчинение, где у него «оголились тылы».

Руководитель кафедры — большой и авторитетный учёный, не желая терпеть у себя недобросовестного сотрудника, настоял на том, чтобы его убрали. Был получен соответствующий приказ. Феликс Витальевич, ничего не зная об этом, спровоцировал скандал.

Он и раньше нередко позволял себе насмешки в адрес шефа. У того была привычка сидеть с закрытыми глазами, что вовсе не свидетельствовало об ослаблении внимания. Однажды на совещании рентгенолог, развесив снимки, стал их интерпретировать, подробно разъясняя, почему они дают мало оснований для постановки диагноза. Шеф, один раз взглянув на рентгенограммы, закрыл глаза и молча, не прерывая, слушал врача дальше. У последнего создалось впечатление, что его слова падают в пустоту, и он уже совсем монотонно проговорил доклад. На некоторое время повисла пауза. Шеф открыл глаза и спросил:

— Вы кончили докладывать?

— Да, кончил, но мне всё же не ясен диагноз.

— Не ясен, потому что вы не заметили вот этой детали. — Учёный показал на слабую тень на рентгенограмме. — А она имеет решающее значение...

И представил чёткую картину болезни в соответствии с рентгеновским исследованием, после чего ни у кого не осталось сомнений в диагнозе.

Зная эту особенность своего руководителя, медики не обманывались насчёт его закрытых глаз — как по пословице: «Спит, а мух видит». Тем более что он и не думал спать. А вот Феликсу Витальевичу понравилось вышучивать «сон» шефа.

В тот день на утренней конференции он делал сообщение. Шеф же, как обычно, сидел в кресле, закрыв глаза. Раздосадованный пренебрежением к своей особе, Феликс Витальевич забыл всякие правила приличия.

— Хирургия требует энергии и молодого задора, — развязно сказал он. — А если хирург настолько стар, что спит на утренней конференции, то ему пора на пенсию, чтобы не тормозить развитие науки, не мешать росту молодых...

Все присутствующие замерли от неожиданности, от стыда за недостойный поступок коллеги. Профессор спокойно посмотрел на него и произнёс, не повышая голоса:

— С этого момента вы свободны, на кафедру можете не приходить. — И снова закрыл глаза.

Феликс Витальевич побежал к директору. Там ему показали приказ... Ничего не оставалось, как покинуть кафедру немедленно. Какое-то время он был безработным, но в конце концов один из бывших его друзей устроил его на место заведующего кафедрой в одном из институтов. По старой дружбе, которая велась ещё тех пор, как они работали вместе в Институте пульмонологии. Затем их пути разошлись. Балюк перешёл работать на заведование кафедрой хирургии одного из мединститутов, а его друг стал администратором — куратором по хирургии.

Первое время, чувствуя, что теперь за жизнь каждого больного ему придётся отвечать самому, Балюк оперировал меньше и подбирал больных для себя с большой осторожностью. Но, постепенно освоившись со своим новым положением, он встал на прежний путь тщеславия, и больные для него стали, как и прежде, материалом для каких-то новых операций, которые могли бы поразить современников. Смертность в его клинике быстро поднялась и стала предметом для разговоров на учёном совете. Директор назначил объективную комиссию из специалистов, которая и доложила о печальных результатах работы кафедры. Было решено поставить вопрос о соответствии хирурга занимаемой должности. Но в это время его друг-администратор позвонил в институт, поговорил с директором, и Балюка оставили в покое...

Прошло несколько лет. Факты «лихачества», нередко кончавшегося трагически, накапливались. И однажды, после очередного грубого нарушения врачебного долга, комиссия, приехавшая из Москвы, признала, что продолжать работу хирурга Балюк не может, и он был переведён в экспериментальную лабораторию.

На должность заместителя директора по науке Института пульмонологии утвердили моего ближайшего ученика и помощника Валерия Николаевича Зубцовского. Его путь к высокому профессорскому званию был прямой и честный.

С юных лет мечтал стать врачом, но помешала война. Едва окончив среднюю школу, он ушёл на фронт и воевал до Победы.

Демобилизовавшись, не изменил своей мечте и в 1946 году поступил в 1-й Ленинградский медицинский институт. Пять лет учёбы были счастливым временем. Он с жадностью воспринимал знания, в частности по хирургии, познав ее истинную цену на полях сражений.

Как отличника и фронтовика Валерия Николаевича оставили клиническим ординатором, и он целиком отдался любимому делу. Два года ординатуры, три года аспирантуры помогли ему крепко встать на ноги. С первых же дней врачебной деятельности Зубцовский включился в разрешение проблем, которыми занималась кафедра, прежде всего — проблемы ранней диагностики рака лёгкого.

Я упоминал, что в числе немногих хирургов нашей страны с 1947 года разрабатывал технику резекции лёгкого при раке. Мы научились производить и широко применять эту операцию. Но вскоре убедились, что дело не только в технике. Успех излечения — в своевременном распознавании болезни и в своевременном хирургическом вмешательстве. Но как узнать, что перед нами не обычная пневмония, а начальная форма рака?

Рентгеновское просвечивание не даёт точного ответа, бронхоскопия ещё не была достаточно освоена, да и она проясняет вопрос лишь в том случае, если опухолевый процесс локализуется в крупных бронхах. И не все медицинские учреждения владели этим методом.

От опухоли, располагающейся даже в самых мелких бронхах, могут отделяться частицы или опухолевые клетки, а также группы клеток, которые отличаются от клеток нормальной слизистой бронха. Нельзя ли по мокроте и мазкам со слизистой бронха, имеющего какие-то изменения, определить характер лёгочной патологии?

Валерию Николаевичу поручили поиски нового метода диагностики. Были испытаны сотни и тысячи препаратов, десятки способов их окраски, прежде чем удалось установить точные правила. С помощью исследования окрашенного мазка, доступного любой больнице, теперь можно в 70—80 процентах случаев поставить безошибочный ранний диагноз.

На этом материале Зубцовский блестяще защитил кандидатскую диссертацию.

Он выполнил свою задачу не формально, не ради степени или желания прославиться. Военная юность на всю жизнь преподнесла ему урок гуманизма чистейшей пробы, а тут шла речь о борьбе с раком — беспощадным и коварным заболеванием. Это о таких, как Валерий Николаевич, в народе говорят: «Доброму человеку и чужая болезнь к сердцу».

Молодой учёный стал ассистентом, но преподавание не задержало, а стимулировало его научный рост. Он продолжал идти в ногу с коллективом кафедры. Освоил почти все операции крупного масштаба — на желудке, кишечнике, желчных путях и конечно же на лёгких. Накопленный опыт позволил ему внести существенный вклад и в сложнейшую сердечную хирургию.

Как известно, на кафедре уделяли пристальное внимание хирургическому лечению врождённых пороков и митрального стеноза, в том числе и в наиболее тяжёлых, запущенных стадиях. У себя в клинике, оперируя по закрытой методике, мы убедились, что ряд больных с митральным стенозом можно спасти, если применять аппарат искусственного кровообращения и коррекцию клапана производить, что называется, под контролем глаза. Нередко возникает необходимость и вшивания искусственного клапана.

Чтобы не вариться в собственном соку, а приобщиться к передовой медицинской мысли, нужно было кого-то из сотрудников командировать за границу. Выбор пал на доцента Валерия Николаевича Зубцовского. Шесть месяцев пробыл он в клиниках США. Знания и навыки, приобретённые им, помогли усовершенствовать и развить дальше методику и технику проводимых нами операций. В конце 60-х годов мы были среди первых в нашей стране, кто начал пересадку клапана.

Закрытая и открытая методика операций при митральном стенозе — тема докторской диссертации Валерия Николаевича, которую единогласно утвердил учёный совет института.

Не успокаиваясь на достигнутом, Зубцовский впрямую занялся искусственными клапанами. Надо сказать, что это целая проблема, над которой трудились и трудятся по сей день сотни учёных, хирургов и инженеров. У нас особенно активно работал в данной области Валерий Николаевич. Завязав контакты с научно-техническими институтами и заводами, мы стали «конструировать» искусственный клапан на новой основе.

Хорошо зарекомендовал себя шариковый клапан, который оказался надёжнее по сравнению как с биологическим клапаном, взятым от животных или от умерших людей, так и всякого рода дисковыми, полусферическими и т. д. Но и шариковый был не вполне приемлем. Он занимал много места в желудочке сердца или в аорте и мог со временем выйти из строя.

Мы пошли по линии создания трёхшарикового клапана. Профессор Зубцовский вместе с доцентом П. И. Орловским экспериментально доказал, что при совокупности трёх малых отверстий размеры клапана значительно меньше, а пропускная способность — больше. Это предложение получило техническую апробацию, оформлено как изобретение.

...Часто бывает, что талант не приходит один. Талантливый специалист на своём поприще обладает ещё и другими яркими способностями. Так и у Валерия Николаевича. Одарённый хирург, учёный, преподаватель, он был и прекрасным художником. Его пейзажи, натюрморты, портреты нравились ценителям живописи. Вызвала интерес общественности персональная выставка, организованная в Ленинграде Союзом художников. Изостудия Дома учёных имени А. М. Горького издала каталог его картин.

...Естественно, что назначение В. Н. Зубцовского заместителем директора по науке большинство сотрудников института встретили с искренним удовлетворением. Он отлично знал направления деятельности всех подразделений и сам подавал наглядный пример творческого подхода к делу.

В отличие от своего предшественника был скромен, добр к коллегам, заботлив к больным, доступен каждому. Заслуженно пользовался любовью и уважением.

Когда окончательно решилось, что я оставляю Институт пульмонологии и возвращаюсь к основным обязанностям —

заведованию кафедрой госпитальной хирургии, Валерий Николаевич категорически заявил, что не хочет покидать своего учителя. Он ушёл со мной и проработал профессором кафедры свыше десяти лет...

Что же всё-таки произошло?

9

Институту выделили лимит на жилплощадь и на прописку, дали первую категорию. Появилась возможность пригласить в штат необходимых нам специалистов из других городов. В интересах дела потребовалась некоторая перестановка кадров. И хотя мы старались провести её как можно более безболезненно, оказались ущемлённые. Главным образом те, кто не отличался заметными способностями. Права свои они попытались утвердить способом, которым на их глазах не так давно широко пользовался Феликс Витальевич, — перейти от обороны к наступлению. На меня написали жалобу в несколько инстанций.

Не стану себя оправдывать и говорить, что обвинявшие меня товарищи во всем были неправы. Но путь, который они избрали, чтобы восторжествовала «справедливость»! Никто из них ни в личной беседе, ни на собраниях не высказал в мой адрес претензий, и вдруг — жалоба!

Начались разбирательства. Приходила комиссия, затем другая, третья... Деловой ритм учреждения был сломан.

— Как же так, Фёдор Григорьевич, получается, что на вас пишут заявления ваши же ученики? — спрашивали меня члены комиссии. — Что здесь? Неумение работать с ними или неумение подбирать учеников?

— Я сам не раз задумывался над этим. Искал причину в себе, в них, в окружающей обстановке. Думаю, что немалую роль играет снисходительное отношение к клеветникам. Они чувствуют себя героями, борцами за правду и не осознают, что совершили низкий поступок. А те, кто должен был бы пресекать подобные действия, прямо или косвенно их поощряют.

Меня волновал этот вопрос. Невольно вспомнил случай с И. П. Павловым. Один из его учеников в своё время тоже отважился на «принципиальный» шаг — послал куда-то «сигнал». Но тогдашнее руководство не стало поддерживать возню вокруг учёного и просто передало заявление на его усмотрение. Иван Петрович в присутствии сотрудников зачитал жалобу, назвал фамилию автора, затем, при общем молчании, посмотрел на него, покачал головой, сказал: «Как же это вы, а?..» И больше к данной теме не возвращался.

Конечно, если бы кому-то вздумалось смаковать это событие, устраивать проверки, заваривать кашу — глядишь, и попортили бы нервы гению русской науки. Но самое печальное — тем подтолкнули бы других к мысли, что для самоутверждения все средства хороши.

Я далек от того, чтобы проводить тут какие-либо личные аналогии. Хочу лишь подчеркнуть, что свою судьбу, и научную в том числе, надо делать чистыми руками.

Напряжённо размышляя над природой поступка жаловавшихся на меня людей, я возвращался к прожитым годам. В провинциальных больницах всего не хватало, всё было неустроено. И вот парадокс: чем больше было трудностей, тем дружнее мы жили, жадно и плодотворно работали. В осаждённом Ленинграде, под бомбёжками и обстрелами, обессиленные от голода, выхаживали раненых. У операционного стола приходилось стоять по десять, иногда по шестнадцать часов. В крохотную свою спаленку я брёл, шатаясь от усталости. И так же трудились все без исключения врачи — мои коллеги. Ни попрёков, ни обид, ни размолвок. Да и впоследствии никогда я не знал ссор в коллективе. Считал, что высокая и гуманная цель сама по себе нравственно цементирует единомышленников.

В министерстве, назначая меня директором института, говорили: «Ваше дело — выдвинуть идею изысканий, наметить стратегию научного поиска; остальное — задача ваших помощников и заместителей». При этом я оставался заведующим кафедрой в учебном институте и возглавлял клинику. Лечил больных. Как к академику ко мне прикреплена группа молодых учёных — я должен растить смену в науке. К тому же издавать (на протяжении свыше двадцати лет) журнал «Вестник хирургии».

Будь и семи пядей во лбу — не справишься со всеми нагрузками.

И всё же ничто меня не пугало: ни объём работы, ни сложности научных проблем. Шёл на новое место бескорыстно, с подъёмом. Ещё в молодости стал изучать лёгочные заболевания, произвёл тысячи операций на лёгких, предложил ряд хирургических методик. И теперь радовался разворачивающимся пульмонологическим исследованиям. Выбрать верную дорогу и направить по ней квалифицированных специалистов — вот о чём я думал, соглашаясь на совместительство.

Организационный период, однако, затянулся, потребовал «незапланированных» усилий. Я не смог сразу же опереться на достойных заместителей. Тянул воз сам. Подолгу отсутствовал в институте, а когда возвращался из разъездов, целиком погружался в неотложные медицинские заботы. Благие пожелания министерства о «разделении труда» не воплотились в реальность, да и что понимать под таким разделением? С одной стороны, ясно, что нельзя объять необъятное. С другой — неправомерно рассматривать развитие науки в отрыве от воспитания тех, кто её развивает. Это-то последнее обстоятельство я поневоле упустил из виду.

Увлечённый поприщем, где мы во многом были первопроходцами, я не сомневался, что тот же энтузиазм движет всеми, только не у всех одинаково получается. Старался учить, помогать защищать диссертации. И не учёл, что люди, которых, подобно их старшим коллегам, жизнь не испытывала на прочность, привыкали к иждивенчеству. Потом, что закономерно, искали себе попутчиков на обходных путях в науке.

Они взяли на вооружение принцип: в мутной воде легче карасей ловить. Выработали своеобразную тактику: если ты не отвечаешь требованиям руководителя, подними шум, выставь себя несправедливо пострадавшим, привлеки внимание общественности, потоком демагогии и ложных обвинений заставь замолчать тех, кто безусловно прав.

Мудра народная поговорка: «Дисциплина — против беспорядка плотина». Пошатнулась у нас дисциплина — стал постепенно ухудшаться моральный климат в коллективе. По своему научному потенциалу институт выходил на самый высокий уровень в мире, а в недрах его зрела склока.

В чём же меня обвиняли?

Прежде всего в нарушении принципа подбора кадров, в неумении работать с молодыми учёными, распознавать таланты, в нечуткости, предвзятости и т. д. Но ведь успехи института свидетельствовали как раз об обратном.

Авторитетные комиссии признавали: «Институт, несмотря на короткий срок своего существования и неукомплектованность установленной штатной численностью, за прошедшие годы успешно выполнял функции головного института по общесоюзной проблеме. Научные кадры института обеспечивают возложенные на них задачи, осуществляется научно-исследовательская работа на современном уровне. Определены главные научные направления».

А в то же время число комиссий множилось, горстка «обиженных» искусственно раздувала нервозность. Честные врачи не ввязывались в конфликт, но и на мою защиту никто не бросался.

Сейчас, по прошествии многих лет, когда я посмотрел по телевидению пьесу А. Софронова «Операция на сердце», меня поразило совпадение ситуаций — той, инспирированной моими недругами, и придуманной драматургом, но обобщённо-типической. Такое «узнавание» жизненных коллизий отметили и телезрители. По их настоянию Гостелерадио СССР опубликовало подборку откликов.

«...А. Софронов очень убедительно показал силу подлости человеческой, силу клеветы, опасность «операций на сердцах» людей настоящих, талантливых, большой внутренней культуры, как профессор Иванов».

«Пьеса имеет большое социальное значение, она злободневна, гражданственна. Возможно, и до негодяя-приспособленца кое-что дойдёт, — пишет заслуженный врач РСФСР, кандидат медицинских наук Н. Каверин. — Я главный врач станции «Скорой медицинской помощи» Москвы. Коллектив у нас более восьми тысяч человек, служба уникальная. Работа оперативная. К сожалению, приходится сталкиваться с анонимками подлыми, грязными. Они отнимают время, действуют подавляюще морально. Откладываются срочные дела, а это-то и нужно анонимщику. Он ведь против дела против укрепления дисциплины, против способных деловых людей».

«...“Операция на сердце” — явление реалистическое, важное, — отмечает академик А. Целиков. — Я работаю не в области медицины, а в области металлургии, но в этом телеспектакле много общего с тем, с чем мне не раз приходилось сталкиваться. Надеюсь, фильм... поможет: анонимщиков станет меньше и не будет столь многочисленных отвлекающих от дел комиссий».

Ещё мнение: «...спектакль — сама жизнь. С её неизбежными конфликтами и противоречиями... Есть одно стремление — художественно выявить и донести до нас, зрителей, главное — чуткое отношение автора к болевым точкам, его раздумья о том, как сберечь «Ивановых», ибо они опора нашей совестливости, нашей нравственности, нашей гражданственности».

«Больше делайте подобных фильмов о нравственности и оставляйте нам... возможность самим додумать...»

«...Я ожидала, что общественность клиники осудит поступок мерзавца-клеветника, погубившего замечательного человека, профессора Иванова. Но, к моему разочарованию, этого не показали...»

«Почему автор показал, что можно оклеветать, облить грязью чистого человека, а анонимщики и нечестные люди остались без наказания?!»

Почему? Да именно потому, что А. Софронов не покривил против жизненной достоверности. Здесь не к месту схемы. Куда смотрели?.. По какому праву молчали?.. И видели всё, и понимали. Но ведь требуется немалое мужество в борьбе с носителями зла, порой с риском сломать собственную карьеру, поставить под удар свои интересы. А если и не это удерживает, то — нерешительность: с той стороны — наглый натиск, обезоруживающая демагогия. Нужна такая же наступательность, а её нет. Лучше не связываться. Дыма без огня не бывает...

Каждый должен сам вершить над собой суд чести, оказываясь свидетелем или участником подобной ситуации, тогда только можно преодолеть и личную, и общую душевную инертность. Получая моральную встряску, каждый обязан «додумать» свои поступки, свою позицию и — добровольно сделать окончательный выбор.

«Очень благодарны за фильм «Операция на сердце». Обещаем разыскивать клеветников и спасать честных людей.

Красные следопыты». Вот так. Всё чётко и определённо. Да здравствует юношеский максимализм, не знающий компромиссов! В добрый час!

...В институт приезжала очередная комиссия, ничего не находила, вскоре появлялась другая. Так продолжалось долгие месяцы. Я — директор, и безотносительно к тому, виноват я или нет, чувствовал себя ответственным за создавшиеся обстоятельства, которым надо было положить конец. К тому же не в оправдание, а ради прояснения истины скажу: человек, как и машина, имеет определённый запас прочности, и рано или поздно этот запас иссякает, когда вокруг не видно поддержки. Единственный разумный выход — оставить институт.

Проявил слабость, сдался? Может быть. А скорее, подчинился инстинкту самосохранения: я хотел работать, приносить пользу, продолжать операции на лёгких и сердце и по возможности уберечь своё...

Ну а те, кто писал жалобы, — они добились чего-нибудь?

«Нельзя правды ни утопить, ни погасить, она, как солнце, вечная...» — утверждал ещё двадцатилетний Борзенко и непоколебимо в это верил.

Со временем выяснились все аспекты конфликта, затеянного с неприглядной целью. Его инициаторы предстали в истинном свете. По большому счёту им нечего было положить на алтарь науки, кроме карьеристских устремлений. Новый директор уволил их из института, одного за другим — без потери для дела и, наверное, без сожаления.

Пребывание в Институте пульмонологии в течение пяти лет, несмотря ни на что, считаю лучшим и плодотворнейшим периодом в моей жизни. Не всё у нас было идеально, не всегда мы выбирали верную и кратчайшую дорогу к цели. Мы пробирались в темных лабиринтах беспощадного человеческого недуга, шли на ощупь. У нас не было компаса, но были энергия и страстное желание помочь людям. Мы не ведали усталости и шаг за шагом отвоёвывали у природы рубежи знания.

Вместе с несколькими сотрудниками, ушедшими со мной на кафедру, мы «вступили во владение» зданием клиники госпитальной хирургии № 2. Отремонтировали неприспособленное помещение, обзавелись необходимым оборудованием, организовали пульмонологическое и кардиологическое отделения. Академия выделила группу преданных науке специалистов для разработки тех же проблем, которыми мы занимались свыше тридцати лет. В результате мы ни на один день не прервали и не ослабили темпы наших научных изысканий.

Я всегда старался обучить моих помощников всему тому, что умел сам, чтобы не быть монополистом сложных операций. Поэтому в клинике операциями на сердце и на лёгких овладели почти все опытные хирурги — мой заместитель профессор В. Н. Зубцовский, доценты В. А. Соловьёв, Ф. А. Мурсалова, В. В. Гриценко, ассистенты В. П. Пуглеева, И. И. Проходцев и другие.

Среднего поколения хирург — Владимир Николаевич Головин, ему едва перевалило за сорок. Он делает операции широкого профиля, в том числе на органах грудной клетки, с искусственным кровообращением. Смело берётся за новое, но предварительно тщательно готовится, оттачивая детали в эксперименте. Вообще его отличают скрупулёзнейшая добросовестность и ответственность с самого начала самостоятельного пути.

После средней школы — техникум физической культуры, преподавание в интернате, затем учеба в 1-м Ленинградском мединституте, трёхлетняя практика в районной больнице, двухгодичная клиническая ординатура в Институте пульмонологии. Три года Головин был младшим научным сотрудником академической группы при нашей клинике.

Выраженные хирургические способности сочетаются у Владимира Николаевича с одержимостью в работе. Большую часть времени он в операционной, у постели больного, в экспериментальной лаборатории, в учебной комнате, где с подобными себе энтузиастами обсуждает неясные случаи или ход предстоящей операции.

Он берёт тему кандидатской диссертации, в которой немало места занимает электронная микроскопия. Проводит массу опытов, просматривает сотни микропрепаратов, высчитывает элементы на огромных таблицах... И не удовлетворяется результатами. Владимир Николаевич не находит того, что искал, и после долгих колебаний — жаль затраченного труда — оставляет эту тему.

В 1977 году мы выдвинули его на должность заведующего отделением. Он закрепляет свой опыт по общей хирургии и продолжает экспериментировать в области кардиологии.

По предложению дирекции Головин назначается заместителем главного врача клиник института, однако, невзирая на возросшие административные нагрузки, хирургии не бросает. Дня теперь не хватает, и он включается в ночные дежурства по «скорой помощи», чтобы хоть за счёт сна не терять творческой формы.

Через два года Владимир Николаевич вновь возвращается в нашу клинику, уже в качестве заведующего кардиологическим отделением. Продолжает совершенствовать свою технику, много консультирует в соседних поликлиниках, выезжает в периферийные города, автономные области и республики, завязывает связь с местными органами здравоохранения, посылающими к нам пациентов. Вместе с доцентом В. В. Гриценко и другими врачами досконально осваивает методики одно- и двухклапанного протезирования.

Прооперировав больного, Владимир Николаевич сутками не отходит от него, даже если тот не в реанимации, всеми мерами помогает его выздоровлению. Когда бы ни позвонил в клинику — он там. И неизменно в окружении молодых хирургов, которые по его примеру, что называется, горят на работе. И уж, конечно, в самое неурочное время можно застать в клинике Фейрузу Александровну Мурсалову, Владимира Аркадьевича Соловьёва, Владимира Викторовича Гриценко...

Мне приятно сознавать, что, несмотря на все препятствия, огорчения, которые нам пришлось пережить, энтузиазм не погас, что за нами вслед идёт достойная смена.

Наглядная иллюстрация тому — операция с искусственным кровообращением, в том числе при протезировании клапанов. Учитывая, что они требуют специальных знаний и технических навыков, мы создали особую бригаду хирургов, благодаря чему стало возможно интенсивно и более безопасно для больных применять всякие новшества.

Радостно бывает узнавать, что у нашей клиники хорошая репутация, что внимательность и чуткость врачей завоевали признание. В частности, об этом мне сказала молодая женщина из Риги, Ольга Александровна. Сестра её мужа, Наташа, оказалась у нас после долгих страданий.

10

Наталья Фёдоровна, или просто Наташа, была четвёртым ребёнком в семье слесаря Запорожского завода огнеупоров и уборщицы при заводском общежитии. Шестеро детей мал мала меньше требовали заботы матери, и она не получила никакой специальности, но тем сильнее хотела видеть всех детей самостоятельными, образованными. В доме царила атмосфера дружбы, любви, уважения к труду.

Окончив девять классов, Наташа должна была учиться в десятом, но тут, в семнадцать лет, она заметила, что на правой ключице у неё появилась небольшая опухоль. Вначале величиной с горошину, опухоль стала быстро расти. Боли не чувствовала, однако ощущала какую-то тяжесть в плече и общую разбитость.

Сперва Наташа ни к кому не обращалась, потом пошла по врачам. Они её осматривали, качали головами, но ничего конкретного не предлагали. Между тем опухоль увеличивалась. Родители забеспокоились. Повторили визиты к медикам, настаивали на лечении. Наташу поместили в онкологический институт. Делали различные анализы, снимки, но лечение по-прежнему не проводили.

Девушка пробыла там два месяца. За это время опухоль разрослась ещё больше — занимала всё плечо и сильно возвышалась над ключицей. Перед выпиской врачи неуверенно предложили рентгенотерапию, но тут же предупредили, что она вряд ли поможет. Родители, естественно, отказались.

Наташа вернулась домой вся в слезах. После долгих колебаний, как ни страшно было подумать об операции, они попали на приём к самому опытному хирургу. Тот ощупывал опухоль, то поднимал, то опускал Наташину руку, заходил то спереди, то сзади...

— К сожалению, операция невозможна.

— Но почему же? — взмолилась Наташа.

— Опухоль лежит на крупных сосудах и на нервных стволах. Отойти от них, не поранив, нельзя. Ранение же сосудов и нервов — это в лучшем случае потеря руки.

— А что в худшем? — робко спросила мать.

— А в худшем можно и жизнь потерять.

Такой приговор совершенно выбил Наташу из колеи. Ей уже казалось — стоит согласиться на операцию, преодолеть страх, и конец мучениям. Что же ей теперь остаётся? Опухоль будет расти, перейдёт на шею, затем и на голову!

Несколько недель Наташа, зарывшись в подушку, плакала, не хотела есть. С трудом, с уговорами, соглашалась сесть за стол вместе со всеми. Под их крышей поселилась печаль. Не было слышно обычного смеха и песен, разговаривали тихо. Даже младшая сестрёнка, восьмилетняя Валя, и та ходила на цыпочках.

Миновал год. Опухоль — как три мужских кулака, которые сковывали движения плечевого сустава. Словно у человека рос горб, но как-то чудно — сбоку и кверху. Год прошёл без учебы и работы. Нужна была медицинская справка, а справку не давали. И в институте ей сказали, что она проживёт семь-восемь месяцев, не более.

Наташа с матерью вновь обратились к онкологам. Пусть рентгенотерапия, лишь бы хоть маленькая надежда. Врачи предприняли вторичное обследование и решительно заявили: облучения не надо, можно только навредить — появятся боли, наступит полная атрофия конечности.

— Если вы меня не можете лечить, выдайте направление в Киев или Москву, — горячо просила Наташа.

— Да поймите, это бесполезно. Нигде и никто не совершает чудес. Вам не повезло — очень нехорошее место. Крупные сосуды и нервы тесно связаны с опухолью...

Наташу охватило тупое отчаяние. Она никуда не выходила, сидела дома, даже книги не отвлекали. Постепенно, однако, молодость брала свое. Со старшей сестрой стала посещать вечеринки. Там она не танцевала, не пела, но её красота и какая-то затаенная грусть в глазах привлекали к ней молодых людей. Она же всех чуждалась, не желая растравлять себя несбыточными мечтами о счастье. А молодые люди, раз-другой поговорив с ней, постепенно отставали. Может быть, они прознали, что она безнадёжно больна... И Наташа опять оставалась наедине со своими мрачными мыслями.

Пять лет — мучительное ожидание неизвестно чего... Опухоль прекратила свой бурный рост, увеличивалась медленно и причиняла больной в основном моральные страдания. Отняв у девушки пять лет самого радостного и счастливого периода жизни, она как бы притаилась перед новым скачком.

Наташа снова просила врачей направить её в Киев или в Москву, но ответ был тот же. Тогда она самозвнно поехала в столицу, добилась консультации у известного специалиста. Он отнёсся внимательно и сочувственно. Тщательно осматривал, ощупывал опухоль, проверяя пульсацию сосудов.

— Если попробовать удалить, слишком велик риск и очень мало шансов на успех. Во всяком случае, мы за эту операцию не возьмёмся. К вашему несчастью, здесь и лучевая терапия не поможет.

Увидев слезы на глазах девушки, он как можно мягче постарался её утешить:

— Что поделаешь, медицина пока не всесильна. Есть болезни, которые сильнее нас.

— А куда ещё можно поехать, кому показаться?

— Я не знаю хирурга, кто бы решился. Да и вам не советую рисковать. Такая операция больше походила бы на авантюру.

С тем Наташа вернулась в своё Запорожье. Это было в 1979 году.

Она по-прежнему не училась и не работала, жила замкнуто, одиноко, погружённая в свои невесёлые думы.

Летом 1981 года Наташа зашла в очередной раз в поликлинику за справкой. Перед кабинетом врача разговорилась с какой-то женщиной. Та посоветовала написать письмо в Ленинград и дала адрес нашей клиники.

— Я там лежала. Все доктора удивительно отзывчивы. Они вам обязательно ответят.

И действительно, в конце июня мы получили письмо из Запорожья. Немедленно послали разрешение и официальный вызов.

Наташа разволновалась. По существу, за восемь мучительных лет она уже привыкла к мысли о скорой смерти, о том, что помочь ей нельзя, а операция лишь усугубит страдания. Она бросилась к врачам. Те категорически возражали. Родители сомневались, не зная, как быть. Три месяца метаний, и вот в октябре Наташа появилась на моём еженедельном консультативном приёме, куда приходят больные и без направления.

Мой учитель Николай Николаевич Петров привёл однажды больного к дежурному врачу клиники и сказал, что его надо принять. «У него нет направления», — возразил врач. «Зато у него есть болезнь, которую мы можем и должны лечить». И Николай Николаевич настоял на незамедлительном стационировании.

Помня завет учителя, мы стараемся поступать так же.

Наташа произвела на меня сильное впечатление. Молодая, красивая, она выглядела забитой, испуганной, несчастной, как выглядят люди с тяжёлыми уродствами. Глаза потуплены. Напряжённое ожидание приговора.

Вид опухоли, её местоположение сразу же заставили подумать о сосудах, на которых она лежала. Как к ним подойти и как их обойти, не повредив?

Стало страшно, когда подумал, что мне придётся делать такую операцию. А как отказать, если ей уже отказали другие и если для неё это, может быть, последняя попытка?

Позвал своих помощников — Зубцовского, Мурсалову, Головина. Они подтвердили, что хирургическое вмешательстве необходимо.

— Кто из вас возьмется за операцию? — Молчат.

— Придётся вам, Фёдор Григорьевич, а мы поможем, — сказали все трое.

Больной было разрешено лечь в клинику. Через несколько дней на одном из обходов я спросил: «Где же Наташа?» — «Она не поступила».

Девушка появилась у нас вновь только в феврале 1982 года. Оказывается, как Наташа призналась после, по выражению наших лиц, по отдельным репликам она поняла, что операция опасная. Ей сразу же вспомнились предостережения местных врачей и московского профессора. Накатил страх. Выйдя от нас, она разыскала платную поликлинику и записалась к хирургу. Женщина-профессор призвала себе в помощь областного онколога. Они оба были едины во мнении:

— Без операции вы проживёте, наверное, несколько лет, а пойдёте под нож — умрёте сразу.

Наташа купила билет на отходящий поезд... «Пусть больная, пусть изуродованная, лишь бы жить, жить», — шептал ей внутренний голос. Но как только она отъехала от Ленинграда, в ней заговорил другой голос: «Что ты наделала? Тебе представилась возможность избавиться от своей ужасной болезни, от постоянной угрозы, что опухоль тебя задушит, и ты этой возможностью не воспользовалась! Что тебя ждёт впереди, куда ты едешь?»

Так, в смятении чувств, промаялась Наташа три месяца. У кого найти опору? Родители растерялись, полные беспокойства за её будущее. Врачи твердили свое: «Опухоль неоперабельна, а если её расковырять — она опять начнёт расти бурно». Всё чаще Наташа думала о брате Саше. Он добрый, умный, он обязательно даст дельный совет. И Оля — жена Саши — ласковая, внимательная, как старшая сестра.

В один прекрасный день Наташа быстро собралась и отправилась к брату в Ригу. В его семье не колебались. Риск? Опасность? А какая операция без риска? Какая неопасна? Однако миллионы людей оперируются, и у большинства все кончается благополучно.

Про клинику в Ленинграде они тоже слышали. И зря предлагать операцию там не будут...

Такие разумные слова сразу же внесли успокоение в растревоженную сомнениями душу Наташи. Она согласилась ехать в Ленинград, но с условием, чтобы Оля была с ней во время и в первые дни после операции.

Как ни трудно было оставлять дома мужа и сына, Ольга Александровна взяла на службе отпуск за свой счет, и обе они явились к нам, внутренне мобилизованные. Теперь настала очередь нашим сомнениям и переживаниям. Отступать некуда, но как представишь себе эту опухоль, её связь с сосудами, нервами, как подумаешь об осложнениях, которые подстерегают хирурга, а следовательно, и больную, то невольно защемит сердце, уже привыкшее к разным испытаниям.

Главная опасность — ранение двух крупных сосудов, лежащих под ключицей, то есть непосредственно под опухолью. Не проросла ли опухоль стенку сосудов? Если проросла, то придётся их резецировать, а место исключительно неудобное. Оба сосуда выходят из грудной клетки, и для манипуляций с ними надо её вскрыть, оперировать и внутри и снаружи грудной полости. Может быть, на счастье, сосуды не затронуты? Тогда они разделены тонкой надкостницей, её толщина один миллиметр: ошибись немного, и начнётся кровотечение, остановить которое — целая проблема.

Всё это было продумано, оговорено с помощниками и с операционной сестрой. В хирургии, напомню, есть такое выражение: «Большая подготовка — малая операция, малая подготовка — большая операция». Этот закон у нас соблюдается незыблемо.

Чтобы лучше представить себе отношение опухоли к ключице, рёбрам, грудине, сделали снимки области правого плечевого пояса. По снимкам установили: опухоль костная, она исходит из ключицы и захватывает её, не считая участка длиной два-три сантиметра около самой грудины. Крупные сосуды целиком прикрываются опухолью. Вот и вся предварительная информация. Остальное предстояло выявить на операционном столе.

...Прежде всего мы подошли к грудинному концу ключицы, постарались его освободить от окружающих тканей, подвести проволочную пилку и перепилить. Затем отделили ключицу от лопатки и шаг за шагом отслаивали опухоль, направив внимание на то, чтобы не ошибиться, не поранить сосуды и нервы. А сосуд так тесно примыкал к надкостнице ключицы, что в какой-то момент я, останавливая кровотечение, захватил иглой ткани на глубину не более одного миллиметра и попал в просвет сосуда. Быстро удалив нитку, мы долго прижимали это место... Так или иначе, нам удалось благополучно иссечь всю опухоль вместе с ключицей без остатка. Сразу же, повернув больную на бок, сделали разрез на уровне десятого ребра, поднадкостнично резецировали его кусок размером около пятнадцати сантиметров, вставили взамен ключицы, пришили концы, опутали надкостницей. Со временем недостающее десятое ребро вырастет, а пересаженное будет выполнять роль ключицы. Чтобы оно не сместилось, мы наложили соответствующую гипсовую повязку.

Операция длилась три часа и прошла без осложнений.

Больная быстро очнулась от наркоза. Боли её не беспокоили, и она проспала всю ночь.

Наутро, когда я наведался в палату, Наташа, по-видимому, уже всё знала. Я спросил, как она себя чувствует. Она ответила — хорошо. И улыбнулась. Впервые за восемь лет...

3 Спроси с себя строго

1

Мы ехали в Комарово. Жена вела машину. Наш десятилетний сын Гриша, как всегда, устроился рядом с водителем. Я и Борзенко расположились на заднем сиденье.

— Вы мне сегодня не нравитесь, — заговорил я с нарочитой строгостью. — В чём дело? Анализы не так уж плохи, так нечего и хандрить.

Сергей Александрович улыбнулся — невесело, с затаенной думой.

— Это верно, чувствую себя вроде бы прилично. Спасибо вам, Фёдор Григорьевич, и врачам вашим — они нянчились со мной, как с родным человеком. Удивительные у вас люди! Не устаю ими восхищаться.

— Так в чём же дело? Что нос повесил, добрый молодец?..

Борзенко молчал. Я тогда спросил, как его лечил в Москве профессор Белоусов. Все ли сделал по моей записке? (Здесь воспользуюсь правом беллетриста давать персонажам вымышленные имена.)

— Да, спасибо, он встретил меня приветливо — на своей машине возил в лабораторию. Называет себя вашим учеником. По-моему, относится к вам с уважением. — И минуту спустя: — Хорошо, что была записка. А то он вряд ли что-нибудь предпринял бы...

Я подивился верному и точному наблюдению Сергея Александровича. Белоусов действительно никому и ничего не делает бескорыстно, или, как сам он говорит, «так, за здорово живёшь». На редкость практичен и расчётлив.

Некоторое время он, ещё молодой врач, был прикреплён к нашей клинике. Любил выполнять всякие хозяйственные поручения. Пошлёшь его, бывало, на завод с заданием достать тот или иной прибор, аппарат — он всё провернёт наилучшим образом, установит тесные, почти дружеские контакты с директором, его заместителями. Впоследствии, прося за очередную больную, напомнит: «Я вам приборчик доставал, так эта больная — родственница директора завода». На это я замечу: «Не мне вы доставали приборчик, а клинике, а что больная — родственница директора, это не имеет никакого значения. Вы же знаете, что на операцию мы кладём каждого, кого можем». Белоусову не по душе подобный поворот разговора. Он взмахнёт руками, скажет: «Ах, Фёдор Григорьевич! Вы, право, идеалист. Нельзя же быть таким! Вы живёте представлениями двадцатых годов. В наш технический век и в человеческих отношениях всё учитывается, взвешивается...» Обыкновенно я прерывал поток его красноречия: «Не все ныне следуют принципу: ты — мне, я — тебе... И если бы этот принцип победно проник в медицинскую среду, мы перестали бы быть врачами. Вот вы, возможно, станете профессором, а в голове у вас извините, ералаш. Чему же вы будете учить молодёжь?» Он замолкал, но по насмешливому блеску его темно-серых глаз я видел, что он со мной не согласен.

Позднее Белоусов, защитив докторскую диссертацию и освоив методику хирургического лечения рака лёгкого, остался работать в Москве.

Однако мир тесен. Судьбе угодно было поселить Белоусова в подмосковном дачном посёлке — по соседству с другом моим Петром Трофимовичем. Дружба у нас началась сразу же после войны, и с тех пор мы неизменно придерживаемся правила: твой дом — мой дом. Бывая в столице, я всегда останавливаюсь у Петра Трофимовича, а если приезжаю летом — направляюсь к нему на дачу. Когда Белоусов был ещё кандидатом наук и, случалось, сопровождал меня в командировках, он тоже находил приют у Петра Трофимовича.

Помню, ещё тогда, много лет назад, с восхищением оглядывая с террасы прекрасные окрестности, Белоусов вздыхал: «Эх, Пётр Трофимович! Хорошо бы тут поселиться у вас!»

Впоследствии он исполнил своё заветное желание — купил домик у отставного генерала, доброго соседа Петра Трофимовича. И так я снова стал видеться с ним: то Белоусовы зайдут к Петру Трофимовичу, то нас позовут на огонёк. Дачная жизнь располагает к встречам и беседам.

В Москве немало врачей и учёных, считающих себя моими учениками. Одни защищали под моим руководством диссертации, другие работали в клинике или в Институте пульмонологии, где я был директором, третьи просто учились по моим книгам. Со всеми у меня тёплые, дружеские отношения. Но профессор Белоусов чаще других звонит мне в Ленинград, иногда присылает на консультацию больных с записочкой, а нередко обращается ко мне как к редактору журнала «Вестник хирургии» с просьбой напечатать кого-либо из своих знакомых, хотя знает, что я по-прежнему держусь «представлений двадцатых годов».

— Михаил Зосимович — «оригинал», — продолжал Борзенко делиться впечатлениями о Белоусове. — Он давно прекратил операции, строит административную карьеру.

— Да, заместитель директора института. Не ахти уж какая это карьера, если учесть, что за последние десять лет он не напечатал ни одной научной статьи. Профессор есть профессор — должен исследовать, открывать, учить...

— Белоусов, как мне показалось, слишком занят собственным благополучием, его интересы далеки от подлинной науки.

Сергей Александрович помолчал.

— Чем объяснить, Фёдор Григорьевич, что ныне так распространился психоз накопительства и личного благоустройства?.. Я вот недавно друга потерял: был друг, и нет его. Словно в пропасть сорвался. — И, повернувшись ко мне, стал оживлённо рассказывать: — Степан Фомич Почкин командиром роты был на фронте, а ныне — художник. Да я, кажется, водил вас к нему на выставку.

— Как же, как же. Батальные картины пишет. Ничего картины. Многие отмечают в них плакатность, декларативность, мол, торопится, не прописывает детали. Но мне понравились. Помню я его: лысый, подвижный...

— Вот-вот, он самый. Подвижный, весёлый, общительный Степан Почкин. На месте минуты не посидит — всегда куда-нибудь бежит. Или у него в мастерской приятели, или он в гостях... Рубаха-парень, свой в доску. И представьте, Фёдор Григорьевич, показал себя с неожиданной стороны...

— Да что же произошло, что он вам сделал?

— Мне — ничего. В том-то и дело, что не мне, а товарищам. Вы меня уже знаете. Я не сужу строго людей по тому, как они ко мне относятся; в конце концов, я тоже могу совершать поступки, которые не всем нравятся. Если ты стал плохо относиться ко мне — бог с тобой, это ещё надо посмотреть, кто из нас виноват. Но если человек изменяет товарищам, предает их, тут уж невольно приходит мысль: он сбился с колеи, что-то с ним неладно. Почкин начал предавать товарищей — одного за другим, особенно тех, кто не именит. Таких он буквально пинал ногой. Вот что скверно, Фёдор Григорьевич.

Надо было помочь молодому талантливому художнику, которого всячески затирали менее талантливые, но более пробивные коллеги. К Почкину как к заместителю председателя выставочного комитета обратились с просьбой посодействовать, чтобы картины этого художника попали на выставку. Он и слушать не хочет. Я послал ему обоснованное, убедительное письмо — он даже не дочитал. Не могу, и все! Пришлось идти к председателю выставочного комитета. Тот и принял решение, потому что картины были достойны этого.

Сергей Александрович с горечью говорил, что Почкин, в прошлом скромный и непритязательный, словно вдруг заразился вирусом тщеславия и наживы — работает небрежно, а энергию тратит на то, чтобы выгоднее пристроить свои творения, организовать выставку, отклик в печати. И ради этого заводит нужные знакомства, лебезит, угодничает. И всех друзей растерял...

Мимо нас проплывали ухоженные посёлки северных пригородов Ленинграда. Дорога вела в сторону Финляндии, прижималась к заливу. Сергей Александрович неспешно продолжал свой рассказ, а я, слушая его, думал о том, как много общего в природе людей, занятых в жизни только своей персоной и равнодушно относящихся к судьбе других, в том числе и к судьбе своих товарищей. Поразительно однообразны они — сребролюбцы, эгоисты! И главное в них — неустойчивость в принципах, а скорее, отсутствие всяких принципов, способность изменить, предать даже близкого человека, если волею обстоятельств человек этот оказался на пути к достижению корыстных целей.

Почкин ничего плохого не сделал своему фронтовому другу, да, впрочем, и не мог ничего ему сделать: Борзенко недосягаем, его репутация, общественный вес слишком велики, чтобы деятели, подобные Почкину, могли ему причинить зло. Но Почкин огорчил Сергея Александровича низменностью устремлений, оскорбил чувство товарищества, поступился идеалами, которым Борзенко и такие, как он, смолоду поклонялись и ради которых в годы войны стояли насмерть.

А разве мало людей спокойно прошли бы мимо Почкина, не придали бы большего значения происшедшей с ним метаморфозе? Кто-то стал эгоистом, подличает, пресмыкается — ну и что? Не он первый, не он последний. Стоит ли нервы мотать?.. Так ошибочно думают обыватели, ибо их не слишком-то заботит состояние дел в обществе.

Это о них сказал Н. А. Некрасов:

> Кто живёт без печали и гнева,
> тот не любит отчизны своей...

Не такой Борзенко! Он близко к сердцу принимал все, что его окружало. Мучительно страдал, сталкиваясь с равнодушием или корыстью друзей и близких. Тут Сергей Александрович как бы ощущал свою вину, возмущался, долго не мог успокоиться. Может быть, оттого прежде срока и сдал, надломился его некогда могучий организм. Вспомнил, как на моём юбилее он говорил: «Дубы притягивают молнии». И сейчас я думал: «Борзенко и есть тот самый могучий дуб, который притягивает к себе молнии».

В молодости в Сибири я видел сильных и смелых людей. Они добровольно пришли в те далекие суровые места и повели борьбу со стихией. Трудности закаляли их, они умели ценить доброту, верность дружбе, честность. Наверное, от них мне передалась тяга к гордым в своей правоте индивидуальностям. По-моему, я очень быстро замечаю в человеке хорошее, «слышу» в нём благородные помыслы. И быстро к нему привязываюсь. Мне доставляет удовольствие общаться с ним, наблюдать его в жизни, в работе, а если ещё и складываются дружеские отношения, я глубоко чту дружбу, стараюсь не омрачать её повседневными мелочами.

Такие чувства я и питал к Сергею Александровичу Борзенко. И можно было понять мои душевные муки от сознания невозможности ему помочь. «Как мы ещё слабы, — с грустью размышлял я, — перед лицом многих и многих болезней!..»

Мне вспомнились сцены из жизни профессора Белоусова — сцены, невольным свидетелем которых я был и которые оставили у меня такую же горечь, какую поселили в душе Борзенко последние встречи с его давним приятелем Почкиным.

Дача Белоусова стоит на возвышении у края леса. Цветные стекла второго этажа далеко отбрасывают солнечные лучи, и дача напоминает птичью клетку в густой кроне деревьев. От посёлка её отделяет пруд, и здесь, на ближнем берегу пруда, чуть поодаль примостился зелёный домик профессора-стоматолога Василия Ивановича Фокина. Домик, в прошлом неказистый, обшарпанный, Фокин приобрёл ещё в молодости.

Стоматолог был никому не ведом, он только собирал материал для своих трудов, которые вскоре принесли ему и положение в научном мире, и достаток. Белоусов, напротив, был в зените славы, статьи его об особенностях операций при раке лёгкого сразу создали ему репутацию среди учёных. У него на даче можно было встретить и академика, и генерала, и знаменитого артиста, и писателя. Толкался тут и Фокин. И хотя хозяева недолюбливали его и даже демонстрировали ему явное пренебрежение, Василий Иванович не замечал холодного приёма, заходил всё чаще, оставался обедать. Живший когда-то в бараке для сезонных рабочих, сын овдовевшей в годы войны и почти неграмотной женщины, он, помимо воли, тянулся к людям именитым, испытывал почти детскую радость, если с ним запросто, на равных беседовала какая-нибудь знаменитость. После подобных бесед Фокин шёл домой окрылённый, далеко выбрасывая вперед палку и громко разговаривал со спутником, если таковой случался с ним рядом.

Обыкновенно спутником его оказывался Виктор Курицын, столяр, живший по соседству. Курицын тоже почти ежедневно бывал у Белоусова, но, в отличие от Фокина и от самого Михаила Зосимовича, одинаково относился ко всем, невзирая на чины и звания.

Дачу Белоусова Курицын построил собственными руками, привык к ней как к чему-то родному, а хозяина, его жену Алевтину Исидоровну и их дочь школьницу Ирину считал чуть ли не членами своего семейства. Белоусову столяр был нужен — едва ли не каждый день прибегал к его услугам: то поправь, то почини... Так они и жили «душа в душу».

Особенно бывают рады Белоусовы визитам Николая Константиновича Елисеева — важного человека из министерства. Ростом он велик, грузен, ходит не торопясь и всегда улыбается. Загадочно этак и вроде бы осуждающе: знаю, мол, вашего брата — меня не проведёте.

Для него постоянно готовы комната, постель, чистые простыни.

И угощение ему подают обильное — любит покушать! И коньячок и водочка — всё отборное.

Елисеев — благодетель. Он способствовал выдвижению Белоусова, и вся семья к нему испытывает благодарность.

— Где зубодёр? — по привычке спрашивает Елисеев. И смеется загадочно.

Фокина он зовёт не иначе как «зубодёр», без всякого почтения к профессорскому званию. Однако послушать его лишний раз не прочь. Василий Иванович мастер рассказывать. При этом как-то характерно взмахивает руками, точно припечатывает слова, забивает их, как гвозди. Жесты энергичные, ковбойские, и словечки находит смачные, ёмкие, рассыпает щедро меткие эпитеты. Об одном скажет: «Хищник». О другом заметит: «За рубль в церкви свистнет».

У Фокина красивая жена, и он её, по всему видно, любит, но тёща его раздражает. И чтобы быть от неё подальше, на усадьбе соорудил себе времянку — летний кабинет.

— Где зубодёр? — повторяет свой вопрос Елисеев.

— Придёт, — отвечает Белоусов. — Куда он денется?..
Николай Константинович отправляется в отведённую ему
комнату на втором этаже. Две стены её сплошь застеклены.
Стёкла разноцветные — это они радугой переливаются на
солнце. Ложится на кушетку и читает книгу. Но совсем
забыться ему не дают голоса, доносящиеся из сада. Там,
в беседке, накрывают на стол. Алевтина Исидоровна то
весело покрикивает на мужа, то просит о чём-то Курицына — он тоже тут, помогает.

У калитки громко лает пёс, чёрной масти колли. Пришёл
Фокин и, судя по разговору, привёл с собой Василия Галкина, застенчивого субъекта, нервно теребящего на лбу
реденький клочок чёрных прямых волос. Галкин — медик,
но звания научного не имеет, больных не лечит — будто бы
окончил курс не то по санитарии, не то по разделу организации здравоохранения. Белоусов однажды в сердцах обронил: «Никакой он не врач, фельдшер. Он только выдаёт себя
за врача!» Молчаливый, сторонящийся всех Галкин мало
кого интересовал.

Иногда они вместе заходили к нам, то есть на дачу Петра
Трофимовича, который в силу своей безбрежной доброже-
лательности каждого принимал сердечно и никогда никому
из гостей не демонстрировал нерасположения.

Помню, Галкин одно время рассказывал о Дмитрии Дон-
ском, о житье-бытье князя, битве с монголо-татарскими
полчищами. «Вероятно, любит историю, читает много», —
думал я тогда о Галкине.

Он явно предпочитал общество Петра Трофимовича — то
ли инстинктивно тянулся к литературе, то ли ему льстило
общение с писателем. Даже показывал свои стихи. Мы узнали, что Галкин мечтал стать поэтом, печатался в заводской
многотиражке. Несколько его остроумных эпиграмм под-
хватили рабочие, ему прочили литературное будущее. Но
поэзия — не только эпиграммы. Тут без глубоких чувств
и больших мыслей не обойтись. В общем, не вышел из него
поэт, он стал администратором. Что ж, государству и администраторы нужны, хорошие, конечно.

Я потом наблюдал за ним. Личина застенчивости
и неприметности продержалась недолго, а затем он ловко
принял позу бойца и мог произвести впечатление сильной
личности. Он даже лексикон усвоил бойцовский, будто

стоял в ряду людей, бившихся неизвестно с каким противником. Даря на память фотографию, надписал: «На борьбу, на огненную жизнь!..»

В то же время и от Белоусова, и от Фокина я нередко слышал: «Галкин — делец, для него нет ничего святого; его надо непременно чем-нибудь заинтересовать лично».

Вот парадокс: с одной стороны — мелкая душонка, а с другой — высокие слова...

Удивительно, как умеют у нас некоторые манипулировать словами! В молодости я легко поддавался обаянию громких слов и лишь гораздо позже научился различать пафос подлинный и пафос мнимый. Заметил, что к красивым фразам нередко прибегают как к дымовой завесе: за ними прячут подлинные побуждения, весьма далекие от идеала. Галкин — яркий тому образец.

Елисеев над ним подтрунивает. Фокин тоже относится настороженно, однако приглашает к себе. Видимо, Галкин нужен.

Как-то я спросил Белоусова:

— Зачем вы принимаете Галкина? Ведь он вам неприятен.

— Пустой мужичонка! И заметьте: эпизоды из русской истории рассказывает. Это он Елисееву хочет доказать свою образованность. Возит с собой исторический журнал, прочтёт страницу-другую, затем нам перескажет. Вы не смотрите, что он скромный, — он тщеславный и карьерист отпетый. Сейчас должность в одном институте освободилась, так он о шефе статью накропал, хвалит до неприличия, а шеф к лести неравнодушен, он уже заприметил Галкина. И вот посмотрите: выйдет ему повышение. А Фокин нос по ветру держит. Он теперь сборник статей для издания готовит. Ну а я-то ни при чём. Я никаких статей пока не пишу. Некогда мне, Фёдор Григорьевич!

«Странное сообщество! — думал я. — Они и здесь, на даче, не отдыхают, а продолжают делать свои дела. Разве что Елисеев приезжает сюда без определённой цели — отдохнуть, побродить по лесу. И на этот рой, вьющийся вокруг него, смотрит равнодушно — пожалуй, с некоторой дозой любопытства и некоего спортивного интереса».

Вечерами Николай Константинович иногда приходит к нам и подолгу сидит в беседке или поднимается в кабинет к Петру Трофимовичу, роется в его обширной библиотеке. В кабинете установлен проигрыватель со стереоусилителями. Елисеев просит разрешения поставить что-нибудь из Моцарта, Вивальди или из русской классики — слушает. Порой мы сидим в кабинете с ним вместе, а то ещё присоединится жена Белоусова, Алевтина Исидоровна. Любопытная деталь: и Белоусов, и Фокин, и Галкин музыкой почти не интересуются.

Однажды в разгар лета я приехал в Москву на конференцию и вечером отправился на дачу. Зашёл к Белоусовым, Михаила Зосимовича застал в расстроенных чувствах. Была суббота, всюду на столах лежали кульки привезённых из города продуктов, но никто их не убирал. Хозяин и хозяйка бегали из кухни в дом, по саду, нервно, горячо что-то обсуждая.

— Что случилось?

— Ах, ничего! Пустяки, Фёдор Григорьевич. Это у нас свои проблемы, домашние. Да вы, пожалуйста, проходите в сад, отдыхайте. Все утрясётся.

Через минуту-другую Белоусов хлопнул калиткой, исчез куда-то. Я отыскал в саду Алевтину Исидоровну. Она была откровеннее и с жаром начала изливать свои огорчения:

— Что за народ — нет у них ни стыда, ни совести! Берут вашего гостя и увозят к себе под предлогом, что у них будет удобнее, а у Белоусовых, мол, нечего больше делать. Подумайте только, Фёдор Григорьевич, какая наглость!

— И ладно, — пытался я успокоить хозяйку. — Вам же меньше хлопот. Стоит ли волноваться?

Добрая женщина, казалось, меня не слышала:

— Человек привык к месту, для него мы держим всё необходимое. Наконец, он наш старый друг... Нет-нет, это ужасно!..

Вскоре вернулся Белоусов. Он был у Фокиных, сказал жене, что сейчас все придут к ним, и оба засуетились вокруг беседки и стоявшей в глубине сада маленькой летней кухни. Когда же всё было готово к приёму гостей, Михаил Зосимович, несколько успокоенный, подошёл ко мне, чтобы пожаловаться на странную манеру Фокина перехватывать его друзей.

Я неохотно слушал этот обывательский разговор, огорчаясь за своего ученика: «Как ты далёк от науки! Как могут глубоко засосать мелочные заботы о карьере, о престиже, об удобствах быта...»

— Фокин недавно какую штуку отмочил. — Белоусову нужно было выговориться. Он страдальчески морщил курносое лицо. Вялые складки на щеках дрожали, темно-серые глаза беспокойно блестели. — Зашёл я к нему в кабинет на работе — его нет. Ну, сел в кресло, сижу, ожидаю. Входит Фокин, взъерошенный, нервный. «Ты не обижайся, только сюда сейчас пожалует мой начальник, и я не хотел бы, чтобы он тебя увидел. Сделай милость, уйди побыстрее». А этого начальника я как-то с трибуны научной конференции выставил отъявленным невеждой.

— И как же вы поступили?

— Ушёл, конечно. Зачем мне усложнять их отношения? Поднялся и ушёл.

— Ну и ну! — качал я головой, едва сдерживаясь, считая неуместным давать надлежащие характеристики им обоим в этом доме.

В праздничном наряде, торжествующие, явились Фокины, с ними — лукаво посмеивающийся Елисеев, Василий Галкин и ещё кто-то незнакомый, наверное, товарищ Галкина. Независимо от них, но точно к ужину подоспел столяр Курицын. Хозяин, отчасти успокоившийся, звал всех к столу.

— Между прочим, — сказал я, — сегодня на конференции делал доклад о новой методике операций при раке лёгкого, разработанной в нашей клинике. Ожидал, что вы тоже придёте послушать.

— Ах, Фёдор Григорьевич, до науки ли мне теперь! — живо возразил Белоусов. — Занят по горло. Я же заместитель директора, а директор — сами знаете: учёный. Все дела на мне. Кручусь как белка в колесе!..

Был поздний вечер. Темнело. В просвете между деревьями я видел зажигающиеся на небе звёзды, и чудилось мне, что вершины елей тянутся к ним и подступающая к даче полоса леса тоже сливается с небом, завершая прекрасную картину постепенно сгущающейся ночи.

Михаил Зосимович говорил бодро, громко, заразительно смеялся. Елисеев сидел за столом, и этого было достаточно, чтобы Белоусов вновь обрёл хорошее настроение.

После ужина хозяева и гости пошли гулять. Белоусов и Фокин выходили с усадьбы последними. Белоусов сердито отчитывал Фокина:

— Какого чёрта таскаешь сюда этого недоучку Галкина?.. Мне он противен, не желаю знать его — слышишь! Не желаю!

...Однажды я приехал в Москву в мае, было тепло и солнечно. Позвонил Белоусову на службу. Он обрадовался моему звонку, вызвался доставить меня на дачу на собственном автомобиле. Он был возбуждён, взволнован происходящими у них переменами, много говорил, и больше всего о судьбе своего института — директор, престарелый академик, решил уйти на пенсию.

То и дело обращался ко мне с вопросом:

— Кого нам пришлют взамен? Там, в академических сферах, ведь все известно.

— Нет, я ничего не знаю. У вас такие связи, — намекал я на Елисеева, — а спрашиваете у меня. Да вас, вероятно, и назначат. Вы же заместитель, вам и карты в руки.

— Что вы, Фёдор Григорьевич, — слабо протестовал Белоусов. — У меня нет «руки». Для этого «длинная рука» нужна...

Я опять хотел завести речь о Елисееве, но удержался, а сам Белоусов о нём не вспомнил. Перебирал имена возможных претендентов на пост директора, взвешивал их шансы. Я обсуждал с ним кандидатуры и умышленно не касался самого существенного, что необходимо руководителю научного учреждения — его творческого потенциала, авторитета в научном мире, а когда словно бы невзначай заговорил и об этом, Белоусов поспешно возразил:

— Ну, знаете... Сейчас этому не придают значения. Директору куда важнее иметь организаторские способности...

Михаил Зосимович, разумеется, лелеял мечту занять место директора. И многие эпизоды, свидетелем которых я был на даче у Белоусова, его ухаживания за Елисеевым, вне рамок приличия, стали мне более понятными, и я снова с горечью и с какой-то нетерпеливой досадой подумал о своём ученике. Вспомнил, как помогал ему защищать докторскую диссертацию, как затем писал характеристику, где, между прочим, — я это хорошо помню — были и такие слова: «принципиальный, честный...» Как бы я хотел взяв обратно свои слова! Ведь я тоже невольно удобрил почву, на которой взошли негодные семена.

Вечером нас позвали к чаю. Я не хотел идти, но у Петра Трофимовича были какие-то дела к Белоусову, и он увлёк меня к соседям.

Алевтина Исидоровна встретила, как всегда, радушно, но была заметно рассеянна и чем-то озабочена. Я подумал: ждут Елисеева. Судя по нашему разговору в машине, им теперь особенно нужен важный человек из министерства.

Белоусов суетился, кричал Алевтине Исидоровне, чтобы она освободила холодильник, и затем таскал туда бутылки с водкой, вином и минеральной водой.

— Куда ты?.. Зачем так много?.. — дивилась хозяйка.

— Он любит... Этот очень даже любит, — отвечал Белоусов так, чтобы одна только жена могла его слышать.

Да нет, ждали они не Елисеева, потому что Николай Константинович хотя и не гнушался спиртным, но пил мало; к тому же повышенная возбуждённость хозяев указывала на какие-то новые, неизвестные мне обстоятельства.

Появился Курицын. Он обрадованно подошёл ко мне, заговорил о каком-то больном, но Белоусов прервал его:

— Виктор, голубчик мой, нужна баня, ты бы её растопил загодя — пусть лучше прогреется. Вот и Фёдор Григорьевич, и Пётр Трофимович не откажутся, и ещё будет один человек. Дуй, Виктор, раскочегарь. И не забудь травок — зверобою, мяты. И венички. Всё чин по чину, ты знаешь, давай, милый, время дорого!

Белоусов повернул его, подтолкнул в спину.

Алевтина Исидоровна позволила мне помогать ей накрывать на стол.

— У вас торжество сегодня? Верно, будет кто-то впервые?

— Почему? Всё те же. — Она смутилась, щёки её вспыхнули румянцем. Ясно, что хозяева что-то от меня скрывают, чувствуют некоторую неловкость, но причины я не знал.

Залаял пёс, толкнул мордой калитку, подбежал к нам. Вслед за ним вошли Фокин и Галкин. Оба были одеты в спортивные куртки, рубашки с отложными воротниками. Галкин усиленно теребил свой редкий чуб и почти враждебно кидал на меня короткие взгляды. Едва кивнув, тут же направился к стволу липы, от неё — к ёлке и всё посматривал на нас с Петром Трофимовичем, словно примериваясь, как ему вести себя с нами, о чём говорить. Белоусов подскочил к Галкину и долго тряс руку, и кланялся, и спрашивал, как добрались, на чём ехали. Алевтина Исидоровна была рядом и тоже как-то неестественно улыбалась:

— Комната для вас приготовлена. Вы, если хотите, поднимайтесь, там и постель, и полотенце...

Я не верил своим ушам. Точно такими же словами они встречали Елисеева. Посмотрел на калитку: не идёт ли он? Спросил наивно:

— А Николай Константинович?.. Он будет?

Все как-то смешались при этом вопросе, Галкин нахмурился. Алевтина Исидоровна сбивчиво пояснила:

— Николай Константинович редко у нас бывает. Он уже на пенсии, снял тут поблизости дачу... Больше по лесу гуляет. Да и что делать старику?

И ещё сказала — может быть, не совсем кстати:

— Теперь он... — показала на Галкина. — Василий Хасанович, его в министерстве заместил. Вы разве не знаете?..

— Да! Теперь он — Хасаныч! — пробубнил в нос стоматолог Фокин. И прибавил тихо: — Шишка! На козе не объедешь.

Фокин называл Галкина «Хасаныч», впрочем, не сбавляя в тоне почтительности и даже подобострастия.

Елисеев недаром любил сочные словечки Фокина. Вот новое — «Хасаныч». Столяра Виктора Михайловича Курицына он прозвал «Махалыч», соседа Дерябина — «Дерябнул»; как-то подошёл к его калитке и на предупреждении «Осторожно, собака» он слово «собака» зачеркнул, а сверху написал: «Дерябнул».

Перемены с обитателями дачи Белоусовых пролились на меня холодным душем. Во-первых, жаль было важного дела, доверенного почему-то Галкину; во-вторых, тягостно на душе от того, что здесь произошло. Ещё вчера хозяева питали откровенную неприязнь к Галкину. Я сам слышал, как Белоусов выговаривал Фокину за то, что тот его приводит, а сегодня... Боже мой!.. Да как он может быть таким бесцеремонным!.. Где же его достоинство, понятия о чести, его обыкновенная человеческая порядочность?.. Неужели он от природы лишён этих свойств? «Ну, предположим, — мысленно обращался я к Белоусову, — ты не стесняешься меня, своего учителя, соседа своего Петра Трофимовича, — тебе неважно, что подумает о тебе Фокин, он и сам делец и тоже лебезит перед тем, кто ему нужен. Но жена твоя Алевтина Исидоровна?.. Она подруга жизни твоей, ты будешь до конца с ней вместе, каждый день, каждый час, и неужели после всего этого тебе не стыдно смотреть ей в глаза? Её-то, её-то бы хоть устыдился!..»

Терзаемый этими мыслями, я сослался на плохое самочувствие и ушёл гулять в лес. И долго бродил по лесным тропинкам, вдыхая аромат майской зелени, слушая многоголосый птичий гомон. На одной полянке, где посёлок крайними домами глубоко вдавался в дубовую рощу, увидел на веранде одиноко сидевшего человека. Его облик показался мне знакомым; я подошёл ближе и узнал Елисеева.

— А-а, Фёдор Григорьевич! — поднял он руку. — Проходите, пожалуйста, очень рад.

Мы поздоровались, присели к плетёному столику.

— Зашёл к Белоусову, ищу вас там, а вы вот где.

Елисеев улыбнулся, понимающе кивнул головой.

— Как же так случилось, что на ваше место назначили этого... Василия Галкина? Он будто бы ничем себя не проявил, мы его не знаем...

Выражение лица Николая Константиновича красноречиво свидетельствовало о том, что он со мной согласен и что если бы он хотел обсуждать эту тему, то сказал бы многое. Однако, говорил его взгляд, я устал, мне надоели интриги.

По всему видно, судьба обошлась с ним круто, он выпал из седла неожиданно и не мог ещё оправиться от удара.

Николай Константинович был мудрым собеседником, и я намеревался посидеть с ним, отдохнуть, но тут из густого орешника возник Виктор Курицын и обрадованно воскликнул:

— Вас обоих я и пошёл искать. Собирайтесь, баня готова! — Он взял меня за руку: — И вы, Фёдор Григорьевич! Я давно хотел показать вам свою баню.

И вот мы идём по тропинке, огибающей пруд. Там, на противоположном берегу, у самой воды стоит мазанка и над ней вьётся дымок — это и есть баня Курицына. У входа нас ждёт Белоусов. Он чем-то взволнован, берёт Виктора за руку, отводит в сторону. Мы заходим в предбанник. В приоткрытую дверь слышно, о чём они говорят.

Курицын громко возмущается:

— А я не хочу! И не водите его ко мне. Ну сами посудите, зачем же я буду приглашать его в баню, если он мне противен?..

Белоусов, видимо, понял, что мы можем услышать их разговор, и отвёл Виктора дальше — там они долго ещё стояли. Получилась накладка. Михаил Зосимович просил протопить баню для своего гостя — Галкина, а бесхитростный столяр не желал кривить душой и считаться с какими бы то ни было тайными планами.

Елисеев удобно расположился на полке и шумно выражал своё хорошее расположение духа.

Вошёл Курицын, хлопнул дверью.

— Вам он нужен, этот надутый пузырь, а мне-то зачем? — словно продолжал он спор с Белоусовым.

Потом вырос на пороге, театрально развёл руками:

— Нет, вы только послушайте, что он говорит: «Мне тоже неприятен этот Галкин, да что поделаешь — требует служба». И на кой такая служба, если она заставляет обниматься черт-те с кем! Я бы такую службу бросил. Странные вы люди, учёные!..

Мы ничего не ответили Виктору. В неверном свете горевшей в углу свечи я не видел лица Николая Константиновича, но ясно представлял его лукавую улыбку и блеск прищуренных мудрых глаз. И очевидно, оба мы в эту минуту думали: «Вот он, столяр, простой человек, а насколько чище душой и благороднее тебя, профессор Белоусов».

На другой день утром я уезжал в Москву. Зашёл к Белоусовым, поблагодарил хозяйку за хлеб-соль. Михаилу Зосимовичу сказал:

— Проводите меня, есть к вам разговор.

Мы выбрали дорогу вдоль опушки леса.

— Может быть, вы мои слова воспримете как вмешательство в вашу личную жизнь, — начал я неприятную беседу, — но я не могу оставить без внимания всё то, чему был свидетелем. Вы, наверное, не забыли мудрое изречение Суворова, которое я не однажды приводил на лекциях: «Будь откровенен с друзьями, умерен в нужном и бескорыстен в поведении». Что до меня, то я в отношениях с друзьями и учениками предпочитаю предельную откровенность.

— Я тоже, Фёдор Григорьевич, но чем обязан...

— Вы обманули мои ожидания. Мне это горько осозна-
вать, тем более что в операциях на лёгких вы достигли
многого. Ну ладно, у вас могут быть свои планы и соображения. В конце концов, свою судьбу каждый определяет
сам. Но вот что мне больше всего не понравилось, и я считаю долгом сказать вам об этом: вы слишком увлеклись
выстраиванием карьеры и не заметили, как уронили честь
и достоинство учёного. В подробности входить не стану, вы
всё отлично знаете.

— Да, Фёдор Григорьевич, знаю, — задумчиво проговo-
рил Белоусов. — Но вы меня не поймёте. Вам легче, вы уже
на вершине. Попробовали бы вы побыть в нашем кругу!
Продвинуться трудно. Иначе действовать нельзя, жизнь
заставляет. Я бы хотел не суетиться, жить проще, чище, но
я не борец и изменить сейчас уже ничего не могу.

Он остановился.

— Не думайте обо мне совсем уж плохо, не лишайте
своей дружбы. Вы были мне учителем и остались им.

— Вы о чём задумались, Фёдор Григорьевич? — Борзенко смотрел в мою сторону.

— Да так... Вспомнил кое-что о Белоусове, последнюю
встречу с ним, и как-то не по себе стало. Помогал ему, надеялся, что первоклассный специалист выйдет, а он поддался
житейской суете. Влияние, связи, возможность прибрать
к рукам институт — любыми путями, пусть в обход, лишь
бы одолеть следующую престижную ступеньку... А наука?
Нанятая служанка, послушно распахивающая двери...

Не могу примириться с девальвацией истинных ценно-
стей в нашей сфере. Ведь от избрания руководителя того
или иного научного учреждения зависит не только судьба
этого учреждения, но и авторитет науки. И вовсе не случайно директорами институтов становились самые выдающиеся, самые талантливые учёные, которые нередко их и создавали, долгие годы возглавляя открытые ими направления
поиска, выращивая плеяду учеников.

Творческий потенциал — вот главное, что должно при-
ниматься в расчёт, а не оборотистость и дипломатия, возо-
ведённые в абсолют.

Трудно представить, чтобы И. П. Павлов, или
Н. Н. Петров, или С. С. Юдин, поднаторев в интригах,

забросили исследования, эксперименты, забыли о больных и занялись карьерой, лихорадочным укреплением связей, «выбиванием стула» из-под конкурентов. А разве это не столь уж частое явление?

— Как правило, чем выше человек пытается себя оценить, да ещё с чужой помощью, тем меньше он стоит, — вставил Сергей Александрович.

— И вопреки этому, благодаря таким вот внешним подпоркам в директора подчас выдвигаются личности, которые не внесли серьёзного вклада в науку. Какого же тут ждать чуда? И институт у них будет работать на том же уровне.

А дальше? Вполне заурядный профессор, ничем не прославившийся в научном мире, «выходит» в академики и тем закрепляет за собой должность. Хорошо ещё, если со временем разберутся, что к чему. С директорства снимут, и останется он рядовым сотрудником, без солидных трудов и без руководящего места, но с высоким званием. И все будут удивляться: почему он академик, за какие заслуги?..

Мы воспитаны в демократических принципах и привыкли воздавать должное действительно по большому счёту. Академик — научная звезда первой величины, ей не дано права сиять отражённым светом.

Для меня лично эталоном был Николай Николаевич Петров. Выдающийся учёный, автор многих работ фундаментального значения и ряда монографий, по которым учится не одно поколение молодых специалистов и студентов, смелый экспериментатор, новатор в своей области, непрерывно расширяющий горизонты знания. И на фоне этого — удивительно скромный, никогда не выпячивающий себя, не требующий никаких преимуществ или привилегий.

— Наука издревле держится на таких гигантах мысли и духа, — сказал Борзенко, — и безжалостно стряхивает прилипал, в какие пышные одежды они бы ни рядились. Жаль только, что, уходя со сцены, они успевают насадить безнравственность.

Почти все, кто писал клеветнические письма или подличал у нас в институте, с приходом нового директора были уволены с работы под тем или иным предлогом.

Логика проста: «Если они настолько подлы, что пишут клеветнические письма на своего руководителя, который их учил и много сделал для них, то что хорошего от них может ждать новый директор? Ведь тот, кто сделал подлость один раз, легко сделает её вторично».

— Чем объяснить, Фёдор Григорьевич, что именно в научно-исследовательских институтах больше всего конфликтов и клеветнических заявлений? — спросил меня как-то Сергей Александрович.

— Трудно сказать, может быть, дело в том, что вопрос о подготовке и подборе научных кадров у нас не отрегулирован.

— Значит, и с подготовкой научных кадров у нас не всё благополучно? А как же ординатура, аспирантура?

— В пятидесятых годах каждая кафедра могла иметь и готовить столько ординаторов и аспирантов, сколько в состоянии принять. И в то время у нас в клинике работало одновременно по 20—25 человек. Все они по окончании специализации шли в практические учреждения. Часть из них защищали диссертации и по окончании учёбы становились ассистентами, шли в практическое здравоохранение хорошими специалистами, заведующими отделениями в больницах и поликлиниках. Это резко повышало уровень работы практических учреждений.

— А теперь?

— Теперь мы имеем право готовить научные кадры только для себя. Фактически на восполнение естественной убыли.

— А где же готовятся кадры специалистов для практического здравоохранения?

— Нигде. Нельзя же принимать всерьёз за подготовку специалистов несколько месяцев специализации на седьмом курсе.

На Западе, чтобы стать специалистом терапевтом, хирургом, кардиологом и т. д., надо пройти при клинике трёх- или пятигодичную резидентуру и сдать экзамен как специалист. Тогда ты будешь иметь право работать или терапевтом, или хирургом. У нас же практически так: занял вакантную должность терапевта, значит — ты терапевт.

— А какая возможность у них поступить в резидентуру?

— Как мне говорили американские коллеги, каждый окончивший медицинский институт имеет возможность поступить в резидентуру. У нас же я точно не могу сказать, но думаю, что в аспирантуру и ординатуру может попасть один из десяти или пятнадцати врачей.

— Но у нас же несколько институтов усовершенствования врачей!

— Разве на современном уровне трёх-четырёхмесячная подготовка может обеспечить специализацию? Это может быть кратковременное усовершенствование для специалистов. А их самих надо готовить не менее трёх-пяти лет, только в том случае уровень практического учреждения будет приближаться к клинике, к чему мы должны были уже планомерно подходить, если бы не эти приказы с подготовкой кадров.

— А что ненормального с подбором кадров в научно-исследовательских институтах?

— Прежде всего не из кого выбирать. В смысле подготовки научных и квалифицированных кадров у нас имеют место крупные недостатки. Мы, что называется, растём вширь. По «валу» мы перевыполняем задание. Готовим врачей, может, больше, чем надо. Но о качестве мало думаем. Мы не готовим специалистов для практического здравоохранения высокой квалификации. Поэтому наша лечебная помощь в общих лечебных учреждениях не становится лучше. Растёт поток жалоб и стонов со стороны больных, простых людей нашей страны. На днях при нашей клинике проходили четырёхдневное усовершенствование (!) хирурги из крупных городов Северо-Запада: заведующие отделениями, главные хирурги. Все лица со стажем от шестнадцати до двадцати трёх лет. Я опросил каждого. Только один из них прошёл двухлетнюю клиническую ординатуру, остальные двух-трёхмесячные курсы усовершенствования.

— Как и где у нас готовятся главные специалисты городов и областей, заведующие отделениями в больницах и поликлиниках, то есть те специалисты, которые определяют уровень здравоохранения в нашей стране?

— Никак и нигде. Об этом можно сказать твёрдо и определённо. Проверьте любого заведующего отделением или главного специалиста: где он проходил специализацию по окончании шести или семи лет студенческого обучения? Очень редко кто из них прошел двухлетнюю клиническую ординатуру. А вы сами понимаете, что два года — это слишком малый срок специализации при современном развитии науки.

— А почему такой короткий срок?

— Никому это не понятно. В пятидесятых и начале шестидесятых годов клиническая ординатура была три года. Какой-то администратор, не посоветовавшись ни с кем, установил двухгодичную клиническую ординатуру и тем самым нанес огромный ущерб делу здравоохранения.

— Но вы говорите, что и этого срока недостаточно.

— Безусловно, чтобы стать специалистом более высокого класса, у нас была введена трёхлетняя клиническая аспирантура, куда, как правило, поступали наиболее способные врачи, окончившие клиническую ординатуру.

— Аспиранты же должны заниматься наукой?

— Они и занимались. Многие из них защищали кандидатские диссертации.

— И что дальше с ними было?

— Они шли в ассистенты или же в практическое здравоохранение заведующими отделениями.

— И много их было у вас?

— В пятидесятых годах у нас одновременно занималось по двадцать пять — тридцать человек. Мы выпустили в вузы и практическое здравоохранение около ста специалистов.

— Что же, это совсем неплохо. Если каждая, предположим, кафедра выпустила бы столько специалистов, это бы подняло уровень здравоохранения в нашей стране.

— Конечно, этого недостаточно, но всё же это оказало большое влияние на уровень специализации.

— А чем же вы недовольны?

— Да дело в том, что в шестидесятых годах количество мест ординаторов и аспирантов уменьшено до двух-трёх человек — только для пополнения нужд самой кафедры. В практическое здравоохранение специалистов перестали готовить.

— А как же семилетний курс?

— Это и было введено вместо подготовки специалистов. И получилось, что уровень нашего практического здравоохранения соответствует семилетнему студенческому образованию. Ни в одной стране этого нет.

— А практический опыт?

— Практика без теории, без научного обоснования очень часто ведёт к фельдшеризму. А врач, окончивший институт, ввиду низкой зарплаты вынужден, как правило, совмещать ещё на полставки. Где ему читать, где ему готовиться к операции?! Когда он будет совершенствоваться? У нас врач, то есть человек, проучившийся семнадцать лет, получает зарплату девяносто рублей, то есть почти вдвое ниже средней заработной платы в нашей стране. Заведующий отделением получает сто десять — сто двадцать. Это человек, который повседневно решает судьбу десятков и сотен людей. От него зависит, будет ли человек здоров или погибнет, нередко в расцвете сил. От врача зависит, насколько быстро и полно он будет излечивать больных, возвращать людей к труду. Он же, занятый на совместительстве, вынужденный думать о том, чтобы как-то обеспечить семью, не имея свободных средств, чтобы приобрести необходимые книги, не имея хорошей квартиры, где бы мог разместить библиотеку; разве может он приносить пользу настолько, насколько позволяют ему его знания и способности?! Ну о каком повышении квалификации врача, о какой требовательности к нему может идти речь, если он не обеспечен у нас минимально необходимым. Если мы говорим о заботе о человеке, то врач, которому доверяется жизнь и здоровье людей, должен быть обеспечен наравне с учителями лучше всех других специалистов. Я считаю, что нет заботы о человеке, если нет заботы о его здоровье, ибо без здоровья нет счастья на земле. И среди вопросов заботы о человеке стоит вопрос о повышении квалификации врача, который у нас по неизвестным причинам почти полностью снят с повестки дня.

Сергей Александрович слушал меня очень внимательно, и видно было, что этот вопрос его очень волнует.

— А как же эта проблема увязывается с тем вопросом, что мы обсуждали: с работниками в научно-исследовательских институтах?

— Если не готовятся квалифицированные специалисты, возникает острая проблема с кадрами научных работников: их никто не готовит, а из подготовленных хорошего никто не отпустит. Если он нигде не работает, значит, его никто не хочет принять. Он имеет какой-то крупный дефект. А в институтах так: есть свободная ставка — её надо немедленно занять. Если её за определённое время не заняли, ставка снимается. Чтобы этого не было, берут кого попало. А среди наспех принятых научных работников часто оказываются люди низкой квалификации и соответствующих моральных качеств. Вот источник для недовольства и писания всякого рода заявлений. И те из администраторов, которые заинтересованы в сведении личных счётов с учёными или, того хуже, заинтересованы в развале работы того или иного учреждения, используют этих людей для писем. А там начинает действовать отработанный механизм: комиссии, разборы, раздувание ничтожных фактов. И вот вам готов материал. Директор выбирай: или сам уходи подобру-поздорову, или тебя снимут. А если снять всё же нет оснований — мелкими придирками доведут до инфаркта.

Расскажу о двух наших директорах.

2

В Институт пульмонологии нередко попадали больные не нашего профиля. Такое случается в каждой клинике. И всюду по-разному с ними поступают. Часто — выписывают, порекомендовав, к кому следует обратиться. Но по-моему, больной есть больной; он не знает, к какому профилю относится, ему важно поправить здоровье, а кто и как это сделает — вопрос второй. Врачи обязаны и установить диагноз, и организовать лечение. Мы в подобных ситуациях советовались с соответствующим консультантом и вместе с ним решали, оставить ли больного в институте — приглашая при этом специалистов со стороны, — или перевести, с нашей помощью, в другое лечебное учреждение.

Такой «непрофильной» была шестилетняя Катя Смирнова, которую доставили к нам в детское отделение с подозрением на гриппозную пневмонию. Мать девочки, Мария Ивановна, работница одного из ленинградских заводов, умоляла принять Катю, хотя на рентгеновском обследовании и при выслушивании признаков пневмонии не обнаружилось. Родители готовы были взять отпуск и неотлучно дежурить у постели горячо любимой дочери.

У супругов Смирновых ребёнок родился поздно. Оба они воевали. Вместе прошли тысячи фронтовых вёрст. И только один раз разлучились на несколько дней, когда жена решила, что пока не имеет права рожать. Но вот отгремела война. Позади трудный период восстановления, и Смирновы год от году стали жить лучше: хороший заработок, приличная квартира. Но чем уютнее становилось в их доме, тем больше им хотелось ребёнка. А врачи говорили: аборт при первой беременности опасен, ибо влечёт за собой бесплодие. Вот вам и последствия.

Мария Ивановна обратилась в Институт акушерства и гинекологии к академику Михаилу Андреевичу Петрову-Маслакову. Тот её принял, пожурил, что она не пришла к ним раньше, и положил в стационар.

Мария Ивановна оказалась под наблюдением старшего научного сотрудника Лидии Николаевны Старцевой, прекрасного доктора и чудесной души человека.

Старцева много лет изучала причины бездетности и осложнений при беременности. Последние годы работала над проблемой сохранения плода. Для этого Лидия Николаевна стала применять физиологические методы, доступные любому лечебному учреждению, даже районной больнице. Проверила свою систему на сотнях беременных женщин. Предложенное ею несложное лечение уменьшает вероятность гибели плода в последние дни беременности и первые дни после родов в полтора-два раза. Между тем это самый ответственный период в жизни ребёнка.

Научные сообщения Старцевой неизменно встречали одобрение. Лидия Николаевна обобщила материал в небольшой монографии «Подготовка беременных к родам», но издать её при жизни, к сожалению, не успела.

Проведённые под руководством Старцевой уколы, различные манипуляции, физиотерапевтические процедуры сделали своё дело. Пролежав более двух месяцев в институте, Мария Ивановна с надеждой вернулась домой.

С замиранием сердца прислушивалась она к себе, и радости её не было границ, когда она однажды почувствовала, что носит под сердцем дорогое существо. В течение шести лет не могла надышаться на свою Катю, тщательно оберегая её от простуды и инфекций. Но не уберегла. Явилась к ним как-то знакомая и начала жаловаться на сильные головные боли. «Как бы, — говорит, — гриппом не заболеть». А сама проходит в комнату Кати, берёт за руку, гладит по головке.

Мария Ивановна умирала от страха, так она боялась, что девочка заразится, но остановить подругу, не подпустить её к ребёнку постеснялась.

На следующий же день у девочки поднялась температура до 40° и почти не опускалась больше недели. Предполагая, что здесь центральная пневмония, хотя хрипов и не было слышно, врачи назначали антибиотики, банки, горчичники. Ничего не помогало. Ребёнок буквально горел и слабел день ото дня. В таком состоянии родители доставили Катю в наш институт.

Приглашённый инфекционист-педиатр сказал, что у неё тяжёлая токсическая форма гриппа, при которой обычное лечение малоэффективно. Нужны особые меры. Тогда я связался с директором Института гриппа — академиком Смородинцевым и просил взять девочку. Он согласился.

Родители боялись что-либо предпринимать. Катя настолько ослабела, что, как им казалось, не перенесёт и простого укола. Однако я настойчиво рекомендовал довериться Анатолию Александровичу, которого знаю уже много лет и за удивительными трудами которого внимательно слежу.

Анатолий Александрович Смородинцев из тех больших учёных, кто не нуждается в рекламе, ибо они-то и есть самые настоящие подвижники науки. В лабораторной тиши он всю жизнь борется с бактериями и вирусами, спасая от гибели или тяжёлой инвалидности сотни тысяч и миллионы людей.

Трудолюбие и бескорыстие Смородинцев унаследовал от отца — земского врача. Именно земские врачи (порой выходцы из зажиточных семей) были очень близки и верно служили народу. Любовь к народу и к своей профессии отец внушил детям. Их пятеро. И все пошли по его стопам.

Прочитав мою книгу «Сердце хирурга», Анатолий Александрович заметил:

— Наши судьбы очень схожи. Я тоже учился в трудное время. В 1918-м поступил, а в 1924 году окончил Томский медицинский институт. Но уже студентом вынужден был работать. Со второго курса вечера проводил в бактериологической лаборатории. Ведь инфекционные болезни были тогда бичом страны.

После учёбы Смородинцев в качестве войскового врача два года с половиной провёл на Туркменском фронте, участвовал в боях с басмачами.

В Ленинграде несколько лет заведовал бактериологическим отделением в Институте акушерства и гинекологии. В 1933 году был приглашён в Москву, в Институт микробиологии и эпидемиологии, где организовал первую отечественную вирусологическую лабораторию. Здесь в 1936 году впервые ему удалось выделить вирусы гриппа и начать мероприятия по его профилактике. Тогда же учёный создаёт знаменитую противогриппозную вакцину. Кстати, наши исследователи были пионерами и в наиболее прогрессивном способе изготовления вакцин. Смородинцев предпочитает живую вакцину, в то время как американцы, например, — убитую, да и подключились они к делу много позднее.

— Чем же отличаются эти вакцины и у какой больше преимуществ? — спросил я Анатолия Александровича.

— Наша, несомненно, эффективнее, что признается всеми. А кроме того, она в шестьдесят раз экономичнее, что также имеет немаловажное значение.

В 1935 году Смородинцеву была присвоена степень доктора медицинских наук без защиты диссертации; в 1938-м его утвердили в звании профессора.

Молодой учёный продолжал напряжённо трудиться. В некоторых районах нашей страны в лесах встречается клещ — переносчик вирусного энцефалита. Вирусы, размножаясь, проникают с кровью в различные органы, в том числе и в мозг, вызывая у больных тяжкие параличи, а то и смерть.

Страшная болезнь! Нужны были срочные меры. И Анатолий Александрович приготавливает вакцину против этого заболевания, за что в 1941 году ему присуждают Государственную премию СССР.

Работы Смородинцева привлекли внимание медицинской общественности. Вирусологическая лаборатория преобразовывается сначала в отдел, затем, в 1944 году, — в самостоятельный Институт вирусологии. На посту его директора Смородинцев пробыл пять лет.

Вернувшись в Ленинград, он сформировал аналогичный отдел при Институте экспериментальной медицины и отдал ему почти двадцать лет. Здесь он совершенствовал средства и методы борьбы с гриппом и «попутно» создал вакцину «Ленинград-16», нацеленную против кори, которая снизила заболеваемость корью в двенадцать раз. Вакцина обладает, кроме того, чудодейственным свойством: она порождает такой прочный иммунитет, что не требует дополнительных прививок. Если бы Анатолий Александрович не сделал ничего другого, а только «изобрел» вакцину против кори, то и в этом случае он заслужил бы горячую признательность. Ведь корь, будучи сама по себе изнурительной, часто осложняется пневмонией, а коревую пневмонию дети переносят с трудом, особенно в раннем возрасте.

Вакцина нашла широкое распространение во многих странах. В 50-х годах нас настигла огромная опасность — вспыхнула эпидемия полиомиелита, которая бродила по всему миру. Болезнь для многих оказалась смертельной, а оставшихся в живых парализовала или покалечила. И по сей день есть учреждения, где лечатся жертвы этого злого в прошлом недуга.

В конце 50-х годов А. А. Смородинцев в Ленинграде и М. П. Чумаков в Москве развернули активную работу по профилактике полиомиелита. Только за 1960 и 1961 годы их вакцину получили 77 миллионов детей. И эта массированная атака сразу же приостановила распространение эпидемии.

Болезнь отступила, о ней начинают забывать. А ведь было время — и не столь давнее, — когда полиомиелит зловещим призраком маячил перед всеми людьми на земле.

Победа над полиомиелитом — далеко не последнее научное достижение Анатолия Александровича. Помимо перечисленных, ему принадлежит вакцина против эпидемического паротита — заболевания околоушной железы, или «свинки», часто сопровождающейся осложнениями. Стремясь облегчить участь детей, Смородинцев предложил прививку одновременно и против кори, и против «свинки».

И всё-таки главным объектом его интересов все эти годы оставалась профилактика гриппа. Появилась знаменитая «сыворотка Смородинцева». Будучи применена правильно и вовремя, она в значительной степени предупреждает или облегчает течение болезни.

Руководя отделом вирусологии Института экспериментальной медицины, Анатолий Александрович превратил своё подразделение в крупный научный центр, и вполне закономерно встал вопрос о том, чтобы организовать на его основе Институт гриппа. Смородинцев возглавил это новое учреждение, где с большим размахом развернулись исследования. Результаты не замедлили сказаться. Вскоре врачи получили в своё распоряжение более эффективные препараты для профилактики гриппа; усовершенствовались методы их применения. Американцы, скажем, вводят вакцину с помощью уколов, наши же учёные превратили её в специальный порошок, и каждый может просто вдыхать его через нос. Академик Смородинцев создал к тому же иммунную сыворотку от донора — человека, перенёсшего данную форму гриппа.

Почему Катя Смирнова была в таком критическом состоянии и могла погибнуть? Потому что гриппозный вирус выделяет сильный яд — токсин. У резко ослабленных детей, заболевших тяжёлой формой гриппа, недостаёт сил для борьбы с токсинами.

В новом препарате Смородинцева содержатся активные антитоксины. Как только девочка поступила в институт к Анатолию Александровичу, ей немедленно была введена сыворотка от донора. Через короткий срок Катю выписали домой здоровой.

Родители не помнили себя от счастья. Ведь они почти потеряли надежду на спасение ребёнка...

Несколько лет Институт пульмонологии поддерживал тесную научную связь с Институтом гриппа. Мы совместно изучали последствия эпидемий, в частности на лёгких. Оказалось, что четырнадцать процентов переболевших гриппозной пневмонией до конца не излечиваются; болезнь становится хронической.

Институт гриппа под руководством А. А. Смородинцева приобрёл мировую славу и непререкаемый авторитет в стране. Институт был на подъёме, наращивал темпы и обещал в ближайшие годы обогатить науку новыми открытиями.

Казалось бы, ведомство и местные организации должны были бросить максимум средств и создать учёным наиболее благоприятные условия для их научных исследований.

К сожалению, этого не случилось. Как только закончился пусковой период и институт крепко стал на ноги, пошли неизвестно кем инспирированные письма на научного руководителя и директора института Анатолия Александровича Смородинцева. А тут ещё произошёл несчастный случай: в институте в качестве научных сотрудников работали два азербайджанца. После защиты диссертации одним из них был устроен банкет на квартире диссертанта. На банкете они сильно напились и поссорились, в результате чего один зарезал другого. Случай, конечно, более чем трагический. Случай кошмарный. Тут кого угодно можно обвинить. И профсоюзную, и партийную организацию — за плохую воспитательную работу. Но почему-то постарались всю вину за этот случай взвалить на учёного, как будто он должен был ходить по домам и проверять, как его сотрудники ведут себя в быту. Клеветники воспользовались этим фактом и развили злобную кампанию против директора. Назначались бесконечные проверочные комиссии. Создалась нездоровая обстановка. Анатолию Александровичу ничего не оставалось, как уйти с должности директора. И ему в этом не препятствовали.

Когда мы узнали, что академик А. А. Смородинцев освобождён от должности директора Института гриппа, были поражены.

Мы отлично понимали, что убрать с должности директора института А. А. Смородинцева, непревзойдённый авторитет в вопросах гриппозной инфекции, работами которого восхищается весь мир, значит разрушить Институт гриппа.

Поражало и другое. Освободив академика от должности директора, его не оставили научным руководителем института, не назначили его заместителем директора по науке, а перевели на скромную должность заведующего отделом. И вот картина: на глазах у всех просвещённых людей крупнейший вирусолог мира, создатель всего учения о вирусах в нашей стране, создатель целого ряда вакцин и сывороток против вирусных заболеваний, организатор первого в мире Института гриппа, получивший уже всеобщее признание, назначается на должность заведующего отделом того института, в котором всё создано и работало под его руководством.

Но Анатолий Александрович Смородинцев, как истинно русский учёный, ни на йоту не уронил своего человеческого достоинства. Он, спокойно заняв должность заведующего отделом, продолжал трудиться с прежним энтузиазмом. Понимал, что его труд нужен больным людям, нужен человечеству, поэтому он не встал в позу обиженного, ибо не считал себя таковым. Наоборот, освободившись от административной работы, он ещё с большей энергией принялся за научную разработку проблемы. И в то время, как остальные отделы института зачахли, его отдел работал фактически за весь институт. И научная продукция отдела шла полным ходом.

И вдруг начальник ведомства вызвал к себе Анатолия Александровича и спросил: «Может быть, вы хотите уйти работать опять в Институт экспериментальной медицины? Мы не будем возражать».

Что оставалось делать академику? Он ушёл в институт, откуда его несколько лет назад взяли для организации Института гриппа. Он его организовал, потратив на это много сил и здоровья. Теперь «не возражают», если он уйдёт на старое место, а руководство им организованным институтом поручат другому. Он опять вернулся на старое место. И, скромно заведуя отделом, продолжает создавать научные труды, которые развивают и закрепляют то новое, что им создано в борьбе с ужасным бичом человечества — вирусным заболеванием.

Совсем недавно, в конце 1975 года, он выпускает монографию «Основы противовирусного иммунитета». Это его двадцать восьмая монография, не считая более пятисот научных статей...

Анатолий Александрович — это учёный, которому страна и мировая наука обязаны созданием препаратов почти против всех вирусных болезней, который свыше пятидесяти лет работает на самом ответственном и опасном участке борьбы за здоровье человека.

В то же время почему-то 75-летний юбилей этого учёного остался неотмеченным...

Когда я рассказал об этом своим знакомым артистам, они все были страшно поражены и сказали, что для них это непонятно, тем более что примерно в это же время, в день шестидесятилетия, Игорю Моисееву было присвоено звание Героя Социалистического Труда, а уж труд А. А. Смородинцева, по их мнению, является куда более героическим, чем труд Игоря Моисеева.

Недоумение выражают и учёные-медики, которые знают, что ряду «учёных», не внёсших ничего нового, прогрессивного в науку, не имеющих даже серьёзных трудов по своей специальности, присвоено это высокое звание.

На место выдающегося учёного директором института был назначен профессор, труды которого были малозначительны в научных кругах даже среди специалистов.

...При наших неоднократных беседах с Анатолием Александровичем он с неизменной теплотой говорил о своём коллеге — Михаиле Петровиче Чумакове как о ярком, талантливом учёном, одержимом осуществлением поставленной перед собой цели; высоко оценивал его труды, считая, что его изыскания, статьи и монографии войдут в золотой фонд русской и мировой науки.

Мне тоже давно был симпатичен Чумаков, нравились его смелые, принципиальные выступления на сессиях академии, в которых был виден не только незаурядный ум, но и государственный подход к решению научных проблем. Когда же я узнал, что он, изучая клещевой энцефалит, заразился и чуть не умер, потерял руку и слух на одно ухо, что он, поправившись, не бросил эту опасную стезю, а продолжал борьбу с грозными вирусными заболеваниями, я проникся к нему громадным уважением.

При первой же возможности решил навестить Михаила Петровича, познакомиться с ним поближе. Приехав в Москву, я как-то позвонил Чумакову, и он пригласил к себе.

Михаил Петрович встретил меня в довольно просторной (у него большая семья), но скромно обставленной квартире, провёл в кабинет, где кроме письменного стоял внушительных размеров круглый стол, — очевидно, комната служила и гостиной. У дверей, наблюдая за нами, сидел крупный дог бело-чёрной масти. Михаил Петрович взглянул на него, и тот, поняв мирный характер встречи, удалился.

Быстро завязался дружеский разговор. Хозяин рассказывал. Отца потерял ещё в ранней юности. В 1931 году окончил медицинский факультет, остался аспирантом у профессора Ивана Михайловича Великанова (в то время профессор успешно занимался раневой, в частности газовой, инфекцией). В 1935 году защитил докторскую диссертацию на тему: «Иммунология анаэробной инфекции». В 1936 году был утверждён старшим научным сотрудником — вирусологом в Институте микробиологии.

В возрасте 28 лет Чумаков в составе экспедиции по изучению клещевого энцефалита выехал в Хабаровский край. Здесь в августе 1937 года, вскрывая трупы умерших, он заразился и тяжело заболел. Последствия — полный паралич правой руки, ограниченные движения левой, потеря слуха с одной стороны и атрофия плечевого пояса. Казалось бы, удар, нанесённый болезнью, совсем выведет из строя учёного, оставит его пассивным инвалидом. Однако не такой это человек. Михаил Петрович вновь принимается за дело.

В 1938 году он попадает к Смородинцеву в отдел вирусологии. Оба наделены недюжинным дарованием, настойчивостью, энтузиазмом. Прекрасный творческий союз! В 1941 году за работу по клещевому энцефалиту Чумакову тоже присуждена Государственная премия СССР.

Вскоре он становится заведующим лабораторией. Его знания и опыт нужны фронту. На ленинградском и волховском направлениях в войсках вспыхивает эпидемия энцефалита. Чумакову с группой учёных удаётся предупредить её распространение.

В 1950 году Михаила Петровича назначают директором Института полиомиелита. В мире одна за другой возникают новые вспышки заболевания, унося множество жизней, превращая миллионы людей в инвалидов. М. П. Чумаков выпускает монографию о полиомиелите. В книге много ценных сведений, изложены методы профилактики и лечения, но проблема ещё далека от разрешения. В 1955 году на земном шаре опять обнаруживаются очаги инфекции. Институт по изучению полиомиелита преобразовывают в Институт полиомиелита и вирусного энцефалита.

В то же время, как известно, А. А. Смородинцев и М. П. Чумаков создают вакцину против полиомиелита. И можно смело сказать: трудами двух наших соотечественников эта коварная болезнь была побеждена.

На «русскую вакцину» возлагали надежды во всех странах, например, когда подверглась угрозе Япония, туда командировали «спасательную бригаду» во главе с Чумаковым. Советские специалисты побывали в семи городах, под их руководством производилась вакцинация населения. Один из японцев, провожавший делегацию на родину, сказал:

— Вы, русские, не просто спасли много наших людей. Вы вошли в наши сердца как верные друзья из России. Мои товарищи дали такой наказ: «Поклонитесь им низко».

Михаил Петрович Чумаков и Анатолий Александрович Смородинцев за изготовление вакцины и внедрение её в практику были удостоены Ленинской премии.

И вот за последние десять лет М. П. Чумаков только тем и занимался, что отбивался от нападок и обвинений. Тридцать пять учёных написали письмо, в котором они доказывали, что это травля большого учёного, и требовали прекратить её. А Чумакову говорят: «Это вы сами организовали!» И создали комиссию во главе с С. В результате Чумакову пришлось оставить должность директора...

Только люди, мечтающие о славе, о карьере, свой уход с должности руководителя могут рассматривать как обиду, истинный учёный не ищет славы, он не думает о карьере, он болеет за свой раздел науки и любое перемещение по должности рассматривает с точки зрения пользы или вреда науке. Если от его ухода с административной должности наука выигрывает, он будет рад такому перемещению.

У нас долгое время соблюдалось правило, когда на должность директора того или иного научного института ставились выдающиеся учёные страны. И если с этой должности уходил большой учёный, на его место, как правило, ставили также крупного учёного, большого специалиста в этой области. В последнее время этот принцип стал нарушаться. Нередко должность директора сейчас может занимать ординарный профессор, мало знакомый с научным направлением работы института и не имеющий по данной профессии серьёзных трудов. Это резко снижает научный потенциал учреждения.

Если на место талантливого приходит рядовой, то дело страдает не только потому, что он не способен руководить учреждением. Неудовлетворённость, порождённая ограниченностью, неумением работать, приводит к озлобленности, которая вместе с творческим бессилием заставит его изгонять наиболее одарённых сотрудников, чтобы на их фоне не выглядеть серо и неприглядно. Он постарается окружить себя такими, на фоне которых он выглядел бы личностью. Если на место талантливого приходит рядовой, то дело страдает не только потому, что он не способен руководить учреждением. Неудовлетворённость, порождённая ограниченностью, неумением работать, приводит к озлобленности, которая вместе с творческим бессилием заставит его изгонять наиболее одарённых сотрудников, чтобы на их фоне не выглядеть серо и непригладно. Он постарается окружить себя такими, на фоне которых он выглядел бы личностью.

Давно уже настало время объективно и беспристрастно оценить работу каждого научно-исследовательского института и по-государственному, без обид, решить этот вопрос с таким расчётом, чтобы институт, где нет в руководстве учёного, созидающего что-то новое, прогрессивное в науке, расформировать, а средства передать кафедрам того же профиля для создания лабораторий, отделов, научных групп и т. д.

У Михаила Петровича вся семья — вирусологи. Жена Мария Константиновна — крупный учёный, член-корреспондент Академии медицинских наук СССР; трое сыновей — кандидаты наук.

Несколько лет в лаборатории иммунитета, которой заведует Мария Константиновна, проводятся исследования по действию вирусов на раковые клетки и изучаются энтеровирусы с позиции клеточного иммунитета. Собраны убедительные данные, касающиеся не только экспериментов, но и клиники, о положительном влиянии клеточного иммунитета на торможение ракового процесса у больных.

Я уходил из дома Чумаковых взволнованный встречей с такими духовно богатыми людьми. Был тёплый осенний вечер, я шёл по Ленинскому проспекту и думал: «Как много может человек, если он увлечён, если, не щадя себя, целиком отдаётся своему делу».

На примере этих двух академиков, во всем величии представляющих советскую науку, я хотел наглядно показать, каким требованиям должен отвечать директор научно-исследовательского института.

Тот или иной институт, без сомнения, может создаваться и существовать только тогда, когда им руководит настоящий специалист в своей области. Уходит почему-либо такой специалист, ему надо искать не менее достойную замену, иначе коллектив будет работать вполсилы, а огромные средства — расходоваться зря. Мне приходилось не раз убеждаться в том, что научный потенциал «обезглавленного» НИИ заметно снижается. Деньги тратятся такие же, как и прежде, а может быть, и больше, но подлинной продуктивности нет.

— Очевидно, — заметил Борзенко, — настало время объективно и беспристрастно оценить полезную отдачу каждого института и по-государственному, без обид, решать вопрос о его судьбе. Не даёт ничего нового, прогрессивного науке — расформировать его, а средства передать кафедрам того же профиля для организации лабораторий, научных групп и т. д.

— Легко сказать — «без обид». Требуется немалое гражданское мужество, глубокая преданность делу, чтобы презреть собственные интересы. Часто же события подчиняет себе именно клубок страстей человеческих, не самого хорошего пошиба, замешенных и на зависти, и на непомерном честолюбии.

При нашей встрече Михаил Петрович Чумаков рассказывал, что начиная с 1967 года он почувствовал скрытую неприязнь к себе, а потом столкнулся и с её последствиями.

Михаила Петровича вынудили тратить время на то, чтобы отбиваться от вздорных нападок и обвинений. А он и в более трудный период — когда был сражён болезнью и инвалидностью — не отступался от науки. Не отступился и теперь. Надо было выбирать между функциями директора и наукой. Он выбрал науку.

Перед сходной альтернативой был поставлен и Анатолий Александрович Смородинцев. Обстоятельства сложились так, что он оставил пост директора Института гриппа, который сам же и создал, и перешёл на должность заведующего отделом. Об этом я уже рассказывал.

Как-то, находясь по делам в Москве, я узнал, что Анатолий Александрович болен. По возвращении из командировки выяснил, что в последнее время у академика сдало сердце. Врач прописал лекарства, жена уложила в постель, но боли в сердце усиливались. Тогда сделали укол, ввели большую дозу сосудорасширяющих средств. Почувствовав облегчение и полежав дома ещё пару дней, Анатолий Александрович потерял терпение и отправился институт.

Я пришёл к нему, и мы долго проговорили.

— Щемит, конечно, сердце, да что делать — надо работать, У меня много планов — болеть некогда.

Он был спокойным, бодрым, даже весёлым. Заражал своим оптимизмом окружающих.

Осмотрев его, я назначил курс лечения. Анатолий Александрович показал себя на редкость послушным пациентом — тщательно выполнил все предписания. Болезнь неохотно, но отступила...

«Надо работать. У меня много планов». В этом лейтмотив поведения истинного учёного, в какой бы ситуации он ни оказался. Для него главное — высшая цель его деятельности, всё другое имеет второстепенное значение. Он не ищет славы, не думает о карьере, не заклинивается на обидах. Он болеет душой за свой раздел науки и любые события рассматривает только с этой точки зрения.

А если меняются местами ценностные ориентации? Право, стоило бы пожалеть «дутые фигуры», коль скоро это не противоречило бы интересам порученного им дела, — им приходится, прямо скажем, несладко. Такой горе-руководитель вынужден постоянно выкручиваться, сохранять хорошую мину при плохой игре. Неудовлетворённость, порождённая творческим бессилием, неумением работать и неумением обеспечить деловой ритм подчинённого ему коллектива, приводит к озлобленности. Он начинает изгонять из своей среды наиболее одарённых, чтобы на их фоне не выглядеть серой личностью. И... рубит сук, на котором сидит. Дело хиреет, институт разрушается.

— Вне сомнения, ревизия нужна, — согласился я с Борзенко. — Любой государственный организм, в том числе научное учреждение, должен быть рентабельным и эффективным. В науке это определить труднее — не всё поддаётся конкретному учёту, чем нередко и пользуются. И я не совсем представляю, как взяться за подобную ревизию практически. Одно мне ясно: нравственный облик учёного — категория не отвлечённая, а созидательная, от неё в конечном счёте всё и зависит.

Я погрешил бы против правды, если бы стал утверждать, что нападки на того или иного «неугодного» директора проходят для него бесследно. Знаю по собственному опыту и опыту моих друзей, как высока плата — плата здоровьем — за инспирированные неприятности. Об этом я ещё скажу ниже, и вовсе не ради того, чтобы нагнетать негативные примеры. Они мне помогут лишний раз доказать на фактах: именно те люди, кто, невзирая ни на что, верно служат своему призванию, — богатство общества. И общественное мнение должно встать на их защиту, на защиту нашей морали, не дать нарушителям этой морали выйти сухими из воды.

3

Василий Степанович Чёрных — мой старый друг по Иркутскому университету. Он с Енисея, вернее, с Нижней Тунгуски, притока Енисея. Река, изгибаясь, подходит близко к Лене, и наши местные крестьяне из Чугуева, перевалив через хребет, довольно просто попадают на Тунгуску, где и рыбалка, и охота богаче.

Василий Степанович родился и учился в Ербогачене, что от нас по Тунгуске не более пятисот километров. Он в Киренске бывал ещё мальчишкой, приезжал с отцом, и мы с ним встречались в детстве, но познакомились и подружились уже в Иркутске. Он учился на младшем курсе.

Потом наши пути разошлись. До меня доходили отрывочные сведения: войну провёл на фронте врачом, имеет награды, в мирные дни занялся наукой, защитил кандидатскую и докторскую диссертации, стал видным профессором в своём городе.

О личной жизни Василий Степанович рассказал позднее мне сам. Сложилась она неудачно. Первая жена погибла при эвакуации. Он долго оставался один, пока не женился на особе, которую мало знал, — случай непростительный вообще, а в его годы особенно. Вскоре они развелись. В это время был объявлен конкурс на замещение должности заведующего кафедрой в ленинградском институте. Чёрных подал заявление, почти не рассчитывая на успех. Но его избрали единогласно, и он переехал в Ленинград.

Как и прежде, активно и плодотворно работал. А когда ему было уже за пятьдесят, на курорте в Ессентуках повстречался с молодой женщиной, тоже врачом. Составилась счастливая семья. Всё бы хорошо, но с некоторых пор начали ощущать супруги, что в их доме пусто и одиноко. Василий Степанович позвонил мне, пожаловался на судьбу.

— Живём дай Бог каждому, а детей нет.

— Проконсультируйтесь в Институте акушерства и гинекологии. Я попрошу директора, чтобы он вас принял. Михаил Андреевич Петров-Маслаков прекрасный клиницист и большой учёный. Институт специально изучает причины, мешающие женщине стать матерью. Я не однажды посылал туда пациенток, страдающих бездетностью. И неизменно результаты были положительными.

А дальше всё было так, как в истории, предшествующей появлению на свет Кати Смирновой. Жену Василия Степановича положили в институт, и её приняли добрые руки Лидии Николаевны Старцевой.

Лидия Николаевна провела полный курс профилактического лечения, вплоть до применения ультразвука, сначала в стационаре, а затем амбулаторно. Целый год она возилась со своей подопечной, и спустя какое-то время Василий Степанович радостно сообщил мне: они ждут ребёнка. Но в голосе его звучали и тревожные нотки. Акушеры, смотревшие жену, находят, что с плодом что-то не совсем ладно.

— Надо опять идти к Михаилу Андреевичу.

Академик встретил больную как старую знакомую, тщательно осмотрел и сказал, что ребёнок здоров, но есть кое-какие отклонения, которые требуют постоянного надзора. Он поручил научному сотруднику Любови Дмитриевне Ярцевой принять женщину заблаговременно в дородовое отделение.

— Очень прошу вас, если возникнет хоть малейшее сомнение, сделать кесарево сечение.

— Не будем загадывать, Фёдор Григорьевич. Может, все обойдётся и без операции.

Беременность развивалась. Однако врачи стали отмечать у плода перебои в сердцебиении. Мы устроили с будущими родителями семейный совет, после чего я вновь подтвердил Михаилу Андреевичу: операция их не смущает, а при современном наркозе её легче перенести, чем роды. К такому же решению склонялась и Ярцева, тоже беспокоившаяся за ребёнка.

В одну из суббот Михаила Андреевича задержали в институте иностранные гости. К нему в кабинет вошла Любовь Дмитриевна. С тревогой она сказала:

— Посмотрите, пожалуйста, Чёрных. У неё начались схватки, и в момент схваток сердцебиение плода ухудшается.

Михаил Андреевич извинился перед гостями и поспешил в палату. Подключили электрокардиограф. Действительно: как схватки, так прибор фиксирует изменения, указывающие на гипоксию (кислородное голодание плода).

— Боюсь, что шея ребёнка обвита пуповиной. Готовьте немедленно операцию. Нас Фёдор Григорьевич специально просил не откладывать кесарево сечение, если появятся сомнения. Здесь сомнения серьёзные. Обычные роды могут кончиться катастрофой для ребёнка.

Роженицу взяли на операцию. Опасения были оправданы — пуповина дважды опутала шею мальчика. Не сделай они кесарево сечение, он задохнулся бы при родах.

В середине дня мне звонит сам Михаил Андреевич:

— Все благополучно. У Чёрных сын! Великолепный парень! Сибиряк!

Василий Степанович был, конечно, вне себя от радости. Теперь его жизнь наполнилась новым содержанием, приобрела особый смысл и значение.

Когда он мучился от пустой тишины в доме, то невольно думал о том, как с возрастом изменилось его отношение к детям. В молодости и даже в зрелую пору он и не помышлял о них. Все его мысли были заняты работой, трудился не покладая рук. Но вот преодолел какой-то рубеж, и перед ним возник вопрос: а кому же он оставит всё, что накапливал долгие годы, те богатства знаний, которые по крупинкам собирал на практике или просиживал в библиотеках и дома за книгой? Кому передаст свои душевные качества, свои святые порывы? И чем больше он об этом думал, тем сильнее хотел иметь ребёнка. И когда мечта осуществилась, его сердце было переполнено щемящей нежностью к жене, прошедшей через все трудности и опасности, связанные с появлением родного ему существа, горячей благодарностью к врачам, их самоотверженному труду и чуткому вниманию.

Переживая историю с операцией, он отлично понимал, какую роль в спасении его сына сыграл академик Петров-

Маслаков, воспитавший коллектив в духе величайшей ответственности за больных. Пытался представить себе, скольких людей осчастливил этот человек своим опытом и заботой.

Я давно хорошо знал и уважал Михаила Андреевича, но за последнее время обстоятельства свели нас особенно близко. Когда я оставил Институт пульмонологии, для продолжения творческой работы мне была дана академическая группа и её нужно было прикрепить к какому-нибудь академическому центру. Михаил Андреевич радушно принял нас к себе. После этого, бывая много раз в его кабинете, я часто наблюдал, как к нему присылали на консультацию женщин из учреждений не только города, но и всей страны. Он никому не отказывал в совете. Если надо, брал в свой институт на обследование, обязательно добивался выяснения причин патологии и старался помочь.

Как врач-клиницист, как учёный он пользовался непререкаемым авторитетом, и институт под его руководством за десять лет расцвёл и приобрёл известность. К нему приезжали и зарубежные специалисты.

У Михаила Андреевича был заместитель по хозяйственной части. Говорили, что человек он очень склочный, но в институте поначалу с плохой стороны никак себя не проявлял, напротив, вникал во все дела, большие и малые, и производил впечатление рачительного хозяина.

Постепенно, однако, этот заместитель стал проворачивать комбинации, которые не нравились Михаилу Андреевичу; на замечания реагировал крайне болезненно, в кулуарах возбуждённо жаловался на директора, ставя себя вне критики. Видимо, сознание вседозволенности и безнаказанности укоренилось в нём достаточно прочно, и он, защищаясь, приступил к очередной... «операции на сердце» — написал клеветническое заявление на директора, бесцеремонно подтасовав факты, все смешав в одну кучу. Михаил Андреевич обвинялся, например, в барстве, в том, что ездил на дачу на директорской машине (кстати, у него тогда ремонтировалась городская квартира). Такие вот поступки и разбирали комиссия за комиссией. На «итоговом» собрании сотрудников устроили настоящее аутодафе. Нападающие были чрезвычайно активны, остальные «скромно» молчали. Михаил Андреевич перенёс эту экзекуцию очень тяжело. Узнав обо всём, я позвонил ему:

— Не расстраивайтесь, не стоит оно того. Отвлекитесь чем-нибудь.

— Ничем не могу заняться. Руки опустились. Такое оскорбление за пятьдесят пять лет безупречной работы! И момент юбилея...

Чувствуя по разговору, что Михаил Андреевич в угнетённом состоянии, я в первую же свободную минуту поехал к нему институт. Вхожу в вестибюль — он мне навстречу, совершенно убитый.

— Уже не директор, — тихо произнёс он. — Последние часы тут нахожусь. Даже из кабинета выселили.

— Вас что, уволили?

— Нет, сам ушёл, не мог больше выдержать. Прислали еще одну комиссию от местных организаций, с заранее готовым решением. Инспектор невежественный, и хотя якобы специально изучал работу института, или ничего не понял, или намеренно искажал очевидные вещи. Скорее всего — второе. Вёл себя предельно грубо, вызывающе, кричал на тех моих коллег, кто требовал объективности. Секретарша, Ольга Николаевна, культурная и справедливая женщина, возмутилась: «А вы почему на меня кричите? Какое право вы имеете на меня кричать? Хотите что-то выяснить — спрашивайте, записывайте и ведите себя достойно...»

Я, как умел, попытался успокоить Михаила Андреевича:

— Не только у вас случилось такое. Многие через это проходили, и ничего, продолжали верой и правдой служить науке. Так сказать, сдавали экзамен на прочность. По себе знаю — экзамен жестокий. А вот кому и зачем он нужен? Удивительное дело: правильная и необходимая в своей основе установка — не оставлять без внимания «сигналы» и жалобы — нередко словно открывает шлюз для низкопробного сведения счётов. И выигрывают на первых порах те, кто не страдает от отсутствия сдерживающих центров, пускается во все тяжкие.

Михаил Андреевич перебил меня:

— Никак не пойму, откуда такая беда. Действует институт, все живут дружно, работают на совесть, с душой. И вдруг — взрыв изнутри. Какой-то деляга умудряется «скоротечно» мобилизовать себе сторонников...

— Нас подводит излишняя доверчивость, привычка мерить людей по своей мерке. Попался покладистый, удобный помощник — принимаем его за хорошего человека. Тянем не очень-то способного ученика — думаем, что хоть старательности выучим, по крайней мере привьём важные принципы, которым он будет следовать, а это уже немало. А на поверку выходит, что покладистость — не что иное, как подхалимство, которым до поры до времени удачно маскируют бездарность или духовное убожество. Взамен принципов воспитывается беспринципность, ибо наш ученик вошёл во вкус щедро оказываемой ему помощи, принимает её как должное, привыкает к незаслуженному успеху. Вот откуда тянется ниточка к его дальнейшим поступкам. Чтобы самоутвердиться, он не погнушается недозволенными средствами и не пропустит случая напасть на того, кто ему сделал больше добра.

— Наверное, вы правы, Фёдор Григорьевич. Ершистый сотрудник менее «удобен», но талантливый учёный, какой бы характер у него ни был, не унизится до бесчестья, не пойдёт окольными путями. Зачем ему это? Он и так талантлив.

— Меня задел за живое вопрос одного из членов комиссии, когда проверяющие наводнили и наш институт: «Как же так получается, что на вас пишут ваши же ученики? Что это? Неумение работать с ними или неумение выбирать учеников?» Сегодня я ответил бы на него так же, как ответил вам. А насчёт того, чтобы выбирать... Но ведь плохих-то единицы, а знаниями хочется оделять широко. Да и какие тесты кто может придумать, чтобы выявлять зреющее предательство?.. Это как в большой, слаженной семье: всех детей растят одинаково, с любовью, а среди них всё-таки формируется моральный урод. И родители не находят себе места от горя.

Мы сидели молча. Каждый размышлял о своём. Михаил Андреевич стал рассказывать о делах института, которые не успел довести до конца. Хотел он добиваться и улучшения системы подготовки врачей.

— Теперь уж... сил нет. Вы, Фёдор Григорьевич, не оставляйте эту проблему. Поезжайте в министерство, в академию — убеждайте, доказывайте!

На краткосрочные курсы усовершенствования врачей при нашем институте приехали медики из западных областей РСФСР и Карелии. Я поинтересовался, где они специализировались, прежде чем стали заведующими отделениями и главными хирургами. Только один из них закончил когда-то двухгодичную ординатуру при клинике. Остальные пробыли несколько лет больничными ординаторами, а потом их назначили на должность. А ведь они решают судьбу человека, поступающего к ним в отделение, оперируют больных, в свою очередь учат начинающих хирургов...

Не стоит ли нам в этом вопросе обратиться к разумному зарубежному опыту? В ряде развитых стран принята такая система: освоив программу медицинского факультета, врач обязан пройти трёх- или пятигодичную резидентуру. Всё это время он живёт вблизи больницы, дежурит там десять — пятнадцать раз в месяц, накапливая таким образом и теоретические, и практические знания. В конце срока резидентуры устраивается экзамен. Диплом выдают в зависимости от этого срока и эрудиции врача. Только тогда он имеет право работать по специальности, и особенно — в качестве заведующего отделением. Поступить в резидентуру довольно просто. Количество мест там равно количеству выпускников вузов, то есть было бы желание — двери открыты.

Нет, не удовлетворяет нас положение, что специализация начинается и заканчивается на седьмом курсе. По сути дела — это продлённое студенческое обучение, без серьёзного руководства. Некоторые в оправдание ссылаются на наличие у нас института усовершенствования врачей. Но разве можно при современных темпах развития науки овладеть ею за три-четыре месяца? Данный институт рассчитан на «шлифовку» уже зрелых специалистов.

На мой взгляд, необходимо вновь ввести широкую сеть клинической ординатуры и аспирантуры, именно на этой базе готовить квалифицированное пополнение.

Подобные вопросы волновали и академика Петрова-Маслакова. Как настоящий учёный, он был патриотом, не замыкался в узких рамках своей науки — его близко занимали проблемы организации здравоохранения в стране.

С тех пор мы с ним встречались ещё не однажды, и я с сожалением замечал, как ему изменяли силы. Приглашал пройти у меня профилактическое лечение, но он отказывался:

— В мои годы уже не иметь здорового сердца.

Через несколько месяцев, когда возник острый приступ холецистита, Михаил Андреевич лёг на операцию. Перенёс её хорошо. Проснулся от наркоза. Заговорил. А через два часа скончался. Сдало сердце.

...Чем благороднее человек, чем выше он в интеллектуальном отношении, чем самоотверженнее трудится, чем больше добра делает людям, тем беззащитнее он оказывается порой перед лицом несправедливости, обиды и незаслуженных оскорблений. Очень точно об этом сказано в стихотворении Ю. Друниной:

> Трое суток подряд уж не спит человек,
> На запавших висках — ночью выпавший снег.
> Человек независим, здоров и любим —
> Почему он не спит, что за тучи над ним?
> Человек оскорблён... Разве это беда?
> Просто нервы искрят, как в грозу провода.
> Зажигает он спичку за спичкой подряд/
> Пожимая плечами, ему говорят:
> Разве это беда? Ты назад оглянись!
> Кто в твоих переплётах, старик, побывал,
> Должен быть как металл, тугоплавкий металл.
> Усмехнувшись и тронув нетающий снег?
> Ничего не ответил седой человек...

И вот в момент тяжёлого заболевания, когда человек находится на грани между жизнью и смертью, стоит его обидеть, стоит ему ещё что-нибудь добавить, самую малость из человеческой низости, и жизнь его оборвётся... Особенно тяжело люди переживают моральные удары от тех, кому они сами отдавали много душевной теплоты.

Мой друг Павел Константинович Булавин, полный творческих сил и новых замыслов, неожиданно ушёл на пенсию. Это был один из выдающихся терапевтов нашего времени, много лет возглавлял кафедру терапии в медицинском институте, был преемником известного академика-терапевта.

Павел Константинович прошёл славный путь от врача на далекой периферии до заведующего кафедрой в одном из центральных вузов страны. Много лет он работал на Дальнем Востоке, был личным врачом и другом В. К. Блюхера и оставил там о себе очень хорошую память. Приехав в клинику на усовершенствование, он благодаря большому практическому опыту, недюжинным способностям и прекрасным человеческим качествам завоевал не только вершины медицинской науки, но и сердца всех честных людей, кто с ним работал. Пройдя по конкурсу на должность заведующего кафедрой, продолжал и развивал то научное направление, которое избрал ещё с первых лет своей врачебной деятельности. Насмотревшись на горе людей, страдающих бронхиальной астмой, он сам и его ученики много сделали для развития этого раздела науки. По существу, все основные положения, касающиеся этой болезни, были заложены Павлом Константиновичем и его школой. Он доказал, что в основе бронхиальной астмы лежит воспалительный процесс чаще всего в бронхолёгочном аппарате. Наряду с теоретическими изысканиями, он вместе со своими многочисленными учениками проводил большую лечебную деятельность, разработал стройную систему лечения этой тяжёлой и коварной болезни. В борьбе за приоритет русской науки большую роль сыграла его ценная монография, которая многие годы является настольным руководством для каждого врача, интересующегося патологией лёгких.

Павел Константинович был не только блестящим учёным, но и очень скромным человеком.

Сын профессора Булавина — Николай Павлович — рассказал мне, что происходило в клинике в последние годы, перед уходом отца на пенсию.

По рекомендации одного из коллег Павел Константинович в разное время принимает к себе в клинику двух энергичных молодых врачей, активных в научной работе. Первым пришёл Борис Михайлович Ладынников. Настойчивый и ловкий, он не отставал ни на шаг от шефа, пока тот не помог ему сделать и защитить диссертацию. Получив степень доктора, Борис Михайлович стал конфликтовать с заместителем заведующего кафедрой, рассчитывая занять его место. И конечно, добился бы этого, если бы у него было в резерве какое-то время. Но в тот период времени с докторской степенью нельзя было занимать должность ассистента или доцента, и ему пришлось уйти в другой институт.

На смену ему вскоре пришёл другой, не менее активный любитель острот и шуток, всегда готовый к услугам? Лев Борисович Федунский. Он стремился быть полезным всем, начиная от профессора и кончая санитаркой, в чём превосходил Бориса Михайловича. При этом он проявлял не только невиданный энтузиазм в науке, но и любил общественную деятельность. Студентом был комсоргом, а на кафедре очень скоро стал парторгом. В клинику пришёл он аспирантом, но при первой же возможности все сотрудники, очарованные его обаянием, просили заведующего кафедрой провести его ассистентом, что и было сделано. Защитив кандидатскую диссертацию с помощью коллектива обожающих его сотрудников, он сразу же принялся за докторскую, взяв тему, близкую к той, над которой трудился всю жизнь шеф, понимая, что здесь ему будет гарантирована всесторонняя помощь. И Федунский без стеснения эксплуатировал Булавина, стараясь взять от него всё возможное.

В отпускное время он приезжал на дачу к своему учителю, жил у него неделями, питаясь и отдыхая на правах члена семьи, и в то же время использовал каждую минуту времени Булавина для помощи своей работе. Делал это он так нескромно и так часто, что Анна Васильевна, супруга профессора П. К. Булавина, не раз упрекала Федунского в том, что он и в отпускное время не даёт профессору отдохнуть хоть немного.

— Что вы так спешите со своей диссертацией? Вы ещё молоды, успеете всё сделать, а Павел Константинович так редко имеет возможность отдохнуть.

Лев Борисович мило улыбался, извинялся, но не отступал от своего, пользуясь расположением учителя, его мягким, добрым характером.

По мере того как время окончания диссертации приближалось, Лев Борисович постепенно стал показывать свой характер, правда, сначала только перед равными. Перед шефом он продолжал угодничать, стараясь услужить ему во всех мелочах. Павлу Константиновичу стали поступать сигналы, что Лев Борисович вежлив только внешне, на самом деле он бывает груб и жесток с подчинёнными, равнодушен к больным.

Сделав свои диссертации на кроликах, он совсем не интересуется больными, которых не любит и не знает. Павел Константинович отмалчивался, всецело доверяя своему ученику, находясь под его гипнозом, не обращая внимания на предупреждения, старался поднять авторитет Федунского в глазах коллектива. В это время в клинику зачастил и Борис Михайлович. Вторым профессором в клинике была женщина, человек эрудированный и добрый, хороший клиницист, но уже в пенсионном возрасте. Федунский совместно с Борисом Михайловичем настойчиво советовали Булавину отправить её на заслуженный отдых, уверяя, что она совсем не помогает шефу, что ему нужен молодой, энергичный помощник. Ничего не подозревая, Павел Константинович полагал, что они оба достойные учёные, помогают ему советами.

Рядом с Павлом Константиновичем трудилась целая плеяда его учеников с кандидатскими и докторскими степенями, но он всё больше благоволил к Федунскому: как только тот защитил диссертацию — сделал его своим первым помощником. Он даже взял его к себе в соавторство в работе, в которой Федунский не принимал почти никакого участия. Чтобы ещё больше поднять авторитет Федунского, Булавин разрешил ему совмещать работу в другом научно-исследовательском институте и даже сам ходатайствовал об этом. Булавин верил в своего ученика, полагая, что со временем это будет ему достойная смена.

В нашем разговоре с ним перед летними каникулами он с восторгом говорил о планах предстоящих работ, которые он собирался осуществить вместе со своим ближайшим помощником Львом Борисовичем.

И вдруг осенью мы узнаем, что Павел Константинович ушёл на пенсию и его место заведующего кафедрой сразу же занял профессор Федунский. Это было для всех совершенно неожиданно и, главное, не вызывалось никакой необходимостью, так как профессор П. К. Булавин был полон физических и интеллектуальных сил, активно работал по научной и лечебной линии и не собирался уходить на пенсию. Для всех сотрудников института это было полной неожиданностью, и никто не сомневался в том, что это дело рук его любимого ученика, который имел связи в районном и даже городском масштабе среди лиц, подобных ему самому, которые усиленно поддерживали «учёных», подобных Феликсу Балюку.

Павел Константинович, утвердив Федунского в должности профессора кафедры, предоставил своему заместителю неограниченные возможности проявить себя и в научной, и в лечебной деятельности.

Ближайшие приверженцы Льва Борисовича из числа учеников профессора Булавина почувствовали, за кем будущее, и стали поддерживать молодого профессора, усиленно распространяя версию, что он тут ни при чём.

Я позвонил Павлу Константиновичу и приехал его утешить. Он был сражён поступком своего ближайшего любимого ученика, для которого, как уверял Николай Павлович, он сделал больше, чем для родного сына. Булавин был растерян, расслаблен и не понимал, за что с ним поступили так грубо, без предупреждения, без его согласия. И главное — кто это сделал?!

— Он перестал спать, почти ни с кем не говорит и всё о чём-то думает, — сообщает Анна Васильевна, жена Булавина.

— Ну, Федя, не ты один пострадал от своих учеников, — с горькой усмешкой сказал Булавин. — Меня мой лучший ученик продал, да как! Уже сколько дней прошло, а я всё ещё прийти в себя не могу. Не могу до сих пор поверить. Может, что-нибудь здесь не так? Я его чем-нибудь обидел?

И Павел Константинович некоторое время, не получая зарплаты, всё же по старой привычке приходил в клинику, чтобы продолжать руководство научной работой коллектива, беспокоился, чтобы научная работа не прерывалась и больные не страдали. Но с каждым разом Булавин возвращался домой всё мрачное и на расспросы жены не отвечал, стараясь не волновать Анну Васильевну, которая сама была не совсем здорова. Только иногда у него срывалось:

— Этот Федунский доведёт меня до могилы.

Но когда жена пыталась выяснить у него, что ещё происходит, он отмалчивался. Из клиники часто звонили, и каждый раз после телефонного разговора ему становилось хуже.

Однажды жена, поняв, что говорят из клиники, пришла на кухню, где стоял спаренный телефон, и, сняв трубку, услышала раздражённый голос Льва Борисовича. Этот тон ничего общего не имел с тем, который она знала в течение многих лет.

Раздражённый голос говорил:

— Вам надо уходить совсем из клиники; вы занимаете мой кабинет, а он мне нужен. Вы заняли телефон, который мне тоже нужен. Поймите, что вы стары, вам пора уже давно отдыхать, ваш приход в клинику только мешает делу, помощи от вас уже никакой.

Едва оправившись от изумления и возмущения, Анна Васильевна подошла к мужу и, нажав рычаг, отключила телефон.

— Зачем ты это делаешь? — заговорил Павел Константинович, с трудом выговаривая слова. — Пусть он до конца выскажется.

— Не надо его слушать, и так все ясно, а ты смотри какой бледный, в тебе ни кровинки нет.

В тот же день Булавин слёг в постель и больше в клинику не пошёл. Он так и не поправился от нанесённого удара. Через месяц после ухода на пенсию Булавина не стало. И Анна Васильевна позднее мне говорила:

— Я очень жалею, что я раньше не прерывала разговоров Павла Константиновича с Федунским. Он как иезуит: специально, когда не слышит его коллектив, говорил такую грубость, зная отлично, как она травмирует сердце моего мужа. И он быстро добился своей цели.

Но Федунский напрасно старался скрыть своё общение с Булавиным и говорил с ним, когда никто из сотрудников не мог его услышать. Все всё видели и всё знали.

На гражданской панихиде Лев Борисович дрогнувшим голосом и со слезами на глазах уверял всех в своей любви к учителю. Но ему никто не верил. Тут же, на панихиде, стоящие в стороне сотрудники говорили между собой: «Проливает крокодиловы слёзы, а сам же преждевременно и свёл в могилу своего учителя!»

На этом деятельность Федунского не кончилась. Когда сын П. К. Булавина Николай Павлович обратился к Федунскому с просьбой о том, чтобы отца похоронили на кладбище, где покоятся многие учёные города, ему ответили, что «он не достоин»! Это было так несправедливо по отношению к этому крупному учёному! Булавин вынес на себе всю трудность организационной и лечебной работы в институте во время войны, внёс крупный вклад в развитие отечественной и мировой науки, воспитал целую плеяду учеников, подготовил тысячи врачей.

После смерти мужа спустя какое-то время Анна Васильевна позвонила в клинику и одному из врачей сказала, что очень плохо себя чувствует. Вечером приехал сам Лев Борисович с двумя своими приближёнными сотрудницами. Они осмотрели Анну Васильевну и сказали, что у неё все в порядке. Анна Васильевна, чувствуя себя все хуже, пошла в поликлинику и показалась своему участковому врачу, который сразу же выявил у неё опухоль в брюшной полости и направил к гинекологу. Там подтвердили диагноз и положили в клинику, где Анна Васильевна и была прооперирована.

Что же касается организации похорон Булавина, то Николай Павлович сам обратился в партийные организации, и его просьба была удовлетворена. Ещё раз Николаю Павловичу пришлось встретиться со Львом Борисовичем относительно памятника отцу.

Он знал, что сотрудники собирали деньги на памятник. Куда делись эти деньги, Федунский не мог объяснить. Прошло три года, сын на свои средства поставил монумент, достойный его знаменитого отца. И сейчас молодые сотрудники кафедры и института удивляются, почему на памятнике написано: «От жены и сына»? Почему памятник не от кафедры и не от института, которым Павел Константинович отдал много лет своей жизни, и куда девались их деньги?

Большинство учеников П. К. Булавина тяжело переживали утрату своего учителя. Им стало неинтересно работать. Новый шеф не может им дать ничего ни в научном, ни в практическом отношении. Им жаль больных. Профессор Федунский с важным видом восседает в кабинете своего учителя, на его кресле и за его телефоном, но былого паломничества больных как не бывало. И если раньше непрерывным потоком шли они в эту клинику и в этот кабинет со всей страны, сейчас никто не едет к новому профессору. Люди знают, что это бесполезно, что этот человек им не поможет.

Однако администрация им довольна. Все бумаги у него в порядке. Он умеет красиво говорить, употребляет много научных слов, которые хотя и не совсем понятны, потому что говорятся не к месту, но на менее эрудированных производят впечатление. И он процветает.

На днях мне позвонила Анна Васильевна и пожаловалась на недомогание. «В клинику мужа я не ходила и не пойду. Они скорей помогут мне уйти из жизни, чем полечат меня». Я послал к ней одного из своих опытных помощников, который организовал ей лечение на дому.

Последний звонок супруги покойного профессора П. К. Булавина произвёл на меня большое впечатление. В русском народе во все времена отношение к учителю почти сравнивается с отношением к родителям.

Наши предки в своих молитвах за близких людей просили за здоровье «родителей учителей, ведущих нас к познанию блага...», т. е. учителя ставились рядом с родителями, и по отношению к учителю, так же как по отношению к родителям, можно было безошибочно судить не только о нравственности этого человека, но и о его уме, воспитании и человеческом достоинстве.

И так жаль, что коллектив кафедры, который в течение десятилетия воспитывался на самых высоких принципах гуманизма, характерного для всей русской медицины, под влиянием одного человека за короткий срок забыл эти принципы и опустился до уровня, который не встретит одобрения со стороны любого честного человека.

Прежде чем закончить эту главу, мне хотелось бы рассказать об одной уникальной операции. Я узнал о ней, когда находился в начале семидесятых годов на сессии Академии медицинских наук в одной из союзных республик.

Всё началось с письма, которое было прислано на имя хирурга (фамилию его я называть не буду). Начиналось оно так:

«Зная об уникальных операциях, которые Вы делаете, я решилась обратиться к Вам с довольно необычной просьбой и с надеждой на то, что вы сможете мне помочь. Дело в том, что с самого раннего детства во мне жила твёрдая уверенность, что я — мальчишка и что этот мальчишка со временем станет мужчиной. Эта уверенность жила во мне с бессознательного возраста, проявляясь во всех мелочах поведения, и с годами развивалась и выросла настолько, что мужское начало во мне на все мои последующие годы определило мою дальнейшую судьбу. При наличии женских признаков во мне развились чисто мужские наклонности, привычки, привязанности и стремления, которые постепенно отгородили меня от людей, лишили возможности иметь друзей, близких людей, семью и прочие элементарные для всех обычных людей вещи...» Написаны эти слова женщиной, которая обратилась к хирургу с просьбой помочь изменить пол.

Врач пошёл навстречу автору письма не сразу, прошло ещё несколько лет. Женщина была обследована рядом врачей, пришедших к выводу, что её мужская психология обоснована внутренней эндокринной системой. Желаемый результат ждал врача и пациентку после совершения восемнадцати сложнейших операций. Трансформация пола завершилась и юридическим её оформлением.

Ещё раз обратимся к письму:

«Результат операций меня более чем удовлетворяет, потому что он для меня неожидан: у меня ведь не было надежды на то, что произойдут изменения всех вторичных признаков пола, это всё-таки произошло. Но главное то, что исчезла, наконец, годами угнетавшая меня раздвоенность и я могу находиться среди людей в новом качестве на законном основании. Это, конечно, чудо, и этим чудом я и мои близкие обязаны Вам...»

По-разному можно относиться к подобным операциям у таких больных, но в конкретном случае были все показания к ней. И хирург, взявшийся за это дело и блестяще окончивший его, заслуживает искреннего уважения и признания.

4

Как-то, спускаясь со второго этажа, я упал с лестницы и ушиб позвоночник. Некоторое время лежал дома без движения, затем поднялся, ходил в клинику, но боль не затихала. А тут случилась надобность выступить с докладом на сессии академии в столице одной из союзных республик. Воспользовавшись этим, я зашёл там в институт, о котором много слышал. В разговоре с директором, Василием Карловичем, выяснилось, что мы с ним встречались лет двадцать назад в том же городе. Он подвёл меня к фотографии, где мы снимались вместе с его учителем, а он сидел рядом, ещё совсем юноша, с фотоаппаратом через плечо.

Мы незаметно проговорили три часа. Он оказался из числа тех энтузиастов, кто доподлинно горит на работе.

И у него как раз заканчивалась долгая поэтапная борьба за жизнь и здоровье человека, судьба которого, как и проводимое лечение, были уникальными. Естественно, я не мог не заинтересоваться подробностями.

Василий Карлович достал из стола письма и документы.

— Всё началось с этого письма. Оно заслуживает того, чтобы его прочитать полностью.

Письмо и правда было нерядовым. Приведу его с некоторыми сокращениями.

«Уважаемый Василий Карлович!

Зная об уникальных операциях, которые вы делаете, я решилась обратиться к вам с просьбой, довольно необычной, и с надеждой на то, что вы можете мне помочь. Дело в том, что я совершенно здорова, но у меня есть такие дефекты, из-за которых не хочется жить: у меня грубый мужской голос — слишком басовитый даже для мужчин, и во время улыбки невольно образуется кривизна рта. Родные мне говорят: живи ты со своими дефектами и не морочь голову врачам, но я с этим не мирюсь и обращаюсь то к одному врачу, то к другому. Все они мне сочувствуют и повторяют примерно одно и то же: показания недостаточно серьёзные для операций, к тому же в нашем городе нет такого специалиста, который бы с уверенностью за них взялся.

Я понимаю: дефекты мои действительно таковы, что с ними можно жить, и я бы смирилась, и жила бы, работала и, может быть, по-своему была бы счастлива... Но... Ещё в школе, в десятом классе, я полюбила человека... Он тоже ко мне неравнодушен; во всяком случае, мне так кажется. Однажды на молодёжной пирушке, выпив вина, он долго смотрел на меня и сказал: «Вот пара мне!.. Если бы...» И здесь он махнул рукой и отвернулся. Я тотчас же поняла его. Меня бросило в жар. И это был момент, когда я решилась добиваться исправления своих врождённых дефектов. Ну скажите, доктор: разве это невозможно? Разве это уж так сложно? У нас сегодня заменяют органы, подшивают человеку новые почки, клапаны сердца, — неужели врачи бессильны?

В последнее время я так мучаюсь, что стала подумывать о самоубийстве. И во мне окрепло твёрдое решение: если врачи не помогут, я уйду из жизни. Не подумайте, что я вас пугаю, шантажирую — нет, вы меня не знаете, я вас тоже — я никому не скажу, что писала вам. Но поймите меня, ради Бога — помогите!

Христина К.»

— И что же вы ей ответили?

— Приезжайте! И она приехала. И я произвёл восемь операций. Хотите, позову её и вы с ней познакомитесь?

Через несколько минут в кабинет профессора вошла девушка лет двадцати трёх, в шёлковом цветастом халате, стройная, тёмноволосая, с чёрными умными глазами — на редкость красивая. Это был тип южноукраинской женщины со славянскими чертами, горячим темпераментом.

Христина с достоинством поклонилась и чуть заметно покраснела, почуяв интерес к себе постороннего человека.

Мне, однако, хотелось поскорее увидеть её улыбку, услышать голос. Опытным глазом я различил на лице два следа от шрамов и три белесоватые ниточки в нижней части шеи — свидетельства ювелирной работы хирурга, точных, деликатных швов.

Василий Карлович представил меня:

— Это академик Углов. Он хотел бы поговорить с тобой.

Я спросил:

— Как чувствуете себя, Христина?

— Ничего. Благодарю вас. Мне сейчас хорошо. — Женственно и красиво звучал голос. Она улыбнулась, и улыбка её была прекрасной.

— Вам теперь хоть на сцену, — я был в искреннем восхищении.

— Василий Карлович сделал для меня всё возможное. Век ему буду благодарна.

Чтобы не смущать девушку, мы её отпустили, а сами сидели некоторое время молча, думая о превратностях судьбы и о гуманном характере нашей профессии.

— Все хлопоты уже позади, но тогда... О-о, это целая история! При осмотре и обследовании мы пришли к выводу, что нужны семь или восемь операций — в том числе две-три пластические, с болезненной и сложной пересадкой тканей от одних частей тела к другим. Сложно, громоздко, никаких гарантий на успех. А ко всему прочему не было ещё и серьёзных показаний, то есть ни опасности для жизни, ни болей, мешающих жить и работать, — ничего такого не было.

И я собрался отказать. Пригласив больную, по возможности мягко изложил свои аргументы. Христина слушала внимательно, спокойно и так же спокойно сказала:

— Опасность для жизни есть. Я лишу себя жизни.

— Ну, знаете!..

Она смотрела на меня печально и серьёзно. Я понял: это не угроза, не пустые слова. Она действительно так поступит, и тогда я буду винить только себя. Попытался действовать убеждением: исправить все дефекты — вещь практически невыполнима, требуется полная реконструкция горла. Этого никто не делал, в литературе не описано. Предстоит не одна, а много операций. Каждая связана с неизведанным риском.

— Я согласна на любые операции и любой риск. Мне невыносима моя жизнь, — повторяла она. — Я стерплю все, лишь бы вы от меня не отступились.

— Ну хорошо, если я даже возьмусь, всё равно нет уверенности в том, что лечение принесёт результат. Пойдем на риск и причиним вам страдание, а цели не добьёмся. И голос останется таким же, да и кривизну рта не совсем удастся исправить.

— Меня не пугают ни операции, ни боль, ни неудача. Не пугает даже самый плохой исход. Всё лучше, чем моё теперешнее положение.

Я посоветовал ей показаться психиатру. Христина заметно погрустнела:

— Конечно, я не могу вас силой заставить меня оперировать. И раз я к вам обратилась, то строго выполню ваши рекомендации. И насчёт психиатра — тоже. Но, — добавила она, — если всё-таки я себя не пересилю, разрешите мне снова обратиться к вам?

Я дал согласие, и на том мы расстались.

Мысли об этой девушке не давали покоя. Её искренность, страстность, бесстрашие произвели на меня сильное впечатление. Всё больше и больше хотелось ей помочь.

Прочитал книги, статьи в научных журналах. Оказывается, аналогичные попытки были, и даже успешные, но при той или иной степени дефекта гортани, голосовых связок и мышц лица.

Здесь же аномалии серьёзные, и я не представлял, как от них можно полностью избавиться.

Христина старательно лечилась у психиатра. Он не поколебал её решимости. Она вновь приехала ко мне.

Как прикажете быть? Не прогонять же её из кабинета!..

Василий Карлович продолжал рассказывать:

— Единолично брать на себя ответственность я не имел права, объяснив ситуацию, попросил создать официальную авторитетную комиссию. Комиссия придирчиво изучала вопрос. Специалисты беседовали с больной, уточняли анализы, смотрели руководства, консультировались с юристами и наконец вынесли заключение. Вот оно:

«Больная с точки зрения консилиума является психопаткой.

Хирургическое поэтапное вмешательство может привести к положительному результату. Если ожидаемый медицинский эффект не наступит, то больная постепенно всё равно успокоится, так как потеряет веру в возможность полного исправления дефектов. Со временем психика её должна прийти к норме, она смирится со своим положением и будет жить жизнью нормального человека».

Акт подписали: заведующий кафедрой психиатрии, доктор медицинских наук; заведующий отделением клиники ухо-горло-носа; научный консультант, профессор, доктор медицинских наук; эндокринолог эндокринологического центра, кандидат медицинских наук и другие.

Заручившись столь солидным документом и одобрением своего прямого начальника, я со спокойной душой приступил к действиям.

Надо заметить, что Василий Карлович, кроме всего прочего, заразился знакомым каждому хирургу профессиональным азартом. Случай уникальный. Почему бы не быть «первопроходцем»? Почему бы и не попробовать?..

Составил список литературы, которую следовало прочесть. Сперва необходимо было выяснить причину появления грубого мужского голоса, встречающегося иногда у женщин.

Согласно утверждению австрийского физиолога Э. Штейнаха, чьи опыты с омоложением наделали когда-то много шума, природа в своей основе якобы бисексуальна, то есть двупола. Точку зрения учёного грубо схематически можно представить так: в любой особи заложены и мужские и женские начала. В зависимости от того, что преобладает, мы и видим перед собой или мужчину, или женщину.

Говоря упрощённо, норма для мужчин, допустим, 75 процентов мужских начал и 25 процентов женских. Такие физические данные соответствуют здоровому психическому настрою человека. Но у некоторых мужчин женских начал будет, скажем, не 25, а 35 или 40 процентов. И перед нами окажутся женственные мужчины. Они любят носить длинные волосы, любят целоваться с представителями своего же пола и т. д. И наоборот, если у женщины много мужских начал, она теряет обычные для себя свойства. У неё преобладают грубый голос, резкость движений, стремление пить, курить, одеваться на мужской манер, хотя по всем физическим признакам она остаётся женщиной.

Нет ли такого несоответствия у Христины? Не здесь ли спрятан ключ к исправлению её голосового дефекта?

Учение Штейнаха объясняет её состояние дисгармонией эндокринных элементов. И ликвидировать аномалию — исключительно трудная задача.

Снова и снова Василий Карлович анализировал физическую природу Христины, приглядывался к ней, стремился уловить в её манерах, привычках, поступках что-то мужское, но нет — она вела себя совершенно обычно, была женственна и прекрасна во всех своих внешних проявлениях.

Он доставал в библиотеках книги, в которых описывалось строение гортани, небной полости, голосовых связок, носа, консультировался у специалистов, приглашал к девушке лучших оториноларингологов.

Знания накапливались, но к определённому решению он ещё не приходил.

— Однако я утомил вас, дорогой Фёдор Григорьевич. В другой раз, если представится случай, я готов рассказать об операциях. Впрочем, как мне кажется, они не отличаются большой оригинальностью и вряд ли вам интересны.

— Напротив, очень интересны.

— Скажите-ка лучше, как ваше здоровье? Вы нетвёрдо ходите, припадаете на одну ногу. Не случилось ли чего?..

Я поведал ему историю с ушибом позвоночника. Василий Карлович осмотрел меня.

— Перелом поперечного отростка. Вам нужен особый массаж и гимнастика. Целесообразно на некоторое время лечь к нам в институт.

Я был готов к такому обороту дел и не возражал. Сколько бы ни приходилось прежде лежать в больнице, я всегда с отдачей использовал это время — жадно читал, старался писать. Привычка заносить в блокнот впечатления у меня развилась давно, и постепенно жизненных наблюдений становилось всё больше. Когда встречались люди, поражавшие воображение, я испытывал потребность рассказывать о них другим, преимущественно молодёжи, вступающей в жизнь. Именно так родились мои первые «немедицинские» книги — «Сердце хирурга» и «Человек среди людей». И поныне, если я устаю от работы, если мне не хочется садиться за статьи или за новые главы научных теоретических трудов, я доверяю бумаге свои размышления обо всём, что меня заботит. Таким образом я отдыхаю, это занятие приносит мне удовлетворение.

Вот и тогда я заново переживал радость от встречи с Василием Карловичем — человеком интересным, значительным как с профессиональной, так и с гражданской, общечеловеческой точки зрения. Разве всякий хирург поступил бы так на его месте? И как поступил бы я сам в его ситуации?.. У него были все основания отказать Христине. Каприз. Прихоть. Ничего опасного для жизни. Стоило ли тратить столько сил, рисковать?..

Но девушка молила о помощи, и он откликнулся. Ринулся в неизведанное.

...К беседе об операциях мы не возвращались. Василий Карлович навещал меня ежедневно, иногда и дважды в день, но было очевидно, что он очень занят, а моя болезнь — не самая сложная. Покорно предоставил себя в распоряжение местных чудодеев, никого не торопил. Скоро почувствовал явное облегчение в спине.

Целыми днями писал, а когда надоедало — брал книгу и читал. И всё же было скучновато. Однажды моё уединение нарушила Христина. Вечером она робко постучала и так же робко заглянула в палату. На щеках её алел румянец, тёмные прекрасные глаза блестели не то от тревоги, не то от волнения.

— Христина! — невольно вырвалось у меня. — Проходите, садитесь. Очень рад.

Девушка подошла к столу и присела на краешек стула.

— Вы тоже... болеете? — спросила она. Я отметил про себя чистоту голоса, и словно бы вздох облегчения вырвался из моей груди: я почему-то боялся, что вдруг услышу предательский бас.

— Да, представьте, — развёл я руками, — врачи тоже имеют скверную манеру хворать.

— Ничего, Василий Карлович исцелит вас. Он замечательный доктор.

Голос её окреп, обретал уверенность.

— У меня к вам просьба, — заговорила она тут же, вероятно не зная, чем заполнить паузу.

— Пожалуйста, я слушаю.

— Полечите и вы нашего профессора... Василия Карловича. Он болен, но никому не признаётся. Даже жене... Боится разволновать.

— Что же его беспокоит?

— Сердце. У него случаются такие приступы, что он трудно дышит, бледнеет и покрывается потом. Я видела... несколько раз. Мне страшно за него.

Христина помолчала. Потом, волнуясь, снова заговорила:

— Если бы вы знали, сколько он работает! Институт, заседания, читает лекции, наконец, больные. Больных много, они идут беспрерывно. И каждого человека он непременно посмотрит. А сверх того — операции. Почти каждый день! По два, три часа, иногда больше стоит за операционным столом. И ладно бы работа!.. Он сильный, он бы справился, но тут добавляются неприятности. Из-за меня тоже... — Христина отвернулась, в глазах её заблестели слёзы. — Из-за меня!.. Душа моя изболелась.

— У нас, врачей, неприятности бывают. У хирургов — тем более. Но Василий Карлович должен понимать, как необходимо своевременное лечение. Почему он к врачам не обращается?..

— Принимает капли разные, снимающие спазм, таблетки глотает. В день-то, пожалуй, десяток под язык бросит. А чтобы к врачам — нет, не обращается. Говорит, против стенокардии медицина слаба. Тут образ жизни менять нужно, в деревню ехать да на рыбалку ходить. А на кого же, говорит, институт, больных оставлю? Как-то он мне сказал: «Есть в Ленинграде доктор — загрудинную блокаду делает. К нему, что ли, съездить...» А сегодня встретил в коридоре, улыбается: «Помнишь про ленинградского доктора? Здесь он». Вот я и пришла. Очень прошу: помогите Василию Карловичу!..

В раскрытое окно со двора донёсся мальчишеский голос:

— Христя!..

Христина подошла к окну, подняла руку. Лицо её вмиг осветилось. Смущённо пояснила:

— Ко мне это. Зовут. — Простившись, убежала.

Во дворе институтской клиники я увидел рослого молодого мужчину и с ним мальчонку лет двенадцати. Засмотревшись на них, не заметил, как в палате появилась няня Анастасия Амвросиевна — пожилая женщина, пенсионерка. При первом же знакомстве она мне рассказала про Колю, мужа, погибшего в 1941 году под Москвой, про то, как она вот уже тридцать лет работает няней и, как она выразилась, «не может без больных»: «Они мне как родные, словно бы дети малые — как же я их брошу!» И продолжает свой благородный, самоотверженный труд.

Постояла вместе со мной у окна, посмотрели мы, как подошла к своим гостям Христина, как обнялись они все трое и долго кружились на месте. Добрая женщина вздохнула глубоко:

— История!.. Любят они друг друга. Уж как любят — сказать нельзя!

Я подумал: тот ли это парень, о котором Христина писала профессору, или другой? И мальчик откуда взялся? Анастасия Амвросиевна стала комментировать:

— Мальчик Христине от сестры достался. Муж бросил её сестру, а та попивать начала, все дела побоку, сын — тоже. Мальчик-то — его Тёмой зовут, Артёмка, значит, — всё больше у бабушки. А тут бабушка умерла — и они вдвоём остались. Ну, а он-то, парень её, сперва стороной ходил.

А когда Христину в институт положили — приехал к ней. И мальчик с ним. Так здесь и остались. Парня-то Олегом зовут. Слесарем на завод поступил. Красивый, видный. Чем-то он Николая моего напоминает. Только этот чернявый, а мой-то Коленька русый был, и глаза синие, точно васильки после дождя.

— Ну а что же Олег, знал он о предстоящих операциях?

— Должно, знал, да виду не подавал. Он, поди, и так полюбил Христину — без операций мог бы на ней жениться. Но она если решила — не отступится. Исправил ей наш-то профессор личико, выписалась она из больницы, и они тут же поженились Мы уже думали, не придёт она к нам, и профессор говорил: «Не придёт Христина. Всё в её жизни уладилось». А она — нет, пришла. Делайте, мол, мне все другие операции.

Анастасия Амвросиевна заторопилась уйти к ожидающим её больным. Я сидел в кресле у раскрытого окна и думал о молодых людях, с которыми свела меня жизнь столь неожиданно. Ясно, что Олег любил Христину, и только какие-то недоразумения, а может быть, ложные сомнения с той и другой стороны мешали им поначалу соединиться. Полагая, что смыслю в мужской психологии несколько больше, чем в женской, я был уверен и в том, что Олег считал себя виноватым, казнил себя за все муки, на которые пошла Христина. Во всяком случае, так мне представлялась эта история.

Выбрав момент, я взял за руку Василия Карловича и попросил его задержаться.

— Что с сердцем?

— Откуда вы знаете о моём сердце?

— У вас верный защитник. Волнуется о вашем здоровье больше, чем о своём.

— А-а, Христина здесь побывала. Глазастая, все видит... — И счёл нужным прибавить: — В общей сложности, исключая перерывы, она лежит у нас свыше года. Привык к ней, как к родной, а она — ко мне. — Покачал головой. — Ишь, адвокат нашёлся! Наверное, с женой сговорились — обе хлопочут...

— Ну а что с сердцем? Почему сразу не сказал?

— Обыкновенное дело: стенокардия. Перегрузки, нерво-трёпка — болезнь века! И самое печальное — нет с ней никакого сладу. Потому и не обращаюсь ни к кому. Глотаю таблетки, дышу пока.

— В ваши сорок пять лет — глотать таблетки! Никуда это не годится, нельзя так.

— Фёдор Григорьевич! — подсел ко мне профессор. — Спросить хочу: как держитесь, как умудряетесь в свои почтенные годы тащить на плечах груз, которого и на десятерых хватило бы? У вас клиника, кафедра, журнал, а тут ещё монографии постоянно выпускаете... Как успеваете?! И неужели никто не мешает?

Знакомый вопрос.

— Да, — в раздумье отвечал я Василию Карловичу, — годами я ушёл от вас, далеко ушёл. Жалко мне молодых лет, но их не вернёшь. А насчёт тех, кто мешает... учёным только того назвать можно, кто прокладывает нехоженые пути. Плох тот учёный, у кого нет противников. Противников и у меня много, но я не сожалею об этом. Как организм во всякой новой среде пускает в ход приспособительные механизмы, так и я стараюсь адаптироваться, выработать устойчивость. Нелегко это даётся, но получается. Верю, что человек со временем научится управлять своей психикой, сможет избегать нежелательных стрессов, сведёт к минимуму вредное воздействие неприятных эмоций. Я много думаю над подобными вопросами. Хорошо бы написать специальную книгу. Но это в будущем. А теперь я намерен серьёзно заняться вашим сердцем. Вы должны указать на свой самый большой внешний раздражитель. Христина упоминала о сложностях, связанных с её операциями. Не они ли спровоцировали спазмы?

— У меня сейчас есть время и желание рассказать вам кое-что... У Христины оказалась поразительная выдержка. Каждую операцию переносила стоически, без единого стона, без единой жалобы. Сколько же надо иметь силы воли, непреклонности, чтобы ни разу не дрогнуть, не раскаяться!

— Её поддерживала любовь, присутствие рядом мужа, тоже готового к самопожертвованию...

— Я вижу, вы знаете и другую сторону дела — личную, семейную. Это немудрено, у нас тут все на виду, а она — тем

более. Во-первых, очень уж красивая; во-вторых, необычная, странная история болезни. Олег её — парень удиви-
тельный, я сдружился и с ним. Бывает же так: встретил двух
молодых людей, пригляделся к ним, вник в их судьбу
и открыл такие характеры, такой пример человеческого благородства, что сам вроде бы стал лучше, чище душой.
У меня настроение скверное, всё как-то враз слепилось —
ушёл бы на место поспокойнее, а вот вспомню, как вели
себя в трудной ситуации Олег и Христина, будто крепче
духом становлюсь.

Василий Карлович помолчал, словно заново оглядываясь
в прошлое.

— Когда я сделал первую операцию, Христине было
плохо. Она потеряла много крови, положили её в реанима-
ционную палату. Ночью встал — и в клинику. Захожу
в отделение, а у изголовья Христины Олег сидит. Как явился с завода в шестом часу вечера — я ему пропуск оформ-
лял, — так и сидит. Посмотрел я больную: пульс неплохой,
наполнение хорошее — организм молодой, справится.
Обращаюсь к Олегу: «Иди домой, скоро ведь на работу».
Он улыбается: «Ничего со мной не сделается. Вы бы вот
Артёмку услали, он меня не слушает, от рук отбился».
Вышел я в коридор, а там в уголок дивана Артем забился.
Глаза красные, опухли, плачет. «Ты чего плачешь?» — «Хри-
стю жалко. Больно ей». Обнял его за плечи, в кабинет
к себе повёл. Там мы чаю напились, побеседовали. Потом
по городу шли, я говорил мальчику, как взрослому, о своих
планах лечения Христины. Зато и слушал он меня внимательно, и верил мне, как божеству.

— Как вы думаете, Олег так же хотел исправления голоса, как и Христина? — спросил я, чтобы перепроверить свои
мысли по поводу мужской психологии.

Неот, конечно. Он считает себя виноватым в том, что
толкнул её на муки, и мы уж вместе хотели отговаривать её,
но поняли — ничего из нашей затеи не выйдет. В одном он
был верен себе: всегда стоял с ней рядом, чем мог облегчал
её страдания. А когда однажды Христине стало особенно
плохо и я не на шутку испугался, она взяла нас за руки —
меня и Олега — и сказала «Не бойтесь. Я буду жить».

Олег тогда вообще не отходил от Христины: растирал
спиртом холодеющие ноги, делал массаж, предупреждал

малейшее её желание. И кризис скоро миновал. Она снова пошла на поправку, на этот раз преодолев самую большую опасность.

...Василий Карлович рассказывал о больной, а передо мной вырисовывался и образ хирурга. За совершённым им — череда бессонных ночей, отданных на изучение литературы, обдумывание каждой детали операций, переживания, когда на каком-то этапе возникает осложнение и создаётся угроза того, что весь его труд и все мучения пациентки окажутся напрасными. Ум, воля, талант победили.

Но беспокойства профессора на том не окончились. Формально не имелось веских оснований затевать настолько сложную хирургическую комбинацию. Надо было ещё доказать свою правоту, обосновать закономерность предпринятых действий.

Как ни относись к вопросу о показаниях к этой поэтапной операции, сама по себе она — выдающееся событие, свидетельствующее об эрудиции и таланте Василия Карловича, об уровне хирургической науки в нашей стране. Впервые в отечественной, а может быть, и в мировой практике удалось радикально переделать унаследованный от природы голос.

А стоило ли переделывать? Как выяснилось, мнения по этому поводу разделились.

Дополнительный консилиум в весьма представительном составе, «ознакомившись с трансформацией органов, отдельных частей лица гражданки К.», пришёл к заключению, что весь курс хирургического вмешательства был обоснован.

Василий Карлович вздохнул с облегчением. Есть одобрение авторитетной комиссии. Его понимают и поддерживают товарищи, коллеги по институту, руководство. Даже один из администраторов в республике, сам хирург по специальности, не чинил препятствий, сдержанно наблюдая за развитием событий. Все уже думали, что он всецело положился на опыт Василия Карловича, отдаёт должное его мастерству.

Прошло совсем немного времени после блестящей заключительной операции. Василий Карлович намеревался подать заявку на демонстрацию своих результатов в научном обществе. Тут-то и наступил переломный момент.

В народе довольно зло, но метко говорят: «Пустой мех вздувается от ветра, пустая голова — от чванства». Трудно сказать, что вдруг возобладало — то ли профессиональная ревность, то ли служебная амбиция, но администратор этот, Филипп Сергеевич, решил вдруг «власть употребить». Он во всеуслышание заявил: хирург не добился ничего исключительного, наоборот, совершил ошибку, граничащую с преступлением. И потребовал нового разбирательства.

Члены вновь созданной комиссии пошли по прежнему кругу — медицинские документы, личные письменные заявления К., кинофильм, запечатлевший этапы операции, обследование больной, беседы с ней и с лечащим врачом. Материалы тщательно заносились в акт. Вот выводы:

«1. В соответствии с данными исследования, заключениями специалистов различного профиля у больной К. имелись основания для проведения пластических операций, направленных на трансформацию голоса, на исправление дефектов лица.

2. Операции выполнены на высоком техническом уровне и закончились успешно.

3. Пересадка тканей в ходе операций производилась грамотно, с учётом достижений современной медицины.

4. Подобные операции относятся к числу уникальных, и показания к ним должны носить строго индивидуальный характер.

Копии документов прилагаются».

Получив такую бумагу, Филипп Сергеевич разгневался. Он собрался наказать и членов «строптивой» комиссии, но его отговорили. Уж очень неприглядно он выглядел бы, не согласившись с объективной оценкой фактов.

Комиссию тихо распустили.

Тучи между тем сгущались. Ходили слухи о каких-то готовящихся мерах взыскания. Василий Карлович попросился на приём.

Вернувшись домой, он по памяти записал разговор, обескураживший его своим тоном. Филипп Сергеевич держался так, словно был чем-то очень задет, лично оскорблён, и не считал нужным скрывать агрессивность. Состоявшийся словесный поединок наглядно выявил благородство и достоинство одного, непонятную мстительность — другого...

Василий Карлович показал мне фрагменты этой записи:

В. К. Филипп Сергеевич, мне бы хотелось дать вам некоторые пояснения в связи с произведённой мною операцией, прежде чем вы будете принимать решение.

Ф. С. Что вы хотите сказать?

В. К. Насколько мне известно, предусмотрено наказать меня за то, что я пошёл на операцию без предварительного согласования с вами, как того требует ваш приказ. Но приказ появился только через год после того, как мы приступили к делу. И, естественно, мы не могли его учесть.

Ф. С. Для обвинения есть много других причин, и вовсе не обязательно ссылаться на этот приказ. Вы своими действиями нарушили законы: сделали целую серию опасных для жизни операций без каких-либо оснований для них.

В. К. Я стремился прежде всего помочь больной. Она осталась жива, довольна результатом, и я не вижу здесь ничего предосудительного.

Ф. С. Не говорите глупостей! Вам была нужна сенсация. Мне же ваш начальник все уши прожужжал: большое достижение, о нём надо докладывать на научном обществе... А вам просто захотелось славы!

В. К. Когда я решал вопрос об операции, я думал о том, как помочь больной.

Ф. С. О какой помощи тут может идти речь? Помилуйте!

В. К. Первоначально я отнёсся к просьбе больной негативно и убеждал её отказаться от идеи хирургического вмешательства. Когда же психиатры дали заключение, что больная стоит на грани самоубийства, я больше не колебался.

Ф. С. Что за ерунда, самоубийство!.. А почему же тогда вы не проконсультировались ни с кем и делали эту операцию втайне?

В. К. Никакой тайны не было. Напротив, своё положительное суждение высказывали специалисты самого разного профиля.

Ф. С. А со мной не могли посоветоваться? Вы даже своему другу В. ни слова не сказали!

В. К. Мне кажется, что никто из хирургов перед сколько-нибудь серьёзной операцией заранее не рекламирует то, что он собирается делать. К тому же мы не были уверены, что больная женщина сама не передумает.

Ф. С. О какой больной женщине вы толкуете? Она здорова. У неё блажь, а вы это выдаете за болезнь.

В. К. У меня была цель: путём коррекции избавить её от тягот природных аномалий. Такие больные — несчастные существа.

Ф. С. От вашей операции несёт буржуазным душком. Это в капиталистическом обществе охотно поддержали бы подобные «эксперименты».

В. К. Поддержали и у нас. Авторитетные медики подтвердили, что в конкретных условиях следует оперировать.

Ф. С. Значит, вы пытаетесь расширить круг лиц, которых надо привлечь к ответственности вместе с вами?

В. К. Я не вправе тут давать оценки. Я только просил бы вас предоставить мне возможность изложить свою точку зрения и пояснить все обстоятельства, связанные с операцией, скажем, на учёном совете.

Ф. С. А моего мнения разве недостаточно? Вам обязательно нужен учёный совет?

В. К. Ваше мнение важно, но поскольку многие моменты остаются просто неизвестными...

Ф. С. Вы настаиваете на обсуждении на учёном совете? Я могу это сделать! Пожалуйста!

В. К. Я ни на чем не настаиваю. Я прошу вас дать мне возможность встретиться официально со специалистами.

Ф. С. Ваш начальник на таких же позициях?

В. К. Он и порекомендовал мне прийти к вам на приём, по-моему, он тоже не возражает против того, чтобы участвовать в обсуждении этого вопроса.

Ф. С. Извольте, но это хуже для вас.

В. К. Неизвестно, что хуже, а что лучше. Наверное, всё же лучше гласность и беспристрастность в разборе моей операции».

...Закончился разговор. Перенося его запись к себе в блокнот, я вспомнил другой красноречивый пример неприятия инициативы хирурга, хотя он относится к иному времени.

В 50-х годах в Ленинграде мне довелось тесно контактировать с академиком Владимиром Николаевичем Шамовым. Его имя олицетворяет собой целую эпоху в медицине. Впервые в СССР в 1919 году он произвёл переливание крови в эксперименте. Через девять лет первым в мире предложил переливание трупной крови и доказал правомерность этого предложения. Признанный авторитет в нейрохирургии, он был удостоен Ленинской премии в 1962 году — в год своей смерти. Так вот, Владимир Николаевич рассказывал мне, как трудно ему было первоначально найти доноров даже за плату. Тогда он решил узаконить донорство, юридически оформить взаимоотношения доноров и государства. Вопрос вынесли на рассмотрение съезда юристов. И что же сказали законодатели на заре Советской власти? Они сказали, что продажа крови — это продажа части тела, в сущности, то же самое, что торговля всем телом, и назвали донорство проституцией, а Шамова обвинили в том, что он стремится узаконить проституцию.

Владимир Николаевич рассказывал об этом с добродушным юмором. (Ну чем не эпизод с часовщиком из пьесы Н. Погодина «Кремлевские куранты»! Помните? Эзоп — агент Антанты, а часовщик — агент Эзопа...) Но попробуем представить, что было бы, если бы донорству и впрямь не дали дорогу. Сколько раненых не вернулось бы в строй во время Отечественной войны, скольких тяжелейших больных не удавалось бы спасать в мирные дни! К счастью, вздорные попытки «не дать дорогу» прогрессу в науке заранее обречены на неудачу.

Тех, давних защитников свободы личности, ополчившихся на «проституцию», ещё можно понять. Все горели одним желанием — «Мы свой, мы новый мир построим...» И строили, и не были виноваты в том, что не хватало знаний, что их приходилось приобретать по ходу дела. Но нельзя понять и оправдать нынешних ортодоксов, которые сознательно превращают невежество в оружие демагогии, пользуются им в неблаговидных, субъективных целях, не стесняются наклеивать на своих более талантливых соперников ярлыки буржуазной морали, прибегать к открытой угрозе. Всё это было бы смешно, когда бы не было так грустно...

За Василия Карловича вступился непосредственный его начальник. Он написал Филиппу Сергеевичу письмо, и тот, видимо, поразмыслив, сменил гнев на милость.

Возражал всего лишь один человек, а нервы он помотал изрядно. Впрочем, сопротивление коллеги — пусть даже влиятельного — не поколебало веры врача в свою правоту.

Любовь к больному, стремление облегчить страдания людям — вот что владеет помыслами хирурга. И оценивает его справедливо и искренне только прооперированный. Насколько пациент доволен операцией, настолько же хирург доволен результатами своего труда. Это и есть мощный стимул для новых дерзаний, сметающий любые искусственно возводимые препятствия. Недаром Н. И. Пирогов утверждал: «Движение науки вперёд неизбежно и неотвратимо».

Христина оставила в «досье» Василия Карловича очень характерный, с точки зрения сказанного, документ:

«Уважаемый Василий Карлович!

С тех пор как началась моя новая жизнь, прошло... всего 7 месяцев. Для меня это было время первых шагов в новом моём качестве, время ощущения полного счастья, которого я никогда не знала.

Если вспомнить то время, когда мы впервые встретились, и попытаться сравнить его с теперешним временем, то сравнение не получится, потому что не сравнимы между собой ни в какой плоскости даже десять лет безрадостного, безнадёжного, пустого и страшного этой пустотой существования всего лишь с одним днём, но днём, полным жизни со всеми её ощущениями. Да, и десять, и двадцать, и любое количество лет прошлого своего существования я отдаю всего лишь за один день той новой жизни, которую подарили мне вы, ваша доброта, чуткая, все понимающая душа и великие, прекрасные руки, руки мастера...

И всю жизнь я буду платить вам за это участие своей верностью и огромной любовью. До последней минуты жизни буду продолжать считать вас своим богом.

Спасибо вам за всё, дорогой вы мой человек. Уверяю вас — ни одна душа на свете не будет любить вас так преданно и верно, как моя, исцелённая вами.

Я жива-здорова, чего, как говаривали в старину, и вам желаю. Счастлива, что обрела внутренний покой. Я любима, я пришла к цели, о которой так страстно мечтала.

Вот и все. Исповедь моя окончена.

Спасибо вам за то, что вы — именно такой Человек.

Ваша верная пациентка

Христина К.»

Что можно добавить, прочитав такое письмо? Мне кажется, остаётся лишь сердечно поздравить этого одарённого хирурга впечатляющей победой разума, воли и доброты.

Мне довелось быть в рядах пионеров освоения таких труднейших разделов медицины, как хирургия пищевода, лёгких, сердца, печени, сосудов и пр. Я хорошо знаю, что значит идти непроторенными путями, когда нет ни учебников, ни руководств, когда и в статьях-то ничего поучительного для себя не найдёшь, а надо спасать больного. Не каждый может спокойно сказать «пусть гибнет» или «пусть убивает себя». Истинный хирург старается сделать всё, что в его силах, чтобы предупредить печальный конец. Но чего это ему стоит, знает только он сам.

У меня в тот раз создалась необычная ситуация: оказавшись в положении больного, я, однако, не избежал и роли врача, а пациентом у меня стал доктор, который меня лечил.

Василий Карлович прошёл назначенные мною исследования. Анализы, как и следовало ожидать, свидетельствовали о нарушениях в деятельности сердца и сосудов. Я сказал всё без утайки, обрисовал состояние как предынфарктное и предложил сделать серию загрудинных блокад — метод лечения стенокардии, разработанный ранее, но, к сожалению, до сих пор встречающий много противников и потому медленно внедряющийся в практику. Можно по пальцам пересчитать города и клиники, где его применяют. А жаль! Мы убедились, что он даёт результаты, не сравнимые ни с каким другим методом в борьбе с грозной и весьма распространённой в наше время болезнью.

Василий Карлович хорошо знал о загрудинных блокадах по литературе, верил мне и всё собирался выделить бригаду молодых врачей, послать её к нам в Ленинград на выучку.

— Что же не посылаете? — спросил я с укором.

— Да если говорить откровенно — сложновато. Боюсь, не освоят технику.

— А вы не бойтесь. Волков бояться — в лес не ходить.

Тем временем ассистент приготавливал инструменты. Здесь же находилась Христина. Я удивился, увидев её в белом халате. Она подошла, попросила:

— Фёдор Григорьевич, разрешите присутствовать при операции.

Девушка ощущала неловкость, но твёрдо смотрела мне в глаза.

— Я хочу овладеть вашим методом.

Василий Карлович улыбнулся, заметив моё замешательство:

— Христина поступила учиться в медицинский институт — мечтает пойти по нашим стопам, стать хирургом.

Мне было приятно это слышать. Я поручил ассистенту взять на себя миссию учителя, объяснять и показывать Христине всё, что будет необходимо.

Помогая нам, Христина шепнула:

— Там, в коридоре, — жена Василия Карловича.

По моему настоянию её пригласили в комнату. Молодая женщина была заплакана, не отнимала платок от лица. Шутливым тоном захотел её успокоить:

— Разве я похож на человека, которого следует опасаться?

— Нет-нет... Я вам доверяю. Но ваш метод... говорят, он сложен.

— А-а... Вот оно что. Знаю, знаю, кто вас напугал!.. — Укоризненно взглянул на профессора. — Даю вам честное слово, что верну мужа живым и здоровым. А пока идите. Не надо волноваться.

Приступили к операции, если загрудинную блокаду можно назвать операцией. Страх на больного нагоняет сама игла — кривая и длинная. «Сложность», о которой так охотно толкуют, и совершенно напрасно, состоит в том, чтобы ввести иглу точно в область переднего средостения, где близко проходят крупные сосуды. А разве хирург, производя операцию на том же сердце, да и на других органах, и орудуя скальпелем, вправе позволить себе не соблюдать точности?.. Весь секрет в технике, в отработке навыков. А уж этого в нашем деле не избежать.

Василий Карлович внимательно наблюдал за моими манипуляциями, покрывшись чуть заметной бледностью. Но он не дрогнул, когда я, выбрав место, сделал укол и затем нажимал на поршень, «пропуская» большую дозу лекарства, в котором преобладал новокаин.

— Мне жарко... — тихо проговорил профессор, как бы со стороны анализируя состояние своего организма. — Я теряю сознание...

— Ничего, потерпите. Мне тоже бывает больно, когда вы пальцами надавливаете на ушиб у меня на спине.

Я вытащил иглу. Василий Карлович некоторое время недвижимо лежал на столе, затем слабо шевельнулся:

— Жарко. Очень жарко.

— Действие новокаина. Вы же знаете...

— Да, вы даете львиную дозу.

— Ну вот, самое худшее позади. Зовите теперь супругу... Я пробыл под опёкой Василия Карловича почти двадцать дней.

За этот срок боли в моей спине стихли, успел и я подлечить своего доктора. Он перенёс три загрудинные блокады, придерживаясь полупостельного режима.

Христина (она проходила в институте «капитальную проверку» — ей делали процедуры по укреплению новых тканей) с удивительным рвением овладевала всем, что относится к загрудинным блокадам. Раздобыла где-то и проштудировала статьи на эту тему, выучила названия инструментов, состав вливания.

Мы вместе с профессором заканчивали курс лечения: он выписал меня, я разрешил ему приступить к работе.

Они трое — Василий Карлович, жена его и Христина — провожали меня на вокзал.

Василий Карлович чувствовал себя хорошо, был в отличном настроении. Он уже настойчиво просил принять в Ленинграде «делегацию» его врачей. Видимо, собственный опыт окончательно убедил в преимуществе нашего метода.

— Ладно, присылайте, и Христину тоже.

— Она ещё студентка.

— Ничего. Мы поможем ей стать академиком.

На прощание Христина крепко жала мне руку. Молча благодарила за Василия Карловича.

5

Я вышел из возраста неумеренных восторгов — довольно пожил на свете, много повидал, многому знаю цену, — но не перестаю удивляться талантливости и величию духа русских людей. Подвижники и герои встречаются буквально повсюду. Мы часто видим их и в нашей хирургической среде.

Мой друг Пётр Трофимович привёз в Ленинград свою взрослую дочь Светлану, чтобы проконсультироваться со специалистами. Боль в тазобедренном суставе держится у неё уже несколько месяцев, никакое лечение не помогает. У нас в институте отделом травматологии и ортопедии заведует профессор Александр Васильевич Воронцов. Я попросил его посмотреть больную и, если надо, принять в клинику. После тщательного обследования он нашёл изменения в головке бедренной кости неясного происхождения. Не то опухоль, не то асептический некроз. Нужна операция, объём которой трудно заранее определить.

Как человек большой эрудиции и такта, Воронцов заметил:

— Я могу сделать операцию, но считаю своим долгом сказать, что в Москве есть специалист гораздо лучше меня — Сергей Тимофеевич Зацепин. Советовал бы попасть к нему в отделение, тем более что послеоперационный период будет длительным и больной потребуется помощь её близких.

Фамилия Зацепина мне была известна по медицинской литературе, но лично я до того с ним знаком не был. Пришлось знакомиться по телефону. Сергей Тимофеевич любезно согласился оказать содействие.

По мере выяснения диагноза он тоже порекомендовал хирургическое вмешательство и взялся произвести его сам. Операция прошла без осложнений.

Вскоре мы оба оказались на Всесоюзном съезде онкологов. Я выступал с докладом по диагностике рака лёгкого, Зацепин — с сообщением о сохраняющих операциях при опухолях костей, которое, без преувеличения, поразило всех присутствующих. Профессор демонстрировал на цветных диапозитивах уникальные результаты. В огромном большинстве случаев люди с подобными опухолями конечностей подвергаются ампутации. А Сергей Тимофеевич показал, как он, осуществляя невероятно сложные операции, удалял опухоль, сохраняя конечность и восстанавливая её функции. Каждая из операций из числа тех, что мы видели, прославила бы любого хирурга, Зацепин же выполнил их несколько сотен, причём одна сложнее другой.

После доклада зал бурно аплодировал талантливому экспериментатору. Я подошёл к нему, сердечно поздравил с успехом и попросил прислать материалы в журнал «Вестник хирургии».

Сергей Тимофеевич, как мне довелось узнать позже, обладает теми же высокими моральными качествами, что и учёные, которых я уже приводил в пример. Блестящая хирургическая техника сочетается у него с глубокой эрудицией, новаторством, изобретательным умом и неистощимой энергией; главное же — это удивительно доброе, отзывчивое сердце. Он покоряет всех, кто хоть на короткое время с ним соприкоснулся. Больные верят ему беззаветно.

Я с тех пор не однажды встречался с Зацепиным, бывал у него в институте, но характерные подробности узнал из рассказа Светланы: она лежала в его отделении долго и многое там повидала. Зацепин никого из больных не выделяет — со всеми одинаков и на первый взгляд строг. Поначалу они испытывают робость перед профессором. Но вскоре выясняется: строгость его отцовская, справедливая, а в иных случаях — показная. За напускной суровостью он прячет человеческую теплоту, трогательную мужскую нежность. Больные для него — вторая семья, родные дети.

В ночь под Новый год, чтобы передать поздравления, Сергей Тимофеевич полчаса простоял у автомата на сорокаградусном морозе, а когда дозвонился, стал отчитывать какого-то случайно подошедшего больного за то, что они там так долго «висят не телефоне» и заставляют мёрзнуть своего доктора.

— Я вот ноги отморозил, — кричал он в трубку, — завтра мои помощники мне их оттяпают! Кто вас, чертей, лечить тогда будет?..

Успокоившись, нашёл для каждого пациента, особенно для тяжёлых, хорошие, добрые слова, вселяющие надежду, просил обязательно всех поздравить, сказать, что он им желает в новом году.

Этот большой учёный, уникальный хирург занимает скромную должность заведующего отделением. Дело, однако, не в должности. Дело в том, что он лишён возможности учить. А вот если бы он, к примеру, стоял во главе специального института, к нему приезжали бы учиться врачи не только из разных городов Советского Союза, но и со всего света. Методикой его операций живо интересуются за рубежом. И было бы очень нужно, чтобы труды его становились достоянием других лечебных учреждений.

Если бы обеспечить таким учёным надлежащее поле деятельности, по их размаху, выиграло бы государство, интенсивнее решалась бы задача охраны здоровья человека.

— Я упомянул, вместе с Зацепиным, лишь очень немногих из тех, кто заслуживает признательности за свой бескорыстный, самоотверженный труд. Подобные люди — основа нашего общества, именно они определяют нормы жизни. Тем более болезненно мы реагируем на любые нежелательные отклонения.

— Сказать так — значит ничего не сказать, — вставил Борзенко. — Как конкретно реагируем? Огорчаемся, пассивно переживаем, когда на наших глазах топчут достойного человека? Считаем, что выполнили гражданский долг, поскольку, мол, не замарали рук, не включились в травлю? Молча дожидаемся развязки, уповая на то, что истина рано или поздно восторжествует? Грош цена такой позиции! Ничто не приходит само собой, и справедливость тоже. Не огорчаться надо, а бороться. Мы очистимся от скверны, от всяких там карьеристов и приспособленцев — а медицине они особенно противопоказаны! — только если научимся спрашивать строго, во всех отношениях, прежде всего с себя, научимся «слышать» чужое горе и чужую фальшь. Неравнодушие же предполагает действие. Да что я вам это говорю? Вы-то, Фёдор Григорьевич, из отряда бойцов...

— Я, знаете ли, уразумел, что существуют определённые «ножницы». В своей прямой работе настоящий врач, врач по призванию, ежедневно идёт на самоотречение; заботой, вниманием и непрерывным бдением спасает сотни больных. Но далеко не всегда он в состоянии противостоять напору наглости и силы. Не от каждого можно требовать готовности вступить в схватку, но каждый, кто этого заслуживает, должен рассчитывать на защиту. Тут вы правы.

Наш разговор с Сергеем Александровичем крепко засел в памяти. Я мысленно не раз возвращался к своим товарищам — хирургам. Всё-таки, несмотря на надвигающиеся иногда тени, они с честью служат людям, оберегая их от опасностей, которые нередко подкарауливают человека при самых, казалось бы, непредвиденных обстоятельствах.

Таких людей в нашей жизни встречается много больше, их дела становятся нормой жизни, и мы болезненно реагируем на любые отклонения в нежелательную сторону. В то же время мы можем не обратить внимания на героический, самоотверженный труд многих людей. Я могу смело утверждать, что такие слова по праву можно отнести к сотням и тысячам хирургов, которые своим неустанным трудом, заботой, вниманием и непрерывным бдением предупреждают неминуемую гибель сотен тысяч и миллионов людей. Это их бескорыстная забота и труд, их бессонные ночи охраняют нас от опасностей, которые нередко подкарауливают человека при самых, казалось бы, непредвиденных обстоятельствах.

Среди обильной почты, поступающей к нам в клинику ежемесячно, мы получили письмо следующего содержания:

«Уважаемый Фёдор Григорьевич! Обращаюсь к вам за помощью, так как считаю, что иного выхода у меня нет. Дело в том, что я больна ревматизмом. Больной считаюсь с 1964 года, когда при обострении у меня сформировался порок сердца. Далее атаки повторялись, и в 1974 году я должна была прооперироваться в своём областном центре, в Новгороде, по поводу стеноза митрального клапана. После операции спустя год вышла на работу... И вот почти через восемь лет я снова инвалид. В июне 1980 года заболела. Беспокоил кашель, одышка, но продолжала работать. В конце сентября начались приступы удушья типа астмы. Положили в стационар. Диагноз: обострение ревматизма, рестеноз, гипертоническая болезнь, сердечная недостаточность. С таким диагнозом я отправлена на инвалидность II группы.

В настоящее время состояние моё стало не лучше, а всё хуже и хуже. Я совсем задыхаюсь. Бьёт кашель постоянно, почки отказывают, принимаю гликозиды, но улучшения нет.

Прошу вас, помогите мне. Обследуйте и что возможно сделайте. Сейчас в Новгороде операции на сердце не проводят, а у нас в посёлке молодой врач, и помощи от него я никакой не могу получить. Мне 42 года, хотелось бы пожить хоть малость ради дочери, которой ещё 15 лет. Прошу вас убедительно дать ответ по адресу... Зинаида Кузьминична».

Это письмо почему-то сразу привлекло наше внимание, о чём можно судить хотя бы по тому, что получили мы его 19 марта, а ответили 20-го, то есть на другой же день. Ничего необычного на первый взгляд в нём не было — мы в общем-то привыкли слышать призывы о помощи измученной, исстрадавшейся души больного, который жаждёт исцеления. Наверное, нас насторожили слишком быстро нарастающая одышка у корреспондентки — характерный симптом при митральном стенозе. Так или иначе, мы послали срочный ответ и вызов, но больная приехала не сразу. Ей понадобилось время и силы, чтобы съездить в Новгород за направлением облздрава, а потом несколько недель отлёживаться дома, прежде чем решиться на следующую поездку — в Ленинград.

Не часто мы отвечаем так быстро, хотя и стараемся ответить всем в возможно сжатые сроки. Если учесть, что секретаря заведующему кафедрой у нас не положено, даже если он академик, врачи все загружены текущей работой и операциями, сестёр недостаточно, а санитарок почти совсем нет, то станет понятным, что своевременно отвечать на непрекращающийся поток писем чрезвычайно трудно. И тем не менее на это письмо было отвечено на другой день, хотя ничего особенного в этом письме, как мы видим, нет. Обычный крик измученной, исстрадавшейся души, какой мы слышим ежедневно.

Зинаиде Кузьминичне было очень трудно передвигаться, малейшее движение вызывало резкий кашель и тяжёлое удушье. Между тем без направления из облздрава мы ни при каких обстоятельствах принять больную не могли, несмотря на то, что у неё были все показания для госпитализации, а у нас были свободные места. В своём ответе больным мы предупреждаем о необходимости привезти с собой направление из облздрава или из министерства. Конечно, до облздрава Зинаиде Кузьминичне было не 1000 и даже не 600 км, как некоторым больным. Всё же и те 350 км, что пришлось проделать, дались нелегко. Послав ей вызов срочно, мы удивлялись, почему же эта тяжёлая больная так долго не едет? Оказывается, она несколько недель отлёживалась после своей поездки за направлением, которое подошьют к делу и больше на него не взглянут, ибо оно никому не нужно. Нам необходима выписка из истории болезни, которую она получила от своего лечащего врача только 21 мая, т. е. спустя два месяца после нашего письма. Так или иначе, но 27 мая, спустя 10 недель после нашего вызова, Зинаида Кузьминична прибыла к нам в клинику в очень тяжёлом состоянии. Частый пульс, учащенное затрудненное дыхание, удушье, мучительный кашель. Нам важно было выяснить истоки болезни, и пациентка подробно рассказала свою печальную эпопею.

В 20 лет Зина сильно застудила ноги и слегла с высокой температурой, налётами в горле. Ангина протекала тяжело и длительно. Не дождавшись полного излечения, девушка рано вышла на работу, но не проработала она и двух недель, как новая вспышка ангины уложила её в постель. В течение года пять раз наступали обострения. На следующую осень всё повторилось после того, как она опять застудила ноги, только теперь, кроме горла, болели и опухали суставы ног и рук. Врачи признали ревматизм, назначили ей аспирин и антибиотики. Постепенно ревматический процесс затих, однако впоследствии трижды резко давал о себе знать и в конце концов привёл к пороку сердца.

В светлые промежутки Зина старалась не думать о недуге, ходила на вечера, танцевала, знакомилась с молодыми людьми. Вышла замуж и в 1966 году, уже когда у неё обнаружили порок сердца, родила дочь. Роды осложнили положение дел — быстро нарастала одышка, всё чаще обострялась ангина.

В 1970 году местные врачи, правильно понимая, что ревматизм поддерживается больными миндалинами, удалили их. Но предотвратить развитие порока уже было нельзя, и явления сердечной недостаточности усиливались.

Еще через год Зинаиде Кузьминичне, как она нам и написала, сделали в Новгороде операцию на сердце — пальцевую комиссуротомию, то есть разорвали спайки, склеивающие створки клапанов, и расширили отверстие между предсердием и желудочком сердца.

Что и говорить, хирургическое вмешательство не из лёгких. Больная оказалась на инвалидности. И всё же операция достигла цели — сердечная недостаточность медленно, но исчезла, женщина смогла вновь работать.

Спустя несколько лет её опять настигла ревматическая атака, состояние ухудшилось... Болезнь прогрессировала. Стало трудно дышать. Такой мы её и приняли в конце мая 1981 года.

В срочном порядке, проведя самые необходимые обследования, мы выявили у больной рецидив порока — рестеноз. Нужна была ещё катетеризация полостей сердца, чтобы точно установить степень стеноза и недостаточности. От этого зависел план операции. При чистом стенозе можно применить закрытую методику, которая менее травматична. А если есть к тому же выраженная недостаточность, потребуется операция с искусственным кровообращением и надо будет вшивать искусственный клапан. Однако состояние больной не позволяло осуществить ни катетеризацию, ни ряд других исследований. Приходилось ждать. Зинаиде Кузьминичне предписали абсолютный покой и энергичную терапию. К нашему удивлению и огорчению, никаких положительных перемен не последовало. Вопрос об операции, таким образом, становился все острее: делать — рискованно, а не делать — тем более ничего хорошего не дождёшься. Беспокоила нас причина сильной одышки. Одной болезнью сердца её не объяснишь. Пневмонии же, которая могла бы вызвать такую одышку, у больной не было.

Врачи не отходили от Зинаиды Кузьминичны. Может быть, у неё не в порядке верхние дыхательные пути? И решились на отчаянный шаг — на бронхоскопию, так как трудно было рассчитывать, что она безболезненно перенесёт эту манипуляцию и не даст новых осложнений. При первой же попытке наткнулись на препятствие в трахее. Рентгеновский снимок показал, что там, на 3—4 сантиметра ниже голосовых связок, расположена опухоль, почти полностью закрывающая просвет трахеи. Причина неуклонно нарастающей одышки нашлась, но это ещё больше осложнило положение и наше, и больной. Надо было бороться не с одним, а с двумя тяжёлыми заболеваниями.

Все внимание мы подчинили тому, чтобы уменьшить одышку, поддержать деятельность сердца, но состояние пациентки вселяло по-прежнему тревогу, и когда бы я ни позвонил в клинику, в ней, кроме дежурных врачей, находились и заведующий отделением В. Н. Головин, и доценты. Надолго задерживался профессор В. Н. Зубцовский.

В субботу поздно вечером я выехал на дачу, а в воскресенье раздался телефонный звонок. Слышу взволнованный голос:

— Приезжайте срочно. Мы предпринимаем всё возможное, а Зинаиде Кузьминичне с каждым часом становится хуже. Боимся, что не сумеем дотянуть её до утра.

Дав указания врачам, кого вызвать и что предпринимать до моего приезда, я немедленно сел в машину. По дороге напряжённо думал о том, как выйти из создавшейся критической ситуации, чтобы спасти больную.

У её постели в воскресный день, как по набату, собрались заведующий отделением В. Н. Головин, два доцента — хирурги Ф. А. Мурсалова и В. В. Гриценко, старшие научные сотрудники — В. Н. Чуфаров и В. А. Родин, профессор В. Н. Зубцовский, аспиранты, субординаторы.

Экстренно созванный консилиум скрупулёзно оценивал обстановку. Итак, два параллельно протекающих заболевания: рестеноз, следствие которого — выраженная сердечная недостаточность, и опухоль трахеи, угрожающая больной гибелью от удушья. Последнее требовало неотложной операции, несмотря на тяжесть общего состояния, что называется, по жизненным показаниям. Но как дать наркоз, когда трубку в трахею не вставишь, а без трубки воздух почти не проходит в лёгкие? Наркоз может спровоцировать полную непроходимость трахеи...

После всестороннего обсуждения вывод был единодушным: немедленная операция под искусственным кровообращением.

Зинаиду Кузьминичну доставили в операционную в сидячем положении: лечь она не могла ни на минуту — сейчас же задыхалась. В акте дыхания участвовала вся вспомогательная мускулатура верхнего плечевого пояса. Число дыханий — 40 в минуту, число сердечных сокращений — 145 в минуту. Видно было, что организм мобилизует остатки сил, чтобы не погибнуть. Ещё немного, и силы эти истощатся, тогда не избежать катастрофы.

В положении сидя больной в правую локтевую вену вводятся эуфиллин, анальгин, преднизолон, лазикс, седуксен и гидрокортизон в растворе. Дыхание выравнивается.

Под местным обезболиванием, в положении полусидя в левую локтевую вену и лучевую артерию вставляются канюли для прямого измерения венозного и артериального давления.

Так же под местным обезболиванием обнажаются и канюлируются бедренная артерия и вена, к ним подключается аппарат искусственного кровообращения. Начинаем внутривенное обезболивание и вентиляцию лёгких масочным методом под давлением.

После этого приступаем к общему охлаждению. Больную горизонтально укладываем на операционный стол.

Продольно на всем протяжении рассекаем грудину. Рассекаем перикард. Сердце увеличено за счёт гипертрофии обоих желудочков и левого предсердия. Лёгочный ствол шириной до 4 сантиметров в диаметре. Выраженная синюшность сердечной мышечной ткани. Над левым предсердием пальцы ощущают напряжённое дрожание, что свидетельствует о резком митральном стенозе. Через ушко правого предсердия с помощью второго венозного катетера налаживаем отток крови.

Фибробронхоскопом исследуем трахею. На расстоянии 4 сантиметров от голосовой щели — разрастание ткани бело-розового цвета, с бугристой поверхностью. Бронхоскоп удаётся провести в щель между задней стенкой трахеи и опухолью, которая широким основанием прикрепилась к передней стенке. Просветы бронхов без изменений.

По светящейся лампочке прибора определяем границы опухоли. Ниже её поперечно пересекаем трахею, а продольно разрезаем три хрящевых полукольца. Вытягиваем мягкую массу (3 на 2 сантиметра) на полуторасантиметровой ножке. Видим, что опухоль пронизала слизистый и подслизистый слои трахеи. Резецируем полностью три кольца. Концы трахеи сшиваем узловатыми швами. Для наркоза вставляем через рот интратрахеальную трубку.

Снова подходим к сердцу. Слабым электрическим током останавливаем его. Разделяем межпредсердную борозду. По ней широко раскрываем левое предсердие. Створки митрального клапана утолщены, но их подвижность хорошая. Митральное отверстие около 1 сантиметра. Возвращаем ему положенный размер — до 3,5 сантиметра в диаметре.

Проводим профилактику воздушной эмболии, обрабатываем рану левого предсердия, восстанавливаем сердечную деятельность с помощью дефибрилляции.

При нормальной гемодинамике (артериальное давление 120/80 венозное — 130 миллиметров водяного столба, 100 ударов сердца в минуту) отключаем аппарат искусственного кровообращения. Ушиваем грудную клетку.

Принудительная вентиляция лёгких продолжалась ещё 14 часов после операции.

На 57-е сутки больная выписалась из клиники.

В марте 1982 года, спустя восемь месяцев, мы вызвали Зинаиду Кузьминичну для контрольного обследования. Она прибавила в весе 11 килограммов, сердце и лёгкие функционируют нормально, все показатели удовлетворительные.

24 марта наша пациентка была продемонстрирована на заседании хирургического общества имени Н. И. Пирогова как пример благоприятного оперативного исхода при комбинации двух очень тяжёлых заболеваний.

Только благодаря неусыпному вниманию врачей, непрекращающейся многодневной вахте удалось предотвратить критический момент и, отважившись на сложную, не описанную в литературе операцию, отвести женщину от роковой черты; не просто спасти её, а вернуть здоровье.

Такой труд иначе как героическим не назовешь. Конечно, советский человек готов к подвигу, и мы знаем тому множество подтверждений. Но обстоятельства, когда он совершает самоотверженный поступок, возникают редко, может быть, раз в жизни. Врач же, особенно хирург, должен быть настроен на полную самоотдачу постоянно. И это в конечном счёте определяет его общественную ценность, этим он заслуживает бережное отношение к себе.

Вот почему я хотел бы повторить слова, которые передал Михаилу Петровичу Чумакову японский рыбак по поручению своих товарищей: «Поклонитесь им низко».

4 Опыт — лучший учитель

1

По разным поводам я уже упоминал, что в 50-х и 60-х годах мне предоставлялась возможность несколько раз побывать за рубежом. Как правило, за границу командировалась группа крупных хирургов для участия в конгрессах, конференциях, чтения докладов и лекций, проведения показательных операций. Были и одиночные поездки.

Основная цель таких поездок — взаимный обмен мнениями по научным проблемам, знакомство с новейшими достижениями в области хирургии. Непосредственные контакты специалистов даже внутри страны имеют огромное познавательное значение, так надо ли говорить о практической выгоде, какую несёт расширение международных связей?

Любые, пусть и подробные, добросовестные, медицинские публикации никогда не заменят личного общения, эффекта от присутствия на операции, демонстрации в действии разнообразного оборудования, новинок техники и пр. На Западе бытует термин — «визитирующий профессор из другого города». Подобные визиты предусматриваются и оплачиваются клиникой, в которой данный учёный работает. Тем большую пользу получает клиника, посылая его за пределы государства.

У нас, разумеется, и материально, и организационно соблюдаются иные принципы, но сверхзадача посещения той или иной страны остаётся такой же, при том непременном условии, что — коллективно или индивидуально — мы прежде всего представляем Советский Союз, его социальную систему, прогрессивные завоевания в науке и здравоохранении.

Запомнилась одна из первых моих командировок — в Южную Америку, в Бразилию и Эквадор.

В конце ноября 1962 года в сопровождении профессора Х. Х. Планелеса мы прилетели в Рио-де-Жанейро.

Если о Бразилии говорят, что она страна контрастов, то прямым образом это относится и к Рио-де-Жанейро. На благодатном берегу Атлантического океана красуются многоэтажные громады банков, гостиниц, особняки богачей, а на склонах гор и холмов, окружающих город, лепятся друг к другу домишки и хижины малосостоятельной части населения. Здесь нет элементарных санитарных условий, многие жители лишены электричества, воды. Но даже такие хижины — несбыточная мечта для бедноты, которая не может купить клочок земли и в горах и вынуждена влачить жалкое существование в не поддающихся описанию трущобах. Один промышленник, сетуя на низкую производительность труда рабочих, говорил в беседе с нами: «Трудно ожидать от них должной работоспособности, если ежедневно они тратят на дорогу в оба конца по шесть часов».

Вместе с послом А. А. Фоминым и президентом Бразильской медицинской академии Олимпио де Фонеска был составлен план нашего пребывания в стране.

Утром 28 ноября нас принимали в Институте микробиологии при Бразильском университете. Заместитель директора института, он же руководитель отдела общей микробиологии, профессор Амадеу-Кури познакомил нас с деятельностью коллектива. По сути, институт выполнял функции кафедры микробиологии нашего медвуза. Тут обучались студенты, медицинские сёстры, фармакологи и врачи, присланные на усовершенствование. Исследования велись в области общей микробиологии, вирусологии, иммунологии. Каждый отдел располагал лабораториями.

Вслед за тем мы побывали в Академии медицинских наук, разместившейся в большом красивом здании в центре города. Она основана свыше ста лет назад. Президент избирался на два года. Академия не имела своих институтов и объединяла специалистов медицинских факультетов университетов.

На следующий день мы посетили Институт кардиологии, рассчитанный всего на 20 терапевтических коек, потому что упор делался на «чистую» науку. Однако отлично понимая, что современная кардиология не может быть полноценной без кардиохирургии, там организовали операционную и послеоперационное отделение. В лабораториях для экспериментов и главным образом для диагностики осуществлялись все необходимые процедуры, вплоть до пункции левого предсердия через межпредсердную перегородку, аортографии с помощью катетера, введённого в бедренную или плечевую артерию. В диагностических целях была создана также лаборатория изотопов. Учёные проводили широкие изыскания по лечению атеросклероза, в частности ими применялись большие дозы витамина С.

В тот же день удалось осмотреть Институт микробиологии и эпидемиологии имени Освальда Круза. Это крупное учреждение, раскинувшееся на площади в несколько сот гектаров и занимавшее около 40 зданий, включая госпиталь. В многочисленных лабораториях изготовлялись почти все вакцины, в том числе против жёлтой лихорадки и полиомиелита.

Ранним утром мы выехали на машине в Сан-Паулу — второй по величине и первый по промышленному производству город Бразилии, лежащий в 400 километрах к юго-западу от Рио-де-Жанейро. Сан-Паулу красивый город; центр застроен высотными зданиями, на окраинах — нарядные коттеджи. Население более двух миллионов человек.

Сразу же по приезде пошли в знаменитый институт Бутентан, который славится сыворотками против отдельных видов змеиного яда, вакцинами и сыворотками против вирусных заболеваний.

Спасение людей от укусов змей — злободневная проблема для страны. Сыворотки — единственно надёжное противоядие, поскольку иссечение тканей и другие экстренные меры не избавляют укушенного от смертельной опасности. На поражённой конечности очень быстро развивается отёк, нередко наступает гангрена. Только сыворотка, если она попала в организм в первые после укуса шести часов, может спасти пострадавшего, иначе и это не даёт эффекта. Больные погибают от почечной недостаточности. В настоящее время пытаются лечить таких больных «промыванием» с использованием искусственной почки.

Вирусная лаборатория института вырабатывала вакцины, особенно — оспенный детрит (измельченное вещество телячьих или коровьих оспин, смешанное с глицерином и содержащее живой вирус коровьей оспы; служит для предохранительной противооспенной прививки). Под руководством учёных в Бразилии проходила вакцинация и ревакцинация населения. Лишь в штате Сан-Паулу ежегодно делалось примерно семь миллионов прививок: почти всем жителям. В целом по стране каждый год регистрировали около тысячи случаев заболевания оспой, но благодаря усилиям вирусологов болезнь протекала нетяжело и летальные исходы встречались редко. Ныне с оспой на земном шаре покончено. Она полностью ликвидирована.

Нам рассказали, что сотрудники института заняты изучением флоры и фауны района Амазонки. Кстати, они устраивали экспедиции в джунгли, чтобы охватить вакцинацией и индейцев. Однако в Бразилии, преимущественно в бассейне Амазонки, оставались участки, где на многие сотни километров не было тогда ни одного медицинского работника.

1 декабря в клиническом госпитале университета состоялось наше знакомство с профессором Е. Зербини — известным хирургом-кардиологом. На его счёту было свыше 800 операций на открытом сердце.

Десять этажей госпиталя вместили в себя ряд клиник. Хирургическую и нейрохирургическую возглавлял Зербини. Врачи кардиологической терапевтической клиники действовали в тесном контакте с хирургами.

Мы присутствовали на нескольких операциях профессора. Надо отметить, что у его пациентов артериальное давление стойко удерживалось на нормальных цифрах и не снижалось даже при условии, когда искусственное кровообращение продолжалось по 75 минут и больше, что говорило о хорошей аппаратуре.

Меня заинтересовала принятая там практика — рано подымать с постели больных, перенёсших серьёзное хирургическое вмешательство. Я видел людей, которые на второйтретий день после ушивания им межпредсердной перегородки самостоятельно передвигались по коридору.

Уже в тот период в Бразилии при всех операциях на сердце использовались атравматичные иглы разных размеров и форм. Для искусственного кровообращения создали дисковый аппарат отечественного производства. Большинство аппаратов и хирургического инструментария изготовлялось на месте.

Профессор Зербини в беседе со мной признался, что они испытывают дефицит валюты, а потому стараются обходиться своими силами. Он показал мне экспериментальные мастерские, где успешно справляются с любыми заказами кардиологов — начиная от кроватей и кончая самой тонкой и точной техникой.

Действительно, в стране многое свидетельствовало о том, что средств на науку явно не хватает, что научно-исследовательские и учебные медицинские институты сидят на голодном пайке. И учёные прямо нам заявили, что получают весьма скромные ассигнования. Это было заметно по давно построенным и не реставрируемым зданиям, недостатку оборудования и т. п. И всё же некоторые отделы, и в особенности операционные, были обеспечены надлежащим образом. Даже в бедных клиниках не шили травматичными иглами, ибо они рвут ткани и порой осложняют ход операции.

Вопрос об иглах — для хирурга больной вопрос. В 40-х и 50-х годах в Москве, в Кунцеве, была мастерская, выпускавшая атравматичные иглы. По неизвестным причинам её закрыли, и мы стали приобретать аналогичную продукцию за границей, чаще — в Венгрии. К чему это привело? К тому, что атравматичные иглы всем не достаются, спрос на них не удовлетворяется.

Экспериментальные мастерские, «привязанные» к конкретному заказчику, непременно существовали при институтах Америки, Европы и Азии, которые нам довелось посетить. Не составляла исключения и Бразилия. Профессор Зербини недаром гордился умельцами из Сан-Паулу. Госпиталь снабжался своими атравматичными иглами и инструментарием, по качеству не уступавшими лучшим американским и европейским образцам, что позволило освободиться от импорта очень многих предметов.

У нас ликвидировали почти все экспериментальные мастерские при вузах, очевидно, посчитав, что их полностью заменит организованный НИИ хирургических инструментов и аппаратуры. Но, выполняя свою обширную программу, он не может детально вникать в «мелкие» нужды хирургов, возникающие повседневно. Неудивительно, что те обивают пороги технических институтов, просят помочь им из милости.

Экономия, на которую рассчитывали, отказываясь от экспериментальных мастерских, практически себя не оправдала, так как огромная масса приборов и инструментария списывается прежде времени, а ведь после ремонта они могли бы ещё эксплуатироваться сколько-то лет.

...Профессор Зербини привёз нашу делегацию в строящийся кардиологический институт. Здесь, в одном из законченных отсеков, уже проводились операции на сердце. Появление советских медиков не нарушило намеченный распорядок дня. Начался он с разбора больных, потом зачитывались данные секции умерших. Их комментировал клиницист, после чего развёртывалась дискуссия по поводу того или иного летального исхода.

Отвечая на многочисленные вопросы, я, например, рассказал о нашем опыте борьбы с клинической смертью и привёл случай из практики. У человека внезапно в коридоре наступила клиническая смерть. Был предпринят открытый массаж сердца нестерильными руками и без интубации — введения специальной трубки в гортань. Массаж продолжался 50 минут, затем мы прибегли к интубации и подключили аппарат искусственного дыхания. При этом десять раз применялся дефибриллятор. В конечном счёте сердечный ритм восстановился. Больной ожил, избежав каких-либо мозговых осложнений, хотя до того, как мы занялись массажем, прошло 4—5 минут. Впоследствии больного выписали в хорошем состоянии. Рана зажила первичным натяжением.

Нам понравилась институтская лаборатория пункций и катетеризации полостей сердца. Её снабдили рентгеновским аппаратом Элема со всеми «дополнениями» для контроля за сердечной деятельностью. Рентгеноконтрастные трубки позволяют следить за продвижением катетера, не подвергаясь излишнему воздействию вредных лучей. (Аппараты Элема имеются в некоторых наших передовых институтах и хорошо себя зарекомендовали.)

Вечером гостей ждали в клубе Общества бразильско-советской дружбы. Приятно было обнаружить там богатую библиотеку с подборкой книг на русском языке, а также литературой о нашей стране на испанском языке. В клубе устраивались вечера танцев, русской музыки, встречи с советскими людьми. Многие из членов клуба прилично говорили по-русски.

В воскресенье за нами заехала супружеская пара — сотрудница института Бутентан и профессор биохимии университета. Предстояло знакомство с городом. Музеи в этот день были закрыты, поэтому мы ограничились осмотром достопримечательностей, в том числе двух университетов: федерального и принадлежащего штату. В обоих есть медицинские факультеты, или, как их называют, медицинские школы.

В то время на городской территории завершалось возведение крупнейшего из себе подобных стадионов. Автор проекта — прогрессивный архитектор Вилларова Артигас. Стадион — трёхъярусное сооружение, в каждом из ярусов 17 рядов. Всё оно держалось на внутренних опорах, и создавалось впечатление, что этот колосс буквально висит в воздухе.

На следующее утро профессор Зербини показывал нам другой свой клинический госпиталь — федерального университета. Здесь, как и в прочих медицинских учреждениях Бразилии, обследование больных, вплоть до самых сложных, осуществляется в терапевтических отделениях, откуда они с готовым диагнозом направляются на операцию.

В то утро на совместном заседании терапевтической и хирургической клиник был запланирован мой доклад о принятых у нас способах пункций и катетеризации полостей сердца. Доклад вызвал оживлённый обмен мнениями. Оказалось, что бразильские коллеги не применяют транс-бронхиальных пункций, а отдают предпочтение красочному методу определения величины сброса крови.

Вторую половину дня профессор обычно проводил в госпитале для платных больных, и мы последовали за ним.

Женщина (49 лет) с митральным рестенозом ждала повторной операции — четыре года назад она уже оперировалась по закрытой методике. Сейчас у неё была увеличена печень, имелся выпотной плеврит справа. Глазам хирурга предстали мощные спайки эпикарда с перикардом — их с усилием удалось разъединить. Несмотря на технические трудности, всё обошлось без осложнений.

Внимательно следил я за операцией, которую делал Зербини пятилетнему ребёнку по поводу тяжёлого врождённого порока сердца, получившего название тетрада Фалло. Искусственное кровообращение длилось 75 минут. Остановку сердца вызывали гипоксией (кислородным голоданием) после кратковременного пережатия аорты. Это была радикальная операция: межжелудочковый дефект закрывался заплаткой из тефлона.

Работа сердца контролировалась с помощью электрокардиограмм, измерения артериального и венозного давления. Заметных изменений этих показателей не было.

Применялось срединное рассечение грудины (стернотомия). Очень осторожно отслоили пристеночную плевру, в полые вены вставили дренажные трубки большого диаметра. Левое предсердие дренировалось через правое и через межпредсердную перегородку. Аорту и лёгочную артерию пережимали одновременно на 15—20 минут. Зажим снимали при восстановлении сердечной деятельности. Два отсоса, введённые в полости сердца, и одинпод перикард функционировали безупречно.

Как принято у них при стенозе лёгочной артерии, было широко резецировано фиброзное кольцо, рассечены мышечные валики, сужавшие просвет лёгочной артерии, отверстие расширено до нормы. Заплатка на дефект межжелудочковой перегородки накладывалась отдельными узловатыми П-образными швами. Рану стенки желудочка зашили через край, двумя рядами непрерывных швов. При кровотечении из разреза добавили заплатку из тефлона. Предсердие ушивалось непрерывным П-образным швом, поверх него — вторым швом, тоже непрерывным. Отверстие, проделанное в межпредсердной перегородке для дренирования левого предсердия, не трогали. Кровотечение тут же останавливалось электро-коагулятором.

В помещении — строгая асептика. Операционное поле старательно вымыли мылом, кожу несколько раз смазывали настойкой мерказини (вместо настойки йода). Перед нача-лом операции ребёнку ввели в желудок зонд, в мочевой пузырь — катетер.

Зербини по праву завоевал авторитет и за пределами Бразилии: его методика соответствовала последнему слову науки, тому, что практиковалось в большинстве передовых клиник мира, в том числе и в нашей стране, а мастерство заслуживало всяческих похвал. Обращал на себя внимание прекрасно натренированный персонал, средний и млад-ший. Вообще за рубежом в нём не было недостатка. Не помню такой ситуации, чтобы врач, скажем, перекладывал больного на каталку или выполнял процедуры, заменяя медицинских сестёр. И сёстры, и санитары твёрдо знали свои обязанности.

В тот день я видел ещё одну операцию профессора Зер-бини — операцию комиссуротомии на открытом сердце. Клинический диагноз — митральный стеноз.

Разрез прошёл по четвёртому ребру, его поднадкостнич-но резецировали. Дренаж левого предсердия и левого желу-дочка не производили. Левое предсердие вскрыли, меж-предсердную перегородку рассекали непосредственно поза-ди полых вен. Для лучшего обозрения операционного поля хирург пользовался лобным рефлектором и электролампой. После отсасывания крови из левого предсердия инструмен-том расширили отверстие и подтянули в рану створки кла-панов. Под контролем зрения с помощью ножа на длинной ручке комиссуры (спайки) рассекали до основания, то есть до стенки предсердия.

У больной оказался крупный тромб в ушке. Тромб был извлечён, ушко вывернуто и тщательно освобождено от его мелких кусочков. Ввиду кальциноза клапанов комиссуру разрезали, не затрагивая кальцинированные участки. Пред-сердие ушивали матрацным непрерывным швом после заполнения кровью левого желудочка и левого предсердия. Для более полного освобождения полостей сердца от воз-духа имело значение положение больной. Её уложили на спину, чуть приподняв правый бок.

Операция закончилась поздно, но профессор Зербини остался в госпитале — на очереди был пациент с раком лёгкого...

Операционный день весьма уплотнён и всегда начинается ровно в 8 часов утра. Пять дней в неделю в госпитале проводят операции.

Хотя эти операции производились почти 20 лет назад, но многие из них теперь также можно считать первоклассными, так много в них поучительного и для нынешнего поколения кардиохирургов. Это, конечно, не значит, что у нас в то время не было хирургов, владевших техникой операции на сердце. Были они, конечно, в то время, и ещё больше их стало теперь, но всё равно методика и техника профессора Зербини не могли не восхищать нас своей высокой культурой и прогрессивным характером. Несомненно, это был хирург мирового класса, и я с радостью познавал его высокую науку.

Плата за лечение явственно давала о себе знать, сказывалось это и на показаниях к операциям на открытом сердце. Стоимость их непропорционально велика и резко отличается от стоимости такого же характера операций, но по закрытой методике. Хирургам они выгодны, хотя намного сложнее и занимают больше времени. И останавливают на них выбор не всегда обоснованно. Отдалённые результаты при благоприятном исходе этих операций не настолько лучше, чтобы можно было широко пользоваться искусственным кровообращением.

В Советском Союзе, в условиях бесплатной медицинской помощи, денежные соображения целиком отпадают, и мы руководствуемся только здравым смыслом. Наш личный опыт тысяч и тысяч операций при митральном стенозе по закрытой методике, в том числе и у самых тяжёлых больных, а также изучение отдалённых результатов спустя двадцать и более лет подтверждают, что в большинстве случаев чистого, то есть неосложнённого, митрального стеноза, без признаков кальциноза, можно и нужно оперировать по закрытой методике. Она менее опасна, доступна хирургам средней квалификации, не хуже по эффективности. Открытая же методика правомерна лишь там, где закрытая не показана, и во всех случаях, где имеет место комбинация стеноза с выраженной недостаточностью и где может встать вопрос о пересадке искусственного клапана.

...Сотрудники хирургической клиники слушали мой доклад о глубокой гипотермии в хирургии сердца и крупных сосудов. Проблема эта была для них новой — в Бразилии не практиковали при операциях охлаждения свыше 30 градусов или же оперировали на открытом сердце совсем без охлаждения. В дальнейшем, как стало известно, бразильские хирурги освоили нашу методику. После обсуждения доклада по просьбе ряда врачей пришлось подробно рассказывать о системе образования в СССР. В реакционной печати Бразилии в то время распространялись нелепые слухи о воспитании детей и молодёжи в нашей стране. Почти в каждом бразильском городе нас спрашивали: «А правда ли, что в Советском Союзе ребёнок после рождения отбирается у семьи и воспитывается государством?» Вызывали удивление обычные для жизни советских людей факты — что обучение у нас бесплатное, что студенты получают стипендии, организованы специализация и усовершенствование медиков, оплачиваются отпуска, обеспечивается летний отдых детям и т. п.

По тому, с каким обострённым интересом относились бразильцы к встречам с нами, можно было судить об их искреннем желании знать правду об СССР.

Учёные и врачи жаловались на трудности. Они поставлены в такие обстоятельства, что должны работать на износ, чтобы поддержать своё существование. Хирурги оперируют как на конвейере, зачастую до глубокой ночи. Даже профессор зарабатывает совсем мало. Особенно катастрофически отражалась на жизненном уровне частая инфляция валюты.

6 декабря мы вылетели на юг страны, в Порту-Алегри, типичный южноамериканский город. Он расположился на берегу Атлантического океана, в дельте небольшой реки. В центре — несколько многоэтажных зданий, а в основном город застроен домами в один, два, три этажа. Около 600 тысяч жителей.

В Порту-Алегри старинный университет. При нём семь факультетов: сельскохозяйственный, юридический, архитектурный, инженерный, стоматологический, фармакологический и медицинский. Нас интересовал, разумеется, последний.

Знакомство началось с осмотра хирургической клиники на базе госпиталя, которому насчитывается сто лет. Помещение хотя и старое, но вполне приспособлено для лечения и обслуживания больных. В отделении сердечно-сосудистой хирургии две операционные комнаты со смотровыми установками для студентов. Предусмотрен необходимый набор аппаратуры для выхаживания пациентов после операций.

В городе был и сравнительно новый госпиталь на 800 коек. Причём все строения университета в архитектурном отношении оформлены красиво и вместе с тем просто.

Профессор Планелес прочитал для студентов-медиков и врачей общего профиля лекцию «О суперинфекции при лечении антибиотиками», а моя лекция «О пункции сердца» предназначалась врачам хирургических и терапевтических клиник.

Дело в том, что для диагностики митрального и аортального порока очень важно уметь измерять давление в левых полостях сердца. Но как это делать?

В то время в правые камеры научились проникать через вену локтевого сгиба, вводя катетер в верхнюю полую вену — в правое предсердие и в правый желудочек. Таким образом не только измеряли давление, но и проводили химический анализ крови; этим широко пользовались, методика была несложной.

В левые же отделы сердца доступ труднее. Он возможен с помощью пункции. И в советских, и в зарубежных передовых клиниках разрабатывали свои приёмы.

Некоторые хирурги предпочитали попадать в левое предсердие через грудную стенку, что далеко не безопасно. Другие, к кому присоединились и мы, выбрали иной путь — сквозь стенку главного бронха. Больной подвергался бронхоскопии, и бронхоскоп «доставлял по адресу» полую иглу с катетером.

Второй путь, по которому мы пошли, чтобы исследовать левые полости сердца, — это пункция межпредсердной перегородки. По закрытой методике мы вставляли толстую иглу в бедренную вену, через неё направляли резиновую плотную трубочку (катетер) вверх, до нижней полой вены и правого предсердия. Затем катетер пропускал иглу длиной

61 сантиметр со слегка изогнутым концом. Высунув конец иглы, мы на ощупь протыкали межпредсердную перегородку в нужном месте.

В отдельных случаях была целесообразна прямая пункция левого желудочка через стенку правого желудочка, а потом и через межпредсердную перегородку.

Меня могут спросить: надо ли прибегать к столь сложным маневрам, которые сами по себе — почти операция? Не лучше ли вскрыть грудную клетку и, осмотрев сердце, определить его недуг? Нет, не лучше. Хирурги давно убедились, что опасна любая операция вслепую, что большинство неблагополучных исходов — следствие незнания точной картины болезни. Даже если обнажить сердце и держать в руках, нельзя поставить правильный диагноз, потому что для этого надо «просветить» его изнутри. И сделать это до того, как грудная клетка вскрыта, ибо само вскрытие её, если не принесено облегчение больному сердцу, часто заканчивается печально.

У нас имелся богатый опыт в диагностике и хирургическом лечении митрального и аортального пороков. Он оказался весьма ценным для бразильских специалистов, которые не владели методом пункции левых камер сердца.

И снова для врачей-кардиологов я читал лекцию «О глубокой гипертермии», а для врачей и студентов всех факультетов — «Об образовании в СССР». В течение нескольких часов мы с профессором Планелесом отвечали на многочисленные вопросы аудитории. В гостиницу нас провожала толпа студентов, и разговор продолжался на улице.

Бразильские врачи и учёные охотно делились с нами своими переживаниями, неудачами и победами. Мне запомнились бурные события в Рецифи, штате Парнамбук. Этот штат отличался авторитетными деятелями, выступающими с прогрессивными идеями. Отсюда вышел Гуларт, много сделавший для социального развития страны. Тут же на последних выборах губернатором был избран коммунист.

Любопытно проходила предвыборная борьба, о которой мне поведали учёные города Рецифи. Зная прогрессивные настроения большинства жителей штата и не надеясь на свою печать, реакционные силы пригласили к себе дополнительно тысячу католических священников, которые активно включились в предвыборную борьбу против коммунистов.

Не надеясь и на это, наиболее оголтелая часть реакционеров устроила такой провокационный номер: на середине площади в городе Ресифи они выстроили стену, установили в ней пулеметы, оцепили колючей проволокой и объявили населению: «Вот если вы выберите коммунистов, то придётся разделить город такой же стеной, как в Берлине». Рабочие собрались и начали разрушать эту провокационную стену. Полицейские бросились её защищать. Завязалась борьба... Несмотря на все ухищрения и провокации, губернатором штата Парнамбук был избран коммунист.

То был период бурного революционно-патриотического развития в Бразилии, которое вело страну к социальному прогрессу. Но и реакция отлично это понимала. Совершив реакционный переворот, местная и международная буржуазия надолго затормозила развитие этого народа. Когда мы слушали рассказ учёных, мы думали о том, как правильно они понимают значение патриотического движения. Они видели на примере соседних стран, к чему приводит проамериканская ориентация, которая усиленно насаждалась реакционерами всех мастей и которая разлагала народ, и только любовь к Родине сплачивала народ и вела его к социальному прогрессу.

Десятого декабря возвратились в Рио-де-Жанейро. Президент академии Олимпио де Фонеска вызвался сопровождать нас в госпиталь для служащих федеральных учреждений и учреждений штата на 700 коек (кардиология, хирургия, педиатрия, терапия и др.).

Кардиологическое отделение — чисто терапевтического характера. Операций здесь не производили, ограничиваясь катетеризацией правых полостей сердца с диагностической целью.

В хирургическом отделении практиковали все операции общего профиля, в том числе при базедовой болезни и холецистите. Операции на грудной клетке при заболеваниях пищевода и лёгких делали редко.

Педиатрическое отделение тоже придерживалось терапевтической ориентации. Тут было много боксов с аппаратурой и оборудованием, предназначенными сугубо для такого рода детских учреждений.

Побывали мы и в центральной библиотеке госпиталя с хорошо подобранным фондом. Достаточно сказать, что у них выписывалось около 60 различных журналов, включая и ряд советских.

И в этом госпитале врачи очень заинтересовались нашей методикой пункции левого предсердия через левый бронх, поскольку никогда этим раньше не занимались.

Большое количество слушателей собрали наши с профессором Планелесом доклады на заседании Академии медицинских наук.

Так как виза на въезд в Эквадор запаздывала, мы решили использовать время, чтобы ознакомиться с молодой столицей — городом Бразилиа.

Место для него отвели в глубине государственной территории, вдали от океана и промышленных центров. Зодчий Оскар Нимейер, который новаторски разрабатывает железобетонные конструкции, стремится к их эстетической выразительности, экспрессии и пластическому богатству форм, предложил необычный план.

Очертания города напоминают самолёт. Его нос и часть корпуса окружает искусственное озеро. В головном конце вынесен вперед президентский дворец — в один этаж, со стеклянными стенами. Позади дворца парламент и 8—10-этажные здания министерств. В крыльях самолёта разместились оригинальные по замыслу театр, церковь, жилые дома. Строения сгруппированы блоками, в них предусмотрены и торговые точки, школы и пр.

Величествен парламент. Он покоится на широком основании, «скрывающем» огромные приёмные залы, конторы, кафе, комнаты отдыха и т. д. А над основанием возвышаются две чаши: одна, открытая снизу, — для сената на 300 мест, другая, открытая кверху, — для парламента на 1500 мест.

В стороне от этого сооружения 30-этажная громада — контора парламента.

Дорожная сеть спланирована так, что на перекрестках нет встречных потоков машин.

Город, казалось бы, продуманный до мелочей, тем не менее воспринимался не как «живой», а, скорее, как архитектурный изыск, призванный поражать воображение туристов. Начали его возводить с 1957 года, средств требовалось много, скудный бюджет страны не позволял широко развернуть строительство. Например, ещё не было посольств, зато чуть ли не на каждом шагу попадались фешенебельные гостиницы.

Госпиталь на тот период был единственным в новой столице, разумеется, тоже в стиле Нимейера. Цокольный и первый этажи занимали большое пространство, «держа на плечах» башню в 12 этажей. Почти весь цокольный этаж отдан под поликлинику. Кабинеты расположены между двумя параллельными коридорами: широкий, с отдельным входом — для больных, узкий — для врачей и обслуживающего персонала. Задумано так, чтобы врачи и больные общались только в кабинетах. Последние щедро оснащены рентгеновской и прочей диагностической аппаратурой. По соседству архив, где хранятся истории болезни, картотеки и шкафы с рентгеновскими плёнками.

Второй этаж отведён под административные службы и библиотеку. Здесь же конференц-зал. Выше — стационар с палатами на одного, двух, четырёх пациентов. В каждой палате туалет, душ, радиотелефонная и световая сигнализация. На всех постах оборудованы узлы пневматической подачи по трубам пакетов и лекарств, укладываемых в специальные капсулы. Работают бесшумные, автоматически управляемые лифты.

На 12-м этаже живут врачи, проходящие практику в госпитале. Всего их было тогда 50—60 человек.

Плата за лечение очень большая. Читатель уже догадался, что предназначалось это медицинское заведение лишь для людей состоятельных.

Из города Бразилиа мы вылетели в Сальвадор, бывший когда-то, до Рио-де-Жанейро, столицей страны. Раскинулся он на высоких холмах, окружающих морскую бухту. Суда чувствовали себя тут защищёнными от любого свирепого шторма. По-видимому, благодаря этому обстоятельству активная навигация играла немаловажную роль в тогдашней экономике, так как весь штат и по сию пору называется Баия, то есть бухта.

Из гостиницы мы позвонили профессору Арголло, директору хирургической клиники Университета штата Баия. Он предложил стать нашим гидом при знакомстве с городом.

В Сальвадоре бросились в глаза те же кричащие противоречия, свойственные капитализму: роскошь богатых кварталов и нищета окраин. В глинобитных домишках наподобие землянок ютится беднота, страдающая различными заболеваниями. Причина заболеваний, по мнению врачей, — систематическое недоедание и авитаминоз. Странно было слышать об этом в стране, где благодатный климат позволяет снимать четыре урожая в год.

У Сальвадора мрачная история. Рабовладельцы привозили сюда негров из Африки для продажи. «Живому товару» нередко удавалось убегать и селиться поблизости. Коренное население встречало негров сочувственно и относилось к ним как к равным. Такие отношения сохранились и поныне, никаких признаков сегрегации, столь обычной для «цивилизованной» Северной Америки, тут нет и в помине.

После Сальвадора на очереди был Ресифи. Там нас познакомили с профессором Товаресом-де-Сильва. Это крупный кардиохирург. Мы осмотрели его клинику, потом побывали в факультетской хирургической клинике и кардиологическом институте.

Нам показали дисковый аппарат искусственного кровообращения, сделанный в Сан-Паулу, и хороший хирургический инструментарий. Для каждого вида операций скомплектованы свои наборы инструментов, причём большая часть их — отечественного производства.

Профессор Товарес, безусловно, по праву считался одним из ведущих хирургов Бразилии: отлично владел техникой всех операций на сердце, аорте, пищеводе, на воротной вене и др. Интересно, что он постоянно вёл журнал, куда, кроме протокола записи операции, вносил схематические зарисовки её отличительных особенностей.

Работал он только в клинике, обслуживая бесплатных больных. Частной практики не имел.

И другой известнейший бразильский хирург — профессор Вандерлей — тоже не занимался частной практикой. Он принял нас в руководимой им клинике общей хирургии.

Как выяснилось, в штате Баия особенно распространены паразитарные заболевания. Много больных с шистосоматозами (глисты «захватывают» кровеносные сосуды, или мочеполовую систему, или пищеварительный тракт). В некоторых районах у 80—90 процентов жителей встречается лейшманиоз (язвенное поражение кожи и слизистых оболочек либо внутренних органов, вызываемое микроорганизмами). Миллионы людей заражаются через улиток в реке, а то и через питьевую воду. Между тем никаких мер профилактики не проводится, лечение оставляет желать лучшего.

Полезным оказался визит в Институт антибиотиков, который возглавлял профессор Гонсальвес-де-Лима. Там изучали главным образом экстрактивные вещества, преимущественно из группы полихинонов, чтобы использовать их в борьбе с бактериями. Пытались синтезировать химические препараты, обладающие противораковыми свойствами.

В Ресифи мы неоднократно выступали перед медицинской общественностью. Студентам рассказывали (в который уж раз!) об образовании в СССР. С научными сотрудниками и врачами кафедр и клиник беседовали по научным проблемам, делились опытом воспитания кадров.

На всём протяжении поездки по Бразилии мы ощущали глубокую симпатию простых людей к нам, представителям Советского Союза.

Именно в те дни в стране отмечали годовщину установления дипломатических отношений с СССР. Бразильцы выражали уверенность, что дальнейшее налаживание контактов послужит укреплению дружбы между нашими народами.

2

Довелось мне побывать в дружественной нам Индии.

В ноябре 1960 года пришло письмо от президента Всеиндийской ассоциации хирургов доктора С. К. Сена и президента Общества индийско-советской дружбы доктора Балига. Меня приглашали на 11-ю конференцию хирургов и 11-ю конференцию анестезиологов Индии, которые должны были состояться в Джайпуре — столице штата Раджастхан.

Первый, с кем я встретился на индийской земле, был профессор А. И. Либов. На правах старожила (работал здесь уже несколько лет) он поведал мне многое о стране, её людях, медицине, и в частности о хирургии.

С 1950 года, времени обретения независимости, государство «обзавелось» молодыми талантливыми хирургами. Некоторые из них делают все сложные операции, до операций на сердце включительно. В городах растёт своя, правда пока ещё немногочисленная, интеллигенция. Однако врачей по-прежнему не хватает. В сельской местности, где сильнее следы колониализма, медицину прибрали к рукам колдуны. Обычно они отговаривают людей обращаться за профессиональной помощью. Тем не менее, когда в страну привезли вакцины из Советского Союза, в том числе против полиомиелита, они получили широкое признание, и население охотно соглашалось на прививки.

27 декабря рано утром мы приехали в Джайпур, один из красивейших городов Индии. Автобус, выделенный для делегатов, отвёз нас в гостиницу, бывший дворец магараджи.

В то же самое утро состоялось открытие конференции. Эта церемония проходила под большим ковровым шатром. В тени ковров были поставлены стол для президиума и ряды стульев для делегатов. Такой «зал» вместил около 600 человек.

После официальных речей и приветствий началась деловая программа.

Кто бы из руководящих работников здравоохранения ни выступал на конференции, с кем бы из врачей ни приходилось беседовать, будь то опытный профессор или молодой хирург, все были едины в своём стремлении овладеть современными методами, вывести национальную хирургию на передовые рубежи.

Я обратил внимание на строгую специализацию медицинских колледжей Индии. Каждый колледж, кроме студентов, имел на попечении группы врачей, обучающихся тому или иному предмету. Отдельные высшие учебные заведения, например Всеиндийский медицинский институт в Нью-Дели (административная часть Дели), выделяли лаборатории и особые помещения для тех, кто усовершенствовался в какой-то одной области, чтобы они могли самостоятельно экспериментировать.

Подающих надежды выпускников нередко на 3—5 лет посылали на стажировку в клиники Англии и Америки.

В то время врачебная деятельность разрешалась только индийцам. Исключение составляли лишь иностранцы, работающие по линии Красного Креста, такие, как профессор А. И. Либов — педиатр в «Леди Гардингс колледже» (Нью-Дели), или доктор Р. Беттс — торакальный (в грудной полости) хирург христианского медицинского колледжа.

В один из дней делегаты конференции были приглашены на обед к губернатору штата Раджастхан. В назначенный час собрались на зелёной площадке перед домом губернатора. Оркестр заиграл гимн. На пороге появился губернатор — старик с большой седой бородой. Он прошёл по площадке, приветствуя всех, прижимая руки со сложенными ладонями к груди. Все следом за ним пошли под музыку за дом в парк, где были расставлены столы. Каждый подходил к столу, брал чашку, наливал чай с сахаром и молоком, брал что-нибудь сладкое на тарелку и отходил. Мужчины-индийцы пришли на обед, одетые по-европейски, а женщины — в своих национальных платьях, очень ярких и длинных. Некоторое время все сидели, оживлённо беседуя. Оркестр снова заиграл гимн. Все встали и начали прощаться. Губернатор простился общим поклоном и ушёл к себе в резиденцию.

В 9 часов вечера профессор Балига, с которым я познакомился в Москве, и хирург из Америки профессор Де Беки пригласили меня поехать с ними в гости к крупному промышленнику Раджастхана. Он встретил нас у входа и пригласил в гостиную. Представлял нам своих родных и знакомых только мужчин, а из женщин — только хозяйку. Всё женщины располагались за столиком несколько в стороне от мужчин. В гостиной, где нас усадили на диван и на стулья, стоял невысокий стол, на нём — папиросы, сигары, листья табака для жевания, жареные, сильно посоленные бобы. Мужчины, разговаривая, курили, жевали табак или бобы. Потом пригласили на ужин в большую столовую. Посередине стоял стол с различными блюдами. Каждый из гостей сам брал себе что хотел.

Мы попросили хозяина показать нам свой дворец. Это красивое двухэтажное здание, где полы, лестницы и многие комнаты облицованы мрамором. Всё здание построено в виде полукруга, в центре которого находится красивая оранжерея. Комнаты первого этажа как бы переходят в оранжерею, поэтому создаётся впечатление, что она располагается внутри помещения. Оранжерея переходит в большой сад.

Не сразу заметишь небольшую дверь, ведущую в кухню и рабочие места для домашних слуг. Кстати, в Индии в большинстве случаев домашние работы выполняют мужчины, получающие очень низкую плату. О размерах её можно судить хотя бы по такому примеру. Хороший номер в гостинице стоил 250 рупий в день, а рабочий получает 40—50 рупий в месяц. В каждом зажиточном доме поэтому обычно много слуг. Так, за нашим ужином нескольких гостей обслуживали 8—10 человек. Хозяин, как правило, не предоставляет своим рабочим жилплощади, не интересуется, где и как они живут. Например, в разговоре со мной жена профессора Балиги спросила, сколько у меня дома слуг. Я ответил, что у нас дома одна домработница, приходящая на несколько часов. В свою очередь в ответ на мой вопрос, сколько у них слуг, она ответила — 11. Кто же это? Шофёр, секретарь, 4 кухонных работника, уборщицы и т. д. «Где же они живут?» — спросил я. «Не знаю», — ответила она. На следующий день после конференции мы посетили магазины с изделиями из бронзы, серебра и слоновой кости. Особенно поразили нас высокие художественные качества и ювелирная тонкость работы мастеров по обработке слоновой кости. Немало замысловатых изделий видели мы в магазине: на горошине, сделанной из слоновой кости, стоит слон; сняв его и открыв горошину, высыпаем из неё 100 маленьких слоников из слоновой кости.

У меня был подготовлен доклад «Хирургическое лечение слипчивого перикардита». Тему подсказало то обстоятельство, в Индии это довольно распространённое заболевание.

Напомню, что слипчивый перикардит возникает чаще всего как результат туберкулёзной инфекции. Очаги воспаления и некроза в оболочке сердца, перикарде, резко утолщают его — до 6—7 миллиметров вместо 0,5—1 в норме, причём создаются крупные известковые вкрапления. Сердце оказывается как бы в каменном панцире (отсюда ещё название — «панцирный», или сдавливающий, перикардит) и не может, как ему положено, расширяться и сокращаться, а трепыхается, словно птичка в тесной клетке. Это приводит к выраженной сердечной недостаточности. Такие больные становятся инвалидами с отёками, водянкой, едва-едва передвигают ноги и не в силах обслужить самих себя.

Операции при слипчивом перикардите, разумеется, связаны с большим риском. К тому же в тот период было принято резецировать все хрящи и рёбра над сердцем, а затем иссекать изуродованный перикард. После выздоровления человек жил с сердцем, лишенным естественной защиты, — оно билось прямо под кожей. А если малейшая травма?

Мы разработали методику, при которой хрящи и ребра сохранялись, сердце оставалось под рёберным каркасом.

Трудности подстерегали и в послеоперационном выхаживании больных. В тяжёлых случаях сложное хирургическое вмешательство вызывало травматический шок. При этом обычно переливалась кровь. Но тут кровяное русло и без того переполнено застойной кровью, и многие хирурги воздерживались от всяких внутривенных вливаний, боясь усугубить застойные явления.

Мы же на своём опыте доказали, что переливание крови и плазмы дробными дозами — не только надёжное противошоковое мероприятие, организм получает ещё дополнительные белки. Почему это важно? При слипчивом перикардите в его крайней стадии грубо нарушается белковый баланс. Содержащие белок кровь и плазма, выравнивая этот баланс, действуют очень благотворно.

Приведённые данные были совершенно новыми для индийских специалистов. Доклад как с точки зрения щадящей методики операции, так и с точки зрения последующего ухода восприняли с живым интересом.

По завершении конференции мы вылетели в Дели, где нас поместили в первоклассной гостинице «Ашока отель».

Утром доктор Балига, с которым я познакомился раньше в Москве, хирург из Америки профессор Де Беки и я пошли в «Леди Гардингс медикал колледж энд госпиталь». Это лечебное и учебное учреждение предназначено исключительно для женщин и детей. Все здесь, от профессоров и до студентов, — женщины. Лишь изредка для чтения лекций привлекаются преподаватели-мужчины. Среди них и профессор Либов.

Колледж и госпиталь имели 296 штатных коек, в том числе 222 — для взрослых и 74 — для детей. Соответственно они распределялись: терапия — 70 и 14, акушерско-гинекологические — 128 и 44, глазные и ухо-горло-нос — 31 и 6, хирургия — 67 и 10. Были предусмотрены места для больных студентов, обслуживающего персонала и пр. Однако нередко количество пациентов, главным образом детей, доходило до 450, особенно в летние месяцы.

Красноречивы и такие цифры: за год госпиталь «пропускает» около 13 тысяч больных в основном гинекологического, терапевтического и хирургического профиля; за тот же срок в среднем производится до 5 тысяч операций, из них 15 процентов — сложных.

При клинике организован амбулаторный приём. Проконсультировано за год 100 тысяч человек.

На пяти курсах колледжа — 275 студентов. Мы осмотрели педиатрическую клинику профессора Либова, где установлена аппаратура, изготовленная в СССР.

В хирургическом отделении обратили внимание на то, что в палаты совершенно свободно заходят в своей одежде родственники больных. Сёстры одеты по форме: в коротких белых юбках, синеньких кофточках и колпачках. Врачи надевают короткие медицинские халаты поверх длинных национальных платьев.

Заведующая хирургической клиникой профессор М. Чаудури показала нам колледж и госпиталь, а под конец привела в свой очень скромно обставленный кабинет. Тут её ждали ассистенты — все женщины, и как правило, молодые.

Вечером мы с Де Беки вернулись в гостиницу, намереваясь встретить Новый год вдвоём. Но явились представители президента Ассоциации хирургов С. К. Сена и от его имени позвали нас в загородный клуб. Мы согласились.

В клубе собралось человек триста. Разбившись на группки, они сидели вокруг столиков или стояли, беседуя между собой. В большом зале с потолка живописно спускались воздушные шары разных цветов и размеров. В 12 часов ночи, как только люди поняли бокалы и стали поздравлять друг друга, нужно было по традиции «взорвать» шары. Несколько минут слышалось сплошное хлопанье лопающихся оболочек. Началось застолье, затем состоялся самодеятельный концерт и танцы.

1 января 1961 года мы отвели осмотру Ирвин-госпиталя и существовавшему на его базе медицинскому колледжу. Рассчитан он на бесплатных больных, и большинство врачей работают из благотворительных побуждений. Хирургическим отделением руководил профессор Сен.

В Ирвин-госпитале примерно 400 общехирургических и 150 ортопедических коек. В одной из палат мы увидели 40 больных, и уже по ним можно было судить о размахе хирургической деятельности. Здесь лежали с заболеваниями желудка и пищевода как опухолевого, так и неопухолевого характера, с митральным стенозом, портальной гипертензией, со слипчивым перикардитом. Я уже упоминал, что больные со слипчивым перикардитом встречались в Индии довольно часто. Около одного из них профессор Сен остановился и подробно рассказал о нём.

В обходе участвовала многочисленная группа хирургов. Обращаясь ко мне в их присутствии, профессор Сен сказал:

— В своём докладе в Джайпуре вы подробно говорили о новой методике операции при слипчивом перикардите, убедительно просим продемонстрировать вашу технику. Поучившись у вас, мы тоже сможем её применять. Нам интересно было услышать и о методах послеоперационного ведения тяжёлых больных. Перед вами как раз такой больной. Было бы очень полезно всем нам на практике убедиться в справедливости ваших слов.

Я оказался в сложном положении: оперировать столь тяжёлого больного в незнакомой обстановке, с неизвестными мне ассистентами и операционной сестрой, не зная их языка, было большим испытанием. Но не мог же я отказаться! Это было бы странным и непонятным. Операцию назначили на следующее утро...

Гостеприимный хозяин, профессор Сен решил доставить нам с Де Беки удовольствие и повёз за 190 километров от Дели — в Агру.

Агра в XVI—XIX веках — резиденция Великих Моголов. Султан Шах-Джахан построил вблизи города мавзолей Тадж-Махал для своей безвременно умершей любимой жены Мумтаз-Махал. Позднее его похоронили рядом с ней.

Через главные ворота мы вошли в огромный сказочный сад и сразу же увидели канал, обрамлённый двумя дорожками. Его украшали фонтаны и декоративные растения. В центре сада — облицованный мраморными плитами бассейн с мощным фонтаном посередине.

Знаменитый памятник индийской архитектуры представляет собой пятикупольное сооружение из белого мрамора высотой 74 метра. К нему примыкают четыре минарета.

Сам мавзолей двухэтажный. Стены его не гладкие, а ребристые, благодаря чему создаётся эффект игры света и тени. На белом фоне рельефно выделяются буквы из чёрного мрамора, древние орнаменты из цветных камней, причудливые цветы. Кроме того, каким-то непостижимым образом он меняет свою окраску в зависимости от времени суток: при дневном свете, при лунном, при восходе и закате солнца...

Внутри мавзолея — два надгробных холма тоже из белого мрамора, покрытых мозаикой, для которой использован подбор красок 25 различных оттенков. Оба холма обнесены высокой изумительной красоты мраморной решёткой.

Великолепны акустические свойства мавзолея. Если подать голос, он будет звучать под сводами 15 секунд.

На обратном пути не могли пропустить усыпальницу султана Акбара, деда Шах-Джахана, — ещё один шедевр архитектурного искусства, сотворённый руками талантливого народа. Ряд строений из красного и белого мрамора образуют изящный ансамбль.

Настал момент операции. Почти все врачи Ирвин-госпиталя были в сборе — свыше 30 человек. Профессор Сен и его ассистент помогали мне. Операция была довольно трудной, но прошла без осложнений. Я показал детали техники, обратил внимание на необходимость и возможность освобождения крупных сосудов, верхушки сердца, его диафрагмальной поверхности.

Женский персонал «Леди Гардингс» не хотел отставать в гостеприимстве — меня взяли под опеку, чтобы продемонстрировать достопримечательности Дели.

К ним относятся железная колонна (начало V века), почему-то не ржавеющая вопреки всем законам природы, — своеобразное «чудо света»; минарет Кутб Минар (начало XIII века) 70-метровой высоты; соборная мечеть (XVII век); крепость Лэл-Кила — «Красный форт» (XVII век) с дворцами и мечетью.

Крепость обнесена неприступной стеной, сложенной из красного камня. Богатство и красота дворцов, укрывшихся под её защитой, — их внутренние украшения из белого и красного мрамора с чудесно сделанными рисунками, резьба по мрамору на стенах и потолках — не уступали богатству и красоте дворцов Агры.

Побывали мы и на могиле Мохандаса Карамчанда Ганди. Здесь всегда много свежих цветов.

На следующий день профессор Сен и я навестили моего пациента — подростка 15 лет. Он чувствовал себя хорошо, уже поднимался с постели.

И у нас настроение было хорошее. Воспользовавшись случаем, совершили экскурсию в старый Дели. С трудом пробирались на машине через поток велосипедов, пешеходов, лошадей, быков. Чуть ли не половина главной улицы занята торговцами, разложившими свои товары прямо на земле. По обеим сторонам — бесчисленные лавчонки. Хозяева громко зазывают покупателей. Все гудит, мычит, кричит, звенит. Нестерпимая жара, чад от дымящихся жаровен, целый букет запахов...

Сойдя с трапа самолёта в Бомбее, сразу попали словно в натопленную баню. Без кондиционеров и вентиляторов, казалось, существовать там немыслимо.

После завтрака нас пригласили в частный Бомбей-госпиталь на 400 коек. Занимают их платные и некоторое количество бесплатных больных. Платные места делятся по категории на «супер», I и II классы.

Контингент больных самый разнообразный. Здесь можно встретить заболевания от митрального стеноза до опухоли мозга.

Профессор Балига сделал в моём присутствии две операции: холецистэктомию (удаление желчного пузыря) и резекцию желудка при язве. В первом случае он «убрал» пузырь от шейки, старательно выделил шейку, перевязал сосуды, надсёк примыкающую оболочку и легко удалил желчный пузырь. Был осуществлён тщательный гемостаз. Резиновую трубку подвели из отдельного небольшого разреза внизу. При холецистэктомии был применён поперечный разрез от 10-го ребра до средней линии. Из этого же разреза хирург удалил и правый придаток.

Резекция желудка происходила без накладывания жома на его стенку. После надсечения оболочки сосуды были перевязаны порознь. Снова — тщательный гемостаз. Хирург наложил соустье между желудком и тонкой кишкой на длинной петле без анастомоза между петлями кишки. Содержимое желудка отсасывалось через тонкую трубку, введённую через нос или рот. Эта трубка была оставлена на месте и после операции, которая продолжалась два с половиной часа.

Благодаря кондиционированному воздуху в операционной, несмотря на жару, сохранялась нормальная температура.

Вечером был устроен приём в нашу с профессором Де Беки честь. Присутствовал губернатор штата Махараштра. Многие выступавшие выражали надежду на укрепление взаимного доверия между Советским Союзом и Америкой.

Мне понравилось выступление Де Беки. Он, в частности, упомянул, что, когда посетил Россию в холодное время года, ему было всё равно тепло от той сердечности, с какой его у нас встречали.

Де Беки в Индии я слышал несколько раз, и всегда он находил предлог, чтобы сказать дружеские слова в адрес СССР.

Что касается самого Бомбея, то он произвёл на нас отрадное впечатление. Этот один из главных экономических центров страны, порт на Аравийском море, в основном «захватил» большой полуостров, глубоко вклинившийся в бухту. На нескольких красиво спланированных набережных высятся многоэтажные здания. Много парков, скверов, площадей, памятников. Нет узких улиц, как в прочих старых городах Индии. Движение весьма оживлённое. Бомбейский университет открыт в 1857 году. Культурная жизнь на высоком уровне.

...Де Беки провёл показательную операцию при двустороннем поражении сосудов нижних конечностей. Операция была трудной. Сосуды на бедре оказались непроходимыми, как и на голени. Пришлось извлечь тромб из бедренной артерии и вшить в это место конец протеза. Пока хирург вшивал другой конец, первый уже затромбировался. Де Беки рассёк протез, всё очистил и вновь зашил. То же случилось и на другой ноге. Наконец оба протеза стали пульсировать, и тогда была зашита рана.

Вслед за тем в другом госпитале Де Беки демонстрировал операцию по поводу коарктации (сужения) аорты. Суженную её часть он иссёк на протяжении 3 сантиметров и вставил отрезок дакроновой трубки диаметром 12—13 миллиметров. Боковые сосуды, идущие от аорты, он почти не перевязывал, только временно пережимал их зажимами.

Настал и для меня напряжённый день. Утром показательная операция на больной с хроническим заболеванием — расширением бронхов. Поставленный лечащим врачом диагноз не вызывал сомнения. Предстояло удалить нижнюю и среднюю доли правого лёгкого. Операция прошла благополучно.

В 12 часов я прочёл доклад о ранней диагностике рака лёгкого, ответил на множество вопросов.

Короткий перерыв, и снова доклад — на сей раз о слипчивом перикардите. Я познакомил аудиторию со схемой операции по своей методике и сообщил, что в 3 часа в Бомбей-госпитале буду показывать её на практике.

Когда мы приехали, в операционной всё уже было готово. Доставили девочку 13 лет с выраженными явлениями декомпенсации. Уже на столе выяснилось, что имеет место незатихающий туберкулёзный процесс. Удалось убрать большую часть перикарда, освободив все крупные сосуды, верхушку и диафрагмальную поверхность сердца. Технически операция была очень сложной, но закончилась хорошо.

Через сутки я навестил больную. Она чувствовала себя вполне удовлетворительно. Позднее от профессора Балиги узнал, что девочка поправилась.

Этот наполненный до краёв день завершился заседанием Общества индийско-советской дружбы под председательством того же Балиги.

Сразу же по возвращении в Дели я поспешил в Ирвин-госпиталь к прооперированному мною 15-летнему подростку. Он уже свободно ходил.

Здесь же ко мне обратились представители прессы с просьбой дать интервью. Мы договорились о встрече на следующий день в 11 часов.

Утром меня ожидали 12 корреспондентов крупных индийских газет. Сначала они попросили изложить историю болезни мальчика, пояснить, в чём заключалась сложность операции при слипчивом перикардите, чем отличается моя методика и какие у неё преимущества. Было задано и много других вопросов.

Перед отъездом на родину один из работников нашего посольства принёс на аэродром несколько газетных выпусков. В них подробно освещался случай с мальчиком.

Через несколько лет я вновь посетил Индию. И тогда профессор Сен рассказал, что мой пациент стал взрослым, крепким парнем и совершенно здоров.

3

Наука развивается быстро, каждый год приносит нам поразительные открытия в разных областях медицинской теории и практики, но даже и в этих условиях есть такие разделы в хирургии, где однажды достигнутый уровень долгие годы затем остаётся непревзойдённым, с трудом поддаётся широкому распространению.

Я имею в виду сердечную и лёгочную хирургию, близкие мне как специалисту.

С американскими врачами я поддерживаю постоянную переписку, регулярно читаю периодическую медицинскую литературу, выходящую в Штатах. У меня сложилось убеждение: прогресс в медицине серьёзно выигрывает от постоянных контактов советских и американских медиков.

Хирургия в США находится на высоком уровне, и это не потому, что государство хорошо субсидирует медицинское дело. Это, конечно, имеет место, но большая часть средств, получаемых здравоохранением, там всегда составлялась из поступлений от больных в оплату медицинской помощи. В США эта помощь неимоверно дорога и подобно дамоклову мечу висит над каждым средним американцем, грозя разорить его в случае болезни.

Кроме того, система налогов в США такова, что крупные капиталисты заинтересованы жертвовать в пользу учреждений, живущих на благотворительные средства, отчего сумма их налога соответственно уменьшается. Поэтому многие капиталисты вместо того, чтобы платить большие налоги, часть этих денег отдают на строительство или оборудование больниц, чем приобретают известность добрых дядюшек и в то же время сохраняют свои капиталы. Чтобы стали более понятны эти особенности американской налоговой системы, приведу пример с профессором Гарлоком из Нью-Йорка.

Профессор Гарлок, один из пионеров хирургии пищевода, имеет в Нью-Йорке самую богатую частную практику. В год он зарабатывает 200 000 долларов. Из этих денег 75 000 уходит на аренду помещения под кабинет, оплату вспомогательного персонала и т. д. С оставшихся 125 000 полагается налог 80%, словом, после всех удержаний и уплат у него осталось бы 25 000 долларов. Но он 25 000 жертвует на больницу, и тогда у него остаётся 100 000. Из них на уплату налога уходит 72 000. Следовательно, ему остаётся 28 000. Казалось бы, он сделал доброе дело, пожертвовал деньги на больницу; на самом деле он сэкономил 3000 долларов в год.

Вечером Де Беки пригласил нас в клуб на встречу с хирургами его клиники и соседних учреждений. На вечере профессор сказал, что ему понравился русский обычай говорить тосты, и он произнёс свой тост за русских гостей, за дружбу между учёными и народами Советского Союза и США. Вечер прошёл тепло и непринуждённо. Де Беки много раз повторял, что у американского и русского народов много общего, указал на высказывания хирургов США в газетах о необходимости укреплять нашу дружбу.

Именно поэтому, делясь своими заграничными впечатлениями, я хотел бы рассказать о высоком мастерстве некоторых хирургов, которое было приобретено двадцать и даже тридцать лет назад, но которое и поныне является привилегией лишь отдельных выдающихся врачей.

Один из них уж знаком читателю. Это крупнейший американский хирург Де Беки.

Впервые я побывал в Америке в 1959 году. Прежде всего меня привлекал Хьюстон, где работает профессор Де Беки.

Его клиника размещается в так называемом медицинском центре, построенном на средства богатых жертвователей. Некоторые завещают использовать их деньги после смерти, как, например, некий Андерсен, имя которого носит ныне Институт рака. Некоторые делают свои филантропические взносы при жизни.

В последние годы в Америке возник медико-промышленный комплекс: корпорации, содержащие лечебные учреждения, диагностические лаборатории, центры помощи на дому и т. д. Как и всяким корпорациям, им в первую очередь нужна прибыль, выкачиваемая из больных.

Доктор Арнольд Релмен, редактор «Нью Ингленд джорнел оф Медисин» пишет: «Новый медико-промышленный комплекс стал неотъемлемым элементом американской действительности — беспрецедентный феномен с большими и потенциально тревожными последствиями для дальнейшей судьбы нашей системы медицинского обслуживания населения».

Экономисты подсчитали, что к концу текущего десятилетия расходы американцев на лечение превысят 821 миллиард долларов.

Медицинский центр в Хьюстоне раскинулся на огромном бывшем пустыре. Здесь воздвигнут целый ряд институтов, медицинская школа, равнозначная нашему вузу, госпитали, библиотека и т. п.

В раковом институте нашим экскурсоводом был заведующий патологоанатомической лабораторией доктор Лесли Смит, который говорил по-русски и продолжал изучать русский язык. Вместе с ним мы обошли все помещения. В отделении экспериментальной хирургии проводились радикальные операции в исследовательских целях, перфузиях (пропускание через сосуды «выключенного» органа) различных химических веществ для лечения таких опухолей, как меланома, и другие. Осмотрели мы и гистологическую лабораторию, где хранилось 150 тысяч срезов, химическую, изотопную, лабораторию энзимов (ферментов) и пр.

И в этом институте была заметна «болезнь» Америки: с одной стороны, торжество научного прогресса, с другой — мрачное наследие прошлого, расизм. Среди сотрудников насчитывалось немало негров, но все они занимались черновой работой. На дверях красовались таблички «Только для белых» или «Только для чёрных». Мы обратили на них внимание доктора Смита. Он был явно смущён, сказал, что в настоящее время это изживается. Однако через три года, когда я вновь очутился в том же институте, таблички продолжали висеть...

С большим интересом готовились мы к посещению клиники профессора Де Беки. Её и сейчас считают одной из ведущих клиник мира, специализирующейся в области сердечно-сосудистой хирургии. Сюда постоянно приезжают за опытом хирурги из других городов США и из разных стран. Да и сам Де Беки часто бывает за рубежом, выступает с докладами, проводит показательные операции.

В клинике 160 коек, 9 операционных. Нам показали план на день — 40 операций. Врачебный штат — 60 человек, считая и резидентов.

В первый день мы наблюдали за методами рентгенологического исследования аорты и сонной артерии с помощью вводимого в них контрастного вещества. Осуществляют подобные манипуляции как сам Де Беки, так и его ассистенты Куули, Моррис, Краффорд и др.

Аорту они пунктируют на уровне 12-го ребра, положив больного на живот. Пункция аорты при такой позиции производится непосредственно выше почечных артерий, что даёт возможность увидеть состояние не только брюшной аорты, но и почечных и брыжеечных сосудов. Как только покажется кровь, к игле присоединяют шприц и быстро под давлением впрыскивают 20—30 кубиков семидесяти- или пятидесятипроцентного урокона. Сразу же делают снимки аорты и бедренных сосудов на больших пленках, заложенных в специальную длинную кассету. Передвигая свинцовый экран и открывая нужную половину кассеты, получают снимки аорты от почечных до подколенной артерии. Как нам рассказывали, на 4 тысячи таких аортографий пришлось 3 смертельных исхода.

Рентгеновский кабинет был оснащён аппаратом, который позволял хирургу через 5 минут после аортографии держать в руках проявленную сухую пленку. Причём снимки с применением урокона выходили очень рельефные.

Для ангиографии сонных артерий в клинике пользовались препаратом Гепак, почти нетоксичным для мозговой ткани. При этом прибегали к пункции общих сонных артерий. В некоторых случаях добивались двусторонних снимков за один сеанс. Мне доводилось видеть, как больные лежали в рентгеновском кабинете с двумя иглами, введёнными в общие сонные артерии. Сделав снимки сначала на одной, затем на другой стороне и не вынимая игл, хирурги проверяли результаты и, если они их не удовлетворяли, снова впрыскивали контрастное вещество и переснимали заново. Громадный опыт гарантировал от каких-либо осложнений. Для съёмки справа пунктируется безымянная артерия; продвигая иглу внутри артерии, стремятся ввести контрастное вещество так, чтобы на снимках получилось изображение и позвоночных артерий.

В тот же день мы присутствовали при резекции нижнего отдела аорты по поводу аневризмы брюшного отдела аорты с переходом на подвздошные сосуды.

В ходе операции стенку аневризмы не удаляли, а ею как бы прикрыли дакроновый трансплантат. Очень тщательно произвели гемостаз. Брюшную стенку зашили полностью наглухо. Применялись атравматичные иглы различного калибра и нитки различной толщины. Нужно заметить, что зажимы, наложенные на сосуды, не повреждали стенки артерий.

Вторая показательная операция Де Беки — резекция грудного отдела аорты из-за расслаивающейся аневризмы. Диагноз предварительно был поставлен точно. Профессор иссёк 3—4 сантиметра аорты непосредственно ниже того места, где отходит левая подключичная артерия, скрепил расслаивающиеся листки артериальной стенки непрерывным швом через край и вшил в этот отрезок аорты трубку из поролона. Операция проводилась с аппаратом искусственного кровообращения. Когда она закончилась, никаких нежелательных заметных изменений в деятельности сердца не наступило.

Третью операцию нам продемонстрировал первый помощник Де Беки доктор Куули в детском хирургическом госпитале, соседствующем с клиникой. Диагноз — стеноз лёгочной артерии и относительная недостаточность трику-спидального клапана. Операция с искусственной циркуля-цией крови (аппарат был другой системы) протекала гладко, без нарушений работы сердца, за которой наблюдал педиатр-кардиолог с помощью приборов, установленных в комнате, отделённой от операционной стеклянной перегородкой. Больного готовили к операции ассистенты.

Мы осмотрели главное здание медицинского факультета университета Бейлора, помещения для студентов, лаборато-рии. Нижний этаж занимали администрация и конторы профессоров и ассистентов; выше — биологическое и онко-логическое отделения, где содержались тысячи разнообраз-ных экспериментальных животных. На четвёртом этаже — экспериментальное отделение хирургической клиники с мастерской. При участии инженеров там конструирова-лись и изготовлялись инструменты, аппаратура. Здесь же выделены комнаты студентам. К их услугам прекрасно скомплектованный библиографический отдел. Экземпляры статей сотрудников клиники, опубликованные в тех или иных журналах, переплетались в отдельный ежегодный сборник. Кроме того, все труды по хирургии фотографиро-вались на микроплёнку. По мере надобности их можно было увеличить до формата книжной страницы, спроецировать на матовое стекло и свободно читать. Благодаря этому всю литературу по хирургии за последние сто лет хранили в нескольких шкафах.

Хирургическая клиника, или, как её принято называть, хирургический департамент, возглавлялась единственным шефом — профессором Де Беки. Его департамент включал и другие клиники: анестезиологии, оториноларингологии, урологии, нейрохирургии. Все девять операционных, собранных в одном блоке, подчинялись единому расписа-нию. В расписании обозначены: номер операционной, название операции, хирург, ассистент, анестезиолог, время, когда должна начаться операция.

Вот, например, в 8 часов утра профессор Де Беки при-ступил к работе. У его пациента — пожилого мужчины — расслаивающаяся аневризма грудной аорты, причём рас-слаивание распространялось от подключичной артерии до диафрагмы. Аневризма была резецирована и заменена про-тезом из дакрона длиной около 20 сантиметров. После

пережатия аорты перешли на искусственное кровообращение. Аппаратом «управляла» опытная медицинская сестра
по безмолвному сигналу хирурга. Никто никому не давал
никаких указаний, все следовали заведённому порядку.
Переливание крови, вливание глюкозы, лекарственных
веществ производилось чётко. За всем следили наркотизатор и одна сестра.

Во время операции действовал сравнительно бесшумный
мощный отсос, мгновенно убиравший кровь с операционного поля.

Возникло осложнение — небольшое кровотечение из
швов из-за применения гепарина. Для остановки кровотечения потребовалось наложить дополнительные швы после
вторичного пережатия аорты. Когда кровотечение прекра-
тилось, хирург очень медленно разжал аортальный зажим.
Давление осталось стабильным.

Состояние больного контролировал врач за стеклянной
перегородкой. Он имел возможность видеть кривую записи
артериального давления и электрокардиограмму.

Операция прошла успешно, больного отвезли в палату
с хорошими гемодинамическими и дыхательными показа-
телями.

Вслед за этим в другой операционной Де Беки сделал
субтотальную резекцию желудка. После пересечения сосудов он наложил на пищевод мягкий жом, удобный для дер-
жания, и отсёк желудок по малой кривизне у пищевода,
а по большой — на 10 сантиметров от кардии. Остался уча-
сточек вблизи пищевода. Тогда хирург, не снимая жома,
подтянул петлю тонкой кишки впереди поперечной и под-
шил к желудку — сначала к серозной оболочке, затем,
вскрыв кишку, сшил слизистую желудка и кишки погруж-
ными швами.

После короткого отдыха Де Беки опять сменил операционную. Теперь ему предстояло иссечь аневризму подколенной артерии с заменой её дакроновым протезом. Сразу же
после операции у больного восстановился пульс на артерии
тыла стопы.

Следующее хирургическое вмешательство — обходной
анастомоз при сужении бедренной артерии. Профессор
вшил один конец трубки в общую подвздошную артерию,
а другой — в бок бедренной артерии непосредственно над

коленным суставом. И в этом случае пульс на артерии тыла стопы появился сразу по окончании операции.

Примечательно, что хирурги клиники в качестве сосудистых трансплантатов употребляли трубку, в два раза и более превышавшую диаметр замещаемой артерии.

Так же напряжённо шла работа во всех операционных. Нельзя было не отметить поразительную организованность. Едва увозили очередного прооперированного, тут же за считанные минуты производилась уборка с полной заменой белья. Специальный персонал доставлял стерильные инструменты, бельё, халаты и необходимый материал в небольших свертках, обернутых в плотные простыни темно-зеленого цвета. Использованный инструментарий поступал в общую стерилизационную, где обрабатывался в автоклаве, завертывался в простыни в должном наборе, а затем вновь возвращался в операционные.

Еще раз подчеркну: хирург занят был только операцией, всё остальное ему обеспечивали помощники, чётко и быстро.

Обращала на себя внимание качественность инструментария и шовного материала. Во время операций, за которыми мы наблюдали и которые зачастую проводились в трудных условиях, не было случая, чтобы порвалась нитка, сломалась или соскользнула в иглодержателе игла, ослабел зажим на сосуде. На аорту хирург накладывал зажим так прочно, что, держа за него, сближал концы сосуда, и ни разу не замечалось малейшего скольжения. При этом зажим не травмировал стенку, на ней не оставалось никаких следов даже после повторных пережиманий.

Обслуживающего персонала в операционных довольно много. В каждой — четыре-пять сестёр и санитарок плюс мужчины-носильщики. Обстановка деловая, без напряжения и нервозности. В предоперационной висит плакат: «Не выявляйте свой характер, держите его при себе, он никого не интересует».

В течение операции нередко слышны шутки, причём это позволяют себе и хирурги, и их ассистенты. Звучит мелодичная музыка, передаваемая по радио. Хирург часто тихо подпевает. В то же время всеми соблюдается строгая дисциплина. Никаких возражений или пререканий не допускается.

Врачи хирургического департамента и хирургических госпиталей медицинского центра собрались в аудитории факультета на встречу с членами нашей делегации. Профессор Б. А. Петров сделал доклад «Создание искусственного загрудинного пищевода из тонкой и толстой кишки», профессор Б. К. Осипов — «Тактика хирурга при остром холецистите», а я — «Хирургическое лечение слипчивого перикардита». Де Беки, представляя нас собравшимся, говорил в наш адрес лестные слова, подробно характеризовал направление наших работ. Нам действительно было о чём рассказать.

Ожог пищевода в быту наблюдается не так уж редко, когда люди по ошибке или сознательно (при попытке к самоубийству) проглатывают крепкий раствор щелочи или кислоты. Возникают тяжёлые последствия, вплоть до полной непроходимости пищевода. Спасти человека можно, попытавшись создать искусственный пищевод из кожного лоскута или же с помощью участка кишки, поднятой кверху, питать которую будут сохранившиеся брыжеечные сосуды. Эта трудная, сложная манипуляция является испытанием и для больного, и для хирурга.

Впервые подобную операцию отважился сделать в 1906 году хирург Ру, использовав отрезок тонкой кишки. Операция проводилась в несколько этапов, на протяжении многих месяцев, но так и не дала эффекта, поскольку трансплантат в конце концов омертвел.

На следующий год Пётр Александрович Герцен, внук русского революционера А. И. Герцена, добился благоприятных результатов. С того времени эту операцию проводили хирурги разных стран, но она сопровождалась высокой смертностью, и часто её не удавалось довести до логического завершения. Так, ещё в 1945 году смертность была до 30 процентов и только у 50 процентов больных операция окончилась удачно.

С. С. Юдин усовершенствовал методику. К 1949 году он произвёл более 300 пластик пищевода из тонкой кишки с летальностью 9 процентов. Такого количества и такого низкого процента смертности не знала ни одна самая передовая клиника мира.

В дальнейшем русские хирурги Б. А. Петров, Д. А. Арапов, Б. С. Розанов, Г. Р. Хундадзе, П. И. Андросов и другие, главным образом ученики С. С. Юдина, продолжали усовершенствовать технику и получили прекрасные показатели как в смысле успешного завершения начатых операций, так и в смысле снижения летальности.

Б. А. Петров в своём докладе сообщил об опыте последних десяти лет. С 1949 по 1959 год в институте Склифосовского в Москве осуществили свыше 400 успешных пластик со смертностью менее 4 процентов, что было мировым достижением и не имело прецедентов.

Б. К. Осипов остановился на показаниях и методике операции при остром холецистите, подтверждённых практикой московских хирургов. Дело в том, что вопрос — надо ли оперировать при остром холецистите и когда — оставался открытым. Боясь потерять больного, многие врачи предпочитают лечить его консервативно. Однако чем больше проходит времени от начала приступа, тем тяжелее состояние и тем меньше шансов на благоприятное хирургическое вмешательство. Б. К. Осипов, основываясь на собственном богатом опыте, доказывал, что если в первые часы консервативное лечение не купирует приступ и воспаление нарастает, необходимо делать операцию, пока ещё силы больного не истощены. Такая тактика предупреждает летальность. Не все хирурги были согласны с этим, поэтому доклад Б. К. Осипова выслушали с напряжённым вниманием.

С интересом отнеслись американские специалисты и к моему докладу, так как моя методика была им неизвестна.

Затем Де Беки пригласил нас в свой кабинет. Пока длилась беседа, старший секретарь его стоял с блокнотом в руках, записывая все распоряжения шефа, и немедленно передавал их другим секретарям. В некоторые адреса указания передавались сразу же по телефону.

На вечернем обходе послеоперационных палат Де Беки показал нам пациентов, перенёсших операцию с применением искусственного кровообращения по поводу больших внутригрудных аневризм и закупорки крупных периферических сосудов, замененных дакроновыми трубками. Мы видели больного с аневризмой брюшной аорты, оперированного два года назад. У него удалили аневризму непосредственно ниже почек и поставили трубку из дакрона (с бифуркацией, то есть с разделением на два сосуда). Ещё одному больному сделали операцию обходного анастомоза, причём бифуркационная трубка была сшита широким концом с подвздошной, а другим — с бедренной артерией в её нижнем участке. Предъявили нам и больных после ликвидации закупорки общей сонной и даже внутренней сонной артерии. Пожилому человеку с недостаточностью дыхания, страдающему закупоркой правой общей подвздошной артерии, было наложено соустье между левой подвздошной и правой бедренной артериями. При этом трубку провели под кожей внизу живота. Операция состоялась больше года назад. Я отчётливо видел пульсирующее под кожей искусственное соустье.

Обход закончился поздно, но все помощники Де Беки оставались на местах. Перед тем как уйти домой, доложили профессору, какие больные назначены завтра на консультацию, представили лабораторные анализы, прочие материалы обследования.

Нас поражала, казалось, неиссякаемая энергия Де Беки. День у него начинался в 4 часа утра. До 7 часов он работает дома, потом ещё час — в кабинете факультета, со своим секретарём. С 8 до 16 без перерыва занят операциями. Мы застали его в кабинете в 21 час, и после нашей беседы он продолжал ещё работать. А на следующее утро в 8 часов вылетел в Вашингтон.

Только за год он публикует не менее 30 научных трудов, не считая отдельных руководств, монографий.

С чисто американской деловитостью используются знания и хирургическое искусство этого выдающегося учёного. Каждая минута его полезного времени умно спланирована, строго рассчитана. Он пишет статьи, читает лекции, оперирует, консультирует, учит, показывает, даёт советы, указания — словом, делает то, что умеет делать только он один, и ничего более. Всё техническое, вспомогательное, не требующее именно его умения, ловко и почти незаметно для профессора выполняют другие люди — его помощники и секретари.

Я как-то случайно слышал разговор секретаря по телефону. Де Беки приглашали куда-то на совещание или на лекцию, где-то побывать, кого-то посмотреть.

— Какое будет совещание? — дотошно выспрашивал секретарь.

И затем:

— Нет, это не может заинтересовать профессора. Нет-нет, извините, я не стану ему докладывать. Знаю, тема вашего собрания не представляет для нас интереса.

Я спросил секретаря:

— А вообще-то профессор бывает на совещаниях?

— Бывает, но редко. В тех случаях, когда заведомо ожидается что-то важное для его работы.

Мне думается, столь «педантичное» разделение труда по способностям, максимальное использование имеющегося в распоряжении общества интеллекта, знаний, опыта — самый разумный и экономичный путь к развитию производительных сил, к достижению прогресса во всех областях научной и практической деятельности человека.

Операции, которые я наблюдал в клинике Де Беки, не были для меня новинкой, почти всё делал и я. И хотя технические возможности мои высоко оценивали очень многие известные хирурги (что я лично отношу к воспитанности моих гостей, а никак не к своим заслугам), тем не менее не мог я сравниться с Де Беки по объёму и количеству операций в день, неделю, месяц, и каждая операция отнимала гораздо больше времени. Кстати сказать, ни в каких других клиниках — как США, так и Европы — тоже не выдерживали аналогичных темпов. Американские хирурги говорили мне не раз, что в этом отношении Де Беки и его школа уникальны. Чем же объясняется такая уникальность?

На первое место конечно же надо поставить выдающиеся технические способности Де Беки, воспитавшего достойных учеников. Куули, Моррис и Краффорд теперь мало чем уступают ему в мастерстве и проводят те же операции почти в такой же срок. На втором месте — организаторские способности Де Беки. Вышколенность среднего и младшего обслуживающего персонала, беспрекословная дисциплина, строгое распределение обязанностей. К тому же хирург неизменно имеет дело с одним и тем же ассистентом, наркотизатором, операционной сестрой, техником, отвечающим за аппарат искусственного кровообращения. Де Беки никогда не оперировал с кем-либо из тех, кто прикомандирован в клинику для обучения, если только он уже не обладал многолетним опытом.

Тогда, в конце 50-х годов, для нас была поучительной принятая в клинике Де Беки практика: после сложной операции тяжёлый больной передавался для выхаживания в реанимационное отделение. Сдав своего подопечного дежурной бригаде реаниматоров, хирург мог не беспокоиться о нём и всецело переключиться на следующую операцию. У нас эта система была внедрена несколько позднее и оказала серьёзное влияние на благополучное излечение множества людей.

Предельная требовательность руководителя клиники, высочайший спрос с себя и с окружающих коснулись также проблем материального обеспечения операций, всесторонней оснащённости операционного 9-камерного блока.

В моём присутствии профессор поручил инженеру из экспериментальной мастерской изготовить нужный ему инструмент. Через два часа принесли образец. Де Беки не был удовлетворён и попросил переделать. Ещё часа через полтора он получил то, чего добивался.

Поскольку Де Беки много оперировал больных с сосудистыми заболеваниями, его интересовали прежде всего соответствующие инструменты. Я говорил уже: мы сразу обратили внимание на зажимы с таким расположением зазубрин, которые прочно удерживали сосуд, не позволяя ему сместиться ни на миллиметр, но совсем не травмировали стенку, не раздавливали её, в чём можно было убедиться под микроскопом.

Настаивая на совершенствовании каждой детали хирургических инструментов, проверяя их лично много раз на своих операциях и на ходу заставляя подключаться экспериментальную мастерскую, Де Беки создал целый набор для сосудистой хирургии. В массовое производство поступили как наборы, так и отдельные инструменты, в достоинствах которых их автор больше не сомневался. Очень скоро они распространились по всему миру. Я считаю, что это ещё одно доказательство в пользу экспериментальных мастерских, их огромной роли в деле прогресса и хирургии, и медицины вообще. Мы снова оценили инициативу наших предшественников, которые при скудности средств раньше, чем где-либо, начали создавать такие мастерские при крупных отечественных лечебных учреждениях. И те, кто думает, что единственный НИИ может обеспечить хирургическим инструментарием все больницы и клиники нашей страны, глубоко ошибаются. Это наглядно подтвердили последние десятилетия.

Популярностью в США пользуется Хирургический центр города Миннеаполис штата Миннесота, с которым нам удалось познакомиться во время поездки. Медицинский факультет и хирургические клиники этого центра занимают здание, где 10 наземных и 3 подземных этажа. В «спрятанных от глаз» помещениях расположены лаборатории, в том числе и экспериментальные с большим количеством операционных комнат. Всего их там несколько сотен.

Собственно операционных — 12, собранных в блок так, что в каждую можно входить с общего специального коридора. Рядом — комнаты различного назначения и гистологическая лаборатория.

Рентгеновский кабинет оборудован установкой для катетеризации полостей сердца и ангиокардиографии. Тут получают 30 снимков в секунду в двух проекциях.

В операционных стеклянные стены и потолки, что даёт возможность следить за происходящим, находясь вне помещения.

Через смотровое стекло мы наблюдали за операцией, которую делал профессор Лилихей по поводу дефекта межпредсердной перегородки с аппаратом искусственного кровообращения, сконструированным самим профессором. В общей сложности мы видели четыре конструкции аппарата: Свена (о нём я ещё скажу), Де Беки, Куули, Лилихея. Все отличаются друг от друга, но просты в обращении и рассчитаны на управление одним человеком.

В ходе операции после введения канюли (полой трубки) в бедренную артерию и двух толстых канюль в правое предсердие последнее было широко раскрыто и на дефект наложена заплатка размером два на три сантиметра. Её пришили двухрядным непрерывным швом, а отверстия в правом предсердии, когда извлекли канюли, соединили кисетным швом. Был проведен скрупулёзный гемостаз с электрокоагуляцией краёв раны, в том числе и перикарда. Сама операция, особенно подготовка к ней, продолжалась очень долго с тщательной остановкой кровотечения. Сердце, оставаясь длительное время открытым, работало ритмично. Грудина рассекалась поперёк разрезом в форме клина. Наркоз протекал безупречно.

В другой операционной профессор Вангенштейн осуществлял поперечную резекцию желудка с оставлением привратника и рассечением пилорического жома (пилоропластика). Диагноз — язва малой кривизны желудка.

Накануне вечером мы присутствовали на докладе профессора Вангенштейна о благотворном влиянии местного охлаждения при желудочных кровотечениях. Начинал профессор, как водится, с экспериментов. В желудок собак вводили мелких лягушат, которые разлагались спустя 5—6 часов. Если же желудок подвергался охлаждению, то лягушата оставались живыми 26 и более часов.

В одной из палат нам показали больного со специальным баллоном в желудке и тонким зондом для откачивания содержимого с помощью активного отсоса. При кровотечении из вен пищевода в желудок вставляют два баллона. Желудок и пищевод охлаждают в течение 5—20 часов, пропуская через баллон воду со спиртом при температуре минус 5—7 градусов.

Профессор Вангенштейн рассказал нам, что из двадцати пяти больных, подвергшихся лечению холодом, у двенадцати желудочное кровотечение удалось остановить, для двоих эти меры оказались неэффективными, а одиннадцать были прооперированы по показаниям основного заболевания: язвы, рака желудка, расширения вен пищевода.

На следующий день мы посетили муниципальный госпиталь Миннеаполиса для бесплатных больных. Однако понятие это относительно, так как вопрос об оплате решается для каждого такого госпиталя индивидуально. Если, например, больной из деревни и не в состоянии заплатить за лечение, то община обязуется перевести необходимую сумму из своей кассы. Некоторые больные, не имея права на какую-либо льготу, берут на себя часть расходов и тратят денег несколько меньше, чем в платных госпиталях. Если необходимо переливание крови, то бесплатным больным кровь должны давать родственники.

Условия в муниципальном госпитале значительно скромнее. Много больших палат на 16 коек. Кровати универсального типа, позволяющие придать больному любое положение. Боковые щиты-барьеры предохраняют от падения.

Каждый больной может быть изолирован от других глухим занавесом, висящим на изогнутых трубках.

Лаборатория построена и оборудована частично на средства государства, а в основном на пожертвования богатых лиц. Здесь есть химическое, рентгенологическое, электрокардиологическое отделения, отделение для катетеризации полостей сердца и ангиокардиографии, экспериментальное хирургическое отделение с четырьмя операционными столами. Врачи — преимущественно резиденты, прикомандированные для усовершенствования.

Профессор Хитчкок, руководитель госпиталя, продемонстрировал нам ряд больных со злокачественными опухолями, излеченных и оперативным путём, и с помощью кобальт- и химиотерапии. Так, мы видели женщину, перенёсшую операцию по поводу рака матки. Через год при повторной лапаротомии были обнаружены множественные метастазы. Снова прибегли к химиотерапии. Спустя ещё год вновь произвели лапаротомию — метастазы исчезли.

Рочестер (штат Индиана) по праву можно назвать центром американской научно-практической медицины и хирургии. Это город-клиника, обязанный своим взлётом знаменитой династии американских хирургов — отцу и сыновьям Мейо. Уильям Мейо переселился из Англии в США в 1845 году, участник гражданской войны Севера и Юга. Известны его труды по хирургии брюшной полости. Сын Уильям пошёл по стопам отца. Тоже занимался операциями брюшной полости, урологическими; интересовали его вопросы организации медицины. Другой сын, Чарлз, выбрал клиническую и экспериментальную медицину. Опубликовал работы по управлению медицинскими центрами.

В 1889 году братья Мейо учредили клинику, а в 1915-м — фонд своего имени. Их клиника славилась по всему миру и прославила Рочестер.

С тех пор там появилось много отлично оборудованных клиник, строятся новые здания. Несмотря на то что в ряде городов США выросли свои центры, Рочестер по-прежнему в научно-практическом отношении не уступает первенства. Его обитатели — пациенты и медперсонал. На 30 тысяч жителей приходится свыше тысячи работающих врачей и более 650 человек, направленных сюда на усовершенствование. Ежегодно в город приезжают на лечение 150 тысяч больных.

В Рочестере мы посетили клинику профессора Кирклина. Молодой способный учёный, один из ведущих специалистов Америки, он добился больших успехов в области хирургии сердца. Профессор Кирклин пригласил нас на товарищеский ужин в ресторан гостиницы, где мы остановились. Все местные хирурги были в сборе. Среди них и доктор Мейо — последний из поколения этой семьи. Как мы поняли, он мало практиковал, отдавая предпочтение хозяйственным, административным делам. Доктор Мейо являлся в тот период представителем США в отделе здравоохранения ООН.

После Рочестера в нашей программе значился Кливленд. Здесь на аэродроме нас встретил представитель хирургической клиники профессора Холдена и отвёз нас в гостиницу. По дороге с аэродрома нам попался американский вариант кинотеатра — аутотеатр. Это большая площадь, огороженная забором, с огромным экраном. Владельцы машин въезжают через ворота на площадь, устанавливают автомобили в определённый ряд и, не выходя из них, смотрят фильм.

Кливленд — порт на озере Эри, крупный финансово-торговый и промышленный город. В нём функционируют несколько современных госпиталей.

Вечером после осмотра клиник профессор Холден, другие профессора и врачи хирургического департамента устроили в нашу честь товарищеский ужин. Завязалась тёплая, дружеская беседа. Некоторые наши американские собеседники высказывали весьма прогрессивные мысли. Руководитель отделения анестезиологии профессор Хингсон тогда только что вернулся из Африки, рассказывал о бедственном положении населения стран этого континента. Цветные фотографии запечатлели убогие землянки, детей, страдающих от голода, хронической малярии и прочих болезней, с худенькими, как спички, ножками и ручками, вздутыми животами. Р. Хингсон привёл данные ООН. Так, на земном шаре в то время ежегодно 200 миллионов человек заболевали малярией, 175 — туберкулёзом,

150 — тифом и дизентерией, 25 миллионов — оспой. Он добавил, что для победы над оспой, например, достаточно тех средств, которые расходуются на изготовление двух атомных бомб...

Профессора Бек, Хингсон, Холден и их коллеги говорили о глубоком уважении к русским, об искреннем желании жить с нами в мире. При этом они и не скрывали, что их точка зрения не совпадает с официальными взглядами.

Утром мы прибыли в Вашингтон. Нашим «хозяином» оказался профессор Блэдс. После завтрака он повёз нас в свою онкологическую клинику.

Мы побывали в предместье Вашингтона, Бетесде, где размещены Национальные институты здравоохранения — одно из крупнейших государственных научных учреждений в стране. Под началом объединенной администрации действуют 9 научно-исследовательских институтов по всем отраслям медицины с лабораториями и клиниками. Клиники занимают комплекс 10—12-этажных зданий, лаборатории — серию 3-этажных построек. Здесь работают примерно 7 тысяч человек, из них более 1200 врачей.

Обращали на себя внимание оригинальные внутренние перегородки клинических помещений. Они представляли собой стальные плиты, укрепленные так, что их без труда можно переставить, всего за несколько часов реально неузнаваемо «перекроить» планировку.

В Нью-Йорк приехали поздно вечером и на следующий день знакомились с этим олицетворением Америки, почти сразу же ощутив суматошный ритм, внешнюю сторону американского образа жизни, резкий контраст между богатством и бедностью. Побывал в негритянском районе. Этот район резко отличался от остальной части города. Здесь стояли тесно прижатые друг к другу большие трёх-четырёхэтажные дома со множеством квартир. Народу на улицах очень много, люди здесь живут скученно. Имеются свои магазины, свои парикмахерские, аптеки — словом, всё, что необходимо, и всюду покупатели и продавцы — только негры. Европейцы появляются здесь лишь случайно.

Перед отъездом домой мы прошли пешком по Нью-Йорку, посмотрели ночной Бродвей. Море огней. Все магазины открыты, привлекают покупателей ярко освещённы-ми витринами. Чего только не увидишь здесь! Но больше всего на вывесках и магазинных витринах, в рекламах кинотеатров, на обложках книг и журналов — ярко раскрашенные картинки обнажённых женщин. Врач, который нас сопровождал, заметил, что сексуальная тематика пронизывает всё.

В магазинах с так называемыми подарками продавали галстуки с нарисованными на них фигурами женщин, игральные карты с порнографическими сюжетами, наборы картинок, которые могут вызвать только брезгливое чувство. Возникало глубокое недоумение: неужели люди, торгующие подобными вещами, не думают о своих детях? Ведь их дети видят всё и на этом воспитываются. Представители медицинской общественности, с которыми довелось беседовать, с возмущением говорили о том, что невозможно уберечь детей от разлагающего воздействия секса и порнографии.

Мой хороший знакомый хирург-онколог ввёл меня в курс проблем, с которыми сталкивался так называемый средний американец.

Первое — очень дорогой жизненный уклад. Львиную долю зарплаты забирает квартира.

Второе — неуклонно растущие налоги.

Третье — страхование. Страховые компании как щупальцами опутывают каждого работающего. Вы хотите иметь бесплатное или льготное лечение — платите страховой взнос. В зависимости от той суммы, которую вы вносите, вас и будут лечить. Полностью бесплатного лечения ни для кого не существует, за исключением тех больных, которые находятся в том или ином научно-исследовательском институте и дали расписку, что согласны на любую экспериментальную операцию.

В США страхуют от всего — от несчастных случаев, от болезни, от автомобильной катастрофы. Страхуют имущество. Страхуют собачку, если она есть: вдруг кого-нибудь покусает! Ведь оплата лечения человека, укушенного собакой, и оплата его вынужденного прогула из-за укуса стоят очень дорого. Но если вы застрахуете собачку, платит страховая компания. Потому-то американец стремится застраховаться на все случаи жизни, однако он не может уберечь себя от нищеты. Например, если рабочий потерял трудоспособность на производстве, он получает пенсию за счёт предприятия только в течение пяти лет. Но и об этом нам врачи говорили как о крупной победе демократии.

Четвёртое, что лежит тяжёлым бременем на плечах среднего американца, — это долги. Конечно, приобретение вещей в рассрочку удобно для мало- и среднеоплачиваемой группы населения, но, к сожалению, кредит предоставляется на безжалостных условиях. Скажем, если должник не внёс вовремя своего очередного взноса, у него отнимают вещи, хотя уже выплачено, допустим, 80—90 процентов стоимости. Деньги, разумеется, не возвращаются. Над американцем постоянно висит угроза разорения, если он лишится работы.

Каждый труженик в США — потенциальный кандидат в армию безработных. Страх перед возможной безработицей искусно используется компаниями, чтобы привлечь на свою сторону американцев, занятых в военной промышленности. Крупный терапевт из Нью-Йорка профессор Эпштейн сказал мне, что народ США в основной массе против войны. Однако в США есть группы населения, которые заинтересованы в поддержке военного психоза. Это капиталисты, производящие военную продукцию, военные, получающие высокие оклады и опасающиеся, что ослабление военного психоза вызовет сокращение военной промышленности, что приведёт к потере ими работы.

Но не только рабочие и служащие военного комплекса тревожатся за завтрашний день. Любой человек в США является потенциальным кандидатом в армию безработных. Этот факт, а также милитаризация, непрекращающаяся угроза атомной войны приводят к постоянному, непрерывному нервному напряжению людей. А это, в свою очередь, не может не сказаться на здоровье.

Теперь мне хочется поделиться впечатлениями, полученными от тех клиник, в которых нам удалось побывать в течение почти месячного пребывания в США.

Я обещал рассказать о профессоре Свене. Его хирургическую клинику в городе Денвер штата Колорадо мы осматривали уже накануне отлёта домой.

Она размещалась в многоэтажном здании. Небольшие палаты рассчитаны на одного, двух, четырёх человек. Почти в каждой было приспособление для кислородной палатки, к услугам которой здесь довольно часто прибегают. Много подсобных комнат со всевозможным оборудованием, аппаратурой для регистрации деятельности сердечно-сосудистой и лёгочной систем. В палатах около больных сидели посетители прямо в пальто. Таких посетителей и врачей в верхней одежде мы встречали в хирургических отделениях и клиниках других городов и удивились тому, как это уживается со строгим отношением к асептике в самой операционной, куда даже на минутку нельзя войти в халате, если предварительно не снять все своё бельё и не надеть специальное, больничное. А для того чтобы присутствовать на операции, вы должны не только переодеться, но и обязательно помыть руки, надеть стерильный халат и перчатки, не говоря о маске.

Экспериментальному отделению профессор Свен уделял внимание. Сам сконструировал аппарат «искусственное сердце — лёгкие». В дни нашего пребывания в США он лишь апробировался. Трубки, по которым течёт кровь, — широкие, изготовленные из «нейтрального» материала, благодаря чему кровь не свертывается, К аппарату присоединены приборы для определения содержания в крови углекислоты, кислорода, температуры, скорости кровотока и т. д. Кроме того, в аппарате предусмотрен ряд краников, позволяющих брать кровь в различных участках и подвергать её анализу.

Экспериментальное отделение соединено с клиникой, так что имеется прямая связь с хирургическим блоком. При этом в эксперименте работает совершенно самостоятельная бригада врачей под руководством профессора. Как правило, подбираются молодые, подающие надежды медики, с энтузиазмом решающие поставленные перед ними задачи. Ко времени, о котором идёт речь, Свен уже произвёл свыше 500 операций на сердце.

Подходил к концу наш визит в Америку. Моё впечатление от встреч с американскими коллегами было самым хорошим. Нас принимали радушно и сердечно, как близких друзей. Ничего не таили, всё показывали.

Я побывал в США ещё два раза, и меня всегда окружала атмосфера уважения и симпатии: я представлял свою страну и свою науку.

Хочется верить, что и теперь чувства дружбы и доверия простых людей Америки остаются неизменными.

4

Как, наверное, помнит читатель, Институт пульмонологии привлёк внимание зарубежной медицинской общественности и Всемирной организации здравоохранения.

От имени и по поручению директора ВОЗ доктора Ямомото к нам приехал профессор Андре Мейер, крупный французский учёный.

— Моя задача, — пояснил он, — детально ознакомиться с вашим учреждением, поскольку появилась мысль создать на его основе мировой центр по пульмонологии. Воспалительные заболевания лёгких растут на земле из года в год с быстротой, вызывающей беспокойство. Всемирная организация здравоохранения не может пройти мимо этого факта. Мы узнали о значительных научных изысканиях в вашем институте, о большой организационной работе, проводимой в вашей стране, и нам хотелось бы использовать советский опыт.

Профессор А. Мейер оказался пытливым, эрудированным «инжектором». Он вникал в самую суть, интересовался оборудованием, помещением, клинической базой. Дня через четыре заявил, что считает свою миссию выполненной. В книге отзывов записал:

«Институт академика Углова Ф. Г. имеет комплекс средств исследования бронхопульмонального аппарата, особенно функционального и рентгенологического порядка, которые в общем превышают всё, что я знал.

Научные программы института позволят выработать методики изучения и лечения заболеваний лёгких, образцовые для всего мира. Это достижение будет достойным академика Углова Ф. Г. — динамичность его превышает лишь его гостеприимство и любезность. Это также будет достойным прекрасного города Ленинграда.

Проф. *А. Мейер*, мед. институт г. Парижа, председатель Общества дыхательной патологии».

Прощаясь, он сказал:

— Я в восторге от вашего института. На сегодняшний день это не только первое, но и единственное учреждение в мире с таким оборудованием, с таким многообещающим научным направлением. Я своё мнение записал в книге отзывов. Подробный отчёт о виденном представлю директору Ямомото. Вам же повторю: не ожидал встретить ничего подобного, ведь я объездил почти все страны, где занимаются вопросами пульмонологии. Стану настойчиво рекомендовать организацию при институте задуманного всемирного центра.

Однако, — добавил он, — прежде всего я буду просить ВОЗ, чтобы вас послали по крайней мере в Париж и Рим. Вам надо лично ознакомиться там с постановкой дела и перенять все, что найдёте необходимым...

И действительно, очень скоро я выехал на две недели в Париж и Рим по заданию ВОЗ.

Париж я посещал в разное время года — и весной, и зимой. В 1962 году был там в феврале, когда воздух охлаждался до минус 8 градусов и парижане сильно мёрзли с непривычки. На этот раз стояла ранняя осень, было ещё совсем тепло. Меня встретили профессор Мейер и представитель Министерства здравоохранения Франции. В моё распоряжение предоставили небольшой легковой автомобиль, которым прекрасно управляла девушка-гид, бойко разъезжавшая по забитым машинами улицам города. К приезду заранее составили программу визитов, встреч, расписали всё по часам. Каждый день загружен до позднего вечера.

В первую очередь побывал в клинике профессора Мейера — главного пульмонолога Франции. И сразу же мог убедиться в том, как она великолепно оснащена для обследования больных. В лаборатории функциональной диагностики мы застали уже немолодого, солидного мужчину, который лежал на кушетке с двумя тонкими катетерами: конец одного катетера введён в аорту, другого — в главный ствол лёгочной артерии. На аппарате чётко определилось их местоположение и давление в обоих сосудах. Судя по кривым, вторжение этих «посторонних предметов» в организме не вызвало никаких нарушений сердечной деятельности. Я спросил:

— Чем объяснить, что больной практически никак не реагирует на наличие в его сердце катетеров?

— Здесь играют роль два фактора. Во-первых, качество. Катетеры принимают температуру тела, а при этой температуре становятся настолько эластичными, что никак не травмируют ни стенку сосуда, ни стенку сердца. Во-вторых, мягкая, щадящая техника исследования. Вы видите этих молодых людей. Они — терапевты высокой квалификации.

— У нас такие манипуляции производят анестезиологи и реаниматологи.

— Мы считаем, что важна не столько техника как таковая, сколько понимание процессов, которые она выявляет. Терапевту это ближе по профилю.

— А как у вас применяются другие специальные методики — бронхоскопия, бронхография?

— Тут ведь тоже дело не только в технике, но и в анализе того, что врач обнаруживает с её помощью. Скажем, бронхоскопист замечает какие-то изменения в бронхах. Но как он увяжет их с общей картиной состояния больного, если не имеет достаточных знаний? Исследование — не самоцель, а средство для выбора тактики лечения.

— А если возникает осложнение, требующее хирургического вмешательства?

— Какого, например? Трахеостомии? Методикой этой операции у нас владеют все терапевты.

Такая постановка вопроса показалась мне разумной и современной. Действительно, в кардиологических и пульмонологических клиниках есть прямой резон по квалификации, умению и навыкам приблизить терапевтов к хирургам.

С профессором Мейером мы зашли в палату на шесть или восемь коек. К каждой из них подведены трубки от аппарата искусственного дыхания. Некоторые больные просто брали трубки в рот по мере надобности, чтобы было легче дышать, у других они были вставлены в трахею, у третьих — приспосабливались к отверстию в трахее, сделанному оперативным путём.

— Мы находимся в отделении дыхательной реанимации. Подобные отделения у нас открыты в ряде терапевтических клиник и госпиталей.

— Чем это вызвано?

— При длительном хроническом воспалении лёгких (а таких случаев сейчас очень много), при обострении процесса, особенно у людей в пожилом возрасте, часто возникает дыхательная недостаточность. Последняя нередко переходит и в сердечную недостаточность. И если в это время не помочь человеку, может быстро наступить печальный исход.

— Речь, конечно, идёт о больных, которые лежат у вас в клинике?

— Не совсем так. Мы принимаем пациентов своей специфики по направлению пульмонологов для экстренной помощи.

— Только с лёгочными заболеваниями?

— Вначале — да. Однако постепенно профиль отделения менялся, к нам стали посылать людей с различными недугами, но с одинаковой угрозой для жизни из-за дыхательной недостаточности.

— В Париже ваше отделение единственное?

— Что вы! Здесь около двадцати таких центров. И все они появились стихийно, благодаря энтузиазму врачей. Лишь постепенно удалось добиться специальных ассигнований, поскольку содержание реанимационного отделения в три-четыре раза дороже обычного на то же количество мест.

За неделю пребывания в Париже я осмотрел семь госпиталей. Везде пульмонологи обеспечены соответствующей аппаратурой для диагностики и лечения, почти всюду оборудованы лаборатории для интенсивной научной работы.

В госпитале Сан-Антонио при департаменте физиологии организованы центр дыхательной реанимации, лаборатория патофизиологии дыхания и гемодинамики. В госпитале Клод Бернар, в клинике медицинской реанимации, руководимой профессором Дюпоном, также имеется интенсивно действующая лаборатория патофизиологии.

Учёные Парижа с интересом относились к нашим встречам. Охотно рассказывали о своих планах и много расспрашивали об Институте пульмонологии.

В Риме меня ждал профессор Беге — заведующий отделением реанимации в госпитале Сан-Камилло и одновременно ответственный за постановку дыхательной реанимации в столице Италии. После короткого отдыха в гостинице я отправился вместе с ним в госпиталь.

Надо признать, что реанимационное отделение в организационном смысле было образцовым. Когда мы подошли к корпусу, где оно размещалось, я увидел посадочную площадку для вертолётов.

— На этом настояла наша служба, — сказал профессор. — Теперь из любого района страны, если только больной транспортабельный, его незамедлительно доставляют в реанимационный центр. У нас дежурят круглые сутки без выходных.

Центральная комната отделения — площадь около 100 метров. Кровати разделены ширмами, которые легко сдвинуть или раздвинуть простым движением руки. Посредине помещения — наблюдательный пункт врачей. Отсюда по записям на приборах следят за самочувствием пациентов. К больным подведены контрольные датчики и трубки от аппарата искусственного дыхания, у большинства — трахеостомическое отверстие.

Обходя больных и рассказывая о каждом из них, Беге остановился около миловидной девушки лет двадцати трёх. Она приветливо нам улыбнулась, ответила на вопрос профессора и тут же занялась куклой. Я в недоумении посмотрел на своего спутника.

— Да, это страшная трагедия, поставившая её родителей и нас в такое положение, из которого мы не находим выхода уже третий год.

— В чём же дело?

— Девушка попала в автомобильную катастрофу, получила тяжёлую травму черепа и другие повреждения. Её привезли в состоянии клинической смерти. Самостоятельное дыхание отсутствовало, но сердцебиение ещё сохранялось. Врачи наладили искусственное дыхание через трахеостому. Три недели девушка лежала без сознания, а когда пришла в себя, мы поняли, что её мозг сильно пострадал. Она на уровне развития ребёнка четырёх-пяти лет. Но этого мало. Поражённым оказался дыхательный центр. И вот результат: жить она может лишь с аппаратом искусственного дыхания.

— А как родители?

— Ежедневно навещают её, приносят игрушки. Она по-детски лепечет, даже шалит.

— И какие перспективы?

— Никаких. Задача неразрешимая. Она обречена на постоянное пребывание в реанимационном отделении.

— Есть ли надежда на восстановление психики? Что говорят невропатологи и психиатры?

— Надежды нет. Может быть, со временем она станет развиваться, как ребёнок, но очень медленно.

— А что родители?

— Они не мыслят свою жизнь без неё.

— Что же вы собираетесь делать?

Беге пожал плечами:

— Ума не приложу. Каждый понимает, что это не жизнь, а выхода нет. Вы видите, какое это милое существо, как она доверчиво улыбается. Все к ней привыкли, все её любят, жалеют и вместе с родителями ждут облегчения.

В этом одна из мрачных сторон реанимации как науки. Сотни тысяч людей она вырывает из когтей смерти, но не всем возможно вернуть полноценное здоровье. И даже поставить на ноги удаётся не всех...

У нас был больной, которого оживили после тяжёлой травмы, восстановили сердцебиение и дыхание. Но мозг безмолвствовал. На электроэнцефалограмме была зарегистрирована прямая линия, т. е. полное отсутствие биотоков мозга. Больной живёт и неделю, и месяц, и больше, но сознание не возвращается и никогда к нему не вернётся. Что делать? По существу, перед нами — человек без головы. И в то же время он — человек и требует к себе человеческого отношения. За ним нужен тщательный уход и систематическое искусственное кормление, без чего он умрёт. Возникает вопрос: нужно ли поддерживать такую жизнь? При всей сложности ситуации тут может быть только один ответ, гуманный и правильный: пока сердце бьётся, человек жив и требует всех мероприятий по сохранению и восстановлению этой жизни. Малейшее уклонение в законодательном смысле от этого положения приведёт неизбежно к злоупотреблениям, которые могут граничить с преступлением.

В настоящее время в этом вопросе нельзя допустить ни малейшего послабления. Иначе обязательно найдётся группа людей, в том числе и врачей, объединенных какой-нибудь фашистской идеей или идеей богоизбранности, и будет использовать это послабление в своих человеконенавистнических целях.

Может быть, когда-нибудь в далеком будущем такой вопрос и встанет, ибо в нём также заложена идея гуманизма и по отношению к больному человеку, и к обществу, но этот вопрос может подняться только тогда, когда в людях исчезнет ненависть, злоба, алчность, пренебрежительное отношение к другим людям и к другим народам. Добиться этого во всём мире пока очень трудно, хотя и возможно, если ООН сумеет провести в жизнь ряд законов в защиту людей.

Взять хотя бы такой вопрос, как производство и продажа оружия частным лицам. Тот факт, что на крови других людей наживаются капиталисты, настолько противоречит самым элементарным человеческим нормам, что вопрос о передаче производства всех видов оружия от частных лиц в государству надо ставить на сессии ООН, пока он не будет решён положительно.

И возможности на сокращение вооружения можно добиться только в том случае, если производство оружия перейдёт в руки государственного аппарата. Вопрос надо ставить каждый раз, несмотря на противодействие представителей отдельных государств. Может быть, он самый важный, самый жизненный для всех народов Земли.

Отсутствие заинтересованности в производстве и продаже частным лицам создаёт предпосылки для мирного разрешения спорных вопросов между государствами. Идеи добра и гуманизма, так близкие всем людям Земли, будут торжествовать над злом и насилием. В мире, как правило, зло порождает вмешательство одних народов в жизнь других. Если бы этого не было, сами люди решали бы свои вопрос внутри страны.

Профессор Беге познакомил меня с работой пульмонологических и реанимационных отделений многих ведущих римских госпиталей и клиник. Крупнейший и один из старейших туберкулёзных институтов мира — институт Форланини на три тысячи мест. К тому времени значительное число его отделов было закрыто частично или полностью. Всё больше коек отводилось клинике нетуберкулёзных лёгочных больных. Клинику возглавлял известный специалист-пульмонолог Дадди.

Посетил я госпиталь Сан-Филиппо, институт и клинику кардиологии профессора Петро Вальдони. С ним мы знакомы с 1950 года, встречались в Риме, Москве, Ленинграде. При его клинике организован центр реанимации и интенсивного ухода, оснащённый по последнему слову науки и техники. Меня интересовали также отделения дыхательной реанимации и пульмонологии ряда частных госпиталей.

По ходу знакомства я вёл подробные записи новшеств, которых у нас не было и которые я намеревался внедрить у себя в институте.

Возвратившись в Ленинград, послал отчёт о поездке директору ВОЗ и в Министерство здравоохранения СССР. Отдавая должное инициативе и энтузиазму учёных-пульмонологов Парижа и Рима, способствовавших прогрессу этого раздела науки и практики, я всё же констатировал, что наш институт ушёл далеко вперед и может с честью выполнять роль международного центра, включая усовершенствование врачей данной специализации.

Доктор Ямомото ответил, что вскоре собирается прибыть профессор Беге для изучения дела дыхательной реанимации в нашем институте. После чего приедет он сам или его заместитель, и вопрос о создании международного центра ВОЗ по пульмонологии будет решён окончательно.

Всё ценное, что я увидел в передовых европейских клиниках, я изложил в виде инструкции, которую обсудили на учёном совете и раздали заведующим отделениями. Те должны были подумать и дать свои соображения о том, что можно применить в нашей работе.

Но мне хотелось шире распространить полезный опыт в реанимации при терапевтических и пульмонологических отделениях больниц в городах и областных центрах. Сделать достоянием врачей, например, методику лечения острой пневмонии, выработанную в Париже, благодаря которой почти полностью исключаются такие осложнения, как абсцедирование. А что значит — сделать достоянием? Это значит — снабдить конкретными рекомендациями.

Всё, чего мы добились за пять лет существования института, что удалось узнать из литературы, личных контактов с пульмонологами и торакальными хирургами разных стран, я постарался изложить в книге о хронической пневмонии.

Остальное относилось к сфере практических мер, то есть было в ведении министерства.

Сергей Александрович Борзенко, которому я рассказывал о своих делах и о том, что мною предпринято для претворения в жизнь достижений мировой науки, сказал мне:

— Я бы очень советовал вам, помимо общего отчёта в министерство, послать личное письмо министру с важнейшими выводами и предложениями. Отчёт может где-то затонуть в бюрократических столах, а на письмо он не может не прореагировать. Слишком важный вопрос вы поднимаете.

Я действительно написал личное письмо министру, где указал на необходимость организации центров дыхательной реанимации при терапевтических и пульмонологических отделениях в городах и областных центрах. Кроме того, изучив вопрос о лечении острой пневмонии в Париже, где благодаря отработанной методике почти полностью исключаются такие осложнения, как абсцедирование, я говорил о необходимости собрать симпозиум, на котором можно было бы выработать необходимые инструкции.

Ответа на моё письмо и отчёт не последовало, так же как и не было никакой реакции на наше письмо о приглашении профессора Беге в наш институт как консультанта ВОЗ.

— Что делать, Фёдор Григорьевич, чтобы всё то, что вы узнали, стало бы достоянием всех врачей? — спрашивал Сергей Александрович.

— Многое из того, что я привёз, я постараюсь распространить через оргмедотдел в нашем преломлении. А всё то, что нам удалось узнать из литературы и путём личного контакта, я постараюсь изложить в книге о хронической пневмонии, над которой я эти годы работаю.

— Вы это очень правильно делаете. То, что будет вами написано, станет достоянием врачей, а следовательно, пойдёт на пользу народу. Обязательно пишите и скорее издавайте.

Спустя несколько дней Сергей Александрович спросил меня: «Как дела?»

Я сказал, что получил от американцев приглашение принять участие в работе конгресса и выступить с докладом с освещением своих работ. Они официально объявили, что все расходы по поездке и пребывании в Америке берут на себя. Я послал в наше министерство это приглашение и своё заявление с просьбой предоставить мне командировку за счёт американцев. Долгое время мне ничего не отвечали или же я получал стандартный ответ:

«Вопрос ещё не рассматривался». Затем пришёл ответ, что поезда в Америку не разрешают, так как такая поездка у них не запланирована.

Сергей Александрович заботливо спросил:

— Не очень ли вы расстроились оттого, что вас не пустили в Америку?

— Нет, — отвечал я, — в Америке я был не раз и большого желания ехать опять у меня нет. Но я отлично понимаю, что это редкий случай, когда американцы приглашают русского учёного на таких условиях. И поездка моя имела бы большое значение для престижа русской науки. Ведь американцы не такой народ, чтобы выбрасывать деньги. Но может быть, пошлют кого-нибудь другого? Мне всё равно лишь бы дело не стояло.

— Да, верно, — сказал Борзенко, — мы люди не тщеславные, лишь бы делалось дело.

И он рассказал мне эпизод из военной истории.

Адмиралу Ушакову надо было провести какое-то мероприятие, важное для государства и народа. Но он знал, что высшие чиновники, если он сам предложит, завалят его предложение. Тогда он обратился к Потёмкину, чтобы тот от своего имени сделал предложение. Потемкин удивился: «Какой же тебе интерес, если я сделаю это предложение? Ведь вся слава достанется мне». — «Это не важно, — сказал Ушаков. — Важно, чтобы это было проведено в жизнь и принесло славу любезному отечеству, а потомки разберутся».

Много раз я бывал за границей, в том числе в странах американского континента. Случалось, приезжал в пору потепления политической атмосферы, а бывало, приезжал в страну, с которой отношения у нас натянутые, — и всё равно простые люди, коллеги учёные встречали советских посланцев с неизменным радушием. Не берусь говорить за всех, но нас, советских медиков, всегда и везде принимали дружески и сердечно. По крайней мере, так случалось со мной.

Я и сейчас время от времени выезжаю в заграничные командировки, но особенно часто ездил в конце шестидесятых — начале семидесятых годов. Я видел, как велик авторитет Советского Союз в глазах людей всего мира, каким доверием пользуются наши учёные у зарубежных коллег. Заметил я одну любопытную особенность: ни с кем так доверительно не говорят, никому не верят с такой искренностью, как нам, врачам из Страны Советов. Разумеется, я имею в виду прогрессивных учёных.

Авторитет института укреплялся. Ещё только шли разговоры о международном центре, а с нами искали общения очень многие учёные, в нашем мнении нуждались. Посыпались приглашения на разного рода совещания, конгрессы, симпозиумы.

Когда профессор Мейер был в Ленинграде, он завёл речь о созыве европейского совещания специалистов по заболеваниям органов грудной клетки. Подчёркивал, что без России оно не будет иметь должного веса.

Вскоре Мейера избрали президентом Первого европейского конгресса. Он прислал мне письмо:

«Дорогой профессор Углов! Вы, несомненно, знаете о международном обществе американских торакальных хирургов, в работе которого вы принимали участие в Вашингтоне. С того времени это общество стало менее «американским» и именуется Международной академией по грудной хирургии с местными подразделениями. Одно из них относится к Европе.

Первое собрание европейского подразделения состоится в Ницце...»

Через несколько месяцев после этого приглашения — вызов из Лимы. В столице Перу намечался XIX конгресс Международного колледжа хирургов. Мне хотели присвоить титул почётного члена данного сообщества. В повестку дня заранее был включён мой доклад «Реанимационные мероприятия при астматическом состоянии». Наша методика, которую я уже описывал, тогда не была отражена в литературе, но являлась большим достижением отечественной науки и потому интересовала зарубежных учёных.

Ждали меня к себе и в Японии. Профессор Чузо Нагаиши из Киото тоже был гостем нашего института. Он — крупный специалист по торакальной хирургии и пульмонологии. Нам было о чём поговорить; он высоко оценил научные изыскания коллектива и, уезжая, настойчиво приглашал для обоюдной пользы посетить Японию. Довольно быстро я получил его монографию на английском языке о детальной структуре лёгкого с просьбой написать к ней предисловие. Работа оригинальная, интересная, и я с удовольствием представил её читателю. Изданную книгу с моим предисловием и дарственной надписью Нагаиши я храню в своей библиотеке. В дальнейшем переписка наша продолжалась, как и возобновлялись предложения приехать в Японию. Пожалуй, самым привлекательным было бы участие в собрании Японского общества по борьбе с раком лёгких в Осаке, где я мог бы выступить с лекцией на эту тему.

Но как разорваться между всеми делами? Поспеть почти одновременно в разные страны разных континентов? И что выбрать? Может быть, Нидерланды? Ведь на конгресс в Амстердам меня тоже пригласили... Как ни жаль, от многих поездок я вынужден был отказаться, справедливо ссылаясь на занятость.

По неизвестным мне причинам перестал писать директор ВОЗ доктор Ямомото. Вопрос о создании у нас всемирного центра пульмонологии больше не поднимался. А вскоре и я ушёл с должности директора института.

Я рассказал здесь, разумеется, далеко не обо всех международных контактах, которые выпали на мою долю. Особенно участились зарубежные поездки в конце 60-х — начале 70-х годов. И всюду я старался оправдать высокое звание русского учёного. Видел, как велик авторитет Советского

Союза в глазах простых людей, с каким доверием относятся к нам иностранные коллеги. Чем выше поднимался авторитет Института пульмонологии, тем больше нас посещали учёные различных стран и континентов. Одновременно всё чаще и настойчивее приглашали меня на международные конгрессы и симпозиумы. Однако со второй половины шестидесятых годов Министерство здравоохранения под разными предлогами старалось не пускать меня за рубеж.

Со своей стороны, я очень внимательно изучал опыт других хирургов и если находил что-то, что было лучше, чем у нас, — то ли в технике операций, то ли в оснащении приборами и оборудованием, — старался внедрить это у себя. И несомненно, прогресс в деятельности нашего коллектива во многом связан с моими заграничными впечатлениями.

5 Истинно честно служить России

1

Мысли мои то и дело возвращались к Борзенко. Я прочитал вторую книгу его романа «Какой простор!». Сергей Александрович писал её, уже будучи не совсем здоровым. А сколько в нём жизнелюбия и жизнеутверждающей силы! С какой любовью говорит он о русских людях, об их самоотверженной работе, об их каждодневных свершениях! И описывает все правдиво.

Просто, как сама жизнь. И сложно — как в жизни.

Получил письмо от Валерия Григорьевича Венгерова. Мне он совсем незнаком — просто отозвался как читатель моей книги «Сердце хирурга». В письме вкладыш — номер пермской газеты «Звезда» от 14 мая 1976 года.

В заметке «Мирные взрывы» газета приводит выписку из решения научного совета АН СССР:

«Совет постановляет: рекомендовать министерству... организовать проработку технологии изготовления электровоспламенителей с использованием предложенной В. Г. Венгеровым вольфрамовой проволоки».

Это решение есть признание того, чему В. Г. Венгеров, преподаватель пермского профессионального училища, посвятил свыше сорока лет.

...Мирные взрывы. Год от года они находят всё более широкое применение в народном хозяйстве. И чем больше в них нужда, тем острее встаёт вопрос об их эффективности и безопасности.

Электрическое взрывание считается самым благоприятным. Но как показала придирчивая массовая проверка, примерно десять процентов электродетонаторов портится при транспортировке и длительном хранении. Следовательно, они бесполезны и не могут обеспечить взрыв. А каждый такой отказ чреват угрозой для человека. К тому же обезвреживание несработавшей взрывчатки вызывает простои, иногда — аварии.

Всесоюзное совещание по буровзрывателям, состоявшееся в Кривом Роге в 1974 году, признало, что количество выпускаемых электродетонаторов не отвечает современным требованиям.

Что касается Валерия Григорьевича Венгерова, то он начал свои исследования ещё в 30-х годах, в пору, когда был молодым инженером. С фронта вернулся инвалидом и не смог работать по специальности, но идеи своей не бросил: по-прежнему продолжал усовершенствовать взрыватели в кустарной мастерской.

В 1966 году Венгеров защитил диссертацию, которая подвела итог его исследовательской деятельности. Тем не менее прошло десять лет, прежде чем научный совет соответствующего профиля «подтолкнул» предложение Венгерова к практической реализации. И, посылая мне газету «Звезда», Валерий Григорьевич от себя добавил, что, как и раньше, трудится в одиночку, вкладывает в эксперименты личные средства.

Не берусь судить об официальной стороне вопроса. Не знаю, скажем, какими правами обладает Общество рационализаторов и изобретателей. Может быть, уже давно принимаются разумные меры, чтобы дать «зелёный свет» продуктивным новшествам, чтобы они без излишних проволочек внедрялись в производство. А разве мало на памяти примеров, когда к авторам этих новшеств относились в лучшем случае как к чудакам? Делать, мол, им нечего, вот и докучают занятым людям. И откуда у них столько энергии берётся — упорно ходить и ходить по инстанциям, уговаривать, доказывать... Да всё оттуда же — от сознания правоты, желания принести пользу. Они бессребреники, энтузиасты. Отдают годы, не жалеют ни времени, ни сил, ни здоровья, ничего не требуют взамен, лишь бы признали их идеи, лишь бы они оказались нужными народному хозяйству, стране. И нередко бывает так, что один решает задачу, которую не удавалось решить целому институту.

Будь у Венгерова лаборатория, необходимые материальные возможности, он развернулся бы в полную силу лет на десять — двадцать раньше...

Таков русский человек. Он на свои последние скудные средства приобретает всё необходимое и трудится годами, не жалея ни времени, ни сил, ни здоровья, ничего не получая, делает великое дело для страны, для своего народа, не требуя взамен ничего. И он счастлив тем, что наконец признали его труды и они будут служить народу, предупреждать гибель людей.

У Венгерова могут учиться те, что сидят в научно-исследовательских институтах и всё имеют для творчества. Они не только сами должны создавать, но и всячески поддерживать всякую новую мысль. Между тем Венгеров защитил диссертацию в 1966 г., и только в 1976 г. научный совет Академии наук вынес решение об использовании его предложения. До этого оно почему-то замалчивалось, и ничего не делалось, чтобы создать автору необходимые условия. Ведь будь у него лаборатория, будь необходимые средства, он бы это же самое создал на 10—20 лет раньше, и как бы он помог народному хозяйству, сколько несчастных случаев было бы предупреждено!

Раздумья мои прервал телефонный звонок. Позвонил Иван Абрамович Неручев — сосед по даче:

— У Сенкова завтра день рождения. Хорошо бы собраться вместе и поздравить его.

— Да ведь он не приглашал...

— Фёдор Григорьевич! Что вы говорите... Александр Михайлович будет рад... Он всегда рад людям...

Мы с женой купили подарок, букет цветов и поехали.

Александр Михайлович Сенков — ленинградец, профессор, доктор технических наук. Возраст его был более чем почтенный, и болезнь ограничила его движения. Но ни возраст, ни недуги, ни прочие препятствия не могли умерить его творческого горения. О нём мало сказать, что он всю жизнь трудился. Именно — горел в труде и борьбе. И его имя было хорошо известно не одному поколению энергетиков.

Сразу же по окончании института, в 1929 году, Александр Михайлович выступил на I Всесоюзном совещании по гидротехнике в Москве с обоснованием найденного им нового метода возведения плотин, который был изложен в студенческой дипломной работе.

В 1933 году по проекту и под непосредственным руководством Сенкова построили плотину на реке Кальмиус для водоснабжения начинавшей действовать «Азовстали». Однако сам по себе данный факт ещё не означал, что идея Александра Михайловича приобрела и безоговорочных сторонников. Её можно было использовать не во всех без исключения случаях, а исключения принимались за правило. Сенкову стали чинить препятствия. По этому поводу дважды выступила «Правда».

26 мая 1935 года газета напечатала приказ по Народному комиссариату тяжёлой промышленности:

«Проверка статьи «Правды» от 12 мая 1935 года, посвящённой плотине Сенкова, подтвердила, что заместитель главного инженера Главстройпрома тов. Родионов при обсуждении проекта плотины на реке Бузулук не разобрался в вопросе о типе плотин и неправильно решил вопрос в пользу бутобетонной.

Институт ВОДГЕО (Всесоюзный научно-исследовательский институт водоснабжения и т. д.) не обеспечил инженеру Сенкову благоприятных условий для его работы и не развернул должным образом научно-исследовательскую работу по типу плотины, предложенной инженером Сенковым.

В связи с этим приказываю:

1. Заместителю главного инженера Главстройпрома тов. Родионову за отказ без достаточных оснований от применения плотины Сенкова при рассмотрении проекта плотины на реке Бузулук объявить выговор.

2. Начальнику сектора гидротехники института ВОДГЕО инженеру Родштейну за непринятие мер по продвижению научно-исследовательских работ по плотине Сенкова и за допущенную техническую ошибку в оценке построенной плотины на реке Кальмиус объявить выговор и освободить от должности начальника сектора гидротехники.

3. Утвердить сооружение на реке Бузулук у селения Александровка бетонной плотины по типу Сенкова.

4. Возложить утверждение проекта по плотинам тяжёлой промышленности на Главгидроэнергострой.

5. В целях обеспечения лабораторной базой научно-исследовательских работ по плотине инженера Сенкова передать разработку вопросов, требующих лабораторной базы, в научно-исследовательский институт Главленинградстроя.

6. Предложить Главстройпрому выделить в 1935 году дополнительно 100 тысяч рублей на расширение научно-исследовательских работ, связанных с плотиной Сенкова.

Нарком тяжёлой промышленности *С. Орджоникидзе*».

Правительственная комиссия под председательством С. Орджоникидзе с участием таких авторитетных учёных, как академики А. В. Винтер, Б. Е. Веденеев, Н. Н. Павловский, член-корреспондент АН СССР П. Ф. Папкович и другие, признала, что новый тип плотины — «технически прогрессивное и практически ценное предложение в гидротехнике». Вслед за тем было рекомендовано внедрить плотину Сенкова в строительство, способствовать дальнейшему развитию его идей. И несмотря на это, как мы видим из публикаций «Правды», потребовалось вмешательство наркома, чтобы все встало на свои места.

По методу Сенкова возвели несколько плотин. Научные организации, институты и вузы, в том числе Академия наук Украины, занимались изучением и обоснованием преимуществ гидротехнических сооружений системы Сенкова. Этой теме посвящены студенческие дипломы, ряд кандидатских и докторских диссертаций, монографий, свыше 500 изданных работ в нашей стране и за рубежом. Только по-настоящему интересные инженерные решения привлекали к себе такое внимание.

В чём же сущность предложения Сенкова? Плотина представляет собой в основном систему вертикальных колодцев без дна, образуемых бетонными и железобетонными взаимно перекрещивающимися стенками различной высоты в соответствии с очертанием водосливной поверхности. Внутренность этих колодцев-ячеек заполняется землей или камнем, а перекрываются они сплошной бетонной плитой, обеспечивающей свободный перелив воды через гребень плотины и установку затворов. Бетонный каркас похож на судно, опрокинутое килем вверх. Благодаря такому устройству и достигаются серьёзные преимущества. Какие?

Можно отказаться от забивки дорогостоящих металлических шунтов в основание плотины на песчаных грунтах, так как стенки бетонного каркаса, поставленные поперёк реки, практически выполняют их роль.

Намного повышается коэффициент трения, что весьма важно для того, чтобы избежать нежелательного сдвига грунта по грунту.

Земляная масса тела плотины, прочно «сцепленная» с естественным ложем реки, лучше сопротивляется размыву, чем устраняется опасность образования разного рода каверн и щелей.

Необходимый вес сооружения (для придания ему устойчивости и предохранения от сдвига) набирается за счёт грунта, то есть дешёвыми средствами. В сочетании с повышенным коэффициентом трения и уменьшением противодавления это даёт особую результативность.

И так далее.

Заметим кстати, что Александр Михайлович все премии, полагавшиеся ему за экономию, передал государству.

На Всемирной выставке в Брюсселе Сенков был удостоен «Гран-при».

Однако вопреки логике нелегко складывалась судьба и талантливого инженера, и его детища. Да, плотины Сенкова безусловно оправдывают себя не везде, а там, где позволяют условия, где можно обойтись без прочного подстилающего основания. Но разве это резон для того, чтобы пытаться вовсе их игнорировать? «Строительная газета» 30 сентября 1955 года писала:

«Казалось бы... высокая оценка, данная изобретению, откроет широкую дорогу для его осуществления, можно было рассчитывать, что новая плотина быстро получит распространение. Но этого не случилось. Научно-исследовательские и проектные организации и министерства, ведущие основное гидротехническое строительство, проходят мимо этого замечательного изобретения, сулящего огромный экономический эффект.

Странную позицию занял Всесоюзный научно-исследовательский институт гидротехники имени Веденеева, которому была поручена работа по плотине Сенкова. Академик Веденеев, чье имя носит институт, в своё время высоко оценил изобретение профессора, которому за его труд была присуждена ученая степень доктора технических наук... А новый директор института отчислил профессора Сенкова из института (решив таким образом сразу отделаться и от плотины, и от не полюбившегося ему автора). Для восстановления профессора Сенкова в институте потребовалось... решение технического совета министерства и приказ заместителя министра электростанций. Но руководители института, будучи верны себе, не создали учёному необходимых условий для работы.

Говоря о неприглядной роли Института гидротехники, нельзя умолчать и о консерватизме проектных организаций, в частности Гидроэлектропроекта... Внедрению новой плотины в практику строительства несомненно могли бы способствовать пособия по проектированию. Но их до сих пор нет. Ещё в 1941 году было принято решение издать труд профессора Сенкова, но Госстройиздат этого не сделал. Потеряв надежду опубликовать свою книгу в этом издательстве, автор попытался обратиться в Госэнергоиздат. Целесообразность издания труда Сенкова подтверждена Министерством электростанций. И всё же его труд до сих пор не увидел света.

Вице-президент Академии наук СССР академик Е. А. Чудаков в 1943 году ставил вопрос об организации на базе работ Сенкова в системе Академии наук специального института. Почему же сейчас недооценивается новая плотина?»

Многочисленные противники Александра Михайловича, что называется, стали стеной, чтобы не допустить его избрания в академики. Продолжалось игнорирование его технических изысканий.

...Восьмидесятилетний юбилей Сенкова отмечался в здании Географического общества, куда он приехал с помощью друзей. После случившегося десять лет назад инсульта он плохо передвигался, осталась ограниченность движений левой руки и ноги. Потому-то он редко покидал ленинградскую квартиру и только на лето выезжал на дачу, которую превратил в настоящую лабораторию.

За столом президиума сидел смущённо улыбаясь. Ясная, сильная мысль светилась в его живых глазах. Выступали присутствующие, зачитывались поздравительные телеграммы от М. В. Келдыша, И. М. Виноградова, И. С. Козловского и многих других. Александр Михайлович был тронут проявленным к нему вниманием.

Он давно не работал в штате, но не прекращал трудиться как специалист-гидротехник. Составлял интересные и смелые проекты. Так, с точными расчётами в руках доказал целесообразность строительства канала на манер Суэцкого, который можно проложить от Каспийского до Средиземного моря. Ему принадлежит исследование «Соединение Северного Ледовитого океана с Индийским океаном». Он нашёл способ, позволяющий заблаговременно определять время вскрытия рек и их максимальный уровень в наводок. Об этом предложении наш крупнейший математик академик И. М. Виноградов отозвался как о выдающемся и научно обоснованном. Сенкова увлёк проект плотины, которая защитила бы Ленинград от наводнения. Приняв его замысел, реально было в 7—8 раз сократить затраты и уложиться в максимально короткие сроки.

Эти и подобные поучительные сведения я почерпнул из тёплых слов, обращённых к юбиляру.

Выслушав мои поздравления, Александр Михайлович крепко пожал мне руку, пригласил к себе на чашку чая.

...Дверь открыла девушка лет двадцати, помогла раздеться и провела в комнату, где за круглым столом расположились человек восемь, большей частью незнакомых. Сам хозяин привычно устроился в высоком и удобном кресле, одаряя всех доброй улыбкой. Ограниченный в движениях, он неловким жестом указал на место рядом с собой:

— Садитесь вот здесь, я очень рад вам.

В углу комнаты были свалены чертежи, повсюду — рулоны, чертёжные инструменты, инженерные линейки... Видно, обитатель квартиры никогда не прекращал работать. Отвлёкся на какое-то время для встречи друзей, а только они покинут его гостеприимный дом, вновь займётся делом.

Разговор шёл о ленинградской плотине. Александр Михайлович увлечённо рассказывал о своём проекте. Он излучал поток энергии, как боец, устремленный в атаку.

Я снова и снова оглядывал комнату — она походила на штаб, где готовилась решающая битва. Переводил взгляд на Сенкова и думал: «Вот человек! Давно на пенсии — ведь восемьдесят! — но не сдаётся! По-прежнему в наступлении. Ну, герой! Ну, молодец!..»

Нам подавали чай, сухари, конфеты две юные миловидные девушки. Улучив минуту, я вышел на кухню и заговорил с ними. Они студентки политехнического, живут на квартире Сенкова в уютной угловой комнате, присматривают за ним, стирают, готовят еду.

— Как же вы сюда попали?

— Нас приняли на первый курс, устроили в общежитие. Однажды приходят к нам две выпускницы, уговаривают сменить их возле Александра Михайловича: «Это, девочки, изобретатель, выдающийся инженер, но он одинок, и наша обязанность помогать ему. Мы у него жили, поживите теперь и вы».

— А вы что сказали?

— Согласились.

Потом, помолчав, одна девушка заметила:

— Как же иначе. Да нам здесь хорошо. Александр Михайлович добрый, он нам за отца. А кроме того... общение с таким человеком многое дает.

Я поблагодарил девушек за их доброе сердце и вернулся к столу.

Там продолжался горячий разговор. Сенков, воодушевлённый вниманием друзей, развивал свои мысли о проблеме защиты Ленинграда от наводнений...

Среди гостей А. М. Сенкова в тот вечер был и Фёдор Александрович Морохов. С ним мы уже раньше не раз встречались. Впервые я его увидел в театре имени Пушкина, куда на предварительный просмотр очередного спектакля меня пригласил художественный руководитель этого театра народный артист СССР Игорь Олегович Горбачёв.

Обсуждалась пьеса Чехова «Иванов» в постановке Сегальчика. Обратило на себя внимание выступление живого, энергичного человека с быстрым взглядом из-под очков. Он подверг резкой критике интерпретацию режиссёра, подчеркнув, что совершенно недопустимо вольно толковать классику, по-своему представлять образы героев, не считаясь с тем, как их задумал автор, что подобная тенденция, к сожалению, наблюдается в современных театрах.

Его речь произвела на всех впечатление. Горбачёв признал замечания правильными, и когда позднее я посмотрел пьесу «Иванов», многое из отмеченных недостатков было исправлено. Я подумал, что Морохов — театральный критик. Каково же было моё удивление, когда выяснилось, что Фёдор Александрович врач по образованию, профессор патологической физиологии.

В другой раз встретил его на расширенном заседании правления Общества охраны памятников истории и культуры. И здесь его выступление было самым ярким и впечатляющим. Он говорил о том, что в Ленинграде надлежит сохранить множество памятников, связанных с историей, архитектурой, искусством, литературой. Показал фотографии церквей, отдельных домов, целых ансамблей.

Как член общества Морохов участвовал в составлении резолюции. Кроме того, ему поручили написать статью, продолжавшую разговор об охране памятников, начатый в журнале «Коммунист».

Слушая его страстную и в то же время безупречную доказательную речь, пронизанную гражданственностью, желанием спасти для грядущих поколений всё, что нам дорого, я проникался к нему горячей симпатией, и после заседания мы познакомились.

Фёдор Александрович прошёл долгий и трудный путь, прежде чем стать врачом: неполная средняя школа, техникум, работа в доме культуры, рабфак, Ленинградский медицинский институт. С пятого курса, не доучившись, ушёл на фронт. Четыре года войны. Должности: полковой врач, командир медицинской роты, старший врач авиаполка.

После демобилизации вернулся на студенческую скамью. А получив диплом, задумал осуществить свою давнишнюю мечту — заняться исследовательской деятельностью.

Поехал в родной Ярославль, где сразу же был избран сначала ассистентом, а затем доцентом кафедры патологической физиологии. В скромной вузовской лаборатории Морохов взялся за разрешение одного из самых трудных вопросов современной медицины — сущности гипертонической болезни.

В 1954 году, проведя серию сложнейших экспериментов, подтвердивших его предположения, молодой учёный блестяще защищает кандидатскую диссертацию. Однако для серьёзной науки ему не хватает в Ярославле материальной базы — оборудования, аппаратуры, и Фёдор Александрович подает заявление на конкурс в Ленинградский медицинский институт. На кафедре патологической физиологии появляется новый доцент.

Несмотря на предельную преподавательскую нагрузку, он всё-таки выкраивает время для научных изысканий. Разрабатывает ту же проблему. Убеждён, что к гипертонии ведут недостатки кровообращения, а следовательно, и кислородное голодание тканей. Но как это доказать? Только опытами.

В результате семилетней упорной работы Морохов заканчивает докторскую диссертацию на тему «Роль недостаточности кровообращения и гипоксии внутренних органов в патогенезе гипертонической болезни». Это было совершенно новым вкладом в медицину, сулило определённые перспективы в борьбе со столь распространённым на земле заболеванием. Но в институте нашлось немало специалистов, занимавших иные научные позиции. За три месяца до защиты Фёдора Александровича вызвал ректор:

— По-дружески советую вам защищать диссертацию в другом месте. Слишком агрессивно настроены некоторые солидные авторитеты.

Морохов стоял на своём:

— Ленинградский медицинский институт — моя alma mater. Здесь я учился, здесь получил диплом, здесь хочу стать доктором. И в критический момент никуда уходить не собираюсь. Да и не боюсь я оппонентов. Мои выводы доказаны экспериментами, возражать против них могут или невежды, или явно необъективные люди. Что ж, пусть возражают — посмотрим, кто кого переубедит.

Защита состоялась. Учёный совет, как никогда, был в полном составе. После того как диссертант изложил основное содержание своих научных изысканий, посыпались многочисленные вопросы, вспыхнули дебаты.

Фёдор Александрович, вооружённый неоспоримыми данными экспериментальных и клинических исследований, так убедительно, логично и с достоинством парировал все возражения, что отрицать его выводы никто не решился. Против не было брошено ни одного чёрного шара!

Хотел бы обратиться к Гоголю, которого особенно люблю из классиков и у которого часто нахожу поразительное созвучие своему душевному настрою, как бы подтверждение тем или иным раздумьям. Есть у него и такие замечательные слова:

«Тому, кто пожелает истинно честно служить России, нужно иметь много любви к ней, которая бы поглотила уже все другие чувства, — нужно иметь много любви к человеку вообще».

И Венгеров, и Сенков, и Морохов, и те, о ком я ещё расскажу дальше, самоотверженностью и преданностью делу доказали справедливость, величавый смысл этого неумирающего завета.

2

Летом мы отдыхали у Чёрного моря.

Однажды с женой поднимались на гору, у подножия которой раскинулся город Сухуми. Шли посмотреть обезьяний питомник. Времени у нас было достаточно, чтобы не спешить, и мы часто останавливались, оглядывались назад, любовались побережьем, портом, где стояло несколько кораблей. По водной глади бухты скользили моторные и парусные лодки.

Эта панорама мне знакома давно.

Молодым врачом на второй год практики я приехал сюда работать. Пробыл недолго — заболел тропической малярией и вынужден был покинуть, казалось бы, благодатный край.

В то время вся Абхазия была охвачена малярией. Больные люди приходили ко мне на приём жёлтые, истощённые, с большими животами: легко прощупывалась огромная селезёнка.

Рассадником болезни служили многочисленные болота, в них размножались комары анофелесы — переносчики малярии. Особенно «славились» болотами Гальский и Гагринский районы, где я лечил. Вечерами лягушки устраивали несмолкаемые концерты. Часто можно было слышать, как вдруг меняется голос лягушки, становясь тревожным и жалобным, похожим на стон. Это значит, что она стала жертвой одной из тысяч змей, кишевших в этих болотистых местах. Трудно и небезопасно было пробираться на берег моря, а лежать на берегу после захода солнца и вовсе невозможно из-за комаров.

Тридцатые годы — период наступления на малярию. Но победить её нельзя, не уничтожив личинки анофелесов, буквально оккупировавших болота Абхазии. Поэтому борьба шла по двум линиям — уничтожение личинок и осушение болот. На какие только хитрости не пускались местные жители — обливали болота керосином, зажигали их, разбрызгивали ядовитые вещества... Ничего не помогало. И тут выяснилось, что существует небольшая рыбка — гамбузия, родом из Северной Америки. Весит эта малютка до 3,5 грамма, длина до 7 сантиметров, обладает ценнейшим свойством — питается личинками малярийных комаров.

На самолётах откуда-то из-за рубежа в переносных бассейнах привозили драгоценный живой груз и расселяли по болотам. Маленькой рыбке оказалось под силу то, с чем не мог справиться человек с его арсеналом химических средств. Болота были избавлены от личинок, воздух — от комаров, население — от малярии.

Чтобы осушать болота, стали сажать эвкалипты, способные вытягивать из почвы и испарять громадное количество влаги. Болота высохли. Вся местность сделалась пригодной для земледелия, покрылась ковром чайных плантаций, цитрусовыми садами.

Давно это было. Теперь я смотрел вниз и мало что узнавал. Вместо болот и дикого кустарника — возделанные угодья. Вместо одиноко разбросанных домиков, сколоченных из досок, с примитивным камином у стены, вместо убогих хижин с земляным полом и очагом посредине — каменные двухэтажные дома. Приусадебные участки обнесены забором из металлических прутьев с причудливыми рисунками на воротах. Гаражи и легковые машины во дворах. В самом Сухуми много красивых современных зданий, школ, больниц, научно-исследовательских институтов.

Вот и сейчас мы задались целью не просто посмотреть обезьян. Нас ждали в НИИ экспериментальной патологии и терапии при Академии медицинских наук, который проводит наблюдения и опыты над приматами.

Я знал, что сюда часто наведывался мой учитель Николай Николаевич Петров для руководства исследованиями в своей области. И мне тоже было интересно побывать в институте.

Позвонил в дирекцию. Выходной день. Никого из администрации нет. К телефону подошёл старший научный сотрудник Валентин Георгиевич Старцев. У него важные опыты, требующие ежедневного присутствия.

Я назвал себя, попросил оказать гостеприимство. И услышал приветливый голос:

— Если не возражаете, я сам покажу питомник. Да, кстати, и расскажу о наших работах. Кое о чём мне нужно посоветоваться с вами.

— Не оторву ли вас от дела?

— Нет, я уже собирался домой. Сейчас свободен и с удовольствием составлю вам компанию.

Таким образом, в сопровождении весьма квалифицированного гида, познакомившего нас со всеми деталями жизни обезьян, мы совершили увлекательную экскурсию. После этого в небольшом кабинете учёного завязалась беседа на научные темы.

— Наш институт в основном нацелен на изучение вопросов опухолевого роста, — начал рассказывать Валентин Георгиевич. — Мои работы стоят в некотором роде особняком, но я ими занимаюсь уже двадцать лет.

Известно, что существует целый ряд психосоматических заболеваний, то есть когда поражается сердце, желудок, сосуды или какой-то другой орган в результате неких неврогенных факторов или психических расстройств. Но почему при этом у одних людей страдает сердечно-сосудистая система, у других возникает язва желудка, у третьих, к примеру, развивается импотенция — остаётся неизвестным. Причину обычно ищут в наследственно-конституционной предрасположенности: имеется в виду теория «места наименьшего сопротивления». Иными словами, при нервных перегрузках, психоэмоциональных стрессах в первую очередь реагирует орган, который в силу наследственных или приобретённых свойств наиболее уязвим. Но эта теория экспериментально до сих пор не обоснована. В докладе экспертов Всемирной организации здравоохранения по психогигиене говорится, что самое спорное — проблема специфичности: определённый стресс действует только на определённый орган, или же если орган предрасположен, то именно он и «отзовётся» при любом стрессе?..

Можно себе представить, с каким вниманием слушали мы суждения учёного по проблеме, которая занимает нас, как и всех врачей мира. Оперируя на сердце, на сосудах, я часто задумывался, почему как раз здесь сказались нервные встряски, а не где-нибудь ещё? Какова природа психосоматических заболеваний?..

Спрашиваю Старцева:

— Вы утверждаете, что до сих пор окончательно не установлены причины и механизм возникновения сердечно-сосудистых, эндокринных, пищеварительных, невротических и психически расстройств. Не так ли?

— Совершенно верно. Этим-то я и занимаюсь с 1957 года. Хочу обосновать принцип избирательности поражения функциональных систем при стрессе. Эксперименты на обезьянах выявили неизвестную ранее закономерность заболевания, не зависящего от наследственной или ранее приобретённой предрасположенности.

И Валентин Георгиевич, всё больше увлекаясь, подробно изложил взгляды на кардинальную в медицине проблему. Она состоит в следующем.

Стресс как явление психическое и физиологическое может порождаться причинами двоякого рода.

Тяжёлый стресс возникает от чрезвычайных раздражителей: сильной интоксикации, инфекции, ожогов, травм и т. д. Отсюда глубокие нарушения функций органов, которые мобилизуют свои силы на борьбу с опасностью.

Длительное и очень интенсивное действие раздражителя приводит к заболеванию и даже гибели организма.

Исследования, в частности, русских учёных, с точки зрения развития учения И. П. Павлова о нервизме, показали, что стресс могут вызвать не только какие-то вредные физические или химические агенты, но и психические переживания.

Издавна страх перед стихией, голодной смертью, холодом, любовные драмы, трагедии смерти, наконец, встречи с врагами, соперниками, схватки с ними ставили человека на грань крайнего психического напряжения. Как правило, в эти моменты он бурно действовал: кидался в драку, убегал, догонял, строил преграды. Напряжение спадало, нервы находили разрядку.

В наше время в большинстве случаев, в том числе и при эмоциональных пиках, мы вынуждены «включить тормоза» — стараться в любых обстоятельствах сохранять спокойствие. О том, кто умеет держать себя в руках, в постоянной форме, обычно говорят: человек культурный, с достоинством. Что, конечно, правильно. Его поведение соответствует законам современной морали и нравственности. Но при этом удар на себя принимает нервная система. А нервы, как и всё на свете, имеют свой запас прочности. Иссякает такой запас — появляются аномалии, болезни как прямое или косвенное следствие душевного дискомфорта.

За двадцать лет В. Г. Старцев сделал очень много экспериментальных наблюдений, из которых напрашиваются важные выводы.

Он «раздражал» обезьян разными способами. Мощные отрицательные эмоции влекли за собой навязывание им неподвижности, иммобилизации. Это так и называется — иммобилизационный стресс. Можно вызвать и другие виды стрессов: например, пересадить самку от самца к сопернику или ловить выпущенную из вольера обезьяну.

Если обычную еду прерывать повторно иммобилизационным или каким-то иным стрессом, то образуется хроническое нарушение пищевых рефлексов, предраковые заболевания желудка. Стимулирование усиленной работы сердечно-сосудистой системы (пятиминутное преследование обезьяны с последующей иммобилизацией) приводит к гипертонии и инфаркту миокарда. При комбинации сахарных нагрузок иммобилизацией развивается сахарный диабет. И так далее.

Любопытно, что вид стресса не играет роли. Глубоких и хронических нарушений пищеварительной функции и болезни желудочно-кишечного тракта добивались и при иммобилизации, и при пересадке самки от самца к сопернику, и при ловле убежавшей из вольера обезьяны.

— Но может быть, естественное возбуждение функциональной системы тут ни при чём, а всё дело в стрессе?

— Нет, мы это проверяли, — ответил Валентин Георгиевич. — Если повторно прерывать еду и сразу обезьяну привязывать, то провоцируются болезни желудка. Если же между едой и привязыванием проходит значительный промежуток времени, то даже на повторные опыты желудок не реагирует. Так нами получены модели гипертонии, ишемической болезни сердца, иммобилизационного невроза, неврогенной желудочной ахилии, предракового состояния желудка и т. п.

— Если я вас верно понял, вы выдвигаете свою теорию этиологии этих заболеваний?!

— В какой-то мере безусловно, — согласился Валентин Георгиевич. — Раз у одного и того же вида обезьян реально по желанию экспериментатора с помощью психоэмоционального стресса целенаправленно вызывать заболевания или вслед за одной болезнью — новую у того же самого животного, то полностью отпадает необходимость объяснять происходящее «местом наименьшего сопротивления», наследственной предрасположенностью организма. Ведь такие представления парализуют врачебную мысль и активность. Так, мол, угодно природе, и тут ничего не поделаешь.

Нами установлена ещё одна закономерность, — продолжал Валентин Георгиевич. — В опытах на обезьянах мы имели возможность убедиться, что заболевания психоэмоциональной причинности носят не органный, а системный характер. Что это значит? Скажем, страдает не только желудок, но и вся пищеварительная система; возникают не только ишемические явления в сердечной мышце, но и расстройства сердечного ритма и глубокие сосудистые поражения.

Мы слушали Валентина Георгиевича с напряжённым интересом.

Старцева можно было с полным правом назвать учеником и последователем И. П. Павлова. Он развивал и двигал дальше замечательное учение великого физиолога об условных рефлексах.

Поблагодарив учёного за интересные сообщения, мы вернулись к себе в гостиницу.

На следующее утро к нам зашли врачи из местной больницы и предложили покататься на водных лыжах. И мы с удовольствием воспользовались этим предложением. Я ещё в 1962 году учился этому виду спорта в Мексиканском заливе, куда мы с семьёй американского врача доктора Гиссель из Хьюстона выезжали на его лодке, снабжённой двумя сильными моторами. Кстати сказать, катание на лодке у них очень хорошо организовано. Лодка стояла на специальном двухколёсном прицепе, который легко прикрепляется к легковой машине. Лодку подвозят к берегу залива. Повернув машину, доктор Гиссель дал задний ход в воду на глубину в полметра. Затем лёгкими поворотами ручки винта ослабил металлический шнур, и лодка осторожно сошла в воду Машина и прицеп были поставлены в стороне на специальной площадке, а мы все вошли в лодку. В тех местах, где берег залива крутой и съехать в воду прицеп не может, устроены небольшие специальные краны; вокруг лодки обводят два широких ремня, лодку поднимают и переносят с берега на воду.

Когда мы после поездки по заливу вышли на берег, доктор Гиссель спустил прицеп на воду на ту же глубину и лёгким поворотом ручки винта поставил лодку в гнездо прицепа. Вся процедура спуска на воду и установки лодки на прицеп заняла у нас не более пяти минут.

Скорость лодки большая, на лыжах скользить легко. Катались трое его детей от 10 до 16 лет. Предложили и мне встать на лыжи. Я решил попробовать и с первого же раза легко сделал несколько кругов. В этом, разумеется, никакой моей заслуги нет. Сильный мотор и опытный рулевой создают хорошие условия для свободного передвижения на лыжах. Здесь, в Сухуми, лодка была со слабым мотором, и чтобы держаться на воде, приходилось сильно напрягаться.

Вечером, придя домой, и даже во время прогулки я продолжал думать об экспериментах Валентина Георгиевича Старцева. Его опыты открывали большие возможности в смысле выяснения сущности тех заболеваний, которые совершенно правильно определены как болезни века.

С точки зрения экспериментов Старцева психоэмоциональные стрессы превращают естественные раздражители функциональных систем в этиологический фактор заболевания. Представим себе: неприятный разговор по телефону много раз совпадает с едой. Или: за обедом в сильном возбуждении доводится выскакивать из-за стола... Вот вам и основа для недуга. А если подобные сцены повторяются часто — это уже возможная причина тяжёлых пищеварительных расстройств, до язвы и полипоза включительно.

Грубость или бестактность в интимных отношениях становятся поводом для холодности и отвращения. Затем вполне вероятна импотенция.

Наше сердце и сосуды самым непосредственным образом реагируют, например, на микроклимат в коллективе. Если на работе создана нездоровая обстановка, то уже любое грубое слово вызовет сердцебиение. И если на таком фоне общего возбуждения будет спровоцирован психоэмоциональный стресс, неизбежны отрицательные последствия; при повторных стрессах — стенокардия, инфаркт или гипертония. То есть заранее сформированный психологический настрой сказывается на силе воздействия стресса. Идёт человек на службу с неприятным чувством, старается не думать о предстоящих делах, при одной мысли о которых у него болезненно сжимается сердце, — и стресс попадает на подготовленную почву. Гораздо менее уязвим человек в хорошем настроении.

Речь всё о том же — о значении для нашего здоровья спокойствия, благожелательности, взаимного уважения, нормальной атмосферы как дома, так и на работе...

Хочу в этой связи вернуться к своему другу Петру Трофимовичу. К ситуации, с которой я столкнулся в его семье.

Помню, я приехал в Москву на сессию Академии медицинских наук и остановился у Петра Трофимовича. Каждый раз он встречал меня на вокзале и никаких разговоров о гостинице слушать не хотел. Живут они вдвоём с женой Ниной Андреевной, квартирка уютная, мне у них хорошо. Ко всему прочему, как я уже говорил, Пётр Трофимович писатель, с ним мы обсуждаем мои книги, он подсказывает много ценного, а подчас и почитает рукопись, обогатит ту или иную главу.

Пётр Трофимович находился в комнате, служившей ему кабинетом. Он «дошибал» свой дневной план. Я сам никогда не был бездельником, в работе нахожу главную радость бытия, но деловая сторона жизни моего друга кажется мне примечательной. Как бы ни складывались обстоятельства, он считает святой обязанностью пять-шесть часов провести за письменным столом. У него есть норма, о которой он, впрочем, не распространяется, но Нина Андреевна вечером по настроению мужа может судить, хорошо ли ему работалось. Иногда, вставая из-за стола и потирая руки, Пётр Трофимович скажет:

— Сегодня есть полторы нормы. Удача. Настоящая удача!.. — И вполне серьёзно добавит: — Рабочие стараются перевыполнить план, колхозники — тоже. А я что же? И я по общим законам живу.

Семь лет он трудился над романом о 30-х годах. Перевернул гору исторического материала, повидал едва ли не всех бывших сталинградцев, живущих в Москве. Восемь раз переписал созданное, а когда закончил, несколько экземпляров разослал друзьям для чтения. В издательство не даёт. Говорит: рано, время ещё не пришло. И только одну главу напечатал в газете — это для того, чтобы закрепить за собой авторство.

Третий год занят новым романом — о наших современниках. Труда в него вкладывает ещё больше. Многие главы читал нам вслух, другие я сам читал — и кажется мне, что роман уж давно готов, что он получился, но Пётр Трофимович снова и снова возвращается к нему, дополняет, отделывает, уточняет.

Трудно писать о близких людях — ещё труднее, по-моему воссоздать портрет и характер друга. Личные симпатии, давняя привязанность невольно проявятся, и ты рискуешь быть слишком субъективным.

Тут кстати сказать, что мир литературный стал для меня открытием. Я, правда, «подозревал», что писатели горячо мыслят и чувствуют, страстно борются за свои взгляды, за подлинные художественные ценности. Но, познакомившись с ними поближе увидел всё это воочию.

Пётр Трофимович, как и Борзенко, как и другие писатели которых я узнал, живёт активной общественной жизнью, круг его интересов необычайно широк.

Читатель прислал письмо, просит заступиться — и Пётр Трофимович адресуется прокурору, звонит по инстанциям;

милиционер совершил подвиг — он пишет о нём очерк, несёт в журнал... В день раздаётся десяток звонков — товарищи предлагают поддержать художника с выставкой, литератора с книгой, членов Общества охраны памятников...

Бывало и так, что на горизонте Петра Трофимовича собирались тучи. Ретивые рецензенты принимались обвинять его во всех смертных грехах. В их статьях не было ни грамма объективности.

Мы с женой читали эти статьи, и возмущение наше не знало границ. Как врачи мы ещё думали и о том, какая душевная травма наносится человеку, как, должно быть, нелегко переносить публичную ложь в свой адрес. Однако при встречах не видно было, чтобы Пётр Трофимович волновался: работал он как и прежде, был весел, много шутил. Когда же мы заговаривали о статьях, отвечал:

— На то и драка — ты их, они тебя.

Иначе подходила к делу Нина Андреевна. Нападки на мужа воспринимала близко к сердцу, у неё чаще случались приступы гипертонии, дольше держалось высокое давление.

Поначалу я не связывал это воедино, не считал, что тут налицо причина и следствие. Но вот как-то Пётр Трофимович обронил такую фразу: «Одно плохо в литературном цехе — нервных перегрузок много; то книгу не печатают, то критик навалится. Сплошная нервотрёпка». И у меня созрело убеждение, что у хронической гипертонии Нины Андреевны одна-единственная природа — боль и переживания за мужа.

Я стал уговаривать её полечиться у нас в клинике, а когда она отказалась ехать в Ленинград («Не хотелось бы мне оставлять без присмотра Петра Трофимовича»), предложил ей лечь в московскую клинику к прекрасному специалисту по сердечно-сосудистым заболеваниям.

Нина Андреевна две недели провела в клинике. Затем так случилось, что они вместе с Петром Трофимовичем приехали в Ленинград и остановились у нас. Во время длительных прогулок по сосновому бору в Комарове, по берегу Финского залива и вечерами за чаем я рассказывал Нине Андреевне о сущности гипертонической болезни, о том, как наши сердце и сосуды реагируют на стрессы. И «незаметно» подводил беседу к профессии литератора, к тому, как надо философски относиться к спорам, дискуссиям, нападкам критиков. Напоминал слова А. С. Пушкина: «Хвалу и клевету приемли равнодушно и не оспаривай глупца». Брал современные примеры.

Один писатель с крепким характером даже больше любил ругательные статьи в свой адрес, чем хвалебные, — они добавляли ему хорошей творческой злости.

Свои «гипнотические сеансы» я сводил к одному: чем искреннее художник, чем лучше он знает жизнь и бичует её изъяны, тем неизбежнее схватки, бои, синяки и шишки. И напротив, если литератор пишет, руководствуясь украинской пословицей: «Критикуй, но не зачепляй», — то он спит спокойно, на него никто не нападает, но зато и книги его никому не нужны. Словом, и тут действует тот же закон: «Дубы притягивают молнии».

На помощь ко мне спешила жена Эмилия Викторовна и сам Пётр Трофимович. Он настойчиво и мягко повторял супруге, что в борьбе его счастье, что иной жизни и не желал бы для себя... Наши беседы были частыми, но не назойливыми. И Нина Андреевна постепенно стала оттаивать.

Позднее в Москве она мне сказала: «Вот кончается год, а я ни разу не была на больничном». Действительно, давление у неё хоть и повышалось, но случалось это теперь редко и не мешало ходить ежедневно на работу, выполнять обязанности по дому.

...Этим своим наблюдением я как бы лишний раз подтверждал выводы Старцева. Однако в основе интерпретации учёного должны быть объективные результаты его экспериментов. И мне захотелось самому все посмотреть, «потрогать руками». Не зря восточная пословица гласит: «Лучше один раз увидеть, чем десять раз услышать».

Я снова отправился в питомник.

Старцев мне сказал:

— Вот, пожалуйста, смотрите. Это протоколы опытов, кривые записей, лабораторные анализы. Фотографии. Вот схема, показывающая неспецифичность влияния иммобилизационного стресса на организм обезьян.

Валентин Георгиевич на многочисленных материалах убедительно продемонстрировал справедливость и обоснованность свои взглядов.

— Теперь, если не возражаете, покажите мне вашу лабораторию.

— Здесь всё, в этой комнате... И кабинет, и лаборатория.

— Как же так? А где размещаются сотрудники?

— Какие сотрудники? У меня один помощник.

— Почему?!

— Потому что мои работы внеплановые. Институт впрямую в них не заинтересован. Кандидатскую и докторскую диссертации я готовил сверх того, что обязан был делать, сверх данных мне тем. Руководство возражало против защиты докторской в нашем институте — не могло обещать перспектив; я оставался со своими исследованиями «незаконнорождённым». Когда же защита всё-таки состоялась, мне усиленно предлагали занять кафедру в каком-нибудь вузе. Это соответствовало бы моему новому званию, да и денег я бы получал почти вдвое больше, чем здесь, так как все эти годы нахожусь на положении рядового научного сотрудника.

— Почему же вы не пошли на кафедру?

— Я бы лишился возможности продолжать эксперименты на обезьянах. Предпочёл потерять в зарплате, хотя у меня трое детей, но не потерять питомник. И не жалею. Достигнутые результаты для меня ценнее материальных благ.

— Ваши труды опубликованы?

— Да, две монографии и много статей. Мне пишут как из социалистических, так и из капиталистических стран. Не однажды запрашивали разрешение переиздать мои книги за рубежом. Это приятно.

Пока мы находились в Сухуми, встречи с Валентином Георгиевичем продолжались. Гуляли вечерами по набережной, иной раз вместе купались. Как-то он пришёл на пляж с женой и детьми, втянул всех в весёлую игру. Невысокого роста, подвижный, жизнерадостный, он был больше похож на студента, чем на солидного учёного. И только сильная проседь в русых волосах напоминала, что у него за спиной нелёгкий путь в науке, что он затратил много энергии, чтобы добиться того, чего добился в свои сорок пять лет.

— Чем вы сейчас занимаетесь?

— Оформляю документы на открытие, поскольку установленная мною закономерность — не описанный в мировой литературе факт.

— От всей души желаю успеха!

...Впоследствии мы переписывались. Но теперь вот давно нет весточки. Не знаю, чем конкретно занимается Старцев сегодня. Но как бы там ни было, я убеждён, что он так же упорно продвигается к истине. Главное — Валентин Георгиевич счастлив тем, что может развивать идеи, которые, он надеется, пригодятся людям.

Я с восхищением и признательностью думаю об этом человеке. Он без сожаления отказывается от собственного благополучия, выгодных предложений, чтобы только иметь возможность проводить редчайшие эксперименты, немыслимые без «участия» обезьяны. Жизненная удача в его понимании — это ставить опыты, фиксировать результаты, обобщать данные в теоретических книгах...

Любому научному работнику ведомо, что значит вести тему на правах бедного родственника в институте, где запланирована и утверждена другая программа. При этом у каждой из сторон своя правда. У энтузиаста, уверенного в нужности того, что он делает, — своя. У института, обязанного выдавать продукцию утверждённого профиля, — своя. В конечном же счёте должна торжествовать высшая правда — государственная.

В одном из фронтовых очерков Сергей Александрович Борзенко приводит слова умудрённого жизнью девяностосемилетнего старика:

«Грех обрезать крылья, когда они сами растут». Тем более если это могучие крылья и их обладатель может послужить во славу отечественной науки.

3

Как-то Пётр Трофимович сказал, что в Ленинграде живёт его друг Владимир Васильевич Калинин. Вместе с группой учёных он написал очень хорошую статью о памятниках русской истории и культуры.

— Советую обратить на него внимание. Не пожалеете. Удивительная личность! Какой-то особой чистоты и одухотворённости!.. К тому же, по-моему, есть нужда в вашей консультации. Он ненароком проговорился — пожаловался на здоровье. Я порекомендовал обратиться к вам. «Что вы, что

вы, — замахал руками, — как можно беспокоить хирурга по
таким пустякам?» — «Но ведь неизвестно, пустяки это или
нечто серьёзное». И слушать не хочет. Сам ни за что не
позвонит, скромен предельно. Пожалуйста, пригласите его
к себе.

О Владимире Васильевиче я упоминал коротко в своей
книге «Человек среди людей». Однако сейчас попробую
подробнее описать нашу встречу. Она относится к числу тех,
которые надолго западают в душу.

Выполняя обещание, позвонил Калинину, представился:

— Давно хотел познакомиться. И обследоваться вам
надо. От Петра Трофимовича слышал, что вы себя плохо
чувствуете. Приходите в клинику.

— Спасибо, приду обязательно. Но прежде зайдите вы
ко мне в музей. Покажу много интересного. Если пожелае-
те, кое о чём расскажу ещё.

Я не стал с ним пререкаться. Что толку спорить, кто
к кому пойдёт первым. Важно было ускорить дело, «свести»
его с медициной. Едва выдалось свободное время, мы
с женой отправились в Музей имени В. И. Мухиной, директором которого был Владимир Васильевич. Музей находился неподалёку от нашего дома, в центре занимал довольно
большое помещение. Калинин по-хозяйски водил нас по
залам. Экспозиция отражала успехи воспитанников Мухин-
ского художественного училища. Любуясь произведениями
молодых мастеров, мы радовались, что Россия не оскудева-
ет талантами. Тут и картины различных жанров, и скульпту-
ры, и изделия из хрусталя и фарфора, и другие искусные
работы.

Экскурсия закончилась в кабинете Владимира Васильевича — крошечных размеров комнате. Кроме стола, зава-
ленного всяческими материалами, в ней уместился лишь
диван: директор часто засиживался допоздна и оставался
здесь ночевать. Повсюду нагромождения экспонатов, кипы
снимков, альбомы.

Владимир Васильевич сразу заговорил на волновавшую
его тему.

Горячность речи Калинина напомнила мне аналогичное
выступление профессора Фёдора Александровича Морохо-
ва. Действительно, высокий патриотизм — в крови истинных ленинградцев.

— Понятно, что время диктует свои требования, — продолжал Владимир Васильевич. — Городу нужны дома административного и другого назначения, гостиничные комплексы, концертные залы и прочее. Но у нас как нигде необходима особая осторожность. Нельзя допустить, чтобы в угоду модным веяниям уничтожались шедевры, которые кому-то показались уже «лишними». От этого предостерегали первые декреты Советской власти, взявшие под охрану тысячи памятников страны. Были и последующие постановления партии и правительства. Создано специальное общество. Однако до сих пор приходится сражаться с теми архитекторами, кто по недомыслию, безответственности или из соображений, скажем, тщеславия, желая утвердить собственный проект, готовы принести в жертву наше классическое наследие.

— Чем же они мотивируют такую позицию?

— Официально — надобностью реставрировать город. Под их нажимом нередко снимают с охраны и разрушают то, что разрушать совершенно недопустимо. А многое само по себе ветшает...

Владимир Васильевич показал один из альбомов с фотографиями. Там были засняты творения лучших русских зодчих, а рядом — тот вид, какой они приняли впоследствии, или пустырь, где они красовались раньше.

Директор музея явно волновался, перелистывая альбомы:

— Вы помните, на Литовском проспекте была Греческая церковь. Её соорудил в середине XIX века в византийском стиле архитектор Кузьмин, удачно вписав в своеобразный окружающий ансамбль. Церкви уже нет. Вместо неё выросло громадное здание. Оно оказалось втиснутым в пространственную структуру района, для которого характерен совсем иной масштаб.

Владимир Васильевич помолчал.

— На площади Мира стояла церковь Спаса на Сенной — памятник русской архитектуры XVIII века, связанный с именами Суворова, Некрасова, Достоевского... После его уничтожения распался один из уголков старого Петербурга. Когда-то ещё там будет высотная гостиница, а пока ряд лет заброшенный пустырь огораживает уродливый забор.

Неладно у нас и с охраной памятников в пригородах Ленинграда и в Ленинградской области. В целях «экономии средств на реставрацию» было внесено предложение разрушить собор Святой Екатерины проекта Ринальди в городе Кингисеппе. К счастью, вмешательство общественности помогло спасти памятник. Таким же образом сберегли Благовещенский собор в Петрокрепости (Шлиссельбург). А вот за Троицким собором Растрелли «недоглядели». Это на территории ценнейшего архитектурного ансамбля Троицко-Сергиевской пустыни.

В 1955 году по инициативе Ленинградской инспекции по охране памятников и под руководством И. Н. Бенуа был составлен план его реставрации, одобренный научно-экспертным советом. И всё же собор сняли с государственной охраны и в 1962 году снесли.

Мы встретили это известие с болью и возмущением. Но факт остаётся фактом: памятник утерян безвозвратно, или же на его восстановление придётся затратить немало сил.

В том же 1962 году, мягко выражаясь, непродуманно лишили государственной охраны церковь Александра Невского в Усть-Ижоре. Её воздвигли в XVIII веке на левом берегу Невы, при впадении в неё Ижоры, на месте исторической битвы, когда 5 июля 1240 года Александр Невский разгромил вторгшихся на вашу землю шведов. Церковь, следовательно, напоминала потомкам о славной победе русского оружия. И она оказалась под угрозой.

Наступила пауза. Затем Калинин, улыбнувшись, сказал:

— Я, кажется, не только утомил вас, но и огорчил... Нам очень мешает неуважение к прошлому, свойственное иным верхоглядам. Потому-то мы и ведём воспитательную работу, выступаем в печати, доказываем, казалось бы, азбучную истину: народ силён своими корнями, своей историей, и материализованные следы этой истории надлежит всячески оберегать.

Будет желание — приходите ещё. С удовольствием побеседуем вами, у меня в запасе много поучительного.

— А как же клиника? Я бы хотел посмотреть вас, обследовать. Может быть, прямо завтра и зайдёте?

— К сожалению, Фёдор Григорьевич, завтра я еду в Москву в Общество охраны памятников. Мы уже созвонились, и откладывать неудобно.

— Сколько же вы там будете?

— Дня три. Вернусь тридцать первого декабря. Если позволите, я приду сразу же после первого — скажем, второго или третьего января.

— Хорошо, давайте условимся на второе. А кстати, где вы встречаете Новый год? Приезжайте к нам на дачу! Добраться до Комарова нетрудно. Соберётся узкий круг близких людей. Мы будем рады.

Владимир Васильевич охотно принял приглашение.

В том году осень стояла тёплая. Мы не закрывали нашу дачу, отдыхали там по субботам и воскресеньям и не захотели изменить этой привычке и на Новый год. Правда, в конце декабря похолодало, выпал снег, но всё же за городом, на чистом воздухе было прекрасно.

Калинин, высокий, худой, подвижный, приветливый и доброжелательный, с первых же минут произвёл на всех самое приятное впечатление, а его добрые глаза и улыбка ещё больше располагали к себе.

Пока гости собирались, мы смотрели телевизор.

— Вчера я встретил в Москве приятеля, побывавшего в Болгарии, — заговорил Владимир Васильевич, прослушав выступление болгарского певца. — В стране очень бережно охраняют могилы русских воинов, павших на их земле в прошлые времена и во Вторую мировую войну. И вообще болгары с уважением и любовью относятся к русским. Об этом весьма выразительно сказал поэт Людмил Стоянов:

Бдительным стражем в родном небосклоне
Смотрят Балканские горы далёко вперёд.
В дни потрясений суровых о нашем народе
Издавна думает русский великий народ...
Русскою славой гордятся Балканы седые,
Русская доблесть и честь воспеваются тут.
А про солдатские подвиги песни простые
Девушки, сидя за прялкой, и нынче поют...
Сеятель счастья, свободы поборник упорный,
Мира всеобщего неколебимый оплот!
Правды твоей не иссякнет родник животворный.
Сколько в тебе человечности, русский народ!..
Великодушья, геройства и славы страница

В нашу историю вписана братской рукой.
Русского гнева размах с ураганом сравнится,
Русской любви широта — с полноводной рекой...

Среди гостей был мой добрый знакомый из Грузии — профессор Мкеладзе.

— Не только болгары — многие народы благодарны русским за освобождение, — заметил он. — И наш народ тоже. Известно, что при царице Тамаре (она царствовала в 1184—1207 годах) нас было несколько миллионов, а к концу XVIII века едва ли насчитывалось двести тысяч. Постоянные набеги персов, турок, других восточных завоевателей, поголовно уничтожавших или угонявших в плен население захваченной территории, грозили полным истреблением целой нации. Когда же Грузия обратилась к России с просьбой о присоединении, могучая держава протянула ей руку помощи. К нам пришёл мир. Этого никогда не забудет грузинский народ и земля грузинская! — с жаром закончил профессор Мкеладзе.

— Если историкам по справедливости проанализировать события в Европе, то окажется, что именно мы сыграли в них немалую роль, — развивал свою мысль Владимир Васильевич. — Возьмём для примера древность и наше время. Хан Батый вынашивал планы покорить всю Европу, и только стойкое сопротивление русских, истощивших его силы, обусловило провал этих планов. Поэтому борьба с монгольскими феодалами имела всемирно-историческое значение. Однако, остановив их полчища, Русь на себя приняла катастрофические последствия ига. Нашествие нанесло удар по производительным силам, по культуре, а ведь Русь шла самобытным путём и уже в XI веке её культура была отнюдь не ниже, чем у других европейских народов. Точно так же наша страна встала непреодолимой преградой перед фашистами — вандалами XX столетия. Мир спас советский человек в солдатской шинели. Двадцать миллионов жизней — вот цена нашей победы...

Русский народ никогда не покорится врагу. Невозможно, наверное, подсчитать, сколько сражений надо было выдержать за всю историю, чтобы отстоять свою независимость. И к чести народа нужно сказать, что он свято чтит героев, защищавших годину. В память о битвах, где русский воин покрыл себя неувядаемой славой, воздвигали монументы, чаще всего — церкви, часовни, построенные на собранные средства, добровольные пожертвования, причём нередко отдавали последнее. Такова была традиция, и неверно её рассматривать как дань религиозности. Скорее, это способ выражения патриотизма с поправкой на эпоху.

— Скажите, Владимир Васильевич, — обратился один из гостей, — неужели столь очевидные вещи не понимают те, от кого зависит судьба памятников?

— Почему же? В подавляющем большинстве — понимают. Пример тому — «Золотое кольцо» вокруг Москвы, любовно возрождённое руками реставраторов. Да каждый назовёт новые примеры. Сейчас многое восстанавливается. Тем нетерпимее мы должны быть ко всем случаям, когда может пострадать наше историческое богатство. А что касается Ленинграда, то тут в попытках «осовременить» город важно соблюдать меру; нельзя произвольно, по собственному разумению решать, что достойно, а что недостойно памяти потомков.

...Жена пригласила всех участвовать в изготовлении пельменей. Это в нашем обычае. Процедура получалась весёлой. Дружно пели русские песни, перебрасывались шутками, рассказывали интересные эпизоды.

Стрелки часов сокращают минуты уходящего года. Близится полночь. Гости шумно усаживаются за стол...

Перед тем как распрощаться, я ещё раз напомнил Владимиру Васильевичу, что второго утром жду его у себя в клинике.

Осмотр не принёс ничего утешительного. В подложечной области я нащупал у больного большую, плотную опухоль, интимно спаянную с печенью. На передней брюшной стенке был виден рубец от операции.

— По поводу чего вас оперировали?

— Язва желудка. Операцию делали четыре года назад. Потом чувствовал себя совсем хорошо. Однако постепенно стала развиваться слабость, пропал аппетит.

По-видимому, Калинину уже удаляли опухоль, а теперь наступил рецидив. Надежд на излечение было мало. Но это только предположение. Надо уточнить диагноз, провести тщательное обследование.

Как можно деликатнее я сказал Владимиру Васильевичу, что ему необходимо лечь в клинику. Он не возражал.

К сожалению, мрачный прогноз подтвердился: рецидив рака желудка с метастазами в печень. Хирургическое вмешательство бессмысленно.

Чтобы быть окончательно уверенным, пригласил на консилиум профессора Александра Андреевича Русанова — блестящего специалиста по желудочной хирургии. Он согласился со мной, что радикальные меры исключены.

Оставалось одно: предпринять всё возможное, дабы улучшить состояние Калинина, хоть на сколько-то продлить ему жизнь. Наши усилия увенчались относительным успехом — Владимир Васильевич окреп, хотел было выписаться, но мы его не отпустили.

— Побудьте в клинике подольше. Для вашего же блага. Работайте. Мы постараемся создать вам условия.

И Владимир Васильевич с энтузиазмом принялся за работу. Писал, приводил в порядок свои фотоальбомы, связывался по телефону с членами совета Общества охраны памятников.

Прав оказался Пётр Трофимович — это была удивительно светлая личность! Высокоинтеллектуальный, скромный и редкостно добрый человек. Им руководила одна только любовь к людям, к их труду и творчеству. Сам тяжело больной, он стремился успеть внести свой вклад, чтобы уберечь родной город от обеднения памятниками. Его возмущали «смелые» эксперименты архитекторов. И он очень страдал морально и физически.

Однажды к концу рабочего дня Калинин зашёл ко мне в кабинет:

— Если вы не очень заняты, Фёдор Григорьевич, посмотрите на эту фотографию. Квартира А. С. Пушкина на набережной Кутузова, дом 32, в которой он жил около двух лет. К сожалению, там не был открыт музей. Мы просили соответствующие организации хотя бы восстановить квартиру в том виде, в каком она была до переделки. При ремонте, например, обнаружились подлинные двери балкона и кабинета Пушкина. Между тем в ноябре 1968 года помещение приспособили под обычное жилье. Вот на фотографии виден балкон, примыкавшая к квартире веранда. После капитального ремонта их уже нет, как нет каретных сараев, старинных дворовых построек, которыми пользовался поэт.

Мы беседуем, перелистываем альбом. Я какое-то время молчу.

Владимир Васильевич снова заговорил:

— А это строгановская дача на Чёрной речке. Её строил в 1796—1798 годах Воронихин. Сам зодчий изобразил дачу на картине, выставленной в Русском музее, а фотография с этой картины помещена в Большой советской энциклопедии как образец ампира. Создание Воронихина имело не только архитектурную, но и литературно-мемориальную ценность. В свои последние дни здесь жил больной Некрасов, о чём оповещала доска, прикрепленная к стене дачи в 20-х годах. Сохранившийся каменный корпус позволял вести речь о полной реставрации по авторским чертежам Воронихина. Начались хлопоты в Москве и Ленинграде. И что же? Дача мешала городским проектировщикам. Она перестала существовать осенью 1969 года.

Владимир Васильевич разволновался не на шутку. Я отвёл его в палату, дал успокоительного, постарался отвлечь посторонними разговорами.

Некоторое время мы не возвращались к «опасной теме», хотя попытки с его стороны предпринимались не раз.

Навещая тяжёлого послеоперационного больного, я вечером заглянул к Калинину. Владимир Васильевич что-то увлечённо писал. Увидев меня, как всегда обрадовался и попросил посидеть с ним.

Он систематизировал документы, занимался своими альбомами. Большинство фотографий было снабжено пространными комментариями. Где-то их не хватало, и Владимир Васильевич старался заполнить пробелы.

— Я пришёл к твердому убеждению, что, если хочешь добиться успеха, нельзя растрачивать нервы. Плох тот борец, кто теряет самообладание, у кого нет хладнокровия. Свои силы растратит, а желаемого не добьётся. Нужны спокойствие, уверенность, терпение чтобы мобилизовать сторонников, доказать весомость наших контраргументов.

Меня очень беспокоит практика архитектурно-планировочного управления, предпочитающего ставить общественность перед лицом свершившихся фактов. А когда это вызывает протест, выдвигается такой аргумент: «Теперь уже поздно. На осуществление проекта затрачены большие государственные средства». Так было со строительством ресторана в Нижнем парке Петергофа, с асфальтированием площади в Петропавловской крепости, с портиком Руска, разрушенным на Перинной линии, и т. д.

— А зачем в Петропавловской крепости сняли булыжную мостовую? Этим ведь испортили исторический ансамбль!

— Не знаю, какие тут соображения, только в 1963 году «убрали» священные камни, по которым шли в заточение декабристы, народовольцы, русские революционеры...

Наши реликвии должны оставаться в неприкосновенности. Никак не возьму в толк, почему столь простые истины ещё надо доказывать. Между тем сторонники другой точки зрения применяют нередко демагогический приём: «Ну хорошо, встанем на позиции защитников старины, не будем трогать старые постройки — в том числе и ветхие, некрасивые, не имеющие особой ценности. Со временем они придут в полную негодность, потребуют капитального ремонта, подновления. Не слишком ли дорогое удовольствие? И во имя чего?» Однако это запрещённые методы в споре. Никто не ратует за то, чтобы беречь всякую рухлядь. Речь идёт только о памятниках художественной и исторической значимости, в которых заключён гений народа, без которых нет лица Петербурга — Петрограда — Ленинграда.

— Скажите, Владимир Васильевич, а были случаи, когда ошибки исправляли?

— «Исправляли»... Судите сами, что это такое.

Вот тут на фотографии зафиксирован момент уничтожения Путевого дворца Растрелли. Памятник 1731—1758 годов. Избавиться от него предложил один влиятельный ленинградский архитектор и «отбил» все попытки спасти очередной шедевр русского зодчества. Общественность продолжала борьбу. Чем она закончилась? В 1968 году Путевой дворец был разрушен, а в 1969 году вынесли решение о восстановлении разрушенного. Посмотри, Фёдор Григорьевич, в аль-

боме есть вырезка из «Ленинградской правды», где об этом
говорится.

Городская усадьба работы Баженова конца XVIII века,
входившая в архитектурный ансамбль площади перед
Никольским собором. В ней размещалась первая русская
школа зодчих Адмиралтейства. 12 апреля 1967 года усадьбу
«убрали», а через шесть лет её возродили по первоначаль-
ным чертежам.

Теперь прикиньте, во что обошлись государству такие
«исправления ошибок».

В который уже раз листаю альбомы. Кавалерийский
манеж около Смольного, связанный с именами многих
отечественных военачальников. Был. Часть застройки на
Большой Охте, связанная с развитием революционного
подполья в Петербурге. Была. Хорошо знакомое мне красивое здание 38-й поликлиники, где Н. Н. Петров много
лет консультировал больных, связанное с событиями Октября. Было.

— Там есть ещё фотографии, относящиеся к судьбе
литературных памятников, — вставил Владимир Васильевич, наблюдавший за моими действиями. — Я уже упоминал
о доме на набережной Кутузова, где жил Пушкин. В 1968 году ликвидирована подлинная планировка квартиры
Н. В. Гоголя по улице Гоголя, № 17. Нет ныне и флигеля
бывшей усадьбы, где жил и умер И. А. Крылов, — переулок
Репина, № 8...

Владимир Васильевич закрыл альбом.

Предпринятое лечение, повторное переливание крови,
витаминизация и соответствующая диета укрепили силы
больного. У Калинина повысилась работоспособность. Он
рвался из клиники обратно в музей, к людям, к любимому
делу. Под разными предлогами я советовал ему не спешить.
Помимо всего прочего, знал, правда в общих чертах, что его
быт и семейные условия далеко не благополучны. Об этом
можно было судить хотя бы по тому, что за длительный срок
пребывания в больнице к нему никто не пришёл.

Как-то я спросил:

— О чем сейчас хлопочете?

— Первое — спасти церкви Бориса Глеба и на Синоп-
ской набережной, представляющие собой огромную исто-

рическую и архитектурную ценность. Пока нам удаётся предупредить их разрушение, но под охрану они ещё не взяты.

— Ну а что второе, Владимир Васильевич?

— Второе, а пожалуй, по значимости первое — это усадьба Ломоносова.

Я снова подумал тогда: «Поразительный человек! Не устаю ему удивляться. Над его жизнью нависла смертельная опасность, но его, кажется, заботит совсем другое — были бы целы памятники как часть истории народа, который ему дороже собственной участи».

...Время делало своё дело. Неумолимо приближался конец. Сперва Калинин собирался, как только поправится, свозить меня в усадьбу Ломоносова лично, однако по мере того как у него нарастала слабость, всё реже говорил об этом. Но однажды утром он остановил меня:

— Фёдор Григорьевич, сил уж нет пойти с вами. Я вчера договорился с Маргаритой Ивановной Солоухиной. Она этот вопрос хорошо знает и все вам покажет.

С Маргаритой Ивановной мы встретились на Главпочтамте, поскольку оттуда до цели нашего «путешествия» рукой подать: усадьба Ломоносова расположена между каналом Грибоедова и улицей Союза связи, фасадом на набережную канала.

Её восстановлением был озабочен не только Калинин. Мне приходилось слышать о том же от Ивана Абрамовича Неручева, от других старых ленинградцев. Маргарита Ивановна добавила подробности. Теперь я тоже не мог оставаться в стороне.

Все попытки воссоздать первозданный облик усадьбы — и кого? — Ломоносова! — наталкивались на препятствия. Основное возражение: от построек, бывших при гении русской науки, ничего не сохранилось, они уничтожены до основания. А раз так, то зачем же сносить на этом участке появившиеся позднее здания? Не лучше ли «перенести» усадьбу на новое, более свободное место, например то, что совсем рядом? Какая разница? Подобная позиция удобна — не надо хлопот, не надо освобождать усадьбу от «наслоений» нашего века, наоборот, можно ещё что-то пристраивать.

Вместе с другими академиками я подписывал письмо в соответствующие инстанции; горсовет получил указание

изучить проблему и представить свои соображения. Вот
тогда-то понадобились научные аргументы, и нашлись
историки, которые обосновали точку зрения, что восста-
навливать усадьбу там, где она была, нецелесообразно.
Удивительно, что даже в дирекции музея Ломоносова их
поддержали.

Итак, главный довод: ничего подлинного не сохранилось. Но соответствует ли это действительности?

Со специалистами-архитекторами мы обошли усадьбу со
всех сторон, исследовали двор, внутренность помещений,
забирались на чердак, спускались в подвал, осматривали
отбитую штукатурку старых и сравнительно новых строений.
Тщательно сравнили, что по плану относилось к XVIII веку,
и то, что сделано позднее. Картина сложилась достаточно
ясная. Дом, где жил Михаил Васильевич Ломоносов, — это
двухэтажное здание с мезонином. В XIX веке мезонин заменил третий этаж. Два первых этажа почти не тронуты. Домик,
выходящий на улицу Союза связи, где Ломоносов создал
мозаику к своей знаменитой картине «Полтавский бой», тоже
уцелел, но был расширен за счёт переделки кирпичного забо-
ра метр шириной, которым окружён участок. Во дворе имеются мелкие пристройки в плачевном состоянии, так что
говорить о них не приходится.

Из нашего даже беглого осмотра явствовало, что объективных сложностей в восстановлении усадьбы нет, а есть
сложности искусственного характера и они зачем-то раз-
дуваются. И планом, и чертежами времён Ломоносова вполне могут воспользоваться реставраторы. Надо просто убрать
всё, что настроено.

Что же касается предложения установить мемориальный
памятник по соседству, то оно и вовсе опрометчиво. На
рекомендуемой территории стоит дом, когда-то занимае-
мый жандармским управлением. «Переселить» туда усадьбу
было бы оскорблением памяти М. В. Ломоносова.

И мы договорились снова послать письмо с просьбой,
чтобы вынесли рациональное решение.

С каждым днём, несмотря на наше лечение, у Калинина
всё отчётливее начинала сказываться опухолевая интоксикация. Владимир Васильевич стал быстро утомляться. Боли
он не чувствовал, но одолевала ужасная слабость, и он,
поработав короткое время за столом, ложился в постель.

Я чаще приходил к нему в палату, мы тихо беседовали на различные темы, избегая разговоров о его здоровье. Он, видимо, отлично сознавал, что правды я ему сказать не могу, а лукавить мне неприятно.

Я расспрашивал Владимира Васильевича о его биографии, и он с удовольствием рассказывал о счастливых днях, прожитых в семье до войны. Война отняла у него все, что было дорого, разорила и разрушила всю жизнь. Он вспоминал фронт, причём всегда оттенял героизм своих товарищей. О послевоенном периоде говорил скупо — лишь о том, что предпринимал, чтобы отыскать жену и детей. О нынешней жене — почти ни слова. Видно, воспоминания о ней не доставляли ему радости.

Калинин слабел не по дням, а по часам. Однако и мгновения не хотел терять попусту. Попросил подвинуть маленький столик к кровати, писал и разбирал фотографии лежа.

Однажды поделился со мной тем, что его мучило:

— Мне уже не удастся опубликовать материал о памятниках старины в Ленинграде, которые надлежит обязательно охранять. Но я глубоко убеждён, что мой труд и труд моих единомышленников не пропадет даром, сделается достоянием гласности. Вы же, если будете писать, расскажите в своей книге обо всём, что узнали от меня. Об этом должны все знать. Может, это привлечёт внимание и предупредит дальнейшее разрушение наших реликвий.

Я обещал, и он сразу как-то успокоился.

В его последний день, когда я к нему подошёл, Владимир Васильевич словно прощался с альбомами и указал, кому их передать. Потом закрыл глаза и долго не открывал их.

Вечером, перед тем как уйти из клиники, я опять навестил его. Калинин был в забытьи. Дыхание поверхностное, пульс частый. Я взял его руку. Он очнулся, узнал меня, сжал пальцы, попытался что-то сказать, но не смог. Через некоторое время его не стало...

Так ушёл из жизни прекрасной души человек, до последнего вздоха служивший своему народу. Им руководила высокая цель — сохранить для потомков богатства, оставленные нам отцами и дедами.

После того как Пётр Трофимович познакомил меня с Калининым, я стал пристальнее следить за делами Всероссийского общества охраны памятников истории и культуры. Основанное в 1966 году, оно быстро входило в силу, что не замедлило сказаться и на Ленинграде с пригородами, и на Ленинградской области.

Прав был Владимир Васильевич: особенности нашей области — в многообразии её памятников, их разноликости и обилии. Древние рубежи северо-западной Руси защищал каменный пояс городов-крепостей — Ивангород, Ямбург (Кингисепп), Копорье, Старая Ладога, Приозёрск, крепость Орешек. Тут же монастыри Тихвинский, Александро-Свирский, Зеленецкий... В лесах — избы, часовни, мельницы — золотой фонд народного зодчества. Все они нуждаются в охране. Не случайно было заново учтено и взято под специальный контроль более 1500 памятников области.

Порадовался бы Калинин и такому факту: за 1976—1980 годы общество затратило свыше 1 миллиона рублей на реставрацию и благоустройство памятников всех видов. Завершается первая очередь реставрационных работ в Ивангороде. Начали новую жизнь музейные экспозиции в Успенском соборе Тихвина, в Екатерининском соборе, созданном Ринальди в Кингисеппе, в доме Н. К. Рериха в Изварах. Объявлен заповедным город Старая Ладога с крепостными сооружениями, воздвигнутыми новгородцами в XV веке. Будут превращены в музеи прекрасные образцы старой русской деревянной архитектуры — храмы Георгия в Юксовичах (XVI век), Никольский в Согицах (XVII век), Дмитриевский в Шелейках.

В то же время вопросы, которые не давали покоя Владимиру Васильевичу, ещё не сняты с повестки дня.

«Ленинградское областное отделение волнует судьба исторической застройки малых городов, — пишет председатель президиума совета Ленинградского областного отделения общества В. А. Суслов в альманахе «Памятники Отечества» за 1981 год. — До сих пор много случаев нарушения порядка согласования нового строительства, затрагивающего интересы памятников истории и культуры, что порождает недоразумения, излишнюю трату государственных средств. Мы имеем такие случаи в Выборге, например. Нас всех волнует, конечно, и вопрос охранных зон, особенно для исторических городов. Мы теперь понимаем, что для исторического города не только отдельный объект, а вся пространственно-объёмная градостроительная структура представляет историко-культурную ценность и требует охранения. В таких исторических городах нашей страны, как Тихвин, Выборг, Гатчина, Кингисепп и другие, нет охранных зон, а между тем новое строительство в них осуществляется весьма интенсивно».

В. А. Суслову вторит председатель градостроительной комиссии Центрального совета общества К. Ф. Князев, имея в виду уже сам Ленинград:

«Его красота во многом обязана регулированию застройки. Её вели ещё на заре строительства города (в 1740-х годах) известные архитекторы Еропкин, Земцов и Коробов, добившиеся императорского указа об ограничении высоты частных домов «двумя шильями на погребах», то есть тремя этажами. Город рос, мера эта стала для него мала, установилась новая — 10 сажень, и она продолжала действовать до самой революции.

Регулирование застройки — широко применявшийся метод при строительстве городов в России в конце XVIII и в XIX веке. Достигалось это, в частности, распространением «опробованных», по существу, типовых проектов жилых домов, «привязкой» этих проектов к ответственным участкам, например узловым, задавшим тон всему кварталу, отрезкам улицы. Эти участки решительно закрепляли новый, «прожектированный» план города.

В наше время важно соблюдение исторически сложившихся соотношений памятников с окружающей их обновляющей средой. В этом выражается забота о сохранении, а подчас и о восстановлении единства объёмно-пространственной структуры населённого места».

Приведу такой пример. Один из архитекторов Ленинграда считал самой характерной для города чертой шпили. Шпили в Ленинграде действительно есть, главных три: Петропавловский, Адмиралтейский и на Инженерном (Михайловском) замке. Но когда на Московском проспекте появился новый, довольно высокий, но случайный шпиль на обыкновенном жилом доме, семантическая значимость шпилей, отмечавших в городе главные сооружения, уменьшилась.

Была разрушена и замечательная идея Пулковского меридиана: от Пулковской обсерватории прямо по меридиану шла математическая прямая многоверстная магистраль, упиравшаяся в Адмиралтейскую иглу. Адмиралтейский шпиль был виден от Пулкова, он мерцал своим золотом вдали и притягивал к себе взор путника, въезжавшего в Ленинград со стороны Москвы. Теперь тот неповторимый вид перебит стоящим посередине Московского проспекта новым жилым домом со шпилем над ним.

Поставленный по необходимости среди старых домов новый дом должен быть «социален», иметь вид современного здания, но не конкурировать с прежней застройкой ни по высоте, ни по своим прочим архитектурным модулям. Должен сохраняться тот же ритм окон, должна быть гармонирующей окраска.

Но бывают иногда случаи необходимости «достройки» ансамблей. На мой взгляд, удачно закончена застройка Росси на площади Искусств в Ленинграде домом на Инженерной улице, выдержанным в тех же архитектурных нормах, что и вся площадь. Перед нами не стилизация, ибо дом в точности совпадает с другими домами площади. Есть смысл в Ленинграде так же гармонично закончить и другую площадь, начатую, но не завершённую. Росси, — площадь Ломоносова: в дома Росси... «врезан» доходный дом XIX века.

Вообще же следует сказать, что ленинградские дома второй половины XIX века, которые принято бранить за отсутствие вкуса, обладают той особенностью, что не столь уж резко конкурируют с домами великих архитекторов... Взгляните на Невский проспект: дома этого периода не очень его портят, хотя их много на участке от Фонтанки до Московского вокзала. Но попробуйте представить на их месте новые, всемирно распространённого стиля дома, весь Невский проспект, на всём его протяжении, будет безнадёжно испорчен. То же, впрочем, случится, если эту часть Невского стилизовать под ту, что лучше сохраняет старую застройку XVIII и первой половины XIX века от Адмиралтейства до Фонтанки...

Культурное прошлое нашей страны должно рассматриваться не по частям, как повелось, а в его целом. Речь должна идти не только о том, чтобы сохранить самый характер местности, «её лица необщее выражение», архитектурный и природный ландшафт. А это значит, что новое строительство должно возможно меньше противостоять старому, с ним гармонировать, сохранять бытовые навыки народа (это ведь тоже «культура») в своих лучших проявлениях...»

Вчитайтесь в приведённые выше слова, сопоставьте их с тем, что говорил Владимир Васильевич Калинин, и вы без труда уловите полное созвучие мыслей и известного академика, и скромного труженика на ниве культуры, и активных деятелей общества.

На IV съезде, состоявшемся в Новгороде в июле 1982 года, председатель президиума Ленинградского городского отделения общества академик Б. Б. Пиотровский отметил, что за последние годы удалось добиться значительных успехов при сохранении выдающихся образцов старой архитектуры в содружестве с Главным архитектурно-планировочным управлением Ленгорисполкома. Теперь забота эта стала общей.

Доживи Калинин до сегодняшнего дня, он с радостью узнал бы, что восстановлен двор Комендантского дома Петропавловской крепости. Мастера старинного мощения В. И. Клычкова и З. П. Соловьёва выложили булыжным камнем мостовую у арок Невских, Кронверкских и Никольских ворот.

Как выставочный зал Союза художников используется возрождённый Конногвардейский манеж на бульваре Профсоюзов, построенный Кваренги. До реставрации манеж был занят гаражом.

Приобретает былые черты здание «конюшенного ведомства», в центральной части которого особое значение имеет церковь, где 1 февраля 1837 года стоял гроб с телом Пушкина. Просторные, высокие помещения, вытянутые в ряд, удобны для музейной экспозиции. После реставрации здание будет передано Государственному Эрмитажу для демонстрации больших коллекций мебели, костюмов, карет.

Отреставрирована Пантелеймоновская церковь на улице Пестеля, построенная в память побед русского флота при Гангуте и Гренгаме. Здесь предполагается разместить филиал военно-морского музея.

Около Смольного были когда-то Кикины палаты, возведённые в 1714 году. Они сильно пострадали в войну, остался лишь остов. Архитектор И. Бенуа разработал проект восстановления здания — той поры, когда в нём размещалась Кунсткамера.

Полным ходом идёт реставрация Шуваловского дворца, памятника XVIII века. Тут будут проходить собрания, встречи, художественные выставки. В большом зале, славящемся великолепной акустикой, вновь зазвучит музыка.

Подобных примеров с каждым днём становится всё больше, но особенно отрадно, что это не единичные акции, а уже продуманная система.

В своём докладе на съезде общества академик Б. Б. Пиотровский подчеркнул: в 1981 году Ленгорисполком принял решение «О мерах по улучшению охраны, реставрации и использованию памятников истории и культуры». Повсеместно в районных Советах созданы комиссии содействия, в которые вошли председатели и активисты общества. Ведётся учёт интерьеров в жилых домах, в первую очередь в тех, которые ставятся на капитальный ремонт, выявляются для охраны памятники первого десятилетия после Октябрьской революции, старые фабрики и заводы, места, связанные с жизнью знаменитых людей Петербурга — Ленинграда, продолжается реставрация почти во всех дворцово-парковых ансамблях.

Дело таких энтузиастов, как Владимир Васильевич Калинин, захватило многих. Сейчас в Ленинградском отделении общества 384 тысячи членов. Они объединены в 1828 организаций по районам города.

4

Я уже говорил, что давно взял себе за правило фиксировать в записной книжке любопытные эпизоды, впечатления от встреч с интересными людьми. Со временем привычка развилась в настоящую потребность, и, может быть, потому я почти в каждом человеке нахожу что-нибудь примечательное, неповторимое достойное того, чтобы о нём рассказать другим.

Мой сын Гриша, с пятилетнего возраста упражняющийся в игре на пианино и страстно любящий Шопена, прибежал из музыкальной школы и возвестил так, будто на Землю прилетели инопланетяне:

— Папа, папочка, купи билеты на Гусеву!

— Постой, успокойся, сынок. Скажи толком, что за Гусева, куда надо покупать билет? — заговорил я с музыкантом, которому едва исполнилось десять лет.

— Ах, папа! Неужели ты не знаешь, — к нам в Ленинград приезжает Тамара Николаевна Гусева, замечательная пианистка, с ней никто не может сравниться.

— Погоди, погоди — ты торопишься, я не совсем понимаю. А как же Михаил Плетнёв?.. Мы его недавно слушали — ты же сам говорил: он на международном конкурсе всех победил.

Доводы мои показались сыну неопровержимыми. Плетнёв был кумиром, Гриша замирал только при одном его имени. И вдруг — неожиданный поворот:

— Папа! Ты не учитываешь одного важного обстоятельства: Гусева — женщина, к ней особый подход. Если она так хорошо играет, она выше всех мужчин-пианистов. — И очевидно, чувствуя недостаточную вескость аргументов, постарался уточнить свою мысль: — Представь себе горную вершину, её штурмуют альпинисты, и среди них одна женщина. Ей ведь труднее — как ты думаешь?

— Конечно, — соглашаюсь с маленьким рыцарем, — женщина — существо нежное, она в физическом отношении слабее.

— Ну вот! — запальчиво перебивает меня сын. — Музыка тоже вершина, это даже больше, чем вершина, это — искусство!..

Трудно было что-либо возразить. Вечером мы семьёй торжественно отправились в филармонию. Сидели в партере в третьем ряду. Гусева играла Шопена. Играла замечательно. Она доставила нам такую радость, что день этот мы запомнили надолго.

Мы тогда постеснялись подойти к Тамаре Николаевне и выразить своё восхищение. Но неожиданно встретились с ней как-то в доме Петра Трофимовича. Я с удовольствием рассказывал ей о посещении концерта, о том, как вдохновенно любит её наш сын Григорий.

Тамара Николаевна снова сыграла нам Революционный этюд Шопена. Бурной рекой лилась страстная и героическая музыка. Тонизировала, очищала, заставляла переосмысливать жизнь, работу, звала к борьбе за лучшее, светлое, прогрессивное.

Потом Гусева играла Чайковского.

Я много раз слышал адажио из балета «Щелкунчик». Пианисты часто увлекаются техникой, забывают душевный строй, глубину мысли, а она... Она как бы за руку ввела к нам Чайковского, и я увидел лучистый свет его глаз, услышал голос. Потом пояснила:

— Люблю читать жизнеописания композиторов, а также их письма, дневники или воспоминания о них друзей и родных. Всё оживает, становится реальным, близким, понятным. Узнаёшь подробности, лучше чувствуешь, что и как ими написано, как это надо интерпретировать. Вообще я люблю исторические книги. Читаю, а сама думаю: в те годы жил Шуберт, или Вагнер, или Бах... И это так интересно — смотреть на мир глазами маэстро.

Я спросил Петра Трофимовича:

— Как вы познакомились с Тамарой Николаевной?

— Она моя читательница. С книгами ко мне пришло много друзей. Кто-нибудь пишет или звонит: я такой-то, вот только что прочёл... И так далее. Если случится — встретимся. Смотришь: хороший человек, интересный. С иным и расставаться не хочется. Артисты, музыканты мне нравятся особо: искренний, горячий и тонко чувствующий народ! И все — творческие натуры. Вы, наверное, знаете, я в одном романе режиссёра изобразил, и театр, артистку, её страдания...

— Да, я знаю. Читал. А Борис Тимофеевич Штоколов говорил мне: «Ну, режиссёра вывел! Вполне жизненная ситуация. И мне попадались такие режиссёры».

— Мне он тоже говорил. Кстати, недавно я слушал его концерт по телевидению. Мне кажется, он стал петь ещё лучше. Приедете в Ленинград — передайте ему и жене его, Надежде Петровне, от меня привет и скажите, что я с удовольствием вспоминаю встречи с ними.

В гостях у Петра Трофимовича была и певица Эмма Ивановна Маслова.

— А Маслова — она тоже ваша читательница?

— Нет, тут как раз все вышло иначе. Мы с женой были на одном праздничном концерте. Зал большой, народу много, а артисты один за другим выступают малоинтересные, тот сомнительный юмор преподнесет, другой фокус покажет... И вдруг на сцену выходит молодая, веселая женщина. Ну, как она поет — вы только что слышали. Придя домой, я отыскал через справочную её телефон, позвонил и сказал всякие тёплые слова. А она смеется и говорит: ну что вы, обыкновенно я пою, ничего особенного. И такой у нас хороший разговор по телефону вышел — договорились встретиться, и вот — стали друзьями.

Мне всегда интересны оригинальные, подчас резкие, но всегда справедливые суждения Петра Трофимовича о людях. Если же речь заходит о друзьях, он непременно отыщет в них черты, скрытые постороннему взгляду, — черты, за которые он их любил и за которые их нельзя было не любить.

Так же принципиален он в профессиональных вопросах. Когда, например, вышла моя книга «Сердце хирурга», я стал получать много благодарственных писем от читателей. Пётр Трофимович тоже хвалил книгу, однако я чувствовал, что он чего-то недоговаривает. Из деликатности, наверное. Откровеннее и строже судила Нина Андреевна. Впрочем, «судила» — не то слово; она говорила примерно так: «А вот эта часть в книге мне понравилась». О других местах промолчит — ни хорошо, ни плохо — значит, плохо. Моя супруга Эмилия Викторовна была ещё строже: она показывала мне целые главы, которые считала вялыми, скучными. А однажды когда мы вчетвером отдыхали на юге и женщины стали нападать на меня, я обратился к Петру Трофимовичу:

— Заступитесь, они заклюют бедного автора!

— Правильно, нашего брата и надо клевать, чтобы нос не задирали, чтобы больше работали над стилем, чистили, шлифовали. — И потом заговорил серьёзно: — Будь моя воля, я бы «Сердце хирурга» сократил страниц на сто, а может быть, и более. Там действительно есть вялые места, и их частью надо переделать, а частью совсем удалить. Стоило бы уточнить и композицию. Последовательность рассказа тоже кое-где страдает.

Я верил в художественный вкус, опыт Петра Трофимовича и скрепя сердце согласился. Он и помог мне в дальнейшем довести работу. Книга, вышедшая в исправленном виде, стала, по свидетельству критиков и читателей, значительно лучше.

Мы сидели за письменным столом Петра Трофимовича. Аккуратно разложены кипы страниц, книги, газетные вырезки, сплошь исписанные толстые тетради, блокноты... Все о музыке и музыкантах. Пётр Трофимович задумал новый роман и собирал для него материалы — роман о выдающемся дирижёре Константине Константиновиче Иванове.

Моя жена и Нина Андреевна не однажды высказывали сомнения: «Дирижирование — это область, малодоступная даже знатокам музыки. Стоит ли браться за такую тему?» Я предпочитал молчать, но в душе был с ними солидарен. Однако Петра Трофимовича наши предостережения нисколько не охладили. Он увлёк своим замыслом супругу Иванова — Тамару Аркадьевну, музыканта, преподавателя консерватории. Она доставала книги по истории музыки, подбирала пластинки с записями одних и тех же произведений, но в исполнении различных дирижёров.

Дома, а затем и на даче Пётр Трофимович установил первоклассный стереофонический проигрыватель, слушал музыку... Бывая в Ленинграде, просил нашего Григория поставить пластинку — и по первым же аккордам узнавал мелодию.

— Это Вивальди... Это Пятая симфония Бетховена... А это Глазунов. По-моему, этот композитор не вполне ещё оценён — как Лесков в литературе.

А если Григорий заводил разговор о жизни Баха, Чайковского, Моцарта, он знал такие детали, что, казалось, долгие годы жил вместе с ними. И очень часто, оценивая композитора, находил для него литературные параллели. Заговорили о Мусоргском, Пётр Трофимович сказал:

— В музыке он, наверно, то же, что и Лермонтов в поэзии. И есть что-то общее, демоническое в их судьбе, характерах. Люблю Мусоргского... как Лермонтова.

Постепенно мы поверили — напишет Пётр Трофимович книгу и о дирижёре.

Глядя на кипы бумаг на столе, я произнёс утвердительно:

— Вот и вы повернулись к документальной прозе.

— Нет! — возразил Пётр Трофимович. — Это, пожалуй, будет всё-таки роман. Не могу я точно держаться своих героев — я лишь от них отталкиваюсь, а сам тянусь к вымыслу. «Над вымыслом слезами обольюсь». Мне нужно выдумывать, фантазировать — так устроен мой ум. Хорошо ли, плохо — не знаю; наверное, плохо, потому что жизнь богаче любого вымысла. Нужно лишь видеть глубину процессов психологических. И подмечать детали. А это самое трудное.

Он брал со стола то одну, то другую книгу.

— Вот смотрите... Всем хороша, а деталей мало. И психологического анализа недостаёт. Художник рождает свои творения в муках, он страдает, мечется, а тут... ничего этого нет. — Из пачки книг вынул небольшую, тоненькую... — Чичерин, наш первый нарком иностранных дел... Он любил музыку, неплохо играл на рояле — всю жизнь увлекался Моцартом, собрал уйму высказываний, мечтал написать о нём. Книги о Моцарте не написал, а вот высказывания великих людей о композиторе и некоторые собственные суждения... опубликовал. Спасибо ему. Здесь кладезь мудрости, свод понятий о существе музыки.

— Вы, очевидно, много уже прочитали?

— Около сотни, а надо ещё две сотни — не меньше!.. Вон у меня список составлен. С профессорами советовался — они-то уж знают. Константин Константинович Иванов, взглянув на этот список, сказал: «Я, пожалуй, и за всю жизнь столько не прочитал». Шутит, конечно. Его познания в истории музыки — не говорю уж о теории — изумительны. Каждая беседа с ним обогащает. Вот подождите, я вас с ним познакомлю.

Мне импонировала такая добросовестность Петра Трофимовича, его стремление докопаться до корня. Так учил нас работать Николай Николаевич Петров — человек, создавший известную в мире отечественную школу онкологии. И, вспомнив своего учителя, я подумал: «Кто же у него учитель — у Петра Трофимовича?» Высказал этот вопрос вслух.

— Что вы, Фёдор Григорьевич! Кто меня учил? Только жизнь. Вы же знаете мою биографию. Самоучка я, во всём самоучка. А значение романов моих вы не преувеличивайте. Литература — дама капризная, успех часто сменяется неудачей, а забвение ожидает почти каждого. Себя переживают единицы, счастливцы — и непременно подлинные таланты. Как соловью дан голос, так писателю должен выпасть талант от природы — а это, уверяю вас, бывает очень редко. Знающие люди говорят, что иной народ тысячелетнюю историю имеет, а талантливого писателя за все века не обнаружилось. Средние таланты есть, а вот алмаза, подобного Пушкину, Есенину, Лермонтову, Кольцову, нет. Вот в чём штука.

Разговор этот — не пустая риторика, не желание порисоваться перед вами и выпросить у вас лишний комплимент. Нет, Фёдор Григорьевич, это серьёзно. Талант литературный — действительно большая редкость. И не поймёшь, что в нём главнее: способность ли живописать словом, обрисовать двумя-тремя штрихами портрет человека, характер или ещё какое свойство. Не знаю. Но больше склоняюсь к тому, что главная черта таланта любого художника — чувство земли, породившей его, боль за живущих на ней, гражданская озабоченность. Пушкин, Гоголь, Лермонтов, Некрасов, Есенин... Они страстно любили Родину.

Вот — Есенин:

> Но более всего
> Любовь к родному краю
> Меня томила,
> Мучила и жгла.

В другом месте он скажет:

> Я люблю Родину,
> Я очень люблю Родину...

Или вот:

> Если кликнет рать святая:
> «Кинь ты Русь, живи в раю!» —
> Я скажу: «Не надо рая,
> Дайте Родину мою!»

Как всегда, беседа наша текла легко, свободно.

Я благодарен своим друзьям-писателям за то, что они обогатили мою душу. Я как бы с новой, неведомой для меня стороны посмотрел на них и открыл в них такие свойства, которые раньше не замечал в повседневной сутолоке. Я увидел патриотов в высоком смысле этого слова. Нет, я вовсе не хочу сказать, что среди других людей, среди моих коллег к примеру, мало патриотов. Наоборот, я как раз старался нарисовать портреты учёных, чья деятельность прославляет Родину, чей образ жизни и мыслей иначе не назовёшь, как только патриотическим. Можно любить Родину, свой народ, делать для этого много полезного; конечно же это патриотизм, заслуживающий подражания. Но любить Родину и народ «до боли сердечной», как говорил Салтыков-Щедрин, любить активно, по-боевому, не жалеть ни сил, ни самой жизни для других — такой патриотизм, как мне думается, чаще всего свойствен людям творческим, особенно остро чувствующим суть вещей, природу добра и зла, размышляющим о путях, ведущих отчизну к счастью.

Не знаю, насколько верны мои наблюдения, но в среде писателей я встречал именно таких людей.

По-своему представил мне писательский мир наш сосед Борис Дмитриевич Четвериков. Он принадлежал к поколению тех, кто начинал свою литературную деятельность в бурные годы Октябрьской революции и Гражданской войны.

Борис Дмитриевич был богато одарённым человеком: талантливым художником — от его картин трудно оторваться, так точно и проницательно видение автора; блестящим музыкантом — не только исполнителем, но и композитором; вдохновенным поэтом — его стихи остроумны, лиричны, наполнены глубоким чувством и большой мыслью.

Но главное его призвание — проза. Рассказы, повести и романы он писал более 50 лет. Его первое произведение печаталось в 20-х годах. Последние десятилетия жизни стали особенно продуктивными. В 1971 году вышел его роман «Во славу жизни» о предвоенном и блокадном Ленинграде. Чрезвычайно занимателен исторически достоверен роман «Котовский», опубликованный в 1971 и 1975 годах. Заслужил признание читателей сборник повестей и рассказов, появившийся на прилавках магазинов в 1976 году...

Не менее интересен как личность и писатель Иван Абрамович Неручев. Общение с ним доставляло мне неизменно огромное удовольствие.

Меня могут упрекнуть: врач, а не соблюдает законов медицинской морали. Разве этично рассказывать о пациентах, оказавшихся в экстремальной ситуации? Хорошо рассуждать со стороны, а им-то каково было? Где же гуманность, милосердие, врачебная тайна, наконец, которая и теперь, может быть, важна родственникам умершего?

Не могу в данном случае согласиться с этим. И прежде всего потому, что тяжёлая болезнь и смерть истинно большого по сути человека выявляют в нём величие духа. А самое удивительное — он настолько предан своему делу, своим идеалам, что эта преданность заглушает в нём столь естественный для всего сущего инстинкт самосохранения.

Именно экстремальная ситуация, к примеру, сделала писателем Николая Островского — солдата революции. Прикованный к постели неизлечимым недугом, он не сдался болезни, не замкнулся на физических страданиях, а продолжал жить жизнью страны, и помыслы его были направлены на то, чтобы найти способ наперекор всему быть полезным людям. Его книга «Как закалялась сталь» поражает разные поколения читателей неиссякаемым запасом мужества, оптимизма, самоотверженным служением идее. Недаром, когда хотят высоко оценить кого-нибудь, говорят: человек корчагинского типа.

Таким для меня остался в памяти Сергей Александрович Борзенко.

В романе «Золотой шлях» он, двадцатилетний, словно вторит Островскому, выражая своё кредо: «Умереть, конечно, каждый... может, а вот... себя оправдать по жизни — это труднее». И оправдывал, и до последнего дня не боялся трудностей, не складывал оружия.

Как раз в предельно критический период испытывается на прочность человеческий характер; поведение высшей пробы по любым строгим меркам бытия оказывает ни с чем не сравнимое влияние на окружающих, пробуждает в них новые силы. Такое влияние личности Борзенко испытывал и я и решился переступить чисто медицинские границы, чтобы по возможности воссоздать его светлый облик.

Борзенко прошёл долгими дорогами войны. Смертельная схватка с фашизмом поднимала на пьедестал почета тысячи и тысячи простых настоящих людей, имя которым — советский народ; журналистские блокноты распухали от торопливых записей, их детальная обработка откладывалась на потом, до победы. И незаметно для глаз происходил другой процесс — все увиденное и пережитое «выковывало сталь», соприкосновение с подвигом рождало подвиг.

Вспомним стихи Александра Жарова:

Вместе жили, родине служили
Острое перо и автомат.
Фронтовою дружбою дружили
Журналист, писатель и солдат.

Верность тем героическим годам — фундамент нравственности.

Борзенко любил жизнь. Не эгоистично, не мелко, не для себя. Он любил жизнь для людей и не мыслил её иначе. Его мозг был кладезем знаний. Я уже говорил, что как корреспондент «Правды» он объездил много стран, был знаком со многими выдающимися людьми. На страницах газеты и в журналах то и дело публиковались его яркие статьи и очерки. Он создавал рассказы, повести, романы. Все они были проникнуты идеей добра и гуманизма, любовью к народу, заботой о его счастье.

Сергей Александрович чувствовал, что жизнь подходит к концу, что все возможности врачей исчерпаны, надежды нет. И вот в эти-то дни сильнее, может быть, чем когда-либо, сказывалось все величие его души. Он сохранял острую наблюдательность, интерес к происходящему вокруг, был так же раскрыт навстречу тем, кто нуждался в его совете и помощи. Если бы я его совсем не знал, если бы я не был знаком с его жизнью и трудами, то только по одному тому, как человек держит себя в критические дни, сказал бы, что это большой человек. И так бессмысленно рано уходил он от нас.

Когда Борзенко гостил у нас в Комарове, мы видели его в последний раз. Тягостным было наше расставание...

В каких бы странах я ни побывал, какие бы богатства и роскошь я ни повидал за рубежом — жизнь за границей никогда меня не привлекала. Более того, уже через две недели пребывания в любой стране у меня начиналась ностальгия — я скучал по своей Родине, по России. Многие отыскивают в нашем народе мнимые и действительные недостатки.

Но никому не заслонить достоинств русского человека, его удивительную доверчивость, честность, правдивость, доброжелательность, самоотверженность, любовь к людям любой национальности, уважение к представителям другого народа, скромность, простоту, доступность, отсутствие зазнайства, готовность выручить в беде, поделиться с нуждающимся последним куском хлеба. Все эти качества в совокупности в одном человеке встречаются у русского чаще, чем у других народов. Но главное свойство, что, по мнению Гоголя, отличает его от всех народов, — его благородство, красота души. Благородство Гоголь видит прежде всего в его патриотизме, в беззаветной любви к Родине, к Отечеству. Эта любовь бескорыстна. Чувство преданности России, Родине, очень полно выразил Минин в тяжёлое для Руси время. Он сказал: «Всё отдадим для спасения Отечества, если надо, заложим жён и детей, не пожалеем самой жизни».

Самопожертвование ради Родины и своего народа наши люди наглядно продемонстрировали перед всем миром в годы Великой Отечественной войны. Ни в одной стране никогда не было развито партизанское движение в тылу врага с такой силой, как у нас. Ни один народ так решительно не отказывался сотрудничать с врагом, как наш великий русский народ, куда я включаю как единое целое и украинский, и белорусский народы. Их воспитала и закалила единая Киевская, а затем Московская Русь. О доброте русского человека, о его доверчивости, стремлении помочь другому, подчас незнакомому, говорят многочисленные повседневные факты.

Моя супруга — Эмилия Викторовна — рассказывает, что, будучи студенткой, приехала в Николаев на несколько дней, в гостинице места не оказалось, и она обратилась к первой встречной, довольно молодой женщине с вопросом: не может ли та сказать, у кого можно остановиться на ночлег? «Пожалуйста, вы можете остановиться у меня», — сказала эта незнакомая женщина. Она привела её в свою небольшую уютную квартиру, оставив ей ключи, показала, где лежат продукты, и ушла. Пришла только на следующий день, и все три дня квартира была предоставлена в полное распоряжение жены. На прощание хозяйка отказалась от какой-либо платы категорически. Этот поступок характерен для наших людей. Мы привыкли к этому, и нам кажется вполне естественным, что люди, впервые увидевшие друг друга, делятся последним куском хлеба.

Носителем традиций народа у нас, как правило, является женщина, которая в нравственном отношении всегда стояла и стоит выше, и всё лучшее, что есть в человечестве, женщина передает из поколения в поколение.

Русской женщине мы обязаны тем, что она при всех трудностях жизни сумела сохранить и развить все те качества души и характера нашего человека, которые получили мировое признание как «русский характер». При этом его воспитывали как высокообразованные дворянки, так и неграмотные крестьянки.

В воспитании благородных чувств наших людей русская женщина всегда и во всём была образцом и примером. Даже такое свойство души, как храбрость, было присуще ей во все времена. И мы опять можем вспомнить наши Отечественные войны как 1812, так и 1941—1945 годов.

Через госпиталь, в котором я работал в период войны и блокады Ленинграда, прошли десятки раненых девушек. Ни одна из них, как бы тяжело ни была ранена, не просила эвакуироваться из Ленинграда. Все они, едва им становилось лучше, стремились быстрее попасть на фронт и настаивали на их досрочной выписке из госпиталя. Уходили на фронт.

Любовь к Родине, к своему народу русская женщина воспитывает в своих детях с колыбели. И эта любовь к отечеству у неё проходит рядом с искренним и глубоким уважением ко всем другим народам, независимо от цвета кожи, национальности и вероисповедания. Поэтому русский человек и воспитан так, что он не позволит надсмеяться или тем более оскорбить религиозное чувство другого человека, не позволит разрушить дом веры любой религии. С детских лет воспитанный матерью, он, становясь взрослым, относится к представителям другой нации или другой религии ничем не хуже, а может, даже лучше, чем к своему же человеку.

В русской женщине заложено чувство уважения к труду. Любой труд для неё важен, и никакого дела она не гнушается. И что удивительно: каким бы трудом она ни занималась, какую бы «чёрную» работу она ни делала — она не теряет ни своего обаяния, ни человеческого достоинства.

Как прав наш гениальный русский поэт Н. А. Некрасов, который писал, что

> Грязь обстановки убогой
> К ней словно не липнет. Цветёт
> Красавица миру на диво,
> Пригожа, стройна, высока,
> Во всякой одежде красива,
> Во всякой работе ловка.

Русская женщина по своей сущности и по своей природе высоконравственна. Всё лучшее, что есть в человеке, наиболее ярко проявляется в женщине. У неё больше и ярче выражены честность, добросовестность к порученному делу, доброта, нежность, любовь к красивому, к порядочности. И именно благодаря женщине не умирает и никогда не умрёт всё то прекрасное, что делает человека человеком, несмотря на то, что нередко в жизни его встречают многочисленные соблазны, призывающие забыть о том, что он человек, и наслаждаться жизнью для себя. Женщина по своей природе самоотверженна. Ради ребёнка она пойдёт на смерть и на любые муки. И эти качества, весь её целостный характер оказывают самое благотворное влияние на всё поколение.

В русском человеке, а отсюда и в нашем обществе заложено так много душевного тепла, сердечности, доброты и человечности, что воспитанный на них человек не захочет сменить наше общество, какие бы роскошь и богатство ни сулило ему другое общество.

Поэтому, находясь за границей, я очень скоро начинал скучать по России, и, какие бы мне земные блага ни сулили, я бы на них никогда не променял на счастье жить среди своих людей.

Мне дико и непонятно чувство космополитизма. Я не могу понять людей, которые добровольно покидают свою Родину, и глубоко убеждён, что всё это недобрые люди. Это эгоисты, которые думают только о себе, о своих удобствах в жизни. И прежде всего это люди, лишённые благородства, поскольку таковое не возникает без любви к Родине, это себялюбцы, которые ищут блага только для себя. Между тем благородный человек отличается от эгоиста тем, что он своё счастье видит только одновременно со счастьем ближнего. В этом заложена высшая цель жизни, это и отличает настоящего человека от всего живого на земле.

Среди профессий, при которых имеет возможность полностью раскрыться гуманный характер русского человека, особое место занимают две: профессия врача и учителя. О самоотверженной и человеколюбивой деятельности настоящего врача по призванию я уже писал не раз. Здесь я хотел бы сказать несколько слов о профессии учителя. Говоря об этом, я невольно буду опять вынужден подчеркнуть роль женщины, поскольку в этой профессии женщины составляют значительно больше половины всех, занятых на педагогической работе.

Профессия учителя, столь же благородная и гуманная, как и профессия врача, имеет очень широкое понятие. По существу каждый, постигший какое-то дело, становится учителем, наставником; каждый, дойдя до определённого возраста, до определённого уровня знаний и опыта, учит других, молодых, менее опытных людей. То есть он становится учителем, воспитателем, наставником, которого любят, уважают, которому шлют благодарные письма и часто помнят всю жизнь.

Но главной, основной фигурой в этой плеяде воспитателей являются наши первые учителя, учителя начальных и средних школ, те, кто закладывает в нас основы знании и житейского опыта.

Кто не помнит с глубокой благодарностью своих первых учителей? Может ли кто-нибудь без внутреннего волнения вспоминать свои первые посещения школы и спокойный и добрый голос учителя, который с первых же шагов по школьному зданию проявляет о тебе заботу, думает о тебе, переживает за тебя, а иногда и помнит всю жизнь.

После появления в журнале «Молодая гвардия» моей повести «Сердце хирурга» я неожиданно для себя получил письмо от моей учительницы Е. Г. Павловой, у которой я учился в Высшем начальном училище г. Киренска. Она мне пишет: «Не ты ли тот Федя Углов, черноволосый мальчик, который учился у меня в Киренске?» Она вспомнила меня более чем через полвека, хотя я училась у неё всего два года!...

Далее она пишет: «Мне невыразимо радостно и приятно, что мой ученик так много сделал в своей жизни для Родины и для людей, может быть, тут есть какая-то частица и моего труда».

Разве я мог её не помнить? Она преподавала нам русский язык и литературу, воспитывала в нас любовь к Родине, к родной речи, раскрывала перед нами все богатство великого русского языка, а через него и величие русского народа, ибо такой богатый, такой красивый язык мог быть только у великого народа. Вспоминается, что случилось тогда, в то время с Еленой Григорьевной большое горе, и мы, юноши, глубоко ей сочувствовали, всячески старались облегчить её переживания.

Я сразу же ответил своему дорогому человеку. Написал, что хорошо помню её и очень рад, что она жива и здорова.

Через некоторое время я получил от неё второе письмо. Она писала:

«Милый Фёдор Григорьевич!

Сердечное спасибо Вам за письмо. Оно на закате дней моих принесло мне небывалую радость: оно напомнило мне молодость, мою жизнерадостную, полную надежды на счастье жизнь. Жизнь, когда душа была раскрыта навстречу добру и счастью.

Читаешь повесть как художественное произведение, язык вполне литературный; нет в нём неправильных громоздких оборотов речи. Чтение её мне доставило огромное удовольствие.

Фёдор Григорьевич! У меня к Вам большая просьба: не сможете ли выслать мне Вашу повесть, когда она выйдет отдельной книгой, т. к. у нас в Ташкенте трудно достать новинки.

Е. Татаринова».

Я, конечно, сразу же, как только вышла книга, выслал ей и вновь получил теплое, дружеское письмо:

«Сердечное спасибо за книгу «Сердце хирурга». Вы не забыли мою просьбу, и эта маленькая деталь говорит о многом. Вся Ваша жизнь, сколько известно о ней по немногим отрывкам Вашей довести, была пронизана этими свойствами Вашей души. Вы были не только целителем физических страданий Ваших больных, но врачом в широком смысле этого слова. Нет слов, чтобы выразить, как я тронута Вашим вниманием. После того как я прочту книгу, нет, это не то слово, не прочту, впитаю каждое слово в свою память и душу, я напишу Вам подробно, что я испытала, читая и буквально наслаждаясь прочитанным.

Еще раз спасибо. Желаю Вам здоровья, долгих лет жизни, счастья, удач в Вашем благородном труде».

Из этих немногих строк народной учительницы видно, какой душевной теплотой проникнуто её отношение к своим ученикам, как она радуется, когда её добрые семена дают хорошие всходы и человек всю жизнь несёт в себе высокие человеческие качества, такие, как скромность, простота, доброта, любовь и уважение к людям, отсутствие зазнайства и т. д.

И когда оглядываюсь на свой пройденный путь, я вспоминаю целую плеяду народных учителей, самоотверженных и скромных, проникнутых одной мыслью, одним желанием — учить людей добру, воспитывать в них гуманные чувства, не считаясь ни с какими собственными неудобствами и трудностями.

Вот Елена Григорьевна Павлова, ныне Татаринова, совсем молодой учительницей приехала в Киренск, в маленький районный городок, что отстоит от Иркутска более чем на тысячу километров, вдали от железной дороги, куда в то время надо было разными путями добираться две-три недели. Она проработала там тринадцать лет. И ни слова о тех трудностях, что выпали ей на долю при работе в такой глуши. Восторг и радость оттого, что у кого-то из учеников взошли и расцвели те добрые семена, которые она пыталась заронить в наши души.

И таких самоотверженных энтузиастов, беззаветно преданных своему делу, я встречал очень много. Мне не надо ходить далеко за примерами. Такими же одержимыми благородными идеями были мой старший брат и сестра. На восемь лет был старше меня Ваня. Мы, младшие, обязаны ему многим. Едва научившись читать, он дал мне целый список книг, которые я в первую очередь должен был прочесть. И все книги о благородстве и красоте душевной человека. Среди них «Спартак» Джованьоли, и «Овод» Войнич, и многие другие. Это он не переставая говорил нам о значении Пушкина в нашей жизни, о его величии и любви к русскому народу. Это он первый познакомил нас с красотой и богатством произведений Лермонтова. Романтик по натуре, преданный революционным идеям, беззаветно любящий свой народ, Ваня во всём был для нас примером. Он не пил, не курил, никогда не употреблял бранных слов и учил нас, как надо жить и работать для народного счастья.

Мой друг! Отчизне посвятим
Души прекрасные порывы!

Или:

Сейте разумное, доброе, вечное.
Спасибо Вам скажет сердечное
Русский народ.

Это были его любимые цитаты. На учительских курсах, которые он окончил в 1916 году, он считался «звездой курсов». Все годы он учился только на «отлично». По окончании имел много выгодных предложений для работы в Киренске, где и условия, и зарплата были хорошими. Отказавшись от всего, он поехал в д. Новосёлово Казаченского района, что отстояла от Киренска на 300 километров, в глушь тайги, куда, по существу, не было никаких путей. Ибо нельзя же признать за дорогу поездку на узком, вертящемся стружке (лодка из выдолбленного дерева) вверх по быстрой, горной реке, где можно было двигаться, отталкиваясь от дна шестами. И так ехать не один, не два, а триста километров. Уехал туда, чтобы выучить грамоте крестьянских ребятишек, быть пропагандистом народной власти. Сотни учеников Ивана Григорьевича, дети и внуки этих учеников трудятся сейчас в разных уголках страны, а сам он, награждённый орденом Ленина, ушёл на пенсию в возрасте около 80 лет, и то только потому, что зрение стало сильно сдавать. Ему было уже далеко за 70, когда он вынужден был ежедневно ходить пешком в свою школу, которая отстояла от его дома почти на 6 километров. В слякоть и дождь, в ветер и холод аккуратно выхаживал он свои километры, показывая пример своим воспитанникам и в точности, и в пренебрежении к трудностям.

Именно пример брата, его влияние сыграли главную роль в судьбе моей старшей сестры Аси. Окончив гимназию в 1918 году, также с отличием и имея все возможности остаться работать в Киренске или поехать в Иркутск учиться, она, набрав чёмодан книг, бесстрашно поехала учительствовать в такое далекое село, где школьных учителей никогда не видели в глаза, где вечерами все сидели при лучинах и чужих людей встречали редко, при этом словно бы даже удивлялись, что где-то может быть совсем иная жизнь. Больше недели добирались они на таком же стружке вверх по течению по несудоходной реке Киренге к месту назначения, в деревню Ключи Казачинско-Ленского района, что на 200 километров отстояла от Киренска.

Три года проработала она в этой деревне и только после этого, выйдя замуж, в 1921 году поехала в Иркутск, где и закончила педагогический факультет университета.

А наши военные и послевоенные годы... Сколько беззаветных тружеников отдавали не только своё время, но и всю свою жизнь делу воспитания, обучения юных граждан нашей страны. Опять не надо далеко ходить за примерами: Тамара Фёдоровна Заварзина, мама моей жены, закончив среднюю школу, поступила в педагогический институт, и хотя имела большое влечение к русской литературе, по настойчивой просьбе Отдела народного образования, остро нуждавшегося в математиках, пошла на математический факультет, окончив который стала работать в средней школе Донбасса. Годы оккупации. Пряталась вместе с детьми, убегала в дальние деревни, страшно голодала, но не пошла работать на немцев. Тридцати лет, проводив мужа на войну, осталась с двумя малолетками и, не дождавшись мужа, погибшего под Киевом, и не выйдя больше замуж, работала учительницей, одна воспитывала своих детей. В тяжёлое послевоенное время, когда не хватало учителей, она вынуждена была работать не только в дневную, но и в вечернюю смену.

И все мои знакомые учителя, как правило, люди, одержимые идеей добра. Они не думают о собственном благополучии. Даже в самое трудное время никто из нас никогда не слыхал от своих учителей ни намека на трудности жизни. Они внушали нам личные заботы ставить после интересов своего народа, своего любимого дела.

Через всю жизнь и всю воспитательскую деятельность народного учителя шло воспитание правдивости, презрения ко лжи, к тем, кто стремится сделать что-то незаконное, получить незаслуженное. Как много хороших людей обязаны своим учителям, что они стали такими. С благодарностью вспоминают они своих наставников — скромных и душевных людей, воспитывающих в человеке честность и человеческое достоинство.

У нас любовь к народной учительнице является традиционной, и каждый, кто позволяет себе без уважения отозваться о ней, особенно без основания её обидеть, оскорбить или, грубо выражаясь «облить грязью», рассматривается как человек недостойный, ограниченный, с низкой культурой и лишенный благородства. В одной из книг нашего современного автора, фамилию которого я по тактическим соображениям не называю, я прочитал, как герой рассказа без всякой необходимости, что называется походя, оскорбил и унизил сельскую учительницу. Он ни слова не сказал о ней как о воспитательнице детей, — он грубо вошёл в её интимную жизнь и пошло оскорбил её. Было стыдно за автора, допустившего подобное по отношению к женщине, да ещё народной учительнице.

Горький писал, что благородство мужчины определяется по его отношению к женщине.

В таком же духе высказывался Л. Н. Толстой и другие наши великие писатели. Во всей русской классической литературе нельзя найти произведение, где бы в адрес женщины было бы допущено недостойное выражение. В современной литературе можно выявить два подхода к женщине. Такие, как И. М. Шевцов, С. А. Борзенко, и многие другие русские писатели, с глубоким уважением и теплотой пишут о русской женщине, её роли и значении, её поведении, высоких моральных качествах. Наряду с этим в отдельных произведениях проскальзывает этакий скрытый, а то и явный цинизм, неизвестно чем вызванный. Может быть, отвергнутые в своё время той или иной женщиной, они не поднялись над личным ощущением и перенесли это на женщин вообще, допуская тем самым грубейшую ошибку. Ибо для настоящего писателя недопустимо какой-то исключительный случай вольно иди невольно обобщать и тем самым наносить оскорбление женщинам.

Известно, что художественное произведение имеет свои законы. Оно освещает типичное в типичных условиях. Вот почему талантливый писатель не позволит сказать ни одного обидного слова о русской женщине, покрывшей себя неувядаемой славой как в войне, так и в труде, как носительнице самых высоких нравственных идеалов, принципов нашего народа.

Конечно, и в учительскую среду могут попасть малодостойные люди, но здесь надо говорить об их роли воспитателя, а не судить о них через замочную скважину. Одно несомненно, что те учителя, которые нарушают принципы справедливости, наносят непоправимую травму ребёнку.

Как-то по просьбе матери я пошёл на собеседование с классным руководителем ученика Володи. Средних лет женщина сидела в самом уголке класса, и к ней подходили родители её учеников. Это — классный руководитель Володи. Не буду указывать её фамилию, ибо она и до сих пор здравствует и пребывает в той же должности. В ожидании своей очереди я стоял недалеко от учительницы и с интересом прислушивался к её беседе с родителями.

Вот подошла и как-то неуверенно, застенчиво села скромно одетая женщина, по виду из рабочих.

— Ваш Ваня не очень хорошо успевает, — вежливо, но довольно безучастно проговорила учительница, услышав фамилию ученика. — У него много троек, занятия ему даются нелегко. Он с трудом закончит десятый класс. В вузе ему будет учиться невозможно. Я бы посоветовала ему сразу, даже не пытаясь поступать в институт, идти в ПТУ. Сейчас рабочий класс в моде. Получив профессию, он будет неплохо зарабатывать.

— Да-да! Конечно, конечно, — соглашалась мать Вани.

Вот подсела к столу другая. Она одета тоже скромно, но со вкусом. Держится свободно.

— Ваша дочь, — тем же спокойным, вежливым тоном продолжала учительница, — хотя и учится неплохо, троек у неё нет, но учение ей даётся с большим трудом. Вы уж мне поверьте, я знаю детскую психологию, — настаивала она, переходя на более доверительный тон. — Сейчас имеются прекрасные ПТУ, где она может получить хорошую специальность.

— Но я бы хотела, чтобы Маша, как и я, стала учительницей.

— Нет, вы не знаете вашу дочь. Вы переоцениваете её силы и здоровье. Они у неё слабые. Конечно, вы как знаете, — заговорила она, видя явное несогласие матери, — но я вам по-дружески советую, жалея Машу, к которой я очень хорошо отношусь, не тяните её в вуз. Ей легче будет учиться в ПТУ.

Мать ушла расстроенная. Слова учительницы внесли целую бурю в её душу, зародив сомнения и неуверенность.

Подошла и грузно опустилась на стул полная, богато, но безвкусно одетая женщина. Учительницу как подменили, она разулыбалась. Куда девалось её равнодушие.

— Ваш Роберт — прекрасный мальчик. У него гениальные способности. Правда, он нахапал четверок и даже троек, но это у него от излишней самоуверенности. Знает свои способности и бравирует ими. В будущем это будет большой учёный. Его надо готовить в университет.

Подошла и моя очередь.

— Бэла Семёновна, я от Володи С. Мама его не смогла прийти, просила меня побеседовать.

Лицо преподавательницы снова приняло бесстрастное выражение.

— Володя учится очень средне. У него есть тройки. У него плохие способности. Кроме того, он ведёт себя нескромно.

— В чём же это выражается?

Да вот, например, на уроке литературы я спросила его, какие поэты ему больше всего нравятся? Он ответил: Пушкин и Лермонтов. «А Евтушенко?» — спросила я его. «Евтушенко мне не нравится!» Вы можете представить себе такую наглость? Евтушенко ему не нравится. Ну, конечно, я сразу же поставила ему двойку. Короче — мы не будем рекомендовать Володе поступать в вуз!

— А если он всё же будет настаивать?

— Мы дадим ему плохую характеристику.

К слову сказать, она выполнила свою угрозу.

Конечно, при таком несправедливом отношении к ученикам, которые это хорошо видят и тяжело переживают, школа не может дать хорошего воспитания юноше и девушке, но, к счастью, подобные педагоги редки.

Как всякий великий человек, А. С. Пушкин был страстным патриотом России. Осенью 1836 года имя его было уже окутано густой сетью сплетен и придворных интриг, за напечатание философического письма Чаадаева был закрыт журнал «Телескоп». Признавая правильность тревоги за будущее страны, Пушкин отвергал мнение автора, будто Россия не имела своего литературного прошлого, не имела своих духовных вождей. «...Клянусь честью, — отвечал с грустью Пушкин, — что ни за что на свете я не хотел бы переменить отечество или иметь другую историю кроме истории наших предков...» Пушкин говорил с такой гордостью о России, не будучи в состоянии привести в доказательство славы нашей Родины то, что можем сказать мы: Россия дала миру Пушкина, и его имя — это символ колоссальных потенций русской культуры и самого русского народа. С середины XIX века ни одно событие в русской культуре, в русской литературе не происходило без чарующего влияния пушкинского слова, его всеобъёмлющего гения, без его отзывчивости и пропаганды общечеловеческих гуманных идей.

Несмотря на мировое значение, Пушкин является прежде всего поэтом русским. Гоголь писал: «Право называться писателем национальным решительно принадлежит ему...»

Учителя учили нас, что Пушкин бессмертен, потому что не умирают высокие нравственные идеалы, потому что всегда поучительны самоотверженные уроки чести, потому что вечны великие примеры человеческого мужества и душевного благородства. Белинский писал: «Читая пушкинские произведения, можно превосходным образом воспитать в себе человека. Ни один из русских поэтов не может быть таким воспитателем юношества, образователем юного чувства, как Пушкин... Не потускнели оставленные им традиции, не устарели выполненные им нормы литературно-художественного языка».

Если бы мы имели только одного Пушкина, то и в этом случае мы могли бы гордиться нашей Родиной и оберегать нашу историю. Мы же кроме Пушкина имеем целую плеяду блестящих поэтов и писателей, стоящих на уровне и даже выше мировых имен: Лермонтов и Некрасов, Толстой и Достоевский, Тургенев и Чехов, Шолохов и Леонов и многие-многие другие. Но не только в литературе русские прославили свою Родину. Какую бы отрасль человеческого бытия мы ни взяли — русские оставили в ней неизгладимый, прогрессивный след. Ломоносов и Менделеев, Мечников и Павлов, Суворов и Кутузов, Циолковский и Гагарин.

Как же нам не беречь историю русского народа, историю России, столь поучительный пример для людей всей земли.

Именно проявлением величия являются многочисленные законы, изданные ещё при Ленине, по которым берётся под охрану государства всё то, что говорит о его истории, о патриотизме. И просто как вандализм и человеконенавистничество выглядят такие факты, как разрушение квартиры Пушкина на Кутузовской набережной, дачи и квартиры Ломоносова и других исторических зданий, являющихся святыней русского народа.

Великий писатель Шарль Де Костёр, зачинатель бельгийской национальной литературы, говорил: «Народ умирает, если он не знает своего прошлого».

Наши русские учителя прежде всего и остаются навечно в сердцах своих учеников тем, что они воспитывают в них любовь к своей Родине, к её истории и культуре, и прежде всего к Пушкину, который, по выражению Есенина, «сам русской стал судьбой».

И тот из учителей, кто пытается как-то исказить, принизить иди замолчать Пушкина, рискует на всю жизнь оставить после себя недобрую память.

Говоря о врачах и учителях, я не могу не подчеркнуть ещё раз их самоотверженный труд. По своей клинике могу сказать, что редкий врач, начиная работу в строго определённый час, уходит с работы согласно расписанию. Всегда находятся какие-то больные, требующие дополнительного внимания, из-за чего врач уходит со службы на много часов позднее, а нередко остаётся у постели больного и на сутки, и больше, без всякой компенсации. А кроме того, как я уже говорил раньше, ему необходимо обязательно прочитать или хотя бы просмотреть литературу по тому или иному больному. Когда он может это сделать? Только в свой выходной день, только за счёт отдыха и личных неотложных дел, потому что он работает все шесть дней в неделю. А ведь многие из них имеют совместительство, рабочий день удлиняется.

Необходимо также разгрузить женщину-мать, создать необходимые социально-бытовые условия для того, чтобы в каждой семье было по 2—4 ребёнка, это, мне думается, уже по силам нашему государству. Пусть мужчины перестанут пить и вместо этого отработают 2—3 часа за женщин, и это компенсирует их пребывание с детьми.

Женщина вообще находится в более трудных условиях, чем мужчина.

Я всегда, с ранней молодости, восхищался русской женщиной и много читал о её страданиях, подвигах и достоинствах. Ни в одной стране не воспета женщина своими лучшими поэтами и писателями так, как она воспета в России. Классические слова великого нашего певца Некрасова о русской женщине волнуют нас и поныне, ибо она за это столетие ничего не потеряла из своих великолепных качеств, а наоборот, обогатилась, получив образование и приобщившись ко всем сторонам государственной и политической жизни.

> Пройдёт — словно солнце осветит,
> Посмотрит — рублем подарит!..

Светлый образ русской женщины покоряет. А ведь она в то время была крепостной крестьянкой. Тот же Н. А. Некрасов о ней скажет:

> Три тяжкие доли имела судьба,
> И первая доля: с рабом повенчаться,
> Вторая — быть матерью сына раба,
> А третья — до гроба рабу покоряться.
> И все эти грозные доли легли
> На женщину русской земли.

Декабристки, оставляя дворцы и роскошь, шли в Сибирь за своими мужьями и женихами, разделяли с ними все тяготы каторжной жизни.

Когда иркутский губернатор, имея приказ чинить препятствия жёнам, едущим к своим мужьям, упрекал княгиню Трубецкую: «И что же: Бежите Вы за ним, как жалкая раба!» — она гордо ему ответила:

> Нет, я не жалкая раба.
> Я женщина, жена!
> Пускай горька моя судьба —
> Я буду ей верна!
>
> Когда бы он меня забыл
> Для женщины другой,
> В моей душе хватило б сил
> Не быть его рабой.
> Но знаю: к Родине любовь —
> Соперница моя,
> И если б нужно было вновь —
> Ему б простила я!..

А. С. Пушкин восхищался подвигом декабристок и в беседе с княгиней Волконской, уезжавшей к мужу, говорил:

> Поверьте, душевной такой чистоты
> Не стоит сей свет ненавистный!
> Блажен, кто меняет его суеты
> На подвиг любви бескорыстный!

Русская женщина и в годины бесправия и произвола, и на вершине общественного положения, и в крепостном подчинении всегда стояла рядом с мужчиной не как раба, не как фетиш, который на словах превозносили и которому преклонялись, а на деле ни во что не ставили, — нет, она всегда — друг и товарищ мужчины во все периоды жизни народа.

Ныне циники любят злословить о непостоянстве характера женщины и якобы её извечной тяге к любовным приключениям, к неверности. Ничего нет отвратительней этой невинной с виду, но в сущности мерзкой клеветы. Мне как-то попалось стихотворение малоизвестного современного поэта Македония Федотовских «Нюрка-дурочка» — я был несколько удивлен названием стихотворения, но, прочитав его, изумился его силе и правдивости.

Приведу его почти полностью:

> В сорок первом для тебя, невесты,
> В милом замыкался мир земной.
> Только милому пришла повестка —
> Восемь строк, подписанных войной.
> Провожала в кофте васильковой,
> За селом стояла дотемна...
> Воин Дмитрий! Где твой взвод стрелковый?
> Знал бы ты, как ждёт тебя жена!
> Принесли беду-бумагу на дом,
> Что убит ты — в Познани лежишь.
> Не взяла. Ответила: «Не надо,
> Это все неправда... Митя жив!»
> И когда обедать накрывала —
> Всем вестям назло, назло судьбе
> Хлеб и ложку рядом мужу клала.
> Словно вот придёт он на обед...
> Воин Дмитрий! Аннушку за верность
> Девки Нюркой-дурочкой зовут.
> Встань, солдат! Встань, вырвись из могилы
> И приди. Без ног, без рук — любой.
> Анна ждёт. На шаг не отступила,
> Выдержала самый главный бой.
> От ветров скрипят тоскливо двери.
> Прясло пало — времени печать...
> Слышишь, Митя! Анна в смерть не верит,
> Вот опять пошла тебя встречать!
> В сохранённой кофте васильковой
> За село уйдёт, и не зови.
> Ждёт — стоит. Строга, седоголова...
> Светлый символ горестной любви.

Нашим юношам и девушкам надо знать о тех обычаях и традициях, которые веками создавались в русском народе и которые помогали воспитывать наших людей благородными и честными. Так, у нас утвердилась хорошая традиция, говорящая о глубокой внутренней культуре народа: во все века, даже во время крепостного права, отношения между мужчиной и женщиной, мужем и женой, юношей и девушкой всегда складывались на принципах равенства и глубокого взаимного уважения. Особенно трогательным всегда было отношение юноши к девушке. Оно говорило о чистоте его помыслов и искренности их отношений. Приходится лишь удивляться, откуда наши предки, в основном неграмотные люди, жившие в бедности и бесправии, — откуда они черпали эти светлые позиции, которые и поныне, в век сплошной грамотности и культурной революции, могут явиться образцом для нашей молодёжи.

Вспомните, с какой нежностью в украинской песне батрак обращается к своей любимой девушке. Он просит выйти её в «гай», но чтобы она не замочила ножки и не простудилась, он ей говорит: «Я ж тэбэ ридную аж до хаты-ночки сам на руках виднесу!»

Юноша физически сильнее, выносливее девушки. Так создала его природа. Девушка же, наоборот, нежнее, ласковее, слабее. И он, как рыцарь, как джентльмен, должен всегда это помнить. Тот, кто обидит, оскорбит девушку, допустит недозволенное, тот покроет себя позором, и каждый, кто имеет хоть каплю мужской гордости, осудит его.

Существуют во всём мире хорошие традиции, по которым мужчина оказывает знаки уважения к женщине. Они основаны на отношении человека к тому, что всего дороже для него. А для любого человека самым дорогим человеком является мать, и не отдать должное матери, не поклониться ей до земли может только плохой человек. Оказывая другой женщине знаки уважения и преклонения, человек оказывает их чьей-то матери или будущей матери...

Каждый, уступая место женщине или оказывая ей другие знаки внимания, подумает о том, что другой мужчина или юноша сделает то же по отношению к его матери, сестре, жене.

По тому, как ведёт себя мужчина, особенно юноша, по отношению к женщине или девушке можно безошибочно судить о его внутренней культуре.

Русские традиции, если к ним внимательно присмотреться, разумно направлены на защиту женщины как основы народа. Народ, который не бережёт женщину, обрекает себя на постепенное вымирание. Потому-то как в прежние века, так и ныне государственный ум проявляется прежде всего отношением к женщине и будущему потомству. Президент Франции де Голль показал себя именно таким деятелем: период его правления отмечен значительным ростом населения Франции, которое до этого уже давно прекратило свой рост.

Нашу молодёжь волнуют большие государственные проблемы — в этом нет ничего удивительного, это всегда было характерно для русского студенчества.

Молодёжь задумывается, почему в наше время в некоторых районах страны нет большого прироста населения. Некоторые социологи, журналисты на Западе нас уверяют: земля уже перенаселена людьми, а потому тут нет причин для беспокойства.

Нет, нас такие речи не собьют с толку. Поэт И. И. Кобзев, обращаясь к русским женщинам, написал очень хорошее стихотворение, которое заканчивается словами:

Русские женщины! Русские матери!
Кто же поможет вам, кроме детей?
Я говорю вам — побольше рожайте вы
Рослых, могучих богатырей!

Если возникла такая проблема, если народ начал её сознавать, то можно не сомневаться, что будут приняты меры по увеличению рождаемости населения в тех республиках, где рост населения резко замедлен, и что наши мероприятия в этом вопросе будут значительными.

В России женщина всегда была равноправна с мужчиной в семье, какие бы формальные права ни устанавливались законом, и искреннее чувство дружбы, симпатии, стремление защитить, уберечь её от трудностей всегда было господствующим в нашем народе. Может быть, мы отставали от других стран во внешних проявлениях наших чувств к женщинам, но зато по фактическому равноправию женщины, по глубокому, искреннему уважению к ней наш народ всегда мог быть примером.

Вспомним, каким уважением пользовались наши медицинские сёстры, первой среди которых была севастопольская Даша.

Первый и долгое время единственный женский медицинский институт был открыт в нашей стране в конце

XIX столетия. Несмотря на реакционную сущность царского правительства, общественность показала своё истинное отношение к женщине, добившись осуществления этой акции, имеющей международное значение и оказавшее огромное влияние на развитие борьбы за эмансипацию женщины во всём мире.

Сейчас, когда женщина не только юридически, но и в суровой жизни доказала своё равенство с мужчиной, наша задача заключается в том, чтобы эти новые отношения закрепить, облагородить и сделать их традицией. И пусть никого не смущает тот факт, что некоторые женщины, получив образование, какое-то время не работают, отдают себя семье и воспитанию детей. Образованная женщина, если она уделит больше внимания детям, принесёт пользы, может быть, не меньше, а больше, чем выполняя ту или иную работу на службе. И если русская мать, будучи в своей основе неграмотной, воспитывала людей с прославленным «русским характером», то можно не сомневаться, что, получив образование, русская женщина в вопросах патриотизма, любви к Родине сделает ещё больше. Примером тому являются наши выдающиеся люди прошлого, писатели, учёные, полководцы, врачи, педагоги.

6 | На Родине

1

Никогда не порывал я связи с Киренском, с земляками — они писали мне письма, и я всегда отвечал на них. Мальчишки из школы, где я учился, попросили дать совет, что делать, чтобы в будущем стать настоящими мужчинами? Я им подробно ответил, и мой ответ опубликовали в местной газете. Началась переписка...

С тех пор как я покинул Киренск, мне довелось побывать в различных уголках нашей страны, почти во всех столицах союзных республик. Неоднократно выезжал за границу. Однако где бы я ни был, сколько интересного ни повидал, всегда думал: «Да, здесь красиво, хорошо. Но разве может эта красота сравниться с той, что у нас на Лене?! Да, здесь есть прекрасные люди. Но разве могут они быть ближе и роднее людей из наших краёв?!» И с годами меня всё больше тянуло в Киренск.

Зов сердца словно был услышан: пришло приглашение посетить родной город.

В 1975 году в поезде Москва — Владивосток мы с женой ехали через Иркутск. Меня известили, что там будет проходить читательская конференция по книге «Сердце хирурга», и я решил на ней побывать.

Из окна вагона подолгу смотрел на открывающиеся виды; прошлое ярко всплывало в памяти, и я невольно сравнивал его с настоящим. Разительные перемены! Душа наполнялась гордостью за наш народ, который не только победил в самой жестокой войне, какую знало человечество, но и сумел преодолеть невероятные трудности послевоенных лет, залечить раны и шагнуть так далеко вперёд.

Все свидетельствовало о том, что Сибирь быстрыми темпами наращивает промышленный, сельскохозяйственный, научный, культурный потенциал. Эта главная кладовая страны готовилась занять ведущее место в экономике.

В 1957 году было организовано Сибирское отделение Академии наук СССР. Оно включает Восточно-Сибирский, Бурятский, Якутский, Томский и Красноярский филиалы, 51 научное учреждение, 3 конструкторских бюро, опытный завод, свыше 70 станций. Президиум отделения, расположенный в Новосибирске, дал городу новую жизнь.

В 1970 году здесь открылся филиал Академии медицинских наук. Было выделено дополнительно 20 ставок для её действительных членов, и мы с большим удовлетворением избрали в академики крупнейших учёных Сибири, возглавивших в местных институтах важные направления исследований.

Позднее напротив Новосибирска, на противоположном берегу Оби, выросли красивые, целесообразно спланированные здания — Сибирский филиал ВАСХНИЛ.

Множит свою славу Томск — издавна сложившийся научный центр, где на высоком уровне поставлено преподавание в пяти вузах. Заслуженной известностью пользуется Томский университет, основанный в 1888 году, его знаменитый ботанический сад.

Сейчас уже трудно поверить, что представлял собой раньше Иркутск. В 1661 году начало ему положил Иркутский острог; поселение постепенно разрасталось, приобретало городские черты, но только при Советской власти город по-настоящему расцвел. Его лицо определяют развитая промышленность, сеть вузов, подразделения СО АН СССР. Иркутск можно назвать городом студентов. В Университете имени Жданова, политехническом и педагогическом институтах обучается примерно 34 тысячи человек. И это не считая других высших учебных заведений!

Вместе с этим нельзя было не отметить некоторые моменты, может, и не столь значительные, но которые мне как врачу бросились в глаза. Они, по мере нашего культурного роста и развития, становятся не только более заметными, но и, главное, более нетерпимыми.

Через окно быстро идущего поезда я видел немало картин, которые меня глубоко взволновали. Вдоль полотна железной дороги, а также между станциями и даже в городах и населённых пунктах можно иногда видеть женщин, занятых на земляных работах. Даже в Ленинграде я видел, как в наших дворах женщины выполняют работу, которую должны бы выполнять мужчины. Они убирают снег, работают тяжёлыми ломами, скалывают лед, таскают чаны с пищевыми отбросами и т. д., что по физическому строению женщина не должна выполнять.

Некоторые наши издатели страшно боятся пропустить в печать упоминание о недостатках или упущениях, предпочитая сообщения типа победных реляций. Однако ни для кого не секрет, что своевременное освещение, в той или иной форме, недоделок мобилизует народ, в то время как постоянное упоминание о победах расслабляет нас и не нацеливает на борьбу с трудностями. Очень правильно сказал Л. М. Леонов: «Не странно ли, что после стольких, почти вчерашних уроков мы подчас не учитываем мобилизующее действие трезвого пессимизма?.. Сия похвальная способность живо вообразить возможную изнанку приятных картин, хотя и способная омрачить тихие радости, полученные от рыбалки и бесед, всё же представляется мне далеко не бесполезной в нынешнем мире, сплошь в минных полях, волчьих ямах да ноголомных трещинах».

Почти сорок лет я не проезжал по центральной, т. е. нечернозёмной полосе России. За эти годы часто бывал в наших южных и западных республиках, видел их бурный рост и стремительное нарастание благосостояния. На Украине происходила разительная перемена: вместо землянок и белых мазанок, сделанных из кизяка и глины, выросли цветущие сёла с кирпичными домами, садами и огородами. Однако в центральной нечернозёмной части России, по которой я проезжал, эти изменения были более скромными. Очень жаль, ибо центральная Россия, основную часть которой составляет нечернозёмная полоса, явилась первоначальной основой формирования Русского государства, основным очагом русской национальной культуры. Отсюда шло расселение русских людей по огромной стране. Расселение исторически прошло как распространение хлебопашества. Не насилием, не обманом смогли русские закрепиться и пустить корни на освоенных землях, трудом сплотили они все меньшие народности. Силой и правом труда объясняется нравственное первенство России в содружестве наших народов. Известно, что основные трудности становления и защиты нашего государства взял на себя русский народ, чтобы все граждане пользовались благами большой страны.

Мы пережили разрушительную войну. Было время, когда Украина, Белоруссия лежали в развалинах, и партия обратилась к обескровленному и голодному русскому народу с призывом отдать всё на восстановление братских республик. И хотя половина России тоже была в развалинах, она отдавала последнее своим братьям. Во всех республиках налажена богатая духовная и культурная жизнь. Это заметно туристам, об этом пишут в специальных исследованиях. Мы все понимаем, что особого внимания заслуживает центральная Россия, которая издавна является ядром Русского централизованного государства. Как говорил Д. И. Менделеев: «Им сложилась и живёт вся Россия».

Центральная Россия — важнейший очаг русской духовной культуры. Здесь веками накапливались огромные духовные ценности. Она славится своими архитектурными шедеврами, крупнейшими в мире книгохранилищами, театральными школами, получившими мировое признание. С этим районом нашей страны связана жизнь и деятельность многих великих сынов России: Толстого, Чайковского, Есенина, Тургенева. Центральный район — родина Пушкина, Радищева, Некрасова, Островского, Глинки, Мичурина, Циолковского, Павлова, Пржевальского, Гагарина. Здесь творили Баженов, Казаков, Воронихин и другие. В центральном районе начинаются истоки национальной русской культуры, оказавшие огромное влияние на развитие литературы, живописи, зодчества, музыки, театра, хореографии в нашей стране. Здесь же, в центре России, не раз за многовековую историю нашей родины решалась судьба государства, русского народа: Куликовская битва, положившая начало освобождению от ненавистных татаро-монгольских набегов; Бородинское сражение, сломившее хребет агрессору, захватившему всю Европу; великая битва под Москвой, развеявшая миф о непобедимости фашистской армии.

По числу жителей это и поныне самый крупный экономический район СССР. На этой земле издавна концентрировалось население, находившееся здесь во времена татаро-монгольского ига и польско-шведской интервенции.

В эпоху формирования многонационального государства центр был основным очагом расселения русского народа.

Эти мысли не покидали меня в пути, когда я ехал по центральной части России. Проезжая мимо деревень и сёл Сибири, я надеялся, что, когда я отъеду от железной дороги в глубь Сибири, я лучше узнаю о том, как росла и развивалась Сибирь за те 40 лет, что я отсутствовал.

...На вокзале нас встречала сестра Ася с детьми и внуками, делегаты от университета, где я учился, писатель В. М. Шугаев с супругой, а также некоторые мои бывшие пациенты.

Из гостиницы на берегу Ангары, в часы нашего короткого пребывания в номере, мы любовались могучей рекой, пленённой красавицей Иркутской ГЭС, прекрасным мостом, соединившим районы на манер магистрали. Кстати, сорок лет назад тут был лишь понтонный мост, убираемый на зиму. Сам город значительно разросся, преимущественно за счёт окраин, застроенных домами современной архитектуры; старые улицы изменились сравнительно мало.

Книга «Сердце хирурга» предварительно разбиралась в студенческой газете, где было напечатано и моё письмо студентам, а также на различных студенческих собраниях. Поэтому большинство присутствующих на конференции, человек четыреста, знали существо вопроса и вели себя активно.

В зале оказались мать и сын Васильевы. О Викторе я писал в книге. Двадцативосьмилетним он приехал в Ленинград в состоянии крайнего истощения, с множественными абсцессами левого лёгкого. У него не было ни направления, ни вызова, было только безысходное отчаяние.

Первой выступила мать. По её словам, за истёкшие после операции двадцать лет Виктор ни разу не болел. А сын встал, поклонился нам и аплодировавшим и подтвердил, что совсем здоров. Такая «живая иллюстрация» внесла оживление в обсуждение книги; читательская конференция прошла в сердечной дружеской атмосфере.

На следующий день я побывал в хирургической клинике, где меня попросили проконсультировать больных, затем навестил Асю и некоторых знакомых.

Нас сопровождал главный хирург области Евгений Авраамович Пак, кореец по национальности. Он же организовал нам поездку по Байкалу с посещением острова Ольхон. Мне хотелось повидать там одну бурятку.

...Учительница Мария Егоровна Иршутова из ольхонского посёлка Хужир однажды заявилась в Ленинград и вместо положенных документов держала в руках номер журнала «Молодая гвардия» с моими воспоминаниями. С этой вот «рекомендацией» она обратилась в клинику. Речь шла о её сестре, которая страдала пороком сердца в очень тяжёлой форме и фактически погибала: как безнадёжную, сестру никуда не брали на лечение. Причём из рассказа следовало, что больной не одолеть долгую дорогу. От своего имени я адресовался к заведующему терапевтической клиникой Иркутского медицинского института с просьбой поместить женщину к нему в стационар, обследовать и по возможности вывести из тяжёлой стадии. Как только ей станет лучше, примем к себе и будем думать об операции.

Марию Егоровну тронула наша забота, и, уезжая, она приглашала в гости. Через какое-то время известила, что была с моим письмом у профессора-терапевта, нашла там полное понимание.

«Сейчас еду за сестрой и о результатах её пребывания в клинике буду вам аккуратно сообщать», — писала она последний раз. После этого я от неё ничего не получал, удивляясь её молчанию. Положила ли она сестру в клинику? Что было потом? Жива ли вообще больная?.. Вопросы повисли в воздухе. Надеясь теперь познакомиться с людьми, живущими на Байкале, я рассчитывал хоть что-то узнать о судьбе своей несостоявшейся пациентки.

Путешествовать по озеру предстояло на небольшом катере с командой из трёх человек в обществе пяти-шести пассажиров. Рано утром мы двинулись вверх по Ангаре. Было начало июля. В Иркутске стояла хорошая, солнечная погода, однако мы вскоре почувствовали, что тёплые вещи,

которые мы захватили с собой, нам не помогают. Климат
давал о себе знать.

Шестьдесят километров, что отделяли нас от Байкала,
одолели незаметно. Благодаря плотине вода в Ангаре
у Иркутска поднялась довольно высоко, отчего прежде столь
бурная река «смирилась», и мы шли как по тихому плесу.
Только около Байкала течение сделалось быстрее.

Любовались огромным камнем посреди Ангары, у самого истока. По легенде, старик Байкал рассердился на свою
дочь, которая побежала навстречу Енисею, и бросил в неё
этот камень. Вода в Ангаре, как и в Байкале, чистая и про-
зрачная. На глубине в десять и более метров на дне видна
десятикопеечная монета.

Находиться на палубе долго было невозможно: прони-
зывал холодный ветер, дующий из ущелий.

Мы плыли до позднего вечера, а когда стемнело, завернули в бухточку, где уже стояли другие суда. Члены коман-
ды сели в лодку, забросили две-три небольшие сети.

Утром мы были на палубе до восхода солнца. И не пожалели, что встали рано. Вокруг расстилалась зеркальная
водная гладь. Но вот на востоке слегка заалело, и природа
стала просыпаться. На наших глазах менялись цвета обла-
ков. Ледяная вершина горы засветилась радужными краска-
ми. В небе ярко загорелась утренняя заря.

Подъехали на лодке наши «рыбаки», привезли ведро свежих омулей, хариусов, линей. Тут же на борту принялись их
чистить и варить. На палубе соорудили импровизированный
стол. Нас пригласили завтракать.

Часам к двенадцати показался остров Ольхон (длиной
90, шириной от 5 до 12 километров). Пройдя какое-то время
вдоль его берегов, остановились у посёлка Хужир. Это сравнительно крупный посёлок, насчитывающий до двух тысяч
жителей. Приблизительно половина из них русские, половина — буряты. Население рыбачит, трудится на рыбозаво-
де, обрабатывающем колхозные уловы. Лесов на острове
немного, преобладают степи, где пасутся стада овец и оле-
ней. Сообщение с Большой землей летом — катерами, есть
даже понтонная переправа, а в распутицу и зимой — само-
лётами.

Пошли по посёлку. В центре села — двухэтажная школа-
десятилетка, в которой обучается около пятисот детей.

У одного из домов на лавочке увидели пожилую бурятку, покуривающую трубочку на длинном тонком мундштуке. Спросили, не здесь ли живёт Мария Егоровна Иршутова. Лицо женщины осветилось доброй, приветливой улыбкой.

— Да, здесь. Мы вас ждём. Телеграмму получили. Я Марусина мама. А сама Маруся уехала на пастбище, скоро вернётся. У нас такой обычай — встречать гостей свежей бараниной. — Говорила она по-русски не совсем правильно, но понятно.

Хозяйка позвала в скромно обставленную квартиру. А вскоре примчалась на мотоцикле и Маруся. В завязавшейся беседе я спросил о сестре. Она поведала печальную историю.

Накануне отъезда в клинику сестра Катя вознамерилась во что бы то ни стало принять ванну. Условий для этого в доме нет, надо было все организовать. Катя, у которой малейшее движение вызывало страшную одышку, вплоть до потери сознания, попросила мужа помочь. Он же, на её беду, был пьян. Налил больной женщине холодной, почти ледяной воды. В тот же вечер у неё возникла острая пневмония, и через несколько дней она скончалась.

Надо сказать, что принимать ванну людям с пороком сердца мы ни при каких условиях не рекомендуем. Если больной находится в крайней степени декомпенсации, то даже такая дополнительная нагрузка, как ванна, может кончиться трагически. В клинике тяжёлых пациентов мы не купаем, а прямо в постели обтираем влажной тряпкой — так, чтобы они не остывали и не испытывали физического напряжения.

Рассказывая, Мария Егоровна обливалась слезами. Она любила сестру и надеялась её спасти.

— Я уверена, что её удалось бы вылечить, если бы не этот ужасный случай, — заключила она.

К слову сказать, пьянство издавна являлось страшным бичом здешнего населения. До Октябрьской революции всякого рода проходимцы, спекулянты, авантюристы, пользуясь поголовной неграмотностью людей, усиленно спаивали их, выменивая на водку пушнину, оленину, рыбу. Пили взрослые и дети, мужчины и женщины. Водка, табак и болезни, особенно детские, приводили к вымиранию населения острова. Склонность к пьянству, к сожалению, сохранилась и до настоящего времени.

В продовольственном магазине в посёлке Хужир было очень много водки, которую отпускали не только взрослым, но и подросткам. При этом в магазине не было ни лимонаду, ни квасу, ни минеральной воды. И как мы убедились вечером, это даёт себя знать. Все присутствовавшие с нами на встрече учителя, рабочие и их семьи — мужчины и женщины — пили водку стаканами, отчего мне, глядя на них, становилось страшно.

Кстати, о безалкогольных напитках: не только в посёлке Хужир, у нас в Ленинграде вы можете пройти два главных проспекта на Петроградской стороне, где я живу, Кировский и Большой, и не сможете купить стакана кофе или чая.

Зато на обоих проспектах вы сможете на каждом шагу приобрести водку, коньяк, шампанское и вина всех сортов! Даже в кафе «Мороженое»! И после этого нам рекомендуют проводить антиалкогольную пропаганду! Но каждый в ответ на наши слова спрашивает: а что пить, если у нас в городе мало безалкогольных напитков? Там, где они есть, выстраивается такая очередь, что и пить не захочешь! Почему бы не сделать наоборот, т. е. чтобы за алкогольными напитками была бы такая очередь, а все безалкогольные напитки продавались бы свободно.

Мария Егоровна ушла хлопотать по хозяйству. Вскоре прямо во дворе расположилась многочисленная компания — нас окружили хозяева и соседи. Угощали национальными кушаньями, приготовленными из мяса, а также из крови барана. Потом пели сибирские песни. Поют буряты на русском языке, причём песни, которые я пел в детстве. Как известно, Иркутская область (в частности, Киренский район и верховье Лены) тесно примыкает к Бурятии, поэтому многие обычаи, традиции, в том числе и песни, оказываются общими. Вот мы и пели дружно наши сибирские песни, чередуя их рассказами о быте на острове.

Благодаря самолётам жители не чувствуют себя оторванными от страны, а их дети, закончив десятилетку, уезжают учиться не только в Иркутск, но и в Москву, Ленинград.

До позднего вечера мы пробыли в этой гостеприимной семье. Гуляли по острову. Подошли к подножию стоящего у воды огромного камня высотой до тридцати метров. Он зовётся здесь Шайтан-камень. Старики буряты считают его священным.

На берегу разложили костёр. Кто-то принёс свежих омулей, и их стали жарить на рожне. Это заострённая, как штык, палка из крепкого дерева (отсюда выражение «не лезь на рожон»). Получается своеобразный шашлык из рыбы.

В двенадцатом часу ночи вернулись на катер и тронулись в обратный путь. На сей раз увидели Байкал сердитым.

На следующий день, как было условлено, отправились из Иркутска на машине за семьдесят километров от города — в Лимнологический институт Сибирского отделения АН СССР. Он был создан для изучения Байкала. Принцип, которым руководствуются сотрудники этого института: изучать — значит сохранять.

Байкал уникален по целому ряду факторов. Прежде всего по запасам пресной воды. В нём сконцентрировано около пятой части мировых запасов. По чистоте и вкусовым качествам эта вода изначально не знает себе равных. Нам рассказывали, что японцы просили разрешения построить завод по разливу воды Байкала, чтобы в Японии продавать её как первосортный напиток.

Байкальскую воду сибиряки привыкли пить некипячёную, ценя к тому же её лечебные свойства. Я помню, что ещё студентом пил сырую воду из озера, если появлялись какие-то неполадки с желудком, и всё восстанавливалось.

Как объяснили нам в институте, вода Байкала естественным образом подвергается непрерывной обработке, проходя двойной биологический фильтр, который обеспечивают мельчайшие моллюски и водоросли. Те и другие — достояние только Байкала, и пока этот биологический фильтр серьёзно не нарушен, воде в нём ничто не угрожает.

Сотрудники института с горечью рассказали, что Байкал в этом смысле подвергается огромной опасности из-за сливания в него промышленных вод от бумкомбината, построенного недалеко от озера. И хотя по этому поводу возмущённая общественность нашей страны заявила решительный протест, комбинат остаётся на месте и загрязнённые воды поступают в Байкал.

Было вынесено компромиссное решение — устроить очистку сточных вод, а в доказательство того, что сточная вода действительно чистая и безвредная, руководители комбината демонстрируют рыб, живущих в этой воде. Но перед приездом комиссии они вылавливают всех мёртвых рыб и запускают туда свежих, чтобы ввести в заблуждение комиссию и сохранить комбинат ценой гибели Байкала.

Трудно поверить, чтобы во всей необъятной Сибири с её миллионами квадратных километров тайги не нашлось другого места для комбината, кроме как вблизи Байкала. Более того, оказывается, начато строительство второго такого же, а может быть, ещё более крупного. И где? А на реке Селенге, впадающей в Байкал! А эта река является главным нерестилищем знаменитого байкальского омуля. Если это так, если не будут приняты решительные меры в защиту Байкала, если не уберут от него всё, что его загрязняет и что ему вредит, погибнет и байкальский омуль, погибнет и биологический фильтр, очищающий воды Байкала. И превратится Байкал в обычное озеро.

— Сейчас же это самое уникальное озеро на Земле. В нём обнаружено более 1000 таких представителей фауны и флоры, которых нет нигде в мире, — заявили сотрудники института.

Однако на фоне общей индустриализации Восточной Сибири возник вопрос о строительстве предприятий непосредственно на Байкале. Вспыхнули острые дискуссии, сказали своё слово и мастера искусств — многим памятна двухсерийная картина режиссёра С. Герасимова «У озера». И всё же на берегу Байкала вырос мощный целлюлозный комбинат.

Директор Лимнологического института, член-корреспондент АН СССР Григорий Иванович Галазий неоднократно выступал в печати. Вот в общем виде то, о чём он говорил:

— Были приняты постановления партии и правительства о мерах по сохранению и рациональному использованию природных комплексов Байкала, но мало кто знает, что к подготовке этих важнейших документов самое прямое отношение имел Лимнологический институт. В «местных масштабах» конкретно помогают Иркутский обком партии и облисполком. Так, категорически запрещён молевой сплав древесины по рекам, впадающим в Байкал, и заменён автомобильными перевозками. Молевой сплав губителен для нерестилищ, что наряду с загрязнением рек промышленными стоками вызывает резкое сокращение омулевого стада. Сейчас на определённый срок прекращён плановый лов ценных пород рыб. Восстановлением их поголовья занимаются рыборазводные заводы, ежегодно выпускающие в озеро по нескольку сот миллионов искусственно выращенных мальков.

Казалось бы, на Байкальском целлюлозном комбинате предусмотрено всё, чтобы не вредить озеру, — его очистные сооружения недаром вызывают восхищение иностранцев. Стоимость этого, можно сказать, самостоятельного предприятия огромна. Но создаётся только видимость благополучия, поскольку временно разрешён льготный «стандарт» по качеству очищаемых стоков. В результате в Байкал проникают отравляющие минеральные и органические отходы — сульфиды и фенолы. При разбавлении в 50—100 раз стоки и после очистки вредны для обитателей Байкала и даже после разбавления в 10 тысяч раз вызывают изменения реакции у рыб. Необходимо немедленное совершенствование технологии, которое не на словах, а на деле положит конец загрязнению Байкала.

Давайте подсчитаем, во что это обходится народному хозяйству. Комбинат за сутки сбрасывает в озеро 250—260 тысяч кубических метров промышленных стоков, прошедших очистные устройства, и около 150 тысяч кубических метров условно чистых вод. Так называемые очищенные стоки ежесуточно выводят из нормы в 10 тысяч раз больший объём воды Байкала, то есть 2,5—2,6 миллиарда кубических метров. Если допустить, что население Советского Союза расходует в сутки столько, сколько в Москве (500 литров на человека), то оно за этот срок довольствуется 130 миллионами кубических метров. Байкальский же завод портит в 20 раз больший объём только «очищенными» стоками...

Если бы речь шла лишь об одном комбинате! В бассейне Байкала на главном притоке Селенги будет действовать Селенгинский целлюлозно-картонный комбинат, гигантский комплекс предприятий в Улан-Удэ, Джидинский вольфрамово-молибденовый комбинат, Гусиноозёрская ГРЭС и т. д. (теперь они уже введены в строй. — *Ф. У.*). В Селенгу обрушится столько стоков, что она не сможет обезвредить их естественным путём; загрязнённые воды поступят в Байкал и распространятся на площади свыше 1500 квадратных километров.

Лимнологический институт стоит на страже интересов уникальнейшего озера, пытаясь решать в единстве многообразие возникающих проблем. Взять того же омуля. Добиваясь запрета промыслового лова, учёные стремились воссоздать привычную обстановку и оптимальное поголовье омуля. В итоге численность омуля возросла, но темпы роста, плодовитость и упитанность снизились, и общая биомасса осталась почти неизменной. Нечто подобное произошло с нерпой, бычками и другими обитателями Байкала. По согласованию с Министерством рыбной промышленности и рыбного хозяйства задуман эксперимент: увеличить отстрел, сдержать размножение нерпы и понаблюдать, как это скажется на кормовом балансе и продуктивности озера. То есть мы хотим «добавить» корм для омуля. Тогда ему достанется больше бычков и голомянок. Учёные надеются, что дополнительная кормовая база, прекращение загрязнения озера и нерестилищ в реках вернут знаменитому деликатесу — омулю — его прежние качества.

Таким образом, институт закладывает основы управляемого рыбного хозяйства Байкала, без чего невозможна дальнейшая эксплуатация его природных ресурсов.

Нам стало ясно, что в институте трудится коллектив энтузиастов. Более чем кто-нибудь другой, они понимают все значение целостности экосистемы Байкала и борются за то, чтобы ей не был нанесён непоправимый урон.

До Киренска мы не хотели лететь самолётом, чтобы лучше видеть природу края, но иначе туда практически не попадёшь. От Иркутска до Качуга дорога в 240 километров тянется через горы и степи, от Качуга мелководными катерами по Лене добираются до Усть-Кута, оттуда идут уже большие пассажирские теплоходы. Можно было бы от Красноярска поехать прямиком на Усть-Кут по железной дороге, которая выстроена всего несколько лет назад и надёжно связала Лену со страной, но наш визит в Иркутск лишил нас такой возможности.

Итак, на самолёте мы полетели в Киренск с остановкой в Усть-Куте. Здесь начало БАМа. Заканчивалось строительство первого моста через Лену именно в районе Усть-Кута. Отсюда с 1974 года шагнула великая стройка. По трассе строительства летали вертолёты.

На аэродроме стоял вертолёт, готовый отправиться на ближайшую станцию БАМа. Пилоты предложили совершить с ними путешествие. Нас это очень соблазнило. Как и все советские люди, мы много слышали об этой «стройке века», осознавали её роль в развитии Сибири и Дальнего Востока.

В своё время в Якутске нам довелось посетить краеведческий музей, организованный ещё до революции просветителями, сосланными в Сибирь. Ныне он в значительной степени обогатился новыми экспонатами и превратился в один из богатейших музеев страны.

В музее были наглядно представлены несметные богатства республики. В недрах, по тем, ещё достаточно скромным, изысканиям, обнаружены руды цветных металлов, запасы угля, газа. Огромные территории покрыты лесом. Флору и фауну представляют виды, которые вряд ли ещё где-либо существуют в таком разнообразии. Мы смотрели тогда на все эти богатства и думали о том, как они мало доступны из-за гигантских расстояний и почти полного отсутствия дорог, ибо в Сибири в сторону от Транссибирской магистрали единственным связующим звеном были судоходные реки. А все, что между реками, находилось во власти гор и непроходимой тайги.

И вот БАМ — второй железнодорожный выход СССР к Тихому океану общей протяженностью 4300 километров. Трудно даже вообразить, как это будет способствовать хозяйственному освоений региона! Появятся территориально-производственные комплексы, усилится приток людей, вырастут новые города, посёлки, соединённые автомобильными трассами. Забурлит жизнь, какую не знала Сибирь.

Разумеется, нас тянуло посмотреть первые станции БАМа. Но мы уже дали телеграмму в Киренск, указали рейс самолёта, поэтому с сожалением отказались от заманчивого приглашения.

В Киренске нас встретили родственники и знакомые. Учитель из школы, где я учился, Иван Михайлович

Журавлев, патриот родного края, постарался, чтобы наше пребывание в городе было как можно интереснее и плодотворнее.

Киренск раздался вширь за счёт новостроек, но в общем изменился мало. Раньше он был на острове, образованном двумя рукавами реки Киренги, впадающей в Лену. Один из рукавов, Полой, как у нас его называли, засыпали и проложили дорогу к аэродрому, деревне Хабарове и другим деревням на правом берегу Лены, выше Киренги.

Сильно изменился речной флот. До революции по Лене плавало всего с десяток пароходов. Среди них — «Королонец» с большим задним колесом; на нём много лет работал мой отец. Да и в первые годы Советской власти «плавсредств» не хватало.

Основной задачей пароходства была доставка грузов, о перевозке пассажиров заботились во вторую очередь. Каюты на старых судах практически отсутствовали, люди ютились на палубах, устраиваясь где попало. А так как пароходы ходили редко, то каждый пассажир был счастлив попасть хотя бы на палубу. Об удобствах никто не думал.

Однако эту основную задачу — доставку грузов — пароходство выполняло лишь частично. Масса товаров, предназначенных для Якутии, Алданских и Бодайбинских приисков и Киренска, попадала туда самосплавом на специально создаваемых карбасах и паузках. Здесь тоже были свои трудности.

Самосплав возможен только в первые недели весны, сразу же после открытия навигации, в период половодья. Но очень скоро вода спадает, река в верховьях мелеет, и по ней уже не «пробраться» даже на карбасах. А на лодках много не провезёшь.

Потом появились мелкосидящие пароходы и баржи, которые могли подниматься далеко вверх по течению. Провели и продолжают проводить работы по углублению фарватера, чтобы вывозить грузы с верховьев Лены за время всей навигации. Постепенно подготавливались условия, позволившие совсем отказаться от «первобытных» карбасов и паузок.

Они были неудобны ещё и потому, что часто садились на мель. Снять карбас с мели не так-то просто. За несколько часов не управишься. К тому же надо перенести груз на другой карбас, который будет стоять посреди реки, загораживая путь и образуя пробку. Нередко карбасы разбивались о скалистые берега, содержимое их тонуло, что приносило большие убытки. А главное, требовалась лишняя рабочая сила. Это тоже серьёзная проблема.

Вот почему обогащение Ленского пароходства современными судами различных габаритов и разных уровней посадки создало благоприятные предпосылки для снабжения населения всем необходимым и для быстрой перевозки пассажиров.

После прокладывания авиалиний важным событием в жизни обитателей бассейна Лены стало строительство железной дороги Красноярск — Усть-Кут, что в 350 километрах от Киренска.

От Усть-Кута начинается глубоководная Лена с устойчиво высоким уровнем воды. Отсюда до бухты Тикси всегда ходили наиболее крупные пароходы. Так вот, ныне подавляющее большинство грузов поступает по железной дороге на перевалочные пункты Усть-Кута, затем баржи развозят товары по всей Лене, по её притокам и до бухты Тикси, к Северному морскому пути.

Подобные преобразования резко приблизили эти отдалённые, прежде труднодоступные места к центральным районам страны.

Своеобычная красота Лены и её окрестностей привлекает множество туристов. Сейчас по реке курсируют комфортабельные теплоходы, не хуже, чем на Волге. Раньше такое было совершенно нереально.

И если во времена моей молодости поездка в Иркутск или тем более в Ленинград занимала несколько недель, то теперь от Ленинграда до Киренска можно добраться за 4—5 дней, а на самолёте — за считанные часы.

Нет ничего удивительного поэтому, что земляки, узнав мой адрес, приезжают в клинику с направлением, запросто. Им, наверное, попасть в Ленинград или Москву сегодня даже легче, чем в Иркутск, благодаря тому, что железная дорога подведена прямо к Лене.

Когда откроется сквозное движение по БАМу, поезда пойдут через Усть-Кут до Амура. Укрепится связь края не только с западом, но и с востоком Советского Союза, ничто не будет сдерживать его дальнейший расцвет.

2

Киренск был основан в 1631 году как острог и поначалу входил в состав Илимского воеводства. 31 января 1775 года Екатерина II утвердила представление сената по Иркутской губернии. Острог был превращён в уездный город Усть-Киренск, ему пожаловали герб. В 1784 году он переименовывается в Киренск.

Участник экспедиции по изучению Сибири русский историк Г. Ф. Миллер так описывал внешний вид Усть-Киренского острога: «От реки на левом углу старая колокольня да с горной стороны две боевые башни». Эта уже для первой половины XVIII века «старая колокольня» принадлежала старинной церкви высотой с четырёх- или пятиэтажный дом, построенной из лиственничных брёвен. Она простояла до 1920 года, и мы мальчишками лазали по ней, смотрели в её слюдяные разноцветные окна, взбирались на крышу и колокольню. Считалось, что ей триста лет. Это был образец древнего русского зодчества. К сожалению, наша церковь сгорела. Исчез с лица земли ценный исторический и архитектурный памятник.

На Руси издавна славились умением не только возводить деревянные и каменные церкви, но и выбирать им место. Храмы на крутых берегах рек, стройные колокольни на холмах царили над округой — они волшебно вписывались в синее небо.

У нас на острове, на самой высокой его точке, тоже стоял белокаменный собор. Возвышаясь над домами и над рекой, он был виден за многие километры, и люди, подплывая к Киренску, любовались им. Жаль, что его разрушили.

С нашим городом связана судьба знаменитых землепроходцев Ерофея Хабарова и Семёна Дежнева. Через Киренск пролегали пути И. Д. Черского, А. Л. Чекановского, В. А. Обручева, В. Я. Шишкова. По возвращении из Амурской экспедиции тут останавливался Н. Н. Муравьев-Амурский, побывал в наших краях писатель И. А. Гончаров.

При царизме Киренск был местом каторги и ссылки. Здесь с 1826 года отбывали свой срок декабристы Валериан Михайлович Голицын и Аполлон Васильевич Веденяпин.

В. М. Голицыну предоставили дом № 9 на Большой улице (дом сохранился), он занимался преимущественно просветительской работой. В его трёхлетнюю бытность в городе киренчане вступили в переписку с издателем Глазуновым, стали получать книги, журналы.

А. В. Веденяпин был осуждён Николаем I на вечное поселение и провёл в Сибири в общей сложности 30 лет, в том числе в Киренске — 14. Он жил среди крестьян, с ними делил редкие радости.

Через пересыльные тюрьмы Киренска прошли многие революционеры.

Отец мой в 1888 году также был сослан в Киренский уезд на вечное поселение. Вскоре появилась наша семья.

Интересно отметить, что о февральских событиях 1917 года киренчане узнали из телеграммы на имя богача Громова, где говорилось:

«Царская власть в центре ликвидирована. Контору распустить, товары распродать».

В советское время Киренск обзавёлся деревообрабатывающим комбинатом, судоремонтным заводом. Как и в Алексеевском затоне, отстоящем от Киренска на 20 километров, здесь «лечат» большую часть судов, которые в навигацию обслуживают якутские селения, бухту Тикси, Бодайбинские и Алданские золотые прииски.

Город возмужал, расправил плечи, осознал своё народнохозяйственное значение, однако бытовые условия жителей оставляли желать лучшего. В Киренске не было водопровода, отсутствовала канализация.

С чем безусловно повезло киренчанам, так это с председателем райисполкома. Анна Ивановна Лебедева приехала из Баргузина, прижилась в суровых местах, полюбила людей как своих земляков, и они ответили ей той же любовью. Свыше 15 лет проведя на ответственном посту, она научилась оптимистически смотреть в будущее, верить, что удастся разрешить все проблемы района и города.

Удивительная женщина Анна Ивановна! Считая себя уже коренной киренчанкой, болея за этот край и борясь за него, она не стала ждать, пока сама собой дойдёт очередь до Киренска, и, убедившись, что в местных инстанциях ей не помогут, отправилась в Москву с ходатайством о проведении водопровода. Сколько же можно возить воду с реки бочками? Если раньше это было просто неудобно, то теперь и небезопасно: вода загрязняется от многочисленных судов, работающих на жидком топливе.

И вот она в Москве. Куда ни обращается — везде одинаковый ответ: «Нет средств. С этим придётся повременить». Пошла в Совет Министров СССР, настояла на приёме, добилась, чтобы её внимательно выслушали. На этот раз не отмахнулись, вникли глубоко.

Анна Ивановна была удовлетворена: положительно решился вопрос о телеустановке с трансляцией через спутник, чтобы киренчане могли смотреть передачи Центрального телевидения, и, конечно, о водопроводе. Причём воду брать не из Лены, а из Киренги — реки горной, чистой, где почти нет моторных судов. Правда, канализацию не «выбила». С ней действительно надо было повременить.

Лебедева как на крыльях летела в Киренск, спешила оповестить о победе.

Мы с женой и сами убедились в кипучей энергии Анны Ивановны. Ей до всего дело. Всё её волнует. Только где-то наметится затор — она бросается туда и словно чудом выправляет положение.

После нашего отъезда мы изредка переписывались, и было отрадно читать её письма, проникнутые материнской заботой о людях. В одном из писем она поделилась переживаниями в связи с весенним наводнением. Эта картина мне хорошо знакома. В 1915 году на моей памяти было страшное наводнение в период ледохода, когда сносило целые деревни, а мы, забравшись на крутой берег, видели, как к нашим ногам подходит вода, и не знали, куда деваться, если вода будет прибывать и дальше.

Наводнение, доставившее столько хлопот председателю райисполкома, держалось несколько дней. Жители города спасались на крышах домов.

Анна Ивановна то на вертолёте, то на катере навещала людей, подбадривала, уговаривала держаться. Организовала снабжение продуктами, в термосах подвозили горячую пищу, оказывали медицинскую помощь. День и ночь следила Лебедева, не повышается ли уровень воды, не создаётся ли дополнительная угроза тем, кто находится на крышах. Когда вода пошла на убыль, все вздохнули свободно.

Никто не пострадал, паники не было, царила спокойная собранность. И конечно, во многом здесь заслуга Анны Ивановны...

Давно мечтал я проехать по родным местам; нам помогли организовать эту поездку.

На двух катерах мы очень быстро спустились по Лене к Алексеевскому затону. В годы моего детства здесь стояло пять жилых домов: капитана, помощника капитана, машиниста, помощника машиниста и масленщиков. Чернорабочим отвели казарму, спали они на общих нарах.

Дети посещали школу в деревне Алексеевка — это в четырёх километрах ниже затона и на противоположном берегу. Лишь во время становления зимнего пути или ледохода нам приходилось жить по одной-две недели у кого-нибудь из алексеевских крестьян, а так в любую погоду ходили пешком туда и обратно. Лошадей затон не имел.

Летом мы бродили по лесам и рощам вокруг затона, с лодок ловили рыбу. Тут было тихое, пустынное место; с уходом парохода, а следовательно и всех рабочих, оно казалось совершенно безлюдным.

Ныне это населённый пункт, где свыше пяти тысяч жителей, школа, библиотека, клуб, столовая — словом, всё то, что есть в любом посёлке городского типа.

Местные врачи проконсультировали со мной сложных больных. Главный врач больницы, ещё довольно молодой, но весьма опытный, приехал откуда-то с юга России. Я не мог не порадоваться за земляков, видя, что в том самом захолустье, в котором я провёл детские годы и в котором было всего пять домов, сегодня целый рабочий посёлок с квалифицированными медиками.

До революции врач был только в Киренске, затем через тысячу километров — в Бодайбо, ещё через полторы тысячи километров — в Якутске. Мальчишкой я сильно обварил себе бок и лежал с ожоговой раной более полугода. Меня не посмотрел даже фельдшер. Да и где его было взять? До Киренска 20 километров. Чтобы вызвать специалиста, ему надо заплатить. А в нашей семье шестеро детей — откуда выкроить деньги? Вот и лежал я дома. Мама меня сама перевязывала, используя проглаженные горячим утюгом белые тряпочки вместо марли и смазывая рану яичным белком вместо мази.

Сейчас врачебная помощь доступна каждому; в трудных случаях больного отвезут в Киренск: летом — на катере, зимой — на машине.

В этом отношении, несомненно, социальные преобразования огромны, нет им цены.

Но нельзя отнять у человека стремление к лучшему. Без этого не будет прогресса. И если я обращаю внимание на какие-то негативные стороны, то делаю это не как посторонний наблюдатель, а как сын своего народа, желающий ему добра, и как можно скорее.

В сопровождении Анны Ивановны Лебедевой мы посетили мою родную деревню Чугуево. Деревни как таковой теперь не существует. Улицы заросли бурьяном, с трудом можно было отыскать двор дома, где я родился и куда часто приезжал юношей. Все жители, за исключением одной-двух семей, покинули деревню. Кто подался в Якутск, Бодайбо, а кто — в Западную Сибирь.

Анна Ивановна с грустью смотрела на заброшенные пашни. Взяв в руки кусок жирного чернозёма, сказала:

— Родить просится эта земля, а её обрабатывать некому. Молодёжь уходит из села. Ребята после армии не возвращаются назад. Или едут на учёбу и тоже где-то оседают.

Я невольно вспомнил деревню, какой она была в моём детстве. Как и в большинстве русских деревень, её центральная улица представляла собой проезжий тракт. Вторая — параллельная, по бокам которой стояли такие же дома. Около каждого дома ограда, скотный двор, а сзади огород. Но я редко кого видел на огороде. С раннего утра все в поле, начиная с семилетних ребятишек и кончая глубокими стариками. Мы, мальчишки, возили навоз, снопы, ворочали сено, сгребали, помогали копнить и укладывать его в зароды. Мы косили, жали, молотили. Работали наравне со взрослыми. Вечером или в воскресные дни деревня собиралась на главной улице.

Кто постарше — сидели на завалинках; молодёжь держалась стайками, пела, танцевала. Это пока светло, а стемнеет — набивались в какую-нибудь просторную избу. Дружно подпирали стены, но середину избы оставляли свободной для танцев. Плясали либо русскую, либо — гораздо чаще — коллективную кадриль. Четыре пары, а то и восемь. Кадриль состояла из шести фигур. Обычно выбирали мотивы популярных песен «По улице мостовой», «Во поле берёзонька стояла» и т. д. В русской пляске участвовало несколько пар одновременно. Иногда выходили в круг два парня, устраивая своеобразное состязание. Они танцевали по очереди, стараясь перещеголять друг друга в сложности колен. Повторять колена нельзя, всякий раз надо было показывать что-то новое. Самый изобретательный признавался победителем.

Никто ничего не пил. Девушки щёлкали кедровые орехи, иногда кавалеры угощали их конфетами. О вине и разговора не было даже среди старшего поколения.

Считалось, что в Сибири села зажиточнее, чем в средней полосе России, однако у нас в деревне особого достатка не знали. На 50—60 дворов лишь у двух хозяев было по работнику. Один, черкес, держал торговлю. Другой, русский, нанимал помощника на время страды. Они же, в отличие от остальных, имели по 3—4 лошади.

Питались скромно. В будние дни — ячменный хлеб, по воскресеньям — пшеничные шаньги, булочки. Мясо было деликатесом. Его готовили не чаще, чем 1—2 раза в неделю, и очень малыми порциями. Исключение делали на период полевых работ, когда трудились от зари до зари и надо было поддерживать силы.

Одевались все просто. В повседневности носили домотканую грубую одежду из льна, на ногах — ичиги или чирки. В праздники и на вечеринки надевали платье из фабричного материала, ботинки и сапоги, но последние берегли, чтобы их надолго хватило. Покупка какой-то обновы в магазине была для семьи событием.

Я описываю это здесь, хоть и кратко, потому, что нынешняя молодёжь плохо представляет себе, как строго жили наши отцы и деды, как много работали, какой самодисциплине подчинялись, в чём видели свой крестьянский долг. Хочу вновь подчеркнуть: в Чугуеве я никогда не встречал спиртных возлияний в страду. «Лето год кормит» — об этом помнили все, от мала до велика. Земля — кормилица, на ней рождались, на ней умирали. Разве можно было её бросить?! Откуда же появилась теперь столь распространившаяся «перелётность»? Почему не держит земля, а человек ищет лёгкой доли?

Такие мысли приходили мне в голову, когда я молча бродил по опустевшей деревне.

Мы переправились через Лену, чтобы побывать на развалинах мельницы «Бабошиха», которую основал мой прадед. Ложбина уже заросла осокой, речка обмелела, но по-прежнему бежит через мельницу, как и сто лет назад.

К вечеру вернулись в Алексеевский затон. Мне надо было навестить племянника Петра Ильича Бабошина, работающего там уже много лет. Я думал, проведу у него часок, и поедем в Киренск.

Но не тут-то было.

— Если вы не останетесь ночевать, не сходите в нашу баню, то нам — хоть беги из Алексеевки. Соседи засмеют, скажут, что или родной дядя зазнался, или, дескать, плохо принял гостей.

В самом деле, соседи из близлежащих дворов с любопытством смотрели на нас, а супруга Петра даже прослезилась, когда услыхала, что мы сегодня же уезжаем. Как мне потом рассказал племянник, она сбегала на кладбище к родителям, поплакала и пожаловалась, что мы загордились. Таков у нас обычай.

Пришлось заночевать. И мы не пожалели об этом. Была белая ночь, белее, чем в Ленинграде. Над Леной в 11 часов вечера зависло яркое солнце. Улица прямиком уходила в тайгу.

— Какая красота! — не уставала восхищаться жена. И в самом деле, ни с чем нельзя сравнить красавицу Лену, окаймлённую тайгой, и белые ночи, которые тут почему-то никто не встречает и не провожает, как у нас на Неве.

Домик Петра на высоком берегу. Мы долго сидели на лавочке возле калитки и как зачарованные смотрели вокруг.

Затем сходили в маленькую баню размером всего три на четыре метра, но со всеми атрибутами, в том числе с прекрасной парилкой. Баня — обязательный элемент каждой русской семьи, живущей в этих местах.

После бани за чаем вспоминали близких, ушедших от нас навсегда или рассеянных по Союзу. Около двух часов ночи стало быстро светать, и вскоре снова выкатило солнце. Перед сном ещё раз вышли на берег полюбоваться природой.

Я не мог не посетить киренскую больницу, где проработал четыре года и где, по существу, приобщился к хирургии.

Больница, до боли знакомая, показалась мне только несколько запущенной. Может быть, потому, что в ней не производились крупные современные операции, которые, как известно, требуют неукоснительного соблюдения правил гигиены.

Разрослся и сад, когда-то любовно посаженный руками всего персонала. Деревья сделались большие, и было приятно ощущать их прохладу в летний день.

Я приехал сюда на должность межрайонного хирурга, имея четырёхлетний врачебный стаж и почти двухлетний хирургический. Всё, что касалось показаний к операциям и методики, надо было решать самому, ибо на округу более чем в тысячу километров я оказался самым опытным. Да если бы только это! Вообще хирургическую службу приходилось начинать с нуля.

Здание больницы в плачевном состоянии; в щелях брёвен, в скудной мебели — клопы. Поднял, кого смог, по тревоге, как на фронте. Помещения оштукатурили, побелили, продезинфицировали. Обзавелись кроватями со специальными спинками, табуретками. Я уже рассказывал, как добился того, чтобы мне изготовили операционный стол и другое нужное оборудование.

Благодаря тому, что со мной приехала моя первая жена, Вера Михайловна, акушер-гинеколог, ассистент и верный помощник в делах, я считал, что с кадрами врачей проблемы нет. Позднее, года через два-три, нам прислали ещё одного врача. А вот в сёстрах мы очень нуждались. В основном набирали девушек, окончивших трёхмесячные курсы Красного Креста.

Мне удалось уговорить поработать в родильном отделении пожилую, уже ушедшую было на отдых акушерку Лукерью Гавриловну. Каким-то чудом занесённая в наши края, с полным сестринским образованием, воспитанная в лучших традициях русской медицины, она стала истинным приобретением для больницы.

Лукерья Гавриловна отличалась строгой добротой к людям, высоким человеческим достоинством. Она обладала ещё и природным даром — интуицией, которая подсказывала ей, как поступить в той или иной трудной ситуации. Несмотря на возраст, она с жадностью училась у Веры Михайловны, стажировавшейся два года в акушерской клинике Ленинграда, но со своей стороны и Вера Михайловна научилась у неё многим практическим приёмам. В результате у нас не было несчастных случаев при родах. Безукоризненная чистота и асептика, поддерживавшиеся Лукерьей Гавриловной, её знания и опыт, неизменная доброжелательность создавали добрую славу родильному отделению.

Муж нашей акушерки Николай Константинович, хотя и был значительно старше жены, сохранил и бодрость, и энергию. Я упросил его занять должность завхоза и никогда не волновался за данный участок. Это при нём мы посадили сад. Это с его помощью организовали подсобное хозяйство, где трудились наши сотрудники, чтобы в то тяжёлое для страны время лучше кормить больных. Это его усилиями больница и поликлиника получили вместо одной четыре лошади, и мы смогли оперативнее реагировать на вызовы. А как быстро снималась усталость, если сядешь в санки, промчишься 10—15 километров по заснеженной дороге, подышишь морозным воздухом!

Оба супруга, благороднейшие и преданные общему делу, сохранились в памяти как живые. На таких людях стояла и стоять будет земля русская.

Не просто мне было «ставить» хирургию, потому что в Киренске не нашлось операционной сестры. Не от хорошей жизни я взял к себе молоденькую девушку Дусю Антипину с курсов Красного Креста. Она не имела никакого понятия об асептике и антисептике, не знала, как готовить, стерилизовать бельё, шовный материал, инструменты, не знала их названий. А ведь сразу всему этому не научишь, тем более что деталей многих манипуляций я и сам не знал и не было у меня ни времени, ни возможности начинать с нею, что называется, с азов.

Случайно выяснилось, что в город приехала погостить женщина со столь необходимой нам специальностью.

Я буквально умолил её провести в больнице хотя бы месяца три, взять под опеку Дусю.

Ученица не раз плакала от суровой и своенравной, но зато знающей учительницы. С «мёртвой точки» она сдвинулась, однако разве трёх месяцев достаточно для приобретения надлежащей квалификации? Между тем обстоятельства требовали, чтобы мы делали всякие операции, и мы вынуждены были их делать с возрастающей степенью сложности.

Мне пришлось самому продолжить учить Дусю сложному искусству помощника хирурга. По книгам изучали, как подготавливать кетгут, наматывать шёлк; устраивал ей экзамен, спрашивая, как называется тот или иной инструмент, чтобы при операциях не тратить лишнее время. Дуся оказалась на редкость смышленой и старательной. Через полгода ассистировала без ошибок. А через год её послали на усовершенствование в Ленинград в клинику Оппеля, к очень опытной, старой школы операционной сестре, которая когда-то давала мне на дом инструменты, чтобы я, практикуясь с ними, набивал руку.

Дуся возвратилась спустя три месяца, приобретя высокую квалификацию. И дальше мы действовали дружно, согласованно, не испытывая затруднений.

Я съездил в Иркутск и Ленинград со снабженческой целью, достал всё, что было нужно для хирургических вмешательств.

Масштаб наших операций тех лет не уступал масштабу, достигнутому в столичных учреждениях. Это подтверждает хотя бы такой курьёзный факт. Покинув Киренск, я написал статью «К вопросу об организации и работе хирургического отделения на далекой периферии». Николай Николаевич Петров, к которому я поступил в аспирантуру, прочитал её и одобрил. Направили статью в журнал «Вестник хирургии». И вот вызывает меня редактор журнала — Юстин Юлианович Джанелидзе:

— Вашу статью рецензировал профессор Заблудовный. Антон Мартынович говорит, что это выдумки барона Мюнхгаузена. Не может быть, чтобы где-то там в глухомани результаты от резекции желудка были в ряде случаев лучше, чем в среднем по Ленинграду. Раз есть сомнения, попросим местные органы здравоохранения подтвердить данные статьи.

Шесть месяцев ушло на переписку — концы-то какие! — пока официально не засвидетельствовали мою правоту. Статью напечатали.

Уезжая в аспирантуру, я с большим сожалением покидал больницу, ставшую мне вторым домом. Может быть, и первым. Когда я вновь очутился в Киренске и зашёл в свою бывшую квартиру, то не мог вспомнить расположение комнат. В больнице же помнил всё.

...Спустя много лет ненароком встретил Дусю Антипину в Ленинграде. Она уже давно перебралась сюда, вышла замуж, родила дочь. Все эти годы — старшая операционная сестра в одной из клиник.

— Почему же вы бросили нашу больницу? — спросил я.

— Она потеряла, если можно так выразиться, свою индивидуальность. За сложные операции не брались, роста никакого... Неинтересно!

Казалось бы, снизилась оперативная деятельность — тебе же хлопот меньше, живи и радуйся. Так нет. Ей импонировали напряжённый труд, предельная полезная отдача. Когда она была единственной сестрой не только на плановых, но и на экстренных операциях в любое время дня и ночи, тогда и не помышляла о перемене своей судьбы. Ушло из работы вдохновение, ощущение поиска — она покинула город, выбрала крупнейший хирургический центр страны и окунулась в привычный для неё ритм.

Наша когда-то робкая подопечная выросла в крепкого специалиста.

С удовлетворением могу отметить, что среди операционных сестёр есть подлинные энтузиасты, душой болеющие за дело и переживающие за любые неполадки наравне с хирургом.

Память сохранила целую плеяду великолепных операционных сестёр. Именно они помогают хирургу выполнять сложнейшие задачи и нередко обеспечивают успех.

Блестящая операционная сестра была у Петрова — Людмила Николаевна Кортавова. Она оставалась верным помощником Николая Николаевича в течение почти тридцати лет. Мне довелось с ней сотрудничать четырнадцать лет, и ничего, кроме удовольствия, я не испытывал.

Людмила Николаевна всё предусмотрит. Если какая новая операция, она обязательно подойдёт заранее, обстоятельно расспросит, узнает, что в ней особенного, какой дополнительно положить инструмент и т. д. А главное, она неизменно доброжелательна, никому ни в чём не откажет. С какими бы просьбами к ней ни обращались — перевязочные ли сестры, не сумевшие подготовить свой инструментарий, врач ли, вовремя не позаботившийся о необходимом, — она всегда всё найдёт, всем поможет, ободрит, не упрекнёт.

Когда я перешёл на самостоятельное поприще, возглавив хирургическую клинику 1-го мединститута, мне тоже повезло с операционными сёстрами.

Любовь Михайловна Савельева была ревностным защитником асептики и чистоты. Кто бы ни появился в операционной, хоть сам министр, но если на нём нет халата, шапочки, маски и матерчатых сапог, она немедленно выдворит его вон, заставит привести себя в порядок. Молодых же врачей и вовсе держала в строгости. Они жаловались на её резкость, да и Любовь Михайловна нередко приходила в слезах, заявляя об уходе. Но что бы ни произошло, в соблюдении правил, утверждённых главным хирургом, она была непоколебима. И во многом её строгости мы обязаны тем, что во время операции избегали осложнений.

Любовь Михайловна совершенно не могла терпеть упреков, что чего-то в операционной не хватает. Если это случалось, правда, очень редко, она, что называется, готова была сквозь землю провалиться. Зато не давала нам покоя, требуя приобретения необходимого инвентаря. В годы, когда нитки достать было трудно (сразу после войны), мы вместе с ней обращались в текстильные учреждения, добиваясь удовлетворения заявок. Для подстраховки она заставляла младших сестёр готовить инструментов в десять раз больше, чем нужно, лишь бы, не дай бог, на операции не было осечки. Ей подчинялись, хотя понимали, что взваливают на себя лишние хлопоты. Всеми руководило желание не навредить больному.

Вызывала восхищение операционная сестра Полина Козодоева, которую природа наделила исключительными способностями. Она прекрасно всё знала, и ей можно было не называть очередной инструмент — она сама его подавала. Я любил с ней оперировать, между нами существовало молчаливое взаимопонимание. Бывало, иностранные делегации специально обращали внимание на безукоризненную работу Полины и часто фотографировали её. Замечания ей перепадали чрезвычайно редко. Если же что-то ей скажешь, в чём-то её упрекнёшь, она покраснеет и стоит, не возражая, с глазами, полными слез. Многие годы я оперировал только с ней.

Более тридцати лет отдала клинике Тамара Сергеевна Егорова, начиная с семнадцатилетнего возраста. Она прошла у нас хорошую школу и уже давно выполняет обязанности старшей операционной сестры.

Для ответственного хирурга, для заведующего кафедрой большое значение имеет старшая сестра в операционной. Если она высокой квалификации, требовательна к себе и к своим подчинённым, если она заботлива, доброжелательна, любит больных и печётся о них — операционная работает так, что никаких трудностей не возникает.

Наоборот, если операционная сестра сама недисциплинированна, невнимательна, другие, глядя на неё, ведут себя так же. И тогда недоразумения встречаются на каждом шагу.

Мне в этом отношении, повторяю, везло всю жизнь. Пользуясь случаем, хочу сказать сердечное спасибо всем операционным сёстрам, как упомянутым, так и не названным здесь, за их самоотверженный труд, за постоянную помощь хирургу, за их материнскую любовь к пациентам.

...Когда я проходил но палатам киренской больницы, перед моим мысленным взором явственно вставили проведённые здесь годы. Оказывается, все больные прочно засели в памяти, потому что любой из них для меня, тогда молодого врача, был загадкой, и я долго ломал голову, прежде чем решить, что с ним и как его лечить.

Вот в этой палате лежала пациентка, страдавшая от невыносимых болей в области коленного сустава, поражённого туберкулёзом. Ей надо было резецировать коленный сустав, но так, чтобы случайно не вскрыть очаг поражения, иначе туберкулёзный процесс распространится на рану. Было бы спокойней для хирурга отнять ногу выше коленного сустава.

Но на это я не хотел идти и даже не высказал подобного предложения. Тщательно подготовившись по книгам, сделал операцию, сохранил ногу, вернул человеку нормальное самочувствие.

Вот в этой палате лежала молодая женщина с тяжёлым послеродовым сепсисом. Она родила где-то в домашних условиях, принимала ребёнка бабка, по-видимому, внесли инфекцию. У больной возникло воспаление в органах малого таза, перешедшее затем в общее заражение крови. И поныне это грозное заболевание часто неизлечимо, несмотря на целый арсенал антисептических средств и антибиотиков. Но ведь у нас ничего такого не было. А спасать надо... Мы применили всё, что нашли в литературе и к чему имели доступ. Переливания крови, внутривенные вливания уротропина, хлористого кальция, риванола и т. п. Почти ежедневные манипуляции. Сёстры ещё плохо владели внутривенными вливаниями — осуществлял их я сам. На протяжении нескольких месяцев мы боролись, то теряя надежду, то опять загораясь ею, но не приостанавливая наши лечебные процедуры. И наконец обманули смерть. Молодая мать полностью поправилась, выписалась из больницы в хорошем состоянии. Это была победа разума, терпения и настойчивости. Это был большой моральный праздник.

Вот здесь лежал Стёпа Овчинников, который перенёс операцию по поводу пептической язвы желудка и тонкой кишки.

Помню девяностошестилетнего старика; у него резецировали часть тонкой кишки, омертвевшей в ущемлённой грыже.

А вот и операционная. Сколько тут пережито! И как мы старались её оборудовать! Чем, например, восполнить отсутствие водопровода? Мы установили на чердаке большой бак, накачивали в него воду, рядом поставили титан и смеситель. Получали и холодную, и тёплую воду. Электричество подавалось с перебоями, гасло, а во время операции это катастрофа. Чтобы предупредить такую опасность, добились проведения аварийного света от затона.

Труд и энергию тратили не жалея. Вдохновляло сознание, что отдаёшь силы своему народу, который воспитал тебя, дал образование, создаёт условия для работы, невзирая на трудности, которые сам испытывает.

3

Из Бодайбо получил письмо от дочери Степана Оконешникова. Я оперировал его ещё в молодости и рассказал
о нём в книге «Сердце хирурга».

Дочь писала:

«Глубокоуважаемый Фёдор Григорьевич!

Большое вам спасибо за тёплые слова в адрес моего отца
и память о нём...

Нам было трудно в те годы. Мама неграмотна, бабушка,
пятеро детей; старшей пятнадцать лет, младшей два года.
Нам никто не помогал, мы вышли все в люди...

Старшая, Лида, учительница, живёт здесь, в Бодайбо.
Я, Катя, — врач-терапевт, работаю в бодайбинской городской больнице. Тина — бухгалтер, тоже живёт в Бодайбо.
Витя, брат, — инженер, защитил диссертацию. Живёт
в Москве. Без отца остался в шесть лет. Просил меня написать вам, поблагодарить. Люба — врач-терапевт, живёт
с семьей в Туркмении, муж у неё — военнослужащий.
Наша мама, Анисья Иннокентьевна, — со мною. Вас она
хорошо помнит.

Будем очень рады, если вы ответите на моё письмо.

Мы гордимся вами! По-моему, нет в Сибири человека,
особенно в Киренске, кто бы вас не помнил и не благода-
рил.

Дай Бог вам доброго здоровья на долгие годы, как говорит моя мама!

С искренним уважением к вам Катя Оконешникова».

Это письмо меня взволновало, напомнило юные годы.
К своему стыду, я ни разу не был в Бодайбо, хотя они
с Киренском считались близкими соседями — всего каких-
то тысяча километров. И вот теперь счастливый случай
словно подталкивал в спину: ты в Киренске, поспеши же
на самолёт, ведь хочешь побывать в тех местах...

Мы с женой вылетели в Бодайбо.

Нам не терпелось посмотреть, как добывается золото.
К сожалению, шёл дождь, и это помешало слетать на все

участки на вертолёте. Пришлось ограничиться осмотром только тех, куда можно было проехать на машине.

Побывали на драге. Это мощный плавучий комплексно-механизированный горно-обогатительный агрегат. Сущность его работы состоит в том, что черпальные ковши объёмом более полукубометра забирают со дна реки землю, песок, камни и вместе с водой выбрасывают всё содержимое на вертящиеся барабаны, которые с помощью центробежных сил распределяют элементы извлекаемой породы в зависимости от удельного веса. Золото, как самое тяжёлое, оседает в желобках и в конце смены собирается специальной бригадой.

Наблюдать за драгой чрезвычайно интересно. Каждые три-пять секунд на барабаны опрокидывается огромный ковш, с разных сторон обрушиваются потоки воды. И всё это крутится с шумом и громом.

Драгу обслуживают семь-восемь человек.

Золотоносные россыпи на реке Бодайбинке разрабатываются уже свыше ста лет. Вначале добывали на одной глубине, потом стали рыть глубже, затем — расширять раскопку. В годы войны «Лензолото» получило переходящее Красное знамя за трудовой героизм.

Впоследствии вблизи Бодайбо было обнаружено рудное золото, то есть золото, находящееся в гранитной породе. Добывать его много сложнее. Надо разбить до песка целую тонну, чтобы выделить считанные граммы металла. Для такого рода технологии понадобится строить фундаментальные сооружения. Вечером в конторе состоялась встреча. Нам показали дневные выручки драг, которые, естественно, держат под строжайшим контролем. Подарили в качестве сувенира муляж самого крупного самородка, найденного за последнее время, образцы золотоносных пород, а также альбом, посвящённый Бодайбо.

Наутро посетили место расстрела ленских рабочих. Как известно, «Ленское золотопромышленное товарищество» было одним из крупнейших в мире. Владельцы компании клали в карман фантастические прибыли, а у горняков пытались отнять даже их жалкие гроши. Часть заработка вычиталась за штрафы. Часть заменялась талонами — покупать можно было только в приисковых лавках, переплачивая за всякую завал. 29 февраля 1912 года, когда в лавках продали гнилое мясо, забастовал Андреевский прииск. Терпение рабочих и их семей лопнуло. Стачки, чётко организованные, словно пожар охватили округу. Эта организованность напугала правительство. Оно стянуло войска, начались аресты. 4 апреля, когда трёхтысячная толпа пришла к конторе просить освободить арестованных, по ней открыли огонь.

Стоя на этой обильно политой кровью земле, я зримо представил себе размеры бедствия: было убито 270 человек и 250 ранено, причём многие потом скончались от ран. На месте расстрела, а также на месте захоронения ни в чём не повинных жертв царизма воздвигнуты памятники.

И всё же жертвы были не напрасными. В стране вспыхнул революционный огонь.

Мы молча почтили память борцов за народную свободу.

Возвращению в Киренск мешала дождливая погода. Вылетели лишь на третий день.

Два часа не могли оторвать глаз от зеленого океана тайги, простирающегося на сотни и тысячи километров. Один Бодайбинский район Иркутской области равен территории Болгарии. А таких районов в Восточной Сибири много.

Из Киренска отходил рейсовый теплоход, на который у нас были приобретены билеты. Предстояло увлекательнейшее путешествие по Лене до Якутска.

...Часами любовались мы живописными берегами, то скалистыми, то отлогими, сплошь покрытыми таёжными лесами. Редко-редко увидишь селение. До Витима они встречались через 30—50 километров, а после — того реже.

Но ландшафт менялся всё время. Вот наш теплоход вошёл в район «щёк», весьма опасный для самосплавных судов. Лена упирается в скалу, которая скрывает её русло. Только когда подходишь близко, оказывается, что она под прямым углом поворачивает налево. И если неопытный лоцман заранее не будет придерживаться левого берега, не миновать беды. За поворотом река выпрямляется, однако впереди вновь скала — новая «щека», и опять под прямым углом поворот вправо. И так несколько раз. А последняя «щека» наиболее коварна. Течение бьёт прямо в скалу, её основание уже сильно подточено. По преданию, здесь разбился корабль с вином и весь груз затонул у подножия каменного выступа. Потому и зовётся камень «Пьяный бык».

На берегу село Витим. Совсем небольшое селение, ныне мирное и тихое, избавленное от былых страстей старателей. Кипевшую здесь когда-то мутную, пьяную жизнь описал Шишков в «Угрюм-реке». Около села — бурный Витим, приток Лены, нисколько не переменивший свой нрав.

Ниже Витима Лена становится шире и многоводнее. Местами разливается на несколько километров. Но чаще разделяется бесчисленным количеством островов, в результате чего фарватер мелеет, петляет, и мы постоянно плывём между красными и белыми бакенами.

Недалеко от Якутска капитан устроил стоянку, чтобы дать возможность пассажирам во всей красе увидеть Ленские столбы. Поразительная картина! С крутого скалистого берега смотрят в небо причудливой формы выветренные скалы, издали напоминавшие идолов. Различной высоты, но приблизительно одинаковой толщины, то в одиночку, то кучками стоят они, словно окаменевшие подобия людей.

Ещё до столбов мы останавливались в Ленске. Раньше он назывался Мухтуя. От него идёт дорога к городу Мирному, где добываются алмазы. Туристский маршрут предусматривает поездку отсюда до Мирного на автобусах — путь в двести километров. Но наш теплоход не туристский, а маршрутный, и мы через несколько часов снимаемся с якоря.

Ленск — последняя станция до Якутска, где с корабля бросают сходни и пассажиры «нормально» заходят на борт. В остальных пунктах нельзя подойти непосредственно к берегу, там людей перевозят лодками.

На Лене и её притоках около 300 остановок, но только 30 из них имеют дебаркадеры, то есть нечто вроде баржи, поставленной на приколе. Использование же лодок для посадки создаёт немалые сложности. Представьте, насколько неудобен подобный способ передвижения для женщин с маленькими детьми или для стариков.

Пароходство могло бы приспособить под дебаркадеры списанные баржи, пришедшие в негодность суда. В крайнем случае не так уж трудно построить пирсы — вбить в землю металлические балки, сделать дощатые настилы.

Команда теплохода проявила по отношению к нам внимание, заботу и гостеприимство. И угощение было — мы лакомились нельмой, лучшей рыбой наших вод. Нельму едят вареной, жареной и сырой, замороженной до такого состояния, что её можно резать острым ножом в стружку. Это и есть знаменитая строганина.

Вот и Якутск. Вышли погулять по городу, с интересом присматривались к его сегодняшнему облику. Радовали новые дома и предприятия, тем более что строить здесь очень трудно. Якутск находится в зоне вечной мерзлоты, здания ставят на сваи, трубы центрального отопления и канализации порой проводят по воздуху, а не под землёй.

Зима в этих краях суровая. Температура частенько опускается до 50 градусов и даже ниже. На обогрев домов уходит много топлива. Чтобы сохранять тепло, в окна вставляют тройные рамы, как в гостинице, где мы остановились.

...Поскольку онкологическая конференция, где я должен был выступить с докладом, открывалась лишь через восемь дней, мы решили продолжить путешествие до бухты Тикси, благо туда отправлялся теплоход.

Спустя сутки достигли острова Аграфена на Полярном круге. Высокий мыс под покровом леса словно бы грудью встречает течение Лены. Река обходит его с обеих сторон, образуя два рукава. Между ними, как в объятиях, лежат острова с низкими берегами. Весной при полноводье все острова, в том числе почти вся Аграфена, затопляются, и если нет опыта, можно наскочить на мель.

Аграфена, по преданию, шаманка, которая будто бы напускала ветры и топила корабли.

Круглые сутки плыли при дневном свете. Полная белая ночь. Солнце за горизонт не заходит.

Изредка попадаются посёлки на несколько дворов. Тайга редеет. Мы вступаем в зону тундры.

Чем ближе к дельте Лены, тем беднее растительность. Одиночные деревья торчат, как палки, на фоне бесконечной тундры. Ближе других к океану подходит лиственница. Она на удивление прочна и не боится непогоды.

Дом в Киренске, где мы жили с 1915 года, был куплен уже не новым. Через шестьдесят лет кажется, что его выстроили совсем недавно. А на берегу Лены, недалеко от собора, я с детства запомнил два двухэтажных здания. Они стоят свыше ста лет. Подрядчик, взявшийся их построить, покупал брёвна с условием, что сучок будет не чаще, чем через два метра. Древесину доставляли с противоположного берега, с горы. И сейчас стены этих зданий без изъяна — брёвна ровные, толстые, ядрёные. Нет и намёка на разрушение. Такова лиственница.

Подошли к посёлку Тит-Арь, что в нескольких десятках километров от дельты. Если по прямой, то это даже севернее бухты Тикси. Вокруг сугробы и лёд. Дует холодный ветер. Люди тепло одеты. Это в середине-то лета!..

Берега голые, сплошная тундра.

А вот посёлок Быково. Небольшой рыбозавод и склад свежезамороженной рыбы. По существу, ледник всюду, только припорошен землёй. Природа сама создала огромное хранилище, человеку осталось лишь пробить шахты.

Ледником и рыбозаводом заведуют супруги, приехавшие из Астрахани, где они получили специальное образование. Живут четыре года и пока уезжать не собираются. «Хотя как подумаешь о десятимесячной зиме, становится не по себе, — говорят они. — Очень уж непохоже на наш южный климат. Но ничего, привыкнем».

В бухту Тикси добирались на вездеходе.

Надо сказать, что иначе, чем на вездеходе, там не проедешь. По-видимому, из-за вечной мерзлоты и неравномерного таяния льда под лучами солнца (точно мне это не объяснили) дорога протяжённостью 12 километров представляла собой сплошные ухабы, ямы, наполненные водой или жидкой грязью. Изредка попадались холмы. Ямы глубокие, вода в них покрывает колёса — на обычной машине мотор давно бы заглох.

Бухта оказалась переполненной людьми и грузами, дожидавшимися начала навигации. А на календаре — 20 июля...

Нас встретили главный врач больницы и главный хирург. На правах хозяев повезли в тундру. Неподалёку от города расположилась станция по изучению северного сияния. Мы просмотрели научный фильм, побеседовали с сотрудниками, немного побродили по тундре. И тут, наверное, впервые увидели, что она такое. Зеленая трава, цветы, мелкие деревца и кустики. Все они стелются по земле. Когда наступаешь на этот ковёр, чувствуешь, что нога увязает и скользит.

Мы сорвали берёзку в 40—50 сантиметров, листики маленькие, ветви тонкие. Цветы разной окраски, не яркие и без резкого запаха. Зелёный ковёр, которому нет ни конца, ни края. Вот что такое тундра!

С горки открылся город. Многоэтажные новостройки с паровым отоплением. Школа, больница. Вымощенные улицы. В заливе застыли суда.

Ознакомились с больницей. Она неплохая. Хорошо оборудованная операционная приспособлена и для крупных операций. Но врачи молодые, оперируют мало и всех более или менее сложных больных отсылают в Якутск.

Возвращались ночью, если судить по часам. На самом деле ярко светило солнце.

Рано утром на теплоходе двинулись в обратный путь. Ландшафты живописные, несмотря на кажущееся однообразие. Река то разбивается на множество рукавов, огибающих острова, то сливается в одно русло шириной в несколько километров. Тундра разбросана по плоскогорьям и высоким холмам. После Жиганска стали появляться голые и полуголые деревья — где редко, а где густо, — пошла так называемая лесотундра.

Поднялись уже на 1200 километров от Тикси, а всё ещё не настоящая тайга. Только тундра. Виден Верхоянский хребет. Всё время дует ветер, поднимая облака пыли и песка, иногда настолько густые, что на расстоянии одного-двух километров всё кажется погружённым в серый туман.

На воду и на медленно сменяющийся пейзаж можно смотреть часами не уставая. Мысли, успокоенные равномерными всплесками волн, деловым шумом винта и лёгким подрагиванием корпуса судна настраивают тебя на мирный лад.

Всё оживает, когда теплоход даёт гудок. Значит, скоро какой-то населённый пункт. Может быть, мы сойдём на берег или с борта будем наблюдать за посадкой. А потом — снова привычный ритм плавания. Побродив по палубе, мы возвращаемся к себе в каюту, наслаждаясь покоем и отдыхом.

В пути меня не покидало ощущение, что Сибирь охвачена грандиозными преобразованиями. Как дремлющий богатырь, она ждала момента, чтобы расправить могучие плечи, отдать людям сказочные богатства. И помогло ей в этом в первую очередь строительство БАМа, освоение территорий, которые до поры до времени были на замке.

На республиканскую онкологическую конференцию в Якутске съехались учёные и врачи из Иркутской и других областей. Специалистов из центральных учреждений не было, а жаль, так как обсуждались данные, заслуживающие внимания.

Выяснилось, например, что в одном из районов Якутской АССР рак пищевода встречается во много раз чаще, чем в любом другом месте. Почему? Научные работники задумались над этим. В районе живут в основном оленеводы. Они питаются мороженой рыбой и мясом. Причём часто едят строганину и очень любят горячий чай. В строганине попадаются мелкие косточки, которые, оказавшись в пищеводе, ранят его. Резкая смена холодного и горячего плюс травматизация слизистой оболочки, очевидно, приводят к злокачественному росту клеток в стенке пищевода.

Более детальное изучение этого феномена могло бы принести дополнительные сведения о сущности опухолевого роста. Но к сожалению, ведущие онкологические учреждения не проявили должного интереса, и сообщение местного учёного как бы повисло в воздухе.

На конференции я прочитал два доклада — о ранней диагностике рака лёгкого и о хронической пневмонии.

Не задерживаясь дольше в Якутске, на следующий день мы вылетели в Ленинград.

Меня всегда восхищали сибиряки — люди деловые, смелые, преданные своему народу, патриоты Сибири. Они, как и в период моей юности, влюблены в свои места, в свою тайгу, в свою многоводную, красивую Лену, даже в свои морозы. За последнее десятилетие люди Сибири выросли в культурном отношении значительно.

Они работают напряжённо в очень трудных условиях, добиваясь хороших результатов. Но они понимают, что богатства Сибири могут быть в значительной мере приумножены, если население её будет расти, если будут созданы условия для жизни и работы, как этого требует суровая обстановка труда и быта.

Строительство БАМа резко увеличивает возможности Сибири. Тем важнее создать жизнь и быт сибиряков такими, чтобы они не только сами не покидали эту сторону, но и привлекали других.

Сибиряки всегда славились своим патриотизмом. Они грудью встречали любую опасность, надвигавшуюся на Россию. А в мирной жизни никогда не были в рядах отстающих.

Глубоко убеждён, что любое мероприятие, направленное на улучшение жизни сибиряков, отзовётся большими богатствами для Родины.

Поездка в Сибирь, встреча через сорок лет с родными местами, знакомство с людьми активными, знающими, смелыми, красивыми душой, влюблёнными в свой суровый край и без устали обживающими его, оставили в моём сознании глубокий след. Я — как Антей, прикоснувшись к матери-земле, получил очередной запас сил. Захотелось работать с ещё большей энергией, устраняя недостатки, которые досадно мешают плодотворно заниматься делом.

В этом отношении меня подогревали и отклики на книгу «Сердце хирурга», которую в Сибири читали с чувством сопричастности заботам своего земляка. Пришло среди прочих и такое письмо:

«Дорогой Фёдор Григорьевич!

У нас сейчас холодно, морозы за тридцать. По вечерам садимся вокруг чугунной печки и читаем вашу книгу «Сердце хирурга», случайно занесённую кем-то в наш бригадный вагончик с Большой земли, как мы называем обжитой уютный мир, простирающийся к югу, востоку и западу от трассы БАМа.

Нас особенно волнуют эпизоды, в которых душа человеческая раскрывает всю свою красоту и являет примеры такого величия, перед которым ты сам кажешься себе ничтожным и жалким... И сравниваешь свою жизнь с вашей, и ведёшь с самим собой примерно такой разговор: «И он тоже — простой сибирский паренёк, а видишь, куда взлетел! А ты?.. Или ты слеплен из другого теста?..» И хочется расправить плечи, собрать все силы в кулак — и ринуться куда-то, к высоте, к звёздам... Честное слово! Может быть, я смешон, говорю глупости, но вот такой порыв рождает ваша книга. И не только у меня, но и у всех ребят... И жаркие закипают споры о прочитанных страницах, и длятся они допоздна, иногда до глубокой ночи.

Но вот что хотелось бы вам сказать, дорогой вы наш Фёдор Григорьевич! Знаем мы твёрдо, убеждены — нелёгкой была ваша дорога в науке, непросто достались так нужные всему человечеству хирургические высоты... Не может того быть, чтобы долгий ваш путь был усыпан одними розами и вы шли по нему, встречая лишь участие и аплодисменты... Мы вот живём у чёрта на куличках — лесорубы, шофёры, трактористы-трелевщики, — делаем каждодневную черновую работу, но и тут сталкиваемся с разными недостатками. То напарник подвернётся хитрец и ловчила, то мастер бросит в лицо обидную грубость, то канитель бюрократическую возле пустяка разведут — тошно иной раз становится. А у вас? Всё, конечно, было и у вас! Но то ли из деликатности, то ли по какой другой причине о трудностях своей жизни вы умолчали. А нам, молодым, хотелось бы знать, кто помогал в вашем благородном труде, а кто и мешал. Какие препятствия возникали, какую они имеют природу, как вам удалось всё преодолеть, всё превозмочь...

От имени бригады прошу — расскажите нам ещё и об этом.

Вадим Косолапов, бульдозерист».

Это письмо, как и многие другие, пожалуй, окончательно укрепило меня в мысли написать новую книгу, ещё раз взглянуть на прожитую жизнь.

Препятствия? Помехи? Были, конечно. Как не быть. Много воды утекло. Ещё старое время захватил, революцию, три большие войны прошумели над головой. Познал и потери, и горе. Вместе со страной, со своим народом... Но это сложности объективного характера, естественные, так сказать, историческая неизбежность. А есть и другие. К сожалению, надо признать, что приходилось тратить силы на борьбу не только с классовыми врагами или с захватчиками, пришедшими из-за кордона. Не меньшим злом всегда представлялись мне опасные пережитки прошлого в сознании людей — приспособленчество, ханжество, угодничание перед вышестоящими, карьеризм в ущерб делу, стяжательство. Пережитки эти живучи, цепляются за нас, как ржавая колючая проволока, мешают работать с полной отдачей. Не помню, когда бы я не сражался против должностных лиц, призванных помогать, но подменяющих реальную помощь голым администрированием; против коллег, заражённых консерватизмом, а то и бациллой равнодушия, охраняющих собственный покой и благополучие ценой интересов вверенных им больных; против учеников, изменяющих принципам, которые я и старался им привить...

Если бы положить на чаши весов энергию, затраченную на преодоление глупых, ненужных, «рукотворных» препятствий, и ту энергию, что понадобилась для постижения тайн науки, хирургического мастерства и для прочих благих целей, то первая, пожалуй, перевесила бы, во всяком случае, оказалась бы не меньше второй.

Поступать иначе я не могу, как ни велики «непроизводительные расходы» и ума, и чувств. Сегодняшняя действительность властно требует, чтобы каждый ощущал себя гражданином в самом высоком и одновременно практическом значении данного понятия. Трудовая дисциплина — не просто формальная мера, она воспитывает совестливость, ответственность, собранность, самоорганизованность, а производственные успехи прежде всего знаменуют собой победы моральные. Прямым образом это относится к человеку под белой мантией, по «долгу службы» обязанному пропускать чужую беду и чужую боль через свои кровь и сердце. Тогда только он станет по-настоящему отзывчивым ко всему, что происходит вокруг.

Снова и снова размышлял я о том, что довелось пережить, что стало предметом разговоров и обсуждений с моими друзьями, единомышленниками, чему научил меня пример тех, кто был достоин только уважения и симпатии.

Все мы, при разных способностях и склонностях, заняты созидательным трудом. И цель у нас ясная. Но кто может сказать про себя, что он, создавая нечто принципиально новое или поднимая чрезвычайно важные вопросы, видел лишь доброжелательные улыбки и всяческую поддержку? Такого пока что нет. Легче сконструировать самую совершенную технику, нежели перестроить психологию людей, добиться, чтобы каждый понимал всю меру своей ответственности, отрешившись от эгоистических побуждений. А разве так уж редко бывает, что личные соображения берут верх над объективными интересами?..

Конфликты нового со старым неизбежны. Как в сфере человеческих взаимоотношений, так и в любой сфере человеческой деятельности. Прогресс сопровождается борьбой. Идёт борьба за нового человека, за развитие культуры, за повышение производительности труда, выполнение планов, идёт борьба мнений в науке. Это естественно.

Все хотят прогресса. Однако одни творят его своими руками, а другие предпочитают пользоваться его плодами. И разница в позициях определяет выбор арсенала средств обеих сторон.

Советская наука набирает темпы, которых не знала отечественная и мировая история. Мы гордимся тем, что обеспечили условия, позволяющие вступать на её поприще тысячам и тысячам молодых исследователей. Но не секрет, что в этом массовом притоке свежих сил попадаются индивидуумы, лишённые подлинного призвания. Под сенью того или иного института, лаборатории, клиники и т. п. они не прочь устроить себе престижную безбедную жизнь. Такие не горят в науке и отсутствие прямого таланта стараются компенсировать талантом выстраивать карьеру. Это далеко не безобидная для окружающих тактика, и уж, конечно, в первую очередь страдает дело. Борьба мнений в данном случае нередко подменяется борьбой амбиций.

Не так просто решать вопрос и о назначении руководителя научным учреждением, ибо не всегда можно верно предугадать творческий потенциал кандидатов на этот пост. Как правило, учёный, одержимый изысканиями, меньше всего думает о выпячивании собственного «я», держится скромно, неохотно афиширует свои достижения. К тому же у многих нет ни желания, ни склонности к административной работе, и им требуется серьёзная помощь. С этого фланга они уязвимы, но их блестящие замыслы, точно соотнесённые с перспективой, — залог жизнеспособности коллектива, если они его возглавят. Наоборот, «дутый» учёный не может существовать без саморекламы, всякий мелкий успех спешит преподнести как открытие, совершенствуется в искусстве убеждать в этом всех — иными словами, ловко пускает пыль в глаза. Ошибка там и тут нежелательна. Хороший учёный, но слабый организатор, не окажи ему нужной помощи, со временем станет жертвой более предприимчивых коллег. Ограниченный человек, добившись власти, всё равно не оправдает высокого положения, и рано или поздно с ним поведут борьбу настоящие таланты.

Я намеренно беру крайние варианты. Разумеется, в руководителе предпочтительно гармоничное сочетание деловых и человеческих качеств.

Наконец, небезоговорочна практика бессменного руководства, даже если оно поначалу удалось. Одни учёные до последних дней сохраняют активную форму, живут напряжённой творческой жизнью. Другие рано перестают расти, растрачивают старый капитал, не замечая, что уже давно отстали. Здесь необходим строго индивидуальный подход, и решающее слово должна сказать авторитетная комиссия. Не восемь комиссий в год, как это иногда бывает, а одна в несколько лет, но такая, чтобы её выводы были непререкаемы по объективности и научному уровню.

Признает подобная высококомпетентная комиссия, допустим, что институт перестал выдавать надлежащую ему продукцию, топчется на месте, надо вносить предложение о новом директоре. Но без обид и без ущемления прав прежнего руководителя. Не оскорбить за то, что не сделано, а быть признательным за то, что уже сотворено.

У нас много инстанций, призванных разбирать конфликтные ситуации, способствовать тому, чтобы в борьбе мнений рождалась истина. Истина, а не склока. Борьба эта только тогда будет прогрессивной, когда не свернёт с прямого пути, — в защиту всего лучшего, направленного на добро, на пользу людям, и в осуждение всего корыстного, необъективного, злопыхательского и отсталого. Тут не может быть компромиссов и недопустимы «перекосы», которые, к сожалению, порой не подвергаются принципиальной критике. Умалчивать об этом — значит усугублять нездоровые тенденции.

Публичное осуждение такого рода явлений имеет большой воспитательный эффект. Ведь задача заключается в том, чтобы мы жили и работали в чистом моральном климате, поскольку именно моральные категории в конечном счёте определяют судьбу нашего завтра.

В середине зимы я приехал в Москву на сессию академии и остановился у Петра Трофимовича.

Пётр Трофимович знает едва ли не каждого сколько-нибудь интересного писателя. Знаком он и с Сергеем Александровичем Борзенко.

— Боюсь спрашивать у вас, — заговорил я за завтраком, — как с Борзенко? Как он себя чувствует?..

— Плохо. Он лежит в больнице и будто бы никого из товарищей не хочет видеть. Говорят, что сильно слаб.

Позавтракав, я поехал в больницу, где лечатся сотрудники комбината «Правда».

Борзенко встретил меня грустной улыбкой, слабо пожал мою руку. Говорил с трудом, не было сил.

— Как там Неручев? — спросил меня. — В восемьдесят лет... не остудил сердца.

Полежав немного, повернул ко мне голову, показал на тумбочку:

— Блокнот... Неначатый. Отдайте Ивану Абрамовичу — на память. Мне он ни к чему. Сил нет... писать. И верно уж — не будет.

Вынул из-под подушки шариковую ручку...

К сожалению, с Сергеем Александровичем меня столкнула судьба, когда он был тяжело болен. При всём нашем старании никаких надежд на его спасение не было. И хотя от него мы это очень тщательно скрывали, как человек с глубоким умом он понял, что его ждёт в ближайшем будущем. Но это никак не отразилось на его поведении, разговоре, привычках. Может, он стал чуточку грустнее. Он любил жизнь для людей и не мыслил её, не делая пользы людям.

Находясь в клинике, Сергей Александрович, привыкший всё анализировать и делать для себя ясные выводы, понимал и чувствовал, что он быстро идёт к неизбежному концу, что все наши возможности исчерпаны, надежды нет, что он доживает свои последние дни.

И вот в эти дни, может, больше, чем когда-либо, сказывалось всё величие его как человека, всё благородство его характера, сила его выдержки. Он сохранил острую наблюдательность и не упускал случая, заметив что-то, сказать людям приятное. Он оставался таким же добрым, заботливым другом. Он был спокоен, твёрд, разумен, по-прежнему ко всем внимателен. Если бы я его совсем не знал, если бы я не был знаком его жизнью и трудами, то только по одному тому, как он держит себя в последние дни, сказал бы, что это был большой и красивый человек! И так бессмысленно рано уходил от нас, полный знаний, мыслей, желаний, неисполненных добрых дел, в которые бы он посвятил нас через свои творения, если бы жестокая смерть не вырвала его из наших рядов.

Я шёл пешком по улице Правды, затем по Ленинградскому проспекту к центру столицы. Думал о силе и мужестве дорогого мне человека, которого я больше не увижу. Сергей Александрович умирал и, умирая, оставался Человеком с большой буквы, думал не только о себе, о своей смерти, а ещё сохранил интерес к другим. Вспоминал о Неручеве: «...В восемьдесят лет... не остудил сердца». Блокнот подарил...

Я думал о Борзенко, и мне часто приходили на ум прочитанные о Пушкине слова врачей, наблюдавших последние дни и часы жизни великого поэта. Доктор Арендт, которого нельзя было упрекнуть в излишней симпатии к Пушкину, говорил: «Я много раз видел смерть различных людей и на поле брани, и в мирных условиях, но я впервые встретился с проявлением мужества, силы воли и благородства, которые я наблюдал в последние часы жизни Пушкина». Он тяжело страдал от болей, но, кусая себе губы в кровь, сдерживался, чтобы не застонать. Врачи говорили ему: «...а ты постони, тебе легче будет!» — «Нет, нельзя мне стонать, — отвечал умирающий, — жена услышит — переживать будет».

Сергей Александрович Борзенко, несомненно, принадлежал к числу лучших людей своего народа.

Его жизнь была непрерывным подвигом. И умер он мужественно, не проронив слова.

Много раз мне приходилось наблюдать трагедии от болезней, и по-разному люди встречали надвигающуюся катастрофу. Вспоминаю рабочего Царькова, которому одному из первых я делал радикальную операцию по поводу рака пищевода. Сама операция прошла неплохо, он уже начал поправляться, когда присоединилось нагноение плевры. И сколько над ним ни бились, организм, ослабленный раковой болезнью, сопротивляться не мог, и все видели, что Михаил Иванович Царьков скоро умрёт. Чувствовал это и сам больной, но он держался мужественно.

Ни тени паникёрства, никакого намёка на упрёк, наоборот, он всё время нас успокаивал:

— Вы не терзайтесь. Вы сделали больше, чем в человеческих силах. Я всё это видел. Но что поделаешь, если мой организм подводит, ослаб от болезни.

А когда мы ему говорили, что он поправится, он, снисходительно улыбаясь, отвечал: «Зачем вы меня утешаете и говорите неправду? Я ведь все понимаю. Я вас хорошо изучил. И как вы стараетесь при мне напускать бодрость — я всё вижу. Да вы и не переживайте. Я славно пожил. Всю жизнь трудился, и если кто вспомнит меня, то только добрым словом. Я никого не обманул, ни за чей счёт не наживался. Жил скромно, но честно. Зла людям не делал...» И он действительно умер спокойно на моих глазах. Взглядом подозвал меня к себе поближе, взял мою руку, слабым движением пожал её, закрыл глаза и спокойно отошел в небытие...

Надолго останется в душе след от этих людей. После смерти Михаила Ивановича Царькова прошло почти тридцать лет, а он всё стоит передо мной. Были и другие примеры.

История народных бедствий даёт нам немало примеров того, как гибнут благородные люди и как умирают трусы.

Ведут на расстрел наших партизан, подпольщиков: взрослых, детей, стариков. Их бьют, они полуживые, но идут с гордо поднятой головой, поддерживая ослабевших. Ни стона, ни жалоб. Никто не просит ни милости, ни пощады и умирают героями.

Но вот схватили их палачей. Тех, кто только что гордо шагал рядом с ними, насмехался, унижал и бил беззащитных. Попались они сами, нависла угроза над ними, куда девался их боевой вид: жалкие и ничтожные, они валяются в ногах, умоляют их пощадить, сохранить им жизнь! Унижаются, плачут. А когда их всё же поведут на расстрел, они ведут себя как ничтожества, на которые противно смотреть...

Почему так по-разному проявляют себя люди в критические моменты жизни? Почему одни сохраняют своё человеческое достоинство до конца, другие умирают как слизняки?

Глубоко убеждён, что все дело в интеллекте, в существе человека, в его характере. Если человек умён, обладает высокой внутренней культурой, если он благороден, честен, добр, если он прост и скромен, свободолюбив и горд, любит свой народ и хочет ему блага, если он честно и красиво прожил жизнь, а целью всей жизни была идея добра, он сохранит своё человеческое достоинство до последней минуты.

Сама смерть есть жестокость для человека. Когда я смотрел во время панихид на своих мёртвых друзей, у меня появлялось ко всем переживаниям ещё и чувство обиды за них: что вот эти умные, гордые, сильные люди лежат бездыханные, сражённые смертью, покорные тем, перед которыми лежат, и всё зависит от этих людей, возвеличат ли они умершего или надругаются над ним.

Некрасиво и жалко умирают люди неблагородные и злые, с ограниченным интеллектом, с отсутствием внутренней культуры и человеческого достоинства, жизнь для которых проходила с постоянными мыслями — потуже набить свой желудок вкусной едой, вином, накопить как можно больше драгоценных вещей. Они цепляются за жизнь, меньше всего думая о том, как они выглядят перед людьми, и не потому, что боятся, что их не вспомнят после смерти добрым словом.

Привыкшие к наслаждениям в жизни, они и самую жизнь считают своим удовольствием и не хотят поэтому с ней расставаться.

Если всё равно от смерти не уйти, то лучше отнестись к ней философски и умереть достойно, а страдания свои запрятать от людских глаз. И это нужно делать опять-таки не для себя, а для людей, которым ещё жить и которые должны в жизни подражать достойным.

Сергей Александрович Борзенко прожил свою жизнь красиво. А по-настоящему жить красиво — это значит быть увлечённым какой-то большой благородной идеей, интересным делом, направленным на добро людям, своему народу, своей стране. Жить красиво — это значит никогда, ни при каких обстоятельствах не терять своего человеческого достоинства.

Мы, атеисты, не верим в загробную жизнь, но мы верим в бессмертие добрых дел, и каждый из нас хотел бы внести свою лепту в эту общую копилку добра. При этом не столь уж существенно, будет ли эта лепта внесена при жизни или после смерти. Лишь бы было сделано благо для народа, народ поймёт и помянет всегда добрым словом.

А. С. Попов, изобретатель радио, писал: «Я русский, люблю всё русское и рад, что если не сейчас, то потомки наши поймут всю сущность и значение для человечества нового средства связи».

Нравственные начала приобретают особое значение в решении глобальной проблемы современности — в борьбе за мир. Советские люди, перенёсшие на своих плечах основные тяготы Второй мировой войны, хорошо знают, какие неисчислимые бедствия несёт народам неудержимая агрессия, тем более при нынешних варварских средствах массового уничтожения. Поставлена под угрозу цивилизация и жизнь в масштабах планеты.

Медицина по своей природе — самая благородная область человеческой деятельности. И закономерно, что советские медики, руководствуясь высокими принципами гуманизма, активно включились в движение «Врачи мира за предотвращение ядерной войны». Сопредседатель движения — советский академик Евгений Иванович Чазов. Да и в любых контактах с зарубежными коллегами мы неизменно стараемся представить миролюбивую политику своей Родины. Об этом я уже рассказывал в книге. Об этом мы часто говорили с Борзенко.

Когда расслаблялась душа, я с ощутимой болью вспоминал Борзенко. Он так и остался для меня эталоном гражданственности — не классическим, не хрестоматийным, а своим и потому особенно сильным. Этот «дух» не угас в нём до самой смерти.

— Время бежит быстро, — сказал я Петру Трофимовичу, когда однажды мы засиделись с ним допоздна.

Незаметно приблизилась полночь. Мы вышли на улицу.

— Вы говорите о жизни, о быстротечности дней?.. Он помолчал с минуту, а потом с твёрдостью в голосе добавил: — И всё равно: в жизни можно успеть сделать что-то полезное. Я мысленно представил себе путь, который выбрали такие учёные, как Н. Н. Петров, М. П. Чумаков, А. А. Смородинцев... Жизнь, прожитую Сергеем Александровичем Борзенко... Да, конечно, человек многое может сделать, если он — Человек.

Содержание

12+

Литературно-художественное издание

Серия «Медицинский бестселлер»

Углов Ф. Г.
Под белой мантией

Ведущий редактор М. П. Николаева
Корректор И.Н. Мокина
Технический редактор Н.И. Духанина
Компьютерная верстка П.М. Маврина

Подписано в печать 28.07.14. Формат 84х108/32. Усл. печ. л. 18,48.
Доп. тираж 2000 экз. Заказ № 5478.

Общероссийский классификатор продукции
ОК-005-93, том 2; 953000 – книги, брошюры

ООО «Издательство АСТ»
129085, Москва, Звездный бульвар, д. 21, строение 3, комната 5

Отпечатано с готовых файлов заказчика
в ОАО «Первая Образцовая типография»,
филиал «УЛЬЯНОВСКИЙ ДОМ ПЕЧАТИ»
432980, г. Ульяновск, ул. Гончарова, 14